Die Entstehung des

Japan

Ein Bericht über den Fortschritt Japans von der vorfeudalen Zeit bis zur verfassungsmäßigen Regierung und die Stellung einer Großmacht, mit Kapiteln über Religion, das komplexe Familiensystem, Bildung usw.

John Harington Gubbins

Writat

Diese Ausgabe erschien im Jahr 2023

ISBN: 9789359251035

Herausgegeben von
Writat
E-Mail: info@writat.com

Inhalt

VORWORT

Der Dank des Autors gilt Seiner Exzellenz Baron G. Hayashi, dem HIJM-Botschafter in London, der sich freundlicherweise an eine zuständige Behörde in Japan gewandt hat, um einen zweifelhaften Punkt im feudalen Landbesitz zu bestätigen; an Prinz Iwakura , Marquis Ōkubo und Marquis Kido für Fotografien von drei der bedeutenden Staatsmänner, deren Porträts erscheinen; Rechts ehrenwerter Sir Ernest Satow für die Mühe, die er sich beim Lesen des Manuskripts gemacht hat. aus dem Buch; an Sir EF Crowe, CMG , Handelsberater der britischen Botschaft in Tōkiō , für die sehr nützliche Hilfe, die er auf verschiedene Weise geleistet hat; und an Miss Maud Oxenden für ihre wertvolle Hilfe bei der Korrektur der Beweise.

KAPITEL I
Frühgeschichte – Die große Reform – Übernahme der chinesischen Kultur.

Es gibt viele Spekulationen, aber keine Gewissheit über die Herkunft des japanischen Volkes. Es wird jedoch allgemein angenommen, dass die japanische Rasse aus zwei Hauptelementen besteht – einem Mongolen, der aus Nordasien über Korea nach Japan kam, und einem Malaien; Ein dritter Stamm wird möglicherweise in geringem Umfang von den Ainu-Ureinwohnern geliefert, die die Eindringlinge bei der Besetzung des Landes vorfanden. Der vorherrschende Merkmalstyp ist mongolisch, obwohl wissenschaftliche Untersuchungen behaupten, Spuren der physischen Merkmale anderer asiatischer Rassen entdeckt zu haben.

Auch wenn die frühesten japanischen Aufzeichnungen dem Historiker wenig vertrauenswürdiges Material bieten, zeigen sie doch, wie die legendären Helden der mündlichen Überlieferung in den Händen aufeinanderfolgender Chronisten zu vergötterten Vorfahren der herrschenden Dynastie wurden, und zeigen den Übergangsprozess auf, durch den die Gefühle von Respekt und Respekt entstanden Die Bewunderung, die sie hervorriefen, entwickelte sich zu einem weit verbreiteten Glauben an die Quasi-Göttlichkeit japanischer Herrscher. In diesem Niemandsland, in dem es keine klaren Grenzen zwischen Fabel und Geschichte gibt, werden wir von Anfang an mit der primitiven einheimischen Religion konfrontiert und erkennen ihre Schwäche als zivilisierender Einfluss. Aus denselben Aufzeichnungen sowie aus spärlichen chinesischen Quellen entnehmen wir jedoch bestimmte allgemeine Fakten, die sich auf die frühe Entwicklung Japans beziehen. Man sieht, wie die chinesische Kultur schon sehr früh Einzug hält; wir hören von der Übernahme chinesischer Ideogramme irgendwann im fünften Jahrhundert, wobei die Japaner in dieser Hinsicht dem Beispiel ihrer koreanischen Nachbarn folgten , die wie sie selbst ursprünglich keine eigene Schriftsprache hatten; und wir erfahren von der Einführung des Buddhismus ein Jahrhundert später. Das Aufkommen des Buddhismus war ein bemerkenswerter Faktor für den Fortschritt Japans. Seine Missionare unterstützten die Verbreitung der chinesischen Schriftsprache und ebneten so den Weg für die Einführung der sogenannten Großen Reform im Jahr 645 n. Chr .

Die Große Reform gab dem ersten Jahr der japanischen Chronologie ihren Namen und der japanischen Geschichte ihr erstes bestimmtes Datum. Es war das Ergebnis einer Bewegung, deren Ziel die Wiederherstellung der Autorität des Throns war, die durch die separatistischen Tendenzen der Familie Sōga geschwächt worden war . Die damals in Anlehnung an die unter der T'ang- Dynastie in China vorgenommenen Veränderungen eingeführte neue Regierungsform war eine zentralisierte Bürokratie. Die oberste Kontrolle über die Angelegenheiten lag beim Staatsrat. In diesem Rat hatte der Premierminister den Vorsitz, und mit ihm waren die beiden stellvertretenden Staatsminister und der Präsident des Geheimen Rates verbunden. Von den acht Ausschüssen oder Außenministerien befassten sich fünf hauptsächlich, aber keineswegs ausschließlich, mit Angelegenheiten im Zusammenhang mit Zeremonien, Religion, Armee, Finanzen und Steuern; Die Geschäftsleitung der anderen drei war unmittelbarer mit dem kaiserlichen Hof verbunden. Es scheint jedoch keine ganz klare Geschäftsaufteilung gegeben zu haben, da die Interessen des Gerichts offenbar mit den Angelegenheiten der einzelnen Abteilungen vermischt sind. Dieser Wechsel in der Regierungsform war nur eine von vielen Folgen, die durch den Zustrom chinesischer Ideen zu dieser Zeit verursacht wurden. Der Einfluss der Welle der chinesischen Kultur, die über das Land hinwegfegte, durchdrang jeden Teil des nationalen Gefüges, veränderte das soziale System und legte den Grundstein für japanisches Recht, Bildung, Industrie und Kunst.

Später wurde die Einrichtung einer Regentschaft während der Minderheit eines regierenden Herrschers vorgesehen, wobei der Regent (Sesshō *)* aufgrund seines Amtes an der Spitze der offiziellen Hierarchie stand. Als die Regentschaft auslief, nahm der ehemalige Regent den Titel *Kwambaku* (oder *Sesshō-Kwambaku*) an und behielt seinen offiziellen Vorrang. Die beiden Ämter wurden später getrennt und wurden wie alle anderen Gerichtsämter, da die Autorität des Gerichts nachließ, zu bloßen Ehrentiteln. Sowohl Ämter als auch Ehrentitel waren in bestimmten Zweigen der Fujiwara-Familie erblich, die einzige Ausnahme von dieser Regel gab es im 16. Jahrhundert.

Erst im achten Jahrhundert entwickelten die Japaner eine eigene Schriftsprache. Die Koreaner hatten dies bereits getan, aber die beiden Schriftsprachen, die so zu dem hinzugefügt wurden, was aus China entlehnt wurde, haben nichts gemeinsam. Die japanische besteht aus zwei verschiedenen Schriften, die jeweils chinesischen Schriftzeichen nachempfunden sind. Die koreanische Schrift hat keine Ähnlichkeit mit der chinesischen. Beide Länder haben guten Grund, den Besitz von zwei gesprochenen und zwei geschriebenen Sprachen als einen sehr zweifelhaften Segen zu betrachten.

In diesem frühen Stadium der japanischen Geschichte stechen drei Dinge hervor: die Begrüßung ausländischer Ideen; die Dualität von Religion und Sprache; und die seltsame Atmosphäre der Göttlichkeit rund um den Thron, die durch einen einfachen Übergangsprozess von den Menschen als natürliches Merkmal ihres Landes und ihrer selbst angesehen wurde. Es ist daher nicht verwunderlich, dass in der Entwicklung Japans ständig zwei gegensätzliche Tendenzen am Werk sind: die Assimilation neuer Ideen aus dem Ausland und die Reaktion zugunsten einheimischer Institutionen. Zusammen mit der Bereitschaft, fremde Ideen zu übernehmen, wofür das siebte Jahrhundert so eindrucksvolle Zeugnisse ablegt, gab es einen starken Nationalstolz – den Glauben an die Überlegenheit Japans, des „Landes der Götter", gegenüber allen anderen Ländern. Die Existenz dieser beiden gegensätzlichen Strömungen des Volksgefühls, in denen Religion, Politik und Sprache eine Rolle spielen, lässt sich im gesamten Verlauf der japanischen Geschichte verfolgen.

Die Stärkung der Autorität des Throns, die durch die Große Reform bewirkt wurde, dauerte nur kurze Zeit, und die herrschende Macht ging bald wieder in die Hände einer anderen mächtigen Familie über, des Hauses Fujiwara. Aber die von China übernommene zentralisierte bürokratische Regierungsform überlebte und mit ihr die Fiktion einer direkten imperialen Herrschaft.

Während des langen Aufstiegs des Hauses Fujiwara, der sich über mehr als drei Jahrhunderte erstreckte, verfielen die Herrscher trotz der Annahme der anerkannten Titel chinesischer Kaiser in die Position bloßer Marionetten, die nach dem Willen der Patrizierherrscher abgesetzt werden konnten. Es ist jedoch wichtig anzumerken, dass weder die nominelle Autorität des Throninhabers noch die Macht der *De-facto-* Regierung während dieser Zeit und viele Jahre danach weit über das Zentrum Japans hinausgingen. Die Loyalität der Bezirksgouverneure im Süden und Westen wurde durch ihre Entfernung vom Verwaltungssitz bestimmt. Im Norden und Osten befand sich das Land wiederum im Besitz der Ainu-Ureinwohner, mit denen ein zielloser Krieg geführt wurde, bis sie schließlich auf die nördliche Insel Yezo vertrieben wurden .

Zu Beginn des zwölften Jahrhunderts endete das Fujiwara- *Regime* . Die nachfolgenden Verwalter waren Mitglieder der Taira-Familie, die nach und nach an Bedeutung gewonnen hatte und den vorherrschenden Einfluss im Land ausübte. Fünfzig Jahre später wurde ihre Position erfolgreich vom rivalisierenden Haus Minamoto herausgefordert, das wie seine beiden Vorgänger königliche Abstammung beanspruchen konnte. Der lange Kampf zwischen diesen beiden Häusern endete mit dem endgültigen Sturz der Familie Taira in der Seeschlacht von Dan-no- Ura (1155 n. Chr .) und der Einführung des Feudalsystems, also einer Militärregierung.

Yoritomo, der Minamoto-Führer, der dann an die Macht kam, erhielt vom Hof den Titel Shōgun (oder General), eine Abkürzung der umfassenderen Bezeichnung *Sei -i -Tai- Shōgun* . Dies könnte man mit „barbarisch unterdrückender Generalissimus" übersetzen und war der Begriff, der ursprünglich für Generäle verwendet wurde, die im Kampf gegen die Ainu-

Ureinwohner in den nordöstlichen Marschgebieten eingesetzt wurden. Mit der Annahme dieses Titels erhielt der Begriff selbst eine neue Bedeutung, denn er trat fortan nicht mehr als General einer Armee auf, sondern als virtueller Herrscher Japans. Sein Aufstieg an die Macht markiert eine neue Phase in der japanischen Geschichte, den Beginn eines dualen, auf Feudalismus basierenden Regierungssystems, das, abgesehen von einer kurzen Zeitspanne im 16. Jahrhundert, bis in die Neuzeit andauerte.

Mit der Bildung einer Militärregierung änderte sich die Einteilung der Gesellschaft. Von da an gab es drei anerkannte Gruppen des Volkes – die *Kugé* oder Hofaristokratie, die die frühere offizielle Hierarchie bildete, die immer verarmter wurde, als die Verbindung ihrer Mitglieder mit dem Land aufhörte, und allmählich in die Position eines vernachlässigbaren Faktors sank in der Nation; die *Buké* oder Militärklasse, zu der sowohl Daimiōs als auch ihre Gefolgsleute gehörten und aus der die neue offizielle Hierarchie gebildet wurde; und die *Minké* oder die allgemeine Öffentlichkeit, die aus Bauern, Handwerkern und Handwerkern oder Kaufleuten bestand, die in der genannten Reihenfolge rangierten.

Der Feudalismus war keine plötzliche Erscheinung. Es war kein Pilzwachstum einer Nacht. Die Bedeutung der Militärklasse hatte während des anhaltenden Bürgerkriegs, aus dem die Familie Minamoto als Sieger hervorgegangen war, stetig zugenommen. Dies und die zunehmende Schwäche der Regierung hatten zu einer Änderung der Provinzverwaltung geführt. Zivilgouverneure, die von der Hauptstadt abhängig waren, hatten nach und nach Militärbeamten mit erblichen Rechten Platz gemacht, die woanders nach Befehlen suchten; Die herrschaftlichen Besitzungen wurden zu Territorien mit Burgen zu ihrem Schutz ausgeweitet. und lokale Einnahmen flossen nicht mehr regelmäßig in die Staatskasse. Damit war in mehr als einer Hinsicht der Weg für den Feudalismus bereitet.

Das Gleiche gilt für das duale Verwaltungssystem, auch wenn die Frage hier weniger einfach ist. Aus all dem, was uns die Geschichte erzählt, und aus ihrem noch beredteren Schweigen gibt es gute Gründe, die Existenz einer direkten imperialen Herrschaft zu irgendeinem Zeitpunkt in Frage zu stellen. Wir hören von keinem Mikado, der jemals eine Armee im Feld anführte, Gesetze erließ oder Gerechtigkeit sprach oder tatsächlich eine der verschiedenen Funktionen erfüllte, die mit der Souveränität verbunden sind, mit Ausnahme derjenigen, die mit der öffentlichen Anbetung verbunden sind. Dieses Fehlen persönlicher Herrschaft, diese Tendenz, stellvertretend zu handeln, steht im Einklang mit der Atmosphäre der Unpersönlichkeit, die alles Japanische durchdringt und sich in der Sprache des Volkes widerspiegelt. Alles deutet darauf hin, dass sich der Eindruck bestätigt, dass das Ansehen der Souveränität in Japan eher in der Institution selbst als in der Persönlichkeit der Herrscher lag. Die lockere Art und Weise, wie die

Nachfolge geregelt wurde; der Auftritt auf dem Thron der Kaiserinnen in einem Land, in dem Frauen wenig Respekt entgegengebracht wurde; die wiederholt gezeigte Bevorzugung der Herrschaft Minderjähriger; die *Laisser-Aller*- Methoden der Adoption und Abdankung; die einfache Philosophie, die nichts Ungewöhnliches in der Verbindung von drei abgedankten oder klösterlichen Monarchen mit einem regierenden Herrscher sah; und die allgemeine Gleichgültigkeit der Öffentlichkeit gegenüber den Unglücksfällen, die dem Throninhaber von Zeit zu Zeit widerfuhren , weisen alle in die gleiche Richtung – den frühzeitigen Rückzug des Souveräns aus jeder aktiven Teilnahme an der Regierungsarbeit. Soweit es um die persönliche Herrschaft des Souveräns ging, scheint es daher nicht unangemessen, das zu dieser Zeit etablierte duale Regierungssystem als formelle Anerkennung dessen zu betrachten, was bereits existierte. Die Verbindung mit dem Feudalismus führte jedoch zu einer völlig neuen Entwicklung. Kiōto blieb tatsächlich weiterhin die Landeshauptstadt. Dort blieben die ehemaligen Staatsminister mit allen leeren Utensilien eines Beamtentums zurück, das aufgehört hatte zu regieren. Doch in Kamakura wurde ein neuer Verwaltungssitz eingerichtet, zu dem nach und nach alle fähigen Männer hingezogen wurden. Von da an wurde das Land von einer Militärregierung verwaltet, die vom Shōgun in Kamakura geleitet wurde, während der Souverän zurückgezogen in der Hauptstadt lebte, umgeben von einem Phantomgericht und einer untätigen offiziellen Hierarchie.

In dieser Regierungsfrage gibt es noch einiges zu klären. Es sollte klar sein, dass der Shōgun ebenso wenig persönlich regierte wie der Mikado. Was man mangels eines besseren Namens als Galionsfigurenregierungssystem bezeichnen könnte, ist im gesamten Verlauf der japanischen Geschichte spürbar. Reale und nominelle Macht werden selten kombiniert gesehen, weder gesellschaftlich noch politisch. Die Familie, die die Einheit der Gesellschaft darstellt, wird nominell von dem Individuum kontrolliert, das ihr Oberhaupt ist. In den meisten Fällen handelt es sich jedoch praktisch um eine Galionsfigur, da die eigentliche Macht bei der Gruppe der Verwandten liegt, die den Familienrat bilden. Das gleiche Prinzip galt für die Verwaltung feudaler Territorien. Diese wurden nicht von den Feudalherren selbst verwaltet. Die Kontrolle wurde einer besonderen Klasse erblicher Gefolgsleute anvertraut. Auch hier war die Autorität jedoch eher nomineller als realer Natur, da die Leitung der Angelegenheiten in der Regel der aktiveren Intelligenz von Gefolgsleuten niedrigeren Ranges überlassen blieb. Ebenso war der Shōgun meist nur eine Marionette in den Händen seines Rates, dessen Mitglieder wiederum von untergeordneten Amtsträgern kontrolliert wurden. Diese Vorliebe für die Stellvertreterherrschaft wurde durch die Bräuche der Adoption und Abdankung gefördert, deren Auswirkungen sich sowohl bei Mikado als auch bei Shōgun in der Kürze der

Regierungszeit oder Verwaltung und der Häufigkeit der Herrschaft Minderjähriger zeigten.

Der höchst künstliche und tatsächlich widersprüchliche Charakter, der die gesamte japanische Verwaltung auszeichnete, hatte gewisse Vorteile. Es wurde festgestellt, dass eine Abdankung in der Praxis nicht unvereinbar mit einer aktiven, wenn auch nicht anerkannten Überwachung der Angelegenheiten ist. Es stellte auch eine bequeme Methode dar, Personen loszuwerden, deren Anwesenheit im Amt aus irgendeinem Grund unpraktisch war. Auch in einer Gesellschaft, in der Adoption eher die Regel als die Ausnahme war, stellte das Scheitern eines direkten Thronfolgers oder Shōgunats kaum Schwierigkeiten dar. Es war eine Angelegenheit, die vom Staatsrat geregelt werden musste, so wie in weniger anspruchsvollen Bereichen solche Angelegenheiten dem Familienrat übertragen wurden. Nachfolgefragen wurden dadurch erheblich vereinfacht. Darüber hinaus lag in diesem Widerspruch zwischen Schein und Wirklichkeit, in der Beibehaltung des Schattens ohne die Substanz der Macht, die Stärke sowohl der Monarchie als auch des Shōgunats . Es war in der Tat das Geheimnis ihrer Stabilität und erklärt die ungebrochene Kontinuität der Dynastie, auf die die Nation stolz ist. Unter einem solchen System löste die Schwäche oder Inkompetenz nomineller Herrscher keine heftigen Erschütterungen im Staatswesen aus. Die Regierungsmaschinerie funktionierte reibungslos, unbeeinflusst von der Persönlichkeit derjenigen, die theoretisch für ihre Kontrolle verantwortlich waren; und im Laufe der Zeit verstärkte sich überall die Tendenz des Amtes, sich von der Wahrnehmung der nominell damit verbundenen Pflichten zu lösen, mit dem Ergebnis, dass in den letzten Tagen des Shōgunats die Verwaltungspolitik größtenteils am Regierungssitz von untergeordneten Beamten beeinflusst wurde . und in den Clans durch Gefolgsleute von geringerem Ansehen.

Die Frage der Doppelregierung, die zu diesem langen Exkurs geführt hat, war für Ausländer mehr oder weniger ein Rätsel, seit jesuitische Missionare Shōguns zum ersten Mal mit Mikados verwechselten ; und erst nach der Aushandlung der ersten Verträge mit Westmächten wurde entdeckt, dass der Titel „Tycoon“, der dem japanischen Herrscher in diesen Dokumenten verliehen wurde, für diesen Anlass übernommen worden war, in Übereinstimmung mit einem Präzedenzfall, der viele Jahre zuvor geschaffen wurde um die Tatsache zu verbergen, dass der Shōgun zwar Herrscher, aber nicht der Souverän war.

KAPITEL II

Etablierung des Feudalismus und der Duarchie – Das Shōgunat und der Thron – Frühe Außenbeziehungen – Christliche Verfolgung und Schließung des Landes.

Die Schicksale der ersten Linie der Kamakura- Shōguns , die nach dem dortigen Regierungssitz so genannt wurden, gaben keinen Hinweis auf die Dauerhaftigkeit der Duarchie , obwohl sie möglicherweise den Glauben an die Wahrheit des japanischen Sprichworts bestärkt haben, dass große Männer keine Erben haben . Keiner von Yoritomos Söhnen, die seine Nachfolge als Shōgun antraten , zeigte irgendeine Regierungsfähigkeit, die Leitung der Angelegenheiten fiel in die Hände von Mitgliedern der Hōjō- Familie, die sich durch eine weitere Ausweitung des Prinzips der Herrschaft durch Stellvertreter damit zufrieden gaben, anderen dies zu erlauben Rolle als Shōguns , während sie die eigentliche Macht mit dem Titel eines Regenten (*Shikken*) innehatten. Einige dieser Marionetten- Shōguns wurden aus der Familie Fujiwara ausgewählt, die das Land mehr als drei Jahrhunderte lang regiert hatte. Andere waren Nachkommen des Kaiserhauses. Diese Verbindung des Shōgunats mit der kaiserlichen Dynastie ist, wenn auch nur vorübergehend, ein erwähnenswerter Punkt, da sie unter anderen Umständen eher auf eine Dezentralisierung als auf eine Usurpation souveräner Rechte schließen ließe.

Im 13. Jahrhundert, während der Herrschaft des Hōjō -Regenten Tokimuné , kam es zu den Invasionen der Mongolen. Der amtierende Mikado war ein Jugendlicher von neunzehn Jahren; der Shōgun ein vierjähriger Säugling. In den sechs Jahrhunderten, die seit der großen Reform vergangen waren, kam es in den Ländern, die Japans nächste Nachbarn waren, zu bemerkenswerten Veränderungen . In China wurde die Mongolen-Dynastie gegründet. In Korea waren die vier Staaten, in die die Halbinsel ursprünglich geteilt worden war, nach und nach verschwunden. An ihrer Stelle entstand ein neues Königreich, das damals zum ersten Mal seinen modernen Namen erhielt. Das neue Königreich behielt seine Unabhängigkeit nicht lange. Es wurde von den Armeen von Kublai Khan, dem dritten mongolischen Kaiser, angegriffen und gestürzt. Mitte des 13. Jahrhunderts hatte der König von Korea die Oberhoheit Chinas anerkannt. Anschließend wandte Kublai Khan seine Aufmerksamkeit Japan zu.

Damals war es Brauch, Glückwunschmissionen von einem Land an ein anderes zu schicken, wenn eine neue Dynastie gegründet wurde oder eine neue Herrschaft anfing. Die bei diesen Gelegenheiten ausgetauschten Geschenke wurden von dem Land, das sie anbot, üblicherweise als Geschenke und von dem Land, das sie spendete, als Tribut bezeichnet habe sie erhalten. Die Beziehungen zwischen Japan und dem neuen Königreich Korea waren im Großen und Ganzen freundschaftlich, wurden jedoch von Zeit zu Zeit durch Piratenüberfälle gestört, die offenbar häufig vorkamen. Doch nachdem Korea seine Unabhängigkeit verloren hatte , musste es sich mit China verbünden. Als Kublai Khan daher im Jahr 1268 einen Gesandten nach Japan schickte, um zu fragen, warum seit Beginn seiner Herrschaft keine Glückwunschmission vom japanischen Hof nach Peking gelangt sei, reiste der Bote natürlich über Korea und wurde von einem Gefolge begleitet Koreaner. Die Häfen in der Provinz Chikuzen im Norden von Kiūshiū , der südlichsten der japanischen Inseln, waren die Orte, über die damals die Kommunikation zwischen Japan und dem Festland stattfand; und in Dazaifu in dieser Provinz, dem Zentrum der örtlichen Verwaltung, überbrachte der Gesandte seinen Brief. Dabei handelte es sich praktisch um eine Tributforderung, und der Weigerung des Regenten, auf die Mitteilung überhaupt zu antworten, wurde im Sommer 1275 mit der Entsendung einer mongolischen Streitmacht in Begleitung eines koreanischen Kontingents beantwortet. Nachdem die Invasoren zunächst die Inseln Tsushima und Iki besetzt hatten, die praktische Sprungbretter zwischen Korea und Japan bilden, landeten sie in Kiūshiū im Nordwesten der bereits erwähnten Provinz. Nach einigen Tagen des Kampfes mussten sie wieder an Bord gehen. Auf ihrem Rückzug gerieten sie in einen heftigen Sturm, und nur die zerschmetterten Überreste der Armada kehrten zurück, um die Geschichte zu erzählen. Eine zweite Invasion sechs Jahre später, die in weitaus größerem Maßstab geplant war und wie zuvor von koreanischen Hilfstruppen unterstützt wurde, erlitt ein ähnliches Schicksal. Bei dieser Gelegenheit kam es zu heftigeren Kämpfen. Die am Landeplatz in der Provinz Hizen eroberten Stellungen wurden einige Wochen von den Invasoren gehalten. Von da an kamen sie jedoch nicht weiter. Als sie sich schließlich in Unordnung zurückzogen, kam den Verteidigern erneut ein heftiger Sturm zu Hilfe und überwältigte die feindlichen Flotten. Die von Kublai Khan begonnenen Vorbereitungen für eine dritte Invasion wurden nach seinem Tod einige Jahre später aufgegeben. Von diesem Zeitpunkt an blieb Japan ungestört.

Die Umstände, die den Sturz der Hōjō- Regenten im Jahr 1333 und ihre Ersetzung durch die Ashikaga-Linie der Shōguns begleiteten, sind wegen des Lichts, das sie auf den Zustand des Landes werfen, und der instabilen und in der Tat lächerlichen Bedingungen, unter denen sich die Regierung befand, bemerkenswert weitergeführt. Für einen Moment schien es, als würde die Autorität des Gerichtshofs wiederbelebt. Doch mit dem Sturz der Regenten kam die Bewegung in diese Richtung zum Erliegen. Die Militärklasse zögerte natürlich, die Macht, die in ihre Hände gelangt war, aufzugeben; Die Position des Mikado wurde auch durch einen Streit um seine Rechte auf den Thron geschwächt. Er war gerade von der Verbannung zurückgekehrt und sofort wieder als Kaiser eingesetzt worden. Doch während seiner Abwesenheit war ein anderer Kaiser auf den Thron gesetzt worden, und es gab einige, die meinten, dieser habe ein Recht zu bleiben. Im vorigen Jahrhundert war gemäß dem Willen eines verstorbenen Kaisers vereinbart worden, dass der Thron abwechselnd von Nachkommen der höheren und jüngeren Zweige des Kaiserhauses besetzt werden sollte. Diese Regel war bei der Besetzung der durch die Verbannung des vorherigen Mikado frei gewordenen Stelle befolgt worden, und der Zweig des Kaiserhauses, der unter seiner Wiedereinsetzung gelitten hatte, weigerte sich, die Entscheidung zu akzeptieren. Jeder Thronanwärter fand Partisanen unter den feudalen Häuptlingen. So wurden zwei rivalisierende Gerichte gebildet, das nördliche und das südliche, die fast sechzig Jahre lang um die Krone stritten. Der Wettbewerb endete 1393 mit dem Triumph des Nordgerichts. Mit der Unterstützung der mächtigen Ashikaga-Familie hatte es schon früh im Verlauf des Kampfes seine Überlegenheit behauptet, und der Ashikaga-Anführer wurde 1338 Shōgun .

Die Herrschaft der Ashikaga- Shōguns dauerte bis zur Mitte des 16. Jahrhunderts, obwohl vor ihrem Ende mehrere Jahre lang andere in ihrem Namen die Kontrolle über die Angelegenheiten ausübten. In dieser Zeit, die das Wachstum von Kunst und Literatur begünstigte , wechselte der Regierungssitz ständig von Kamakura in die Hauptstadt und wieder zurück. Die ehemalige Stadt teilte das Schicksal der Dynastie und wurde nach ihrer Zerstörung nie wieder aufgebaut.

Anschließend kam es zu einem Bruch in der Abfolge der Shōguns . Die oberste Macht ging in die Hände der beiden Heerführer Nobunaga und Hidéyoshi über, von denen keiner eine Dynastie gründete oder den Titel Shōgun trug . Durch ihre Bemühungen wurde das Land nach und nach von der Anarchie befreit, die in den letzten Jahren der Ashikaga-Regierung entstanden war. Obwohl es hier und da im ganzen Land Bezirke gab, deren Feudalherren darauf bestanden, ihre Streitigkeiten selbst zu regeln, wurde eine stabilere Lage geschaffen und die Arbeit des Gründers der nächsten und letzten Linie der Shōguns wurde erheblich erleichtert .

Europa hatte schon lange zuvor durch die Schriften des venezianischen Reisenden Marco Polo von Japan gehört, der den Hof von Kublai Khan besucht und dort vom Scheitern der Mongoleneinfälle erfahren hatte. Es dauerte jedoch bis zur Mitte des 16. Jahrhunderts, während der Machtübernahme des ersten der beiden oben genannten Heerführer, dass der Verkehr mit europäischen Ländern aufgenommen wurde. Die Portugiesen waren die ersten, die kamen, und das aus diesem Grund. Portugal befand sich damals auf dem Höhepunkt seiner Größe als Seemacht; und durch die Bullen von Papst Alexander VI., die die in Asien und Amerika entdeckten neuen Länder zwischen ihm und Spanien aufteilten, waren die

Gebiete in Asien ihm zugefallen. Es besteht eine gewisse Unsicherheit hinsichtlich des genauen Datums, an dem der neue westliche Verkehr begann, und hinsichtlich der Identität der ersten Ankömmlinge. Die meisten Autoritäten stimmen jedoch darin überein, dass die ersten europäischen Entdecker Japans drei portugiesische Abenteurer waren, die im Verlauf einer Reise von Siam nach China im Sommer oder Herbst 1542 von einem Sturm an der Küste von Tanégashima vertrieben wurden . eine kleine Insel, die auf halbem Weg zwischen der Südspitze der Provinz Satsuma und Loochoo liegt . Den gelandeten Abenteurern gelang es, die Ladung ihres Schiffes, das ursprünglich für chinesische Häfen bestimmt war, loszuwerden. Ihre Kenntnisse über Schusswaffen machten einen positiven Eindruck, und so wurde der Beginn eines Handels mit den portugiesischen Besitztümern und Siedlungen im Osten und mit dem Mutterland in Europa gelegt. Von größerem Interesse und größerer Bedeutung als dieser frühe Handel ist jedoch die Tatsache, dass das Christentum seine erste Einführung in Japan dem portugiesischen Unternehmertum verdankte.

Sieben Jahre nach der Ankunft dieser unfreiwilligen Händler, die die Nachricht von dem fremden Land verbreitet hatten, das sie entdeckt hatten, landete eines der zahlreichen portugiesischen Handelsschiffe, die auf diese Weise nach Japan gelockt wurden, in Kagoshima, der Hauptstadt der Provinz Satsuma, drei Missionare – Xavier, Torres und Fernandez. Von da an, bis zur Schließung des Landes für alle außer den Chinesen und Niederländern, war die Verbreitung des christlichen Glaubens und nicht der Fortschritt des Handels der wichtigste Faktor in Japans Außenbeziehungen.

Die Ankunft der ersten Missionare erfolgte zu einer Zeit, als die weit verbreitete Unruhe, die die letzten Jahre der Ashikaga-Regierung kennzeichnete, ihren Höhepunkt erreichte. Obwohl Nobunaga sich rasch eine Führungsposition verschaffte, hatte die Nation noch nicht das volle Gewicht der Hand gespürt, die zwanzig Jahre später die ersten Schritte zur Befriedung des Landes unternehmen sollte. Die Verwirrung der Verhältnisse begünstigte die Verbreitung der neuen Religion, wobei der Widerstand einiger der führenden Daimiōs , wie der Fürsten von Satsuma und Chōshiū , durch den Eifer anderer ausgeglichen wurde, vom Außenhandel zu profitieren, der mit den Missionaren einherging; während die buddhistische Feindseligkeit viel von ihrer Schärfe verlor, nachdem die Macht der militanten Priesterschaft durch Nobunaga gelähmt worden war.

Dessen Nachfolger Hidéyoshi , den die Japaner als ihr größtes militärisches Genie betrachten, teilte weder seine Sympathie für das Christentum noch seine Abneigung gegen den Buddhismus. Fragen der Religion gegenüber schien er gleichgültig zu sein, sein einziges Ziel bestand offenbar darin, Japan zum Herrscher zu machen. In einer Reihe von Feldzügen in verschiedenen Teilen des Landes überwand er den Widerstand eines Feudalhäuptlings nach dem anderen, wobei der Daimiō von Satsuma der letzte war, der sich seiner Autorität unterwarf . Sein Aufstieg beraubte das Christentum des Vorteils, den es zuvor aus der unruhigen Lage des Landes gezogen hatte. Nachdem Hidéyoshi sein Ziel erreicht hatte, änderte er plötzlich seine Haltung und erließ 1587 ein Edikt gegen das Christentum. Infolge dieses Edikts wurden die Missionare aus der Hauptstadt vertrieben und die dortige christliche Kirche niedergerissen. Obwohl die Christenverfolgung aus dieser Zeit stammt, wurde sie zunächst nicht mit großer Energie verfolgt. Zweifellos war sich Hidéyoshi des Zusammenhangs zwischen Christentum und Außenhandel bewusst, und in seinem Wunsch, von Letzterem zu profitieren, gab er sich damit zufrieden, die Dinge nicht auf die Spitze zu treiben. Es könnte auch etwas Wahres an der Behauptung der Mitautoren von *A History of Japan* (1542–61) liegen, dass er nicht bereit war, den Unmut der zahlreichen Daimiōs im Süden Japans auf sich zu ziehen, die die neue Religion begrüßt hatten. Wie dem auch sei, die Anfangsphase der Verfolgung hatte offenbar keinen großen Einfluss auf die Missionstätigkeit. Wir hören nichts von einem Rückgang der Zahl der Konvertiten, die zu diesem Zeitpunkt insgesamt knapp unter einer Million gelegen haben soll.

Fast ein halbes Jahrhundert lang hatten die Jesuiten das Feld der Missionsarbeit in Japan für sich allein. Dieser Tatsache war vor allem die Verbreitung der neuen Religion zu verdanken. Im Jahr 1591 änderte sich die Lage jedoch durch die Ankunft von Mitgliedern anderer Orden, die im Gefolge eines spanischen Botschafters von den Philippinen kamen. Dieses Eindringen – das später die formelle Zustimmung des Papstes erhielt – wurde von den Jesuiten missbilligt; und die Stellung der christlichen Kirche, die bereits durch die Verfolgung geschwächt war, wurde durch die bald darauf ausbrechenden Streitigkeiten zwischen ihr und den Neuankömmlingen nicht verbessert. Was das Ergebnis dieser Veränderung der Situation gewesen wäre, wenn Hidéyoshis Aufmerksamkeit nicht anderswohin gelenkt worden wäre, lässt sich unmöglich sagen. In diesem Moment fand sein Ehrgeiz jedoch ein neues Ventil. Da er nun zu Hause überlegen war, hatte er die Idee, durch Eroberungen im Ausland neuen Ruhm zu erlangen. Zu diesem Zweck startete er eine Invasion in Korea, mit der Absicht, seine Operationen schließlich auf China auszudehnen. Sein Vorwand für die Invasion der benachbarten Halbinsel, wie Kublai Khan im Fall Japans, soll gewesen sein, dass Korea sich geweigert oder es versäumt habe, die üblichen regelmäßigen Missionen zu entsenden. Einem anderen, vielleicht korrekteren Bericht zufolge verlangte er, dass Korea ihm bei der Invasion in China auf die gleiche Weise helfen sollte, wie es zwei Jahrhunderte zuvor den Mongolen bei ihrer Invasion in Japan geholfen hatte, eine Bitte, die es angeblich auch tat verächtlich abgelehnt.

Der Koreafeldzug, in dessen Verlauf sich ein christlicher Daimiō – Konishi , der Besitzer eines ausgedehnten Lehens in der Provinz Higo – hervorgetan hatte, begann im Frühjahr 1592, das letzte Landgefecht fand im Herbst 1598 statt. Der Krieg dauerte somit fast sieben Jahre. Die von Hidéyoshi getroffenen Vorbereitungen waren umfangreich. Die Invasionsarmee zählte, wenn man den damaligen Statistiken trauen kann, fast 200.000 kämpfende Männer. Da von Zeit zu Zeit Verstärkung aus Japan geschickt wurde, muss die Zahl der im Verlauf des Krieges von Anfang bis Ende eingesetzten Truppen eine sehr hohe Gesamtzahl erreicht haben. Hidéyoshi führte seine Armee nicht persönlich an, sondern leitete den allgemeinen Operationsplan von Japan aus. Die Japaner waren an Land zunächst überall erfolgreich, erlitten jedoch auf See einige schwerwiegende Rückschläge. Die Koreaner wurden aus ihrer Hauptstadt vertrieben und die Invasoren überrannten mehr als die Hälfte des Landes. Dann jedoch griff der Kaiser von China in den Kampf ein. Chinesische Armeen marschierten in Korea ein und der Sieg wendete sich gegen Japan. Dem Rückzug der Invasoren in Richtung Küste folgten Friedensangebote, die 1594 zur Einstellung der Feindseligkeiten führten. Doch die Verhandlungen, an denen China eine führende Rolle spielte, scheiterten und drei Jahre später landete eine zweite japanische Armee Korea. Bei dieser Gelegenheit stießen die japanischen Streitkräfte auf hartnäckigeren Widerstand. Chinesische Armeen kamen Korea erneut zu Hilfe, und als Hidéyoshi 1598 starb, war die japanische Regierung nur allzu bereit, Frieden zu schließen. Die Folgen des Krieges für Korea waren katastrophal. Die völlige Verwüstung, die überall dort angerichtet wurde, wo die japanischen Armeen eingedrungen waren, hinterließ Spuren, die nie ganz ausgelöscht wurden. Japan ging auch nicht mit irgendeinem Gewinn aus dem Kampf hervor. Als die Endabrechnung abgeschlossen war, musste sie für ihre verschwenderischen Ausgaben an Leben und Geld lediglich die Gründung einer Kolonie koreanischer Töpfer in Japan vorweisen, die als erste die bekannte Satsuma-Fayence herstellten, und das zweifelhafte Privileg, sie zu behalten ein kleiner Handelsposten am südlichen Ende der koreanischen Halbinsel.

Hidéyoshi beendet worden war, veränderte sich die Position der christlichen Kirche einige Jahre lang kaum. Erst 1614, als eine neue Linie von Shōguns das Land regierte, wurden strenge Maßnahmen gegen die neue Religion ergriffen. Das daraufhin erlassene Edikt ordnete die sofortige Ausweisung aller Missionare an, und seinem Erlass folgte ein heftiger Ausbruch der Verfolgung in allen Teilen Japans, in denen sich Konvertiten oder Missionare aufhielten.

Daimiō von Sendai geschickt wurde, dessen Lehen im Nordosten Japans lag

.

In der Zwischenzeit, im Jahr 1609, hatten sich niederländische Händler auf der Insel Hirado niedergelassen , wo sich ihnen vier Jahre später englische Händler der Ostindien-Kompanie anschlossen. Letztere verfügte nicht über die notwendigen Ressourcen für ein so weit entferntes Unternehmen, und die englische Marine war auch nicht stark genug, um das Unternehmen der Kompanie gegen die Holländer zu unterstützen, die damals den Portugiesen die Vorherrschaft in den östlichen Gewässern entrissen. Nach Ablauf von zehn Jahren wurde die Handelsstation daher aufgegeben.

Die Christenverfolgung dauerte mehr als zwanzig Jahre lang mit unterschiedlicher Intensität an und gipfelte im Aufstand von Shimabara im Jahr 1638. Mit der blutigen Niederschlagung dieses Aufstands, der sowohl auf lokale Misswirtschaft als auch auf religiöse Gründe zurückzuführen war, fällt der Vorhang über die frühe Geschichte des Christentums in Japan. Zwei Jahre zuvor, im Jahr 1636, verbot ein Erlass des dritten Shōgun , Iyémitsu , allen Japanern, ins Ausland zu gehen, reduzierte die Tonnage einheimischer Schiffe, so dass sie für Seereisen ungeeignet wurden, und schloss das Land für alle Ausländer außer den Chinesen und Niederländisch. Von dieser Maßnahme waren vor allem die Portugiesen betroffen, denn die Engländer hatten 1623 ihr Handelsunternehmen in Hirado aufgegeben , und im folgenden Jahr hatte der Abbruch der Beziehungen zu Spanien den Aufenthalt spanischer Untertanen beendet, was Xaviers Warnung rechtfertigte, dass die Der König von Spanien sollte vorsichtig sein, wie er sich in Japan einmischt, damit er sich nicht die Finger verbrennt. Dass die Niederländer der Vertreibung entkommen konnten, verdankten sie der Tatsache, dass die Japaner sie aufgrund ihrer offen zum Ausdruck gebrachten Feindseligkeit gegenüber der Form des Christentums, zu der sich die Missionare bekannten, überhaupt nicht als Christen betrachteten. In keinem Fall war das Schicksal der beiden bevorzugten Nationalitäten überhaupt beneidenswert. 1641 wurden die Holländer aus Hirado abgezogen und in Déshima , einem künstlichen Inselviertel der Stadt Nagasaki, interniert; und etwa fünfzig Jahre später wurden die Chinesen, die seit einem ungewissen Datum in diesem Hafen vergleichsweise ungehindert Handel trieben , in einer Umzäunung in der Nähe der niederländischen Siedlung eingesperrt. Als Staatsgefangene zahlten diese Händler hier teuer für die Handelsprivilegien, die sie genossen, und betrieben hier einen prekären und allmählich schwindenden Handel, bis Japan Mitte des 19. Jahrhunderts zum zweiten Mal für den ausländischen Verkehr geöffnet wurde.

KAPITEL III
Die Tokugawa Shōguns – Festigung der Duarchie .

Der Herrschaft von Hidéyoshi folgte die einer neuen Linie von Shōguns . Die Umstände, unter denen es gegründet wurde, sind bekannt. Beim Tod von Hidéyoshi im Jahr 1598 wurde die Regierung des Landes, während der Minderjährigkeit seines Sohnes Hidéyori , fünf feudalen Adligen anvertraut, die als Regenten fungierten. Der prominenteste unter ihnen war Tokugawa Iyéyasu , der Hidéyoshis Tochter geheiratet hatte und dessen feudale Gebiete aus den acht Provinzen im Osten der Hauptinsel, bekannt als Kwantō , bestanden . Bald kam es zu Streitigkeiten zwischen den Regenten, und ein Appell zu den Waffen führte zum entscheidenden Sieg von Iyéyasu bei Séki -ga-hara in der Nähe des Biwa-Sees. Das war im Oktober 1600. Im Jahr 1603 wurde er zum Shōgun ernannt, und zwölf Jahre später starb Hidéyori , die einzige Persönlichkeit, die seine Vormachtstellung in Frage stellen konnte , im sogenannten Ōsaka-Sommerfeldzug und hatte keinen gefährlichen Rivalen mehr. Zum ersten Mal in der japanischen Geschichte erstreckte sich die Autorität des Shōgunats auf ganz Japan. Das Prestige des vorherigen Herrschers war genauso groß und sein Ansehen auf diesem Gebiet höher, aber er stammte nicht wie sein Nachfolger aus Minamoto-Abstammung und konnte seine Abstammung auch nicht auf einen Kaiser zurückführen; Es gab abgelegene Bezirke im Land, in die sein Einfluss noch nicht vorgedrungen war, abgelegene Orte, in denen sein Einfluss nie gewirkt hatte. Bei der Gründung einer neuen Linie von Shōgunen sprachen für den neuen Herrscher weitere Umstände zu seinen Gunsten . Das Land war bürgerkriegsmüde und erschöpft; Die Kampfkraft und die Ressourcen unruhiger Häuptlinge waren durch lang anhaltende Feindseligkeiten geschwächt worden. und ein Großteil der Befriedungsarbeit war bereits erledigt.

Obwohl das Tokugawa- Shōgunat in seinen Grundzügen die Wiederholung einer früheren Regierung war, unterschied es sich in einigen wichtigen Punkten von früheren Regierungen.

Der dritte Shōgun , der für die Schließung des Landes verantwortliche Herrscher, gab dem neuen Regierungssystem den letzten Schliff; Aber es war mehr dem Genie seines Großvaters zu verdanken, dem Gründer der Linie, der es gestaltete, seinen Betrieb überwachte und posthume Anweisungen, bekannt als „Die Hundert Artikel“, hinterließ, um seine Einhaltung durch seine Nachfolger sicherzustellen. Japanische Autoren stimmen darin überein, dass „Die Hundert Artikel“ einen allgemeinen Überblick über das von Iyéyasu geschaffene Regierungssystem geben . Aber es ist eine sehr allgemeine Idee, ein bloßer Überblick über die Dinge, die wir auf diese Weise erfassen können. Um die Details des Bildes zu ergänzen, ist es notwendig, auf andere Informationsquellen zurückzugreifen.

Der Unterschied zwischen der Herrschaft von Iyéyasu und der früherer Shōguns lag in der vollständigeren Unterwerfung des kaiserlichen Hofes, in der größeren Reichweite seiner Autorität, die die seiner beiden unmittelbaren Vorgänger übertraf, und im hoch organisierten und stabilen Charakter des Kaiserhofs Verwaltung, die er gründete. Die von ihm in der Regierung des Landes vorgenommenen Änderungen können bequem unter den folgenden Überschriften betrachtet werden, wobei zu berücksichtigen ist, dass sie das Werk mehrerer Jahre waren und dass viele nach seiner frühen Abdankung im Jahr 1605 vorgenommen wurden, als er das Land regierte Land, im Namen seines Sohnes, des zweiten Shōgun :—

1.

Umverteilung feudaler Territorien.

2.

Stellung des feudalen Adels.

3.

Neuordnung der Zentralverwaltung.

4.

Beziehungen zwischen dem Hof und dem Shōgunat sowie zwischen dem Hof und den Hofadligen und dem feudalen Adel.

1. Der neue Shōgun folgte bei der Errichtung seiner Herrschaft dem Beispiel seiner Vorgänger. Karten, die die Verteilung der Feudalgebiete vor und nach dem Jahr 1600 und noch einmal nach dem Fall von Ōsaka im Jahr 1615 zeigen, zeigen den weitreichenden Charakter der Veränderungen, die er bei beiden Gelegenheiten vornahm. Infolge dieser Veränderungen waren die umfangreichsten Lehen zu Beginn der Tokugawa-Herrschaft die Lehen der drei Tokugawa-Häuser in den Provinzen Kii , Owari und Hitachi (Mito), zu denen möglicherweise noch die Lehen im Besitz der Daimiōs hinzukommen von Satsuma, Hizen , Chōshiū , Aki, Tosa , Kaga , Échizen , Sendai und Mutsu.

2. Vor der Gründung des Tokugawa- Shōgunats wurden die feudalen Adligen in drei Klassen eingeteilt: Provinzherren, Territorialherren und Burgherren. In der von Iyéyasu umgestalteten Organisation des feudalen Adels wurde diese alte Einteilung beibehalten, aber er schuf die drei Fürstenhäuser Owari , Kii und Mito (Hitachi), die zusammen *Gosanké genannt wurden* , und stellte sie an die Spitze des neuen Rangfolge. Aus den beiden erstgenannten Häusern wurden zusammen mit den *Gosankiō* , einer später gegründeten

Familiengruppe, die nachfolgenden Shōguns ausgewählt, da es keinen direkten Erben gab. Dem Vertreter des dritten Hauses – dem von Mito – wurde die Position des Beraters des Shōgunats zugewiesen, und er sollte eine entscheidende Stimme bei der Auswahl eines neuen Shōguns haben , wenn dies erforderlich wurde. Eine weitere wichtige Änderung war die Aufteilung des feudalen Adels in zwei große Klassen – die *Fudai* daimiōs oder erbliche Vasallen, die sich dem neuen Herrscher vor dem Fall von Ōsaka unterworfen hatten, und der *Tozama* daimiōs , der später seine Vormachtstellung anerkannt hatte. Nur die erstere Klasse hatte das Privileg, in den Staatsräten und in höheren Verwaltungsämtern eingesetzt zu werden. Auch zwei neue Feudalgruppen traten in Erscheinung: die *Hatamoto* oder Bannermen, die neben der Bereitstellung des Personals für die verschiedenen Außenministerien auch die weniger wichtigen Verwaltungsposten besetzten und deren Lehen in manchen Fällen im Umfang mit denen der kleineren Daimiōs konkurrierten ; und die *Gokénin* , eine Art Landadel.

Der neue Herrscher machte auch vollen Gebrauch vom Brauch, Geiseln aus den Feudalherren als Garantie für Loyalität zu behalten, eine Praxis, die unter dem zweiten und dritten Shōgun zu dem als *San-kin Kō -tai bekannten System ausgeweitet wurde* . Dies sah den Wohnsitz der Daimiōs abwechselnd in Yedo und in ihren Lehen vor, wobei einige Mitglieder ihrer Familien dauerhaft in der Tokugawa-Hauptstadt festgehalten wurden, die ihre Wahl als Regierungssitz ihrer günstigen Lage für den damaligen Handel verdankte der Kopf der gleichnamigen Bucht. Darüber hinaus stellte das System der staatlichen Dienstleistungen (*Kokuyéki*), dem alle Daimiōs unterstanden, eine ergiebige Einnahmequelle für das Shōgunat dar und stärkte gleichzeitig die Autorität der Yedo- Regierung. Durch diese Mittel und durch die Ermutigung zur Prahlerei in jeder Form wurden die feudalen Adligen in strikter Unterwerfung gehalten, und die ständige Belastung ihrer Finanzen machte es ihnen schwer, der Armut zu entkommen. Allein die Kosten für ihre jährlichen Reisen von und zur Hauptstadt stellten eine schwere Belastung für ihre Ressourcen dar und waren die Hauptursache für die finanzielle Not, die zu einem späteren Zeitpunkt in vielen Daimiates herrschte . Ein weiterer und völlig unabhängiger Beweis für die unbestrittene Vormachtstellung des neuen Shōgun ist die Verleihung seines frühen Familiennamens Matsudaira nicht nur an alle Oberhäupter der mit ihm verbundenen feudalen Familien, sondern auch an viele der führenden Herren der Provinzen. Zu den anderen Empfängern dieses fragwürdigen Privilegs, das die Unterwerfung des feudalen Adels besiegelte, gehörten die Daimiōs von Satsuma, Chōshiū , Hizen , Tosa und Awa, deren Gefolgsleute eine herausragende Rolle bei der Restauration von 1868–69 spielten. In diesen letzteren Fällen wurden jedoch die alten Nachnamen abwechselnd mit den neuen Bezeichnungen verwendet.

3. Die Hauptmerkmale der Tokugawa-Verwaltung, wie sie von ihrem Gründer festgelegt und von seinen unmittelbaren Nachfolgern geändert wurde, blieben zweieinhalb Jahrhunderte lang praktisch unverändert. Seine Form war eine zentralisierte Bürokratie, die auf dem Feudalismus basierte. Die allgemeine Leitung der Angelegenheiten lag in den Händen eines oberen und eines unteren Staatsrates, deren Mitglieder aus *Fudai gewählt wurden* daimiōs unterschiedlicher Auszeichnung. Normalerweise gab es einen inneren Kreis von Staatsmännern, bei denen sowohl die Initiative als auch die Entscheidung lagen, während die unteren Ränge der Beamten hauptsächlich aus den *Hatamoto* rekrutiert wurden . Entscheidungen über schwerwiegende Staatsangelegenheiten in Notzeiten wurden bei Bedarf an die *Gosanké* und andere führende Daimiōs verwiesen , deren Beteiligung an diesen Beratungen jedoch oft eher nomineller als realer Natur war. Eine führende Rolle in der Verwaltung spielten auch die *Jisha-bugiō* oder Superintendenten buddhistischer und Shintō- Tempel. Trotz des religiösen Klangs ihrer Titel hatten diese leitenden Beamten eine wichtige Stimme in Staatsgeschäften aller Art. Es gab auch das *Hiō-jō-sho* . Dies war eine Institution, die der ursprünglich von den Kamakura Shōguns geschaffenen Institution ähnelte . Es wurde zu einer Zeit gegründet, als es keine klare Unterscheidung zwischen exekutiven und judikativen Angelegenheiten gab, und scheint die Funktionen eines Obersten Verwaltungsrats und eines Obersten Gerichtshofs vereint zu haben. Es befasste sich mit Fragen aller Art, sowohl der Exekutive als auch der Judikative, und unter der letztgenannten Überschrift sowohl Zivil- als auch Strafsachen, die von einem besonderen Büro namens Ketsudan-sho, dem Entscheidungsgericht, entschieden *wurden* . Die vor diesem Gremium behandelten Angelegenheiten reichten von Streitigkeiten über Land, Landwirtschaft und Steuern bis hin zu Fragen bezüglich der Grenzen von Lehen und Provinzen; von Beschwerden über das Verhalten des feudalen Adels und der Shōgunatsbeamten bis hin zu Einsprüchen gegen Entscheidungen lokaler Behörden. Die Mitglieder des Staatsrates hatten das Recht, an den Sitzungen des Gremiums teilzunehmen und wurden zu Überraschungsbesuchen ermutigt, um eine unparteiische Gerechtigkeit sicherzustellen. und aus dem gleichen Grund war offenbar in den früheren Tagen des Shōgunats die Anwesenheit des Shōgun selbst nicht ungewöhnlich. Ein ähnlicher Ausschuss in Ōsaka befasste sich mit Fragen, die ihm aus den Provinzen westlich von Kiōto vorgelegt wurden , sowie mit Einsprüchen gegen Entscheidungen lokaler Behörden in den betreffenden Bezirken.

Die Provinzverwaltung war je nach Ort unterschiedlich. Die sogenannten Shōgun- Domänen, die fast ein Drittel der Gesamtfläche des Landes ausmachten, wurden von Gouverneuren (*Daikwan*) verwaltet, die vom Shōgunat ernannt wurden . Dieses System herrschte auch in vielen Fudai vor Daimiates und in bestimmten Küstenstädten. Die Feudalgebiete im Rest des

Landes wurden, mit der genannten Ausnahme, von den Clanherrschern regiert. Eine allgemeine Aufsicht über die Angelegenheiten im ganzen Land wurde auch von einer besonderen Klasse von Beamten namens *Métsuké ausgeübt* . Zu ihren vielfältigen Funktionen gehörten die des reisenden Inspektors und des Bezirksrichters; sie wurden damit beauftragt, die Verwaltung feudaler Territorien zu untersuchen; und sie wurden häufig als Stellvertreter oder Assistenten von Gouverneuren, Delegierten und Kommissaren eingesetzt, wenn ihre Aufgabe darin bestand, das Verhalten ihrer Vorgesetzten zu überwachen und darüber zu berichten. Daher wurden sie von ausländischen Schriftstellern als Japan-Spione beschrieben – eine Beschreibung, die oft richtig war. Das System der Kommunalverwaltung basierte auf Gruppen von fünf Haushalten oder Familien, jeweils unter der Leitung eines Häuptlings, und war die Weiterentwicklung einer früheren Form der Stammes- oder patriarchalischen Regierung, die zur Zeit der Großen Reform in China eingeführt wurde. Der Anführer jeder Gruppe unterstand in Städten der Kontrolle des Oberstadtrats der Gemeinde und in Dörfern der des Bürgermeisters. Die Aufgaben dieser örtlichen Beamten, deren Posten oft erblich waren, bestanden darin, die Befehle der Zentralregierung bzw. der Feudalbehörden bekannt zu geben, die Justiz zu verwalten und Steuern einzutreiben.

Ein auffälliges Merkmal der Tokugawa-Verwaltung war die Doppelung von Ämtern. Darin kann eine Ähnlichkeit mit ähnlichen Bräuchen in anderen orientalischen Ländern wie Thibet, Siam und Nepal festgestellt werden, wobei die Tendenz, die diese Praxis inspirierte, möglicherweise eine der Ursachen für die Vorliebe der Nation für eine Doppelregierung war. Der Einsatz von *Métsuké* in vielen Fällen als Hilfsbeamte wurde bereits erwähnt. Der Brauch war weit verbreitet, erstreckte sich über alle Stufen der Beamtenschicht und überlebte in Loochoo bis zur Annexion dieses Fürstentums im Jahr 1879. Ein merkwürdiger Beweis für seine Verbreitung wurde zum Zeitpunkt der Verhandlungen des Vertrags von 1858 durch Großbritannien erbracht. Bestürzt über den Doppeltitel des britischen Unterhändlers, Lord Elgin und Kincardine , und aufgrund ihrer eigenen Vorgehensweise kamen die japanischen Beamten zu dem Schluss, dass zwei Gesandte entsandt worden waren, und als im Verlauf der Verhandlungen kein zweiter Gesandter erschien, Sie nutzten die Gelegenheit, sich nach der vermissten Kincardine zu erkundigen .

4. Im Umgang mit dem kaiserlichen Hof in Kiōto begnügte sich der neue Shōgun , was die äußeren Formalitäten betraf, damit, dem Beispiel früherer Regierungen zu folgen, führte jedoch unter dem Deckmantel der Konformität mit dem alten Brauch viele wichtige Änderungen ein. Die leeren Würden des Hofes wurden mit einer gewissen Verbesserung der zeremoniellen Etikette aufrechterhalten, allerdings ohne die

verschwenderische Zurschaustellung, die den Thron mit der Herrschaft seines Vorgängers in Einklang gebracht hatte. Gleichzeitig achtete er darauf, alle noch verbliebenen Spuren kaiserlicher Autorität einzuschränken. Zu den zu diesem Zweck ergriffenen Maßnahmen gehörte die Ernennung eines Einwohners (*Shoshidai*) in Kiōto und eines Gouverneurs (*Jōdai*) in Ōsaka; die Beschränkung des regierenden Kaisers und des klausurierten Ex-Monarchen (oder der Ex-Monarchen, denn es gab nicht selten gleichzeitig mehrere abgedankte Herrscher) auf ihre Paläste; und das Aufhören der kaiserlichen „Fortschritte" – der Name, der den kaiserlichen Besuchen von Schreinen gegeben wurde; die Isolation des Gerichts durch das Verbot, das feudale Adlige in der Hauptstadt besuchen durften, wobei ihnen selbst Besichtigungen nur innerhalb bestimmter festgelegter Grenzen und unter der Bedingung gestattet waren, für diesen Zweck eine Genehmigung zu beantragen; die Isolation des *Kugé* , des Hofadels, durch das Verbot von Ehen und allen Geldtransaktionen zwischen ihm und feudalen Familien; und die Neuorganisation der offiziellen Einrichtung des Gerichts, um es vollständiger unter die Kontrolle des Shōgunats zu bringen . Iyéyasu arrangierte auch die Verlobung seiner Enkelin mit dem Thronfolger, ein Bündnis, das in der Vergangenheit nicht ohne Beispiel war, und er erzwang eine strengere Aufsicht über den kaiserlichen Haushalt, die Bewegungen der Hofdamen und den Tagesablauf im Palast.

Eine Vorstellung von dem Zustand der Unterwürfigkeit, auf den der Thron reduziert wurde, und von der arroganten Position, die der neue Herrscher einnahm, kann man aus der Lektüre des „Gesetzes des Hofes und des Shōgunats " gewinnen, das in Verbindung mit dem „ „Das Gesetz des Reichsgerichts" und die „Hundert Artikel" werfen etwas Licht auf die neue Ordnung der Dinge. Eine der Bestimmungen des betreffenden Gesetzes übertrug den Schutz des Throns vor bösen Geistern vom Gericht auf das Shōgunat , indem das seit langem etablierte *Riōbu abgeschafft wurde Shintō*-Prozessionen in der Hauptstadt und durch die formelle Anerkennung der Shintō- Gottheit, von der dieser Schutz ausgehen sollte, als Schutzgottheit der Tokugawa-Familie. Dem Shōgun wurde somit die geistige Vormundschaft über den Thron übertragen, der materielle Schutz, den er bereits in seiner Eigenschaft als oberster Militärherrscher ausübte.

Obwohl der Krone nichts von der Substanz der Macht überlassen blieb, führte die bloße Tatsache, dass Autorität in ihrem Namen ausgeübt wurde, zu großen Spannungen in den Beziehungen zwischen Kiōto und Yedo und schuf eine Atmosphäre des Scheins, in der sich alles bewegte. Die Krone behielt weiterhin das nominelle Privileg, die begehrten Hoftitel zu verleihen. Seine nominelle Zustimmung war auch für die Einsetzung eines neuen Shōgun sowie für andere wichtige Staatsmaßnahmen erforderlich. Darüber hinaus beanspruchte es das Recht, zu zeremoniellen Bräuchen aller Art sowie zu Fragen der Ehe, Adoption, Abdankung und Erbfolge konsultiert zu werden. Daher führte die große Zahl an Fragen, die zwischen dem Gericht des Mikado in der Hauptstadt und der Yedo- Regierung zur Diskussion standen, natürlich zu einer umfangreichen Korrespondenz, deren offizielle Bedeutung jedoch durch die Anwesenheit des Shōgun- Residenten in der Hauptstadt gemindert wurde Kiōto . In den einzelnen offiziellen Beziehungen, die in dieser Korrespondenz aufgezeichnet werden, gibt es Hinweise auf eine feste Politik seitens des Shōgunats , die darauf abzielt, die Aufmerksamkeit des Throns von ernsten Angelegenheiten abzulenken und ihn mit den Einzelheiten komplizierter Zeremonien zu beschäftigen, und andererseits von ständigen, wenn auch erfolglosen Versuchen seitens des Gerichts, in die Vorrechte des Shōgun einzugreifen .

Ein oder zwei zufällig ausgewählte Beispiele aus der Geschichte der Tokugawa-Zeit werden veranschaulichen, wie das duale Regierungssystem in der Praxis funktionierte. wie wenig Spielraum dem Thron blieb, selbst in Angelegenheiten, die seiner direkten Kontrolle unterliegen könnten; und wie das Shōgunat , wann immer es zu Spannungen kam, stets seinen eigenen Weg ging.

Die erste Machtprobe zwischen Kiōto und Yedo fand kurz nach Iyéyasus Tod statt, als sein Sohn Hidétada Shōgun war . Die Schwierigkeiten waren auf einige Unregelmäßigkeiten im kaiserlichen Haushalt zurückzuführen. Die Tokugawa-Regierung steckte noch in den Kinderschuhen, und die Hofadligen zeigten eine Neigung, ihre Autorität anzufechten, wobei einige von ihnen indiskret genug waren, die Yedo- Behörden als östliche Barbaren zu bezeichnen. Der Shōgun nahm eine selbstherrliche Haltung ein. Er drohte damit, die Verbindung zwischen seiner Tochter und dem Kaiser abzubrechen , die bereits die kaiserliche Genehmigung erhalten hatte, und ging sogar so weit, anzudeuten, dass der Kaiser möglicherweise zum Abdanken aufgefordert werden würde. Seine Haltung hatte die gewünschte Wirkung. Der Hof beeilte sich, sein Unrecht einzugestehen, und die Angelegenheit endete mit der Verbannung von drei Adligen des Hofes.

Ein weiterer und schwerwiegenderer Streit ereignete sich nicht lange danach während der Herrschaft desselben Kaisers und während der Herrschaft des dritten Shōgun , dem viele der späteren Einfügungen in die frühen Tokugawa-Gesetze allgemein zugeschrieben werden. Der Grund für den Streit war eine triviale Angelegenheit – die vom Kaiser behauptete unregelmäßige Beförderung bestimmter Mitglieder des buddhistischen Klerus, die mit dem Hof verbunden waren, durch den Kaiser. Diesmal hatte es ein ernstes Ende. Der Kaiser , beschämt über das, was er als böswillige Beeinträchtigung seiner Autorität ansah, verzichtete auf die kaiserliche Würde und wurde von seiner Tochter, dem Kind der bereits erwähnten Tokugawa-Prinzessin, auf dem Thron abgelöst.

Ein dritter Fall, der für unseren Zweck praktisch ist, ist typisch für die Komplikationen, die sowohl bei der Thronfolge als auch bei der Ernennung zum Amt des Shōgun dadurch entstehen, dass es schwierig ist, den Brauch der Adoption mit den Geboten der kindlichen Frömmigkeit in Einklang zu bringen. wie es in der konfuzianischen Lehre festgelegt ist. Es war das Ende des 18. Jahrhunderts. Es gab damals einen achtjährigen Kaiser-Jungen und einen ein paar Jahre älteren Shōgun- Jungen. Jeder war von seinem Vorgänger adoptiert worden, der jeweils kurz darauf gestorben war, da die Thronfolge des jungen Kaisers etwa sechs Jahre vor der Ernennung des jungen Shōgun lag. Es war notwendig, einen Vormund für den jungen Shōgun zu ernennen , und einige Mitglieder des Yedo- Ministeriums wollten den Vater, der dem Hitotsubashi- Zweig der Tokugawa-Familie angehörte, für diesen Posten ernennen. Dieser Kurs erhielt die Unterstützung des Jungen Shōgun , der, um seinen kindlichen Respekt zu zeigen, seinen Vater mit dem Titel eines ehemaligen Shōgun (*Taigiōsho*) in dem Palast in Yedo einsetzen wollte, der für den Erben des Shōgun vorgesehen war . Der Vorschlag wurde von den anderen Ministern mit der Begründung abgelehnt, er verstoße gegen Präzedenzfälle und würde die öffentliche Moral stören, bei der zeremonielle Anstand, wie wir wissen, eine so wichtige Rolle spiele. Sollte der Adoptivelternteil zu Lebzeiten des leiblichen Vaters sterben – was in diesem Fall tatsächlich der Fall war –, so hieß es, könne dieser Anspruch darauf erheben, an seiner Stelle in die Adoptivfamilie aufgenommen zu werden, was zu einem Notfall führen würde Unannehmlichkeiten und Verwirrung. Während der Streit andauerte, wurde die Sache noch komplizierter, als ein ähnlicher Antrag des jungen Kaisers in Kiōto einging , der wünschte, sein Vater möge durch die Verleihung des Titels eines Ex-Kaisers geehrt werden. Es gab Präzedenzfälle für die in letzterem Fall beantragte Gunst , und sie wäre wahrscheinlich gewährt worden, wenn die Regierung nicht das Gefühl gehabt hätte, dass das Zugeständnis ihre Position gegenüber dem jungen Shōgun schwächen würde . Beide Anträge wurden daher abgelehnt; Daraufhin ereigneten sich, wie uns berichtet wird, stürmische Szenen im Yedo- Palast, in deren Verlauf der Shōgun sein Schwert gegen einen der beleidigenden Ratsmitglieder richtete und zwei oder drei Jahre lang ein wütender Briefwechsel zwischen Kiōto und Yedo andauerte . Am Ende wurde keinem Antrag stattgegeben, und die Minister, deren Rat obsiegte, hatten zumindest die Befriedigung, dass die befürchtete Gefahr für die öffentliche Moral abgewendet worden war.

Bevor wir dieses Kapitel abschließen , ist es vielleicht sinnvoll, einen Moment auf zwei Punkte einzugehen – die Begriffe, die in Japan zur Bezeichnung des Souveräns verwendet werden, und die Titel der Daimiōs .

Dass die Unpersönlichkeit, die alles Japanische umgibt und auf die bereits hingewiesen wurde, sich in den Begriffen zeigt, die zur Bezeichnung des

Souveräns verwendet werden, ist nicht überraschend. Es ist auch keineswegs verwunderlich, dass dazu Ausdrücke wie „Der Palast", „Das Innere des Palastes" und „Der Haushalt" gehören, denn Herrscher werden üblicherweise auf diese Weise bezeichnet, da dieser Brauch seinen Ursprung im Respekt hat. Merkwürdig ist, dass im Fall eines Souveräns, der von Anfang an als Gott verehrt wurde und so eng mit dem einheimischen Glauben verbunden ist, die Ausdrücke, unter denen er seinen Untertanen bekannt ist, mit einer Ausnahme aus China entlehnt sein sollten dass diese eine Ausnahme, der Name „Mikado", was „ Ehrenhaftes Tor" bedeutet, der am wenigsten verwendete Begriff sein sollte.

Der feudale Adel trug zwei Arten von Titeln: Territorialtitel und vom Hof verliehene offizielle Titel. Der Territorialtitel eines Daimiō bestand ursprünglich aus dem Wort *Kami*, verbunden mit dem Namen der Provinz, in der sein Territorium lag. Der Titel eines Daimiō bezog sich daher in der Frühzeit direkt auf die Provinz, in der sein Lehen lag. Im Laufe der Zeit blieb dieser Territorialtitel zwar allgemein gebräuchlich, daraus folgte jedoch keineswegs, dass ein Zusammenhang zwischen der jeweiligen genannten Provinz und dem tatsächlich von einem Daimiō besessenen Territorium bestand . Diese Änderung der Bedeutung des Titels hatte mehrere Ursachen: die Aufteilung von Ländereien, die ursprünglich einer einzelnen Person gehörten, auf mehrere Daimiōs , die Verlegung eines Daimiōs in ein anderes Lehen, auf das er oft seinen alten Titel trug, und auf die Bildung von Kadettenhäusern, die manchmal den Titel der Oberabteilung behielten. Die Vervielfachung ähnlicher Titel führte zu großer Verwirrung, und um dieser Unannehmlichkeit in den späteren Tagen des Shōgunats abzuhelfen, war ein Daimiō bei seiner Ernennung zum Staatsrat verpflichtet, seinen Titel zu ändern, wenn es sich um einen Titel handelte, der bereits von einem Staatsrat getragen wurde älteres Mitglied.

Die Geschichte der anderen oder offiziellen Titel ist diese. Als die Regierung des Landes aus den Händen der *Kugé* oder Hofadligen in die des Militärstandes überging, wurden die zuvor von den ersteren bekleideten offiziellen Posten durch Mitglieder des feudalen Adels besetzt, die dementsprechend die damit verbundenen offiziellen Titel annahmen diese Beiträge. Im Laufe der Zeit, als es zu sukzessiven Änderungen in den Einzelheiten der Verwaltung kam, wurden die Aufgaben dieser Ämter nur noch nominell, bis schließlich die Titel, von denen einige erblich geworden waren, nur noch ehrenhafte Auszeichnungen waren, die keinen Bezug mehr zu den Ämtern hatten Wahrnehmung offizieller Aufgaben. Zu Iyéyasus Zeiten gab es etwa sechzig dieser offiziellen Titel, die nominell ein Geschenk der Krone waren. Bis zum Ende des Shōgunats gab es viel Konkurrenz um diese Titel, was zu ständigen Intrigen zwischen dem kaiserlichen Hof und der Yedo- Regierung führte .

KAPITEL IV

Politische Bedingungen – Wiedereröffnung Japans für den Auslandsverkehr – Abschluss von Verträgen – Zerfall des Shōgunats .

Im vorangehenden Kapitel wurde der Tokugawa-Regierungszeit viel Raum eingeräumt. Hierfür gebührt dem Leser keine Entschuldigung. Die betreffende Zeit, die von der Nation als Ära des Großen Friedens in dankbarer Erinnerung gehalten wird, ist die wichtigste in der japanischen Geschichte. Diese Bedeutung verdankt es seiner langen Dauer; zum einzigartigen Charakter seiner Regierung – einer zentralisierten und autokratischen Bürokratie mit einem Hauch von Feudalismus; zu den Fortschritten, die in Literatur, Kunst und Industrie stattfanden; dass es der unmittelbare Vorläufer der sogenannten Meiji-Ära ist – der Herrschaft des verstorbenen Kaisers, die 1868 begann; und folglich auf die Tatsache, dass das japanische Volk, wie wir es heute sehen, mehr als jede andere das Produkt dieser Zeit ist. Bevor wir das Thema verlassen, ist es vielleicht angebracht, ganz kurz zu erklären, welche Art von Feudalsystem sozusagen die Grundlage der Tokugawa-Regierung bildete, denn ein Merkmal davon ist noch erhalten.

In seiner *Geschichte der Zivilisation Europas* erhebt Guizot im Namen des Feudalismus die Behauptung, dass er eine wesentliche Etappe in der Entwicklung der Nationen darstelle. Es spielte sicherlich eine sehr bedeutende Rolle in der Entwicklung Japans, die vom Ende des 12. Jahrhunderts bis zur Mitte des 19. Jahrhunderts dauerte, also über einen Zeitraum von mehr als siebenhundert Jahren. Der betreffende französische Autor und Staatsmann wäre jedoch möglicherweise überrascht gewesen, wenn er gewusst hätte, dass ein Merkmal des japanischen Feudalismus seine Abschaffung überleben würde, und dieses Merkmal ist auf dem europäischen Kontinent nicht bekannt.

Obwohl der japanische Feudalismus in seinem allgemeinen Charakter den zu verschiedenen Zeiten in den Kontinentalländern Europas vorherrschenden Feudalsystemen ähnelte, kam er in einer Hinsicht – der Stellung der Bevölkerung, die die Lehen bewohnte – näher an den Clantyp des schottischen Feudalismus heran; Allerdings mit dem wichtigen Unterschied, dass der schottische Clan eine Familien- oder Stammesorganisation war, während die Grundlage des japanischen Clans rein territorial war und die Clansmitglieder durch keine familiäre Verbindung zusammengehalten wurden. Das japanische Wort *Han* (aus China entlehnt), dessen übliche englische Wiedergabe „Clan“ ist, bezieht sich im feudalen Sinne nicht auf das zu einem Lehen gehörende Territorium, sondern auf die Menschen, die es bewohnen. In unruhigen Zeiten, die vor der Mitte des 16. Jahrhunderts die

Regel und nicht die Ausnahme waren, veränderte sich die Landkarte des feudalen Japan ständig. Das Gebiet eines Lehens vergrößerte oder verkleinerte sich entsprechend dem militärischen Schicksal des betreffenden Daimiō . und zeitweise verschwanden sowohl Lehen als auch Feudalbesitzer ganz. Auch bei den von Zeit zu Zeit in der Feudalkarte vorgenommenen Änderungen wurde keinerlei Rücksicht auf natürliche Grenzen genommen. Das Lehen eines Daimiō , oder mit anderen Worten, die Territorien eines Clans, kann aus der gesamten oder nur einem Teil einer Provinz, aus Teilen von zwei oder drei Provinzen oder sogar aus mehreren ganzen Provinzen bestehen, wie im Fall des Gründers der Tokugawa-Linie der Shōguns und einst von Mōri , „dem Herrn der zehn Provinzen". In früheren Zeiten wurde das Wort „Clan" (*Han*) nicht oft verwendet, da die Persönlichkeit des Daimiō des Lehens im Vordergrund stand. Als sich die Verhältnisse jedoch unter der friedlichen Herrschaft der Tokugawa- Shōguns besserten , wurden die Grenzen der Lehen fester und dauerhafter. Auch infolge dieser unkriegerischen Verhältnisse und der Ausbreitung der korrupten und verweichlichten Atmosphäre des kaiserlichen Hofes auf feudale Kreise zählte die Persönlichkeit eines Daimiō weniger, während der Begriff „Clan" allmählich gebräuchlicher wurde wird verwendet, um die Idee einer eigenständigen feudalen Gemeinschaft zum Ausdruck zu bringen, die ausschließlich durch territoriale Vereinigungen vereint ist. Diese wirkten wie überall auf Provinzebene, aber dort, wo Feudal- und Provinzgrenzen gleich waren, war die Bindung, die die Bevölkerung eines Lehens vereinte, natürlich stärker als anderswo. Eine Vorstellung davon, was der Clan in Japan wirklich war, ist notwendig, um zu verstehen, wie es dazu kam, dass der Clangeist überlebte, als der Feudalismus starb, und wie Japan heute, mehr als ein halbes Jahrhundert nach seiner Abschaffung, sein sollte regiert von dem, was die Japaner selbst als Clanregierung bezeichnen (*Hambatsu*) . *Seifu*).

Wir kommen nun zu einem neuen Kapitel in der Geschichte Japans – der Wiedereröffnung des Landes für den ausländischen Verkehr. Am Ende des Dramas, das mit der Vertreibung oder dem Tod aller Missionare und ihrer Konvertiten endete, waren die Niederländer und Chinesen, wie wir gesehen haben, die einzigen Ausländer, denen es gestattet war, mit Japan Handel zu treiben Die Japaner konnten urteilen, hatten keine Verbindung zum Christentum oder zu Missionaren. Das war etwa in der Mitte des 17. Jahrhunderts. In diesem Zustand blieb es bis zum Beginn des 19. Jahrhunderts, als der von den Händlern der beiden begünstigten Nationalitäten betriebene Handel bereits auf sehr geringe Ausmaße zurückgegangen war. In den letzten fünfzig Jahren dieses Handels fanden für Japan, den asiatischen Kontinent und die ganze Welt bedeutsame Veränderungen statt. Russland weitete seinen Wirkungskreis in Sibirien aus und drohte in Saghalin und den Kurilen zu einem aufdringlichen Nachbarn zu werden. Amerikanische Walfänger hatten im Ochotskischen Meer ein lukratives Geschäftsfeld entdeckt, während weiter südlich Landungstrupps dieser Schiffe die Bonin-Inseln nutzten, um Wasser und frischen Proviant zu beschaffen. Die Entwicklung der amerikanischen Pazifikküste hatte zur Eröffnung einer neuen Handelsroute mit dem asiatischen Festland geführt, für die die japanischen Inseln bequeme Anlaufhäfen boten. Und schließlich waren die Regierungen Großbritanniens und Frankreichs eifrig damit beschäftigt, die Barrieren konservativer Vorurteile niederzureißen, hinter denen sich China so lange verschanzt hatte. Diese Veränderungen, die teilweise auf die Einführung der Dampfschifffahrt zurückzuführen waren, führten zu einem plötzlichen und schnell wachsenden Anstieg der Besuche ausländischer Schiffe in Japan. Die Entwicklung der Dinge wurde von den Niederländern erkannt, die die japanischen Behörden warnten, dass der Moment nahte, in dem die Isolationspolitik nicht mehr ohne Gefahr für das Land verfolgt werden könne. Es brauchte nicht viel, um die Befürchtungen der Japaner zu erwecken. Sofort wurde ein Küstenverteidigungssystem aufgebaut. Die Bucht von Yedo und ihre Umgebung, das Binnenmeer und die Häfen in Kiūshiū , einschließlich der unmittelbaren Umgebung von Nagasaki, waren Orte, denen besondere Aufmerksamkeit geschenkt wurde. Aus den Erfahrungen ausländischer Schiffe, die durch einen Unfall oder ein Unternehmen in japanische Gewässer gelangten, aus den detaillierten Anweisungen, die regelmäßig von Yedo herausgegeben wurden, und aus den bei den Behörden eingegangenen Berichten über Bewegungen ausländischer Schiffe geht klar hervor, dass es in Japan nicht an Wachsamkeit mangelte Funktionsweise des Systems. Dennoch war es äußerst wirkungslos; ein Ergebnis, das unter den gegebenen Umständen nicht überraschend ist, da die Politik der Yedo- Regierung je nach dem Grad der Besorgnis, die derzeit in offiziellen Kreisen herrschte, unterschiedlich war und ein allgemeiner Wunsch bestand, sich der Verantwortung zu entziehen.

Drei Gründe inspirierten diese Besuche ausländischer Schiffe: der Bedarf an Proviant, die Suche nach Schiffbrüchigen oder die Rückführung schiffbrüchiger Japaner und der Wunsch, Handel zu treiben oder freundschaftliche Beziehungen aufzubauen, die zu diesem Ergebnis führen würden. Der Empfang war in keinem Fall ermutigend, obwohl klar zwischen Handelsschiffen und Kriegsschiffen unterschieden wurde. Dem ersteren wurde kaum Gnade erwiesen; aber Kriegsschiffe wurden mit mehr Respekt behandelt. Sie wurden kostenlos in und aus dem Hafen geschleppt und mit Proviant versorgt, für den kein Geld angenommen wurde.

Amerika war zu dieser Zeit aufgrund der Operationen seiner Walfänger im Pazifik und seiner Handelsroute nach China das Land, das am meisten an der Öffnung Japans für den Verkehr mit dem Ausland interessiert war. Die Regierung der Vereinigten Staaten beschloss daher, die Initiative zu ergreifen und sich darum zu bemühen , der japanischen Isolationspolitik ein Ende zu setzen. Dementsprechend traf Commodore Biddle im Jahr 1845 mit zwei Kriegsschiffen in Yedo ein, um Handelsbeziehungen zwischen den beiden Ländern aufzubauen. Es gelang ihm jedoch nicht, die japanische Regierung zu Verhandlungen zu diesem Thema zu bewegen. Sieben Jahre später wurde die Angelegenheit von der Regierung in Washington erneut aufgegriffen. Commodore Perry erhielt den Befehl, nach Japan zu reisen, um dort für eine humanere Behandlung der amerikanischen Seeleute zu sorgen, die an den Küsten Japans Schiffbrüchige erlitten. die Eröffnung eines oder mehrerer Häfen als Anlaufhäfen für amerikanische Schiffe und die Einrichtung eines Kohledepots zu erreichen ; und die Erlaubnis für den Handel in solchen Häfen zu erhalten, die geöffnet werden könnten. Die Absichten der Vereinigten Staaten wurden nicht geheim gehalten. Sie waren sowohl in Europa als auch in Amerika bekannt, wie Macfarlane in einem Schreiben aus dem Jahr 1852 erwähnt, und die Niederländer teilten dies den Japanern umgehend mit.

Am 8. Juli 1853 erreichte Perry den Hafen von Uraga , einer kleinen Bucht in der Bucht von Yedo , etwa dreißig Meilen von der heutigen Hauptstadt entfernt. Seine Anweisung lautete, die gewünschten Erleichterungen möglichst durch Überredung, notfalls aber auch durch Gewalt zu erlangen. Nach einigen Schwierigkeiten gelang es ihm, die japanischen Behörden dazu zu bewegen, den Brief des Präsidenten bei einem formellen Interview an Land zu erhalten. Gleichzeitig legte er einen Brief vor, in dem er eine humanere Behandlung der Schiffbrüchigen forderte, und wies auf die Torheit hin, an der Politik der Abgeschiedenheit festzuhalten . Er werde im nächsten Frühjahr mit weiteren Schiffen zurückkehren, fügte er hinzu, um die Antwort auf den Brief des Präsidenten zu erhalten.

Mit Perrys Ankunft erscheint der Shōgun unter einem neuen Titel, dem „Tycoon" (*Taikun*) oder „Großer Herr", ein Begriff, der erstmals in der Korrespondenz mit Korea verwendet wurde, um die Tatsache zu verbergen, dass der Shōgun nicht der Herrscher Japans war. Dies war das Wort, das in den früheren Verträgen mit ausländischen Mächten zur Bezeichnung des Shōgun gewählt wurde, und es ist der Name, unter dem er Ausländern allgemein bekannt war, bis die Restauration der von ihm vertretenen Regierung ein Ende setzte.

Bei Perrys Rückkehr im folgenden Jahr, 1854, bestand er darauf, weiter oben in der Bucht von Yedo vor der damaligen Poststadt und später dem offenen Hafen von Kanagawa zu ankern. In einem Dorf in der Nähe dieser Stelle, das heute als Stadt Yokohama bekannt ist, unterzeichnete er am 31. März den Vertrag, der die Häfen von Shimoda (in Kap Idzu) und Hakodaté (in Yezo) für amerikanische Schiffe öffnete – ersterer bei einmal, letzteres am Ende eines Jahres. Dieser Vertrag, der im folgenden Jahr ratifiziert wurde, war der erste Schritt zur Wiedereröffnung Japans für den Auslandsverkehr.

Auf Perrys Vertrag folgten ähnliche Vereinbarungen mit anderen Mächten – mit den Briten im Oktober desselben Jahres (1854) und im darauffolgenden Jahr mit den Russen und den Niederlanden.

Die Niederländer profitierten stark von der Neuausrichtung der Außenbeziehungen. Durch die vorläufige Vereinbarung von 1855 wurden die meisten demütigenden Beschränkungen, die mit dem Handelsprivileg einhergingen, aufgehoben; und zwei Jahre später durften sie „ ihre eigene oder die christliche Religion praktizieren “, eine Bestimmung, die darauf hindeutet, dass die japanische Vorstellung, sie seien keine Christen, von den Niederländern inspiriert war. Gleichzeitig wurden auch die Anordnungen bezüglich des Zertretens christlicher Embleme aufgehoben. Es gab immer noch einen gewissen Unterschied zwischen ihrer Position und der anderer Ausländer. Dies dauerte jedoch nur ein oder zwei Jahre. Mit der Umsetzung der späteren, ausgefeilteren Verträge war die Nation, die stolz auf ihre exklusiven Handelsprivilegien mit Japan gewesen war, froh, mit anderen Westmächten gleichgestellt zu sein.

Bei keiner der oben beschriebenen Vereinbarungen handelte es sich um reguläre Handelsverträge. Das erste, mit Amerika geschlossene Abkommen war lediglich ein Abkommen über die Gewährung bestimmter begrenzter Erleichterungen für Schifffahrt und Handel, wobei letzteres zweitrangig war. Der Zweck des britischen Vertrags, den Admiral Stirling während des Krimkrieges geschlossen hatte, bestand darin, Operationen gegen Russland in sibirischen Gewässern zu unterstützen. Die Russen ihrerseits wollten lediglich aus politischen Gründen in Japan Fuß fassen; während die Holländer vor allem darauf bedacht waren, der unwürdigen Stellung, die sie einnahmen, zu entkommen.

Erst 1858 wurden reguläre Handelsverträge abgeschlossen. Perrys Vertrag sah die Ernennung eines amerikanischen Generalkonsuls mit Sitz in Shimoda vor . Herr Townsend Harris wurde für die Stelle ausgewählt. Seine Ankunft war für die Japaner unwillkommen , die nicht mit der Durchsetzung der Bestimmung gerechnet hatten. Sie boykottierten ihn daher. Er konnte keine vertrauenswürdigen Informationen erhalten. Wenn er um etwas bat, wurde ihm dies mit der Begründung verweigert, dass es „im Widerspruch zum Gesetz des ehrenwerten Landes“ stünde. und seine Briefe wurden nicht beantwortet, weil „es nicht üblich war, auf Briefe von Ausländern zu antworten“. Dennoch hielt Harris trotz der japanischen Behinderung an seiner Aufgabe fest, die amerikanischen Beziehungen zu Japan auszubauen. Im Juni 1857 konnte er die Unterzeichnung einer Konvention vermelden, die die Perry zugestandenen Einrichtungen erheblich erweiterte; im Herbst desselben Jahres wurde er vom Shōgun als erster ordnungsgemäß akkreditierter Vertreter einer Westmacht in einer Audienz empfangen; im folgenden Februar waren die Verhandlungen über den neuen Vertrag praktisch abgeschlossen; und im Juli desselben Jahres (1858) wurde der Vertrag in Yedo Bay an Bord eines amerikanischen Kriegsschiffes unterzeichnet.

Die Verzögerung von fünf Monaten wurde durch die Entscheidung des Shōgunats verursacht, den Vertrag vor der Unterzeichnung an Kiōto zur Genehmigung des Throns weiterzuleiten . Dieser Verweis war nicht erforderlich. Das Recht des Shōgun , in solchen Angelegenheiten unabhängig zu handeln, war in den „Hundert Artikeln" festgehalten, und lange Bräuche hatten die so festgehaltene Regel bestätigt. Aber in der Verlegenheit und Besorgnis, die durch Perrys unerwarteten Besuch und noch weniger erwartete Forderungen verursacht wurden, war das Shōgunat von dieser Regel abgewichen und hatte die veraltete Formalität der kaiserlichen Sanktion wiederbelebt und gleichzeitig deren Geltung ausgeweitet. Das Gericht verweigerte seine Zustimmung zum vorgeschlagenen Vertrag, aber trotz dieser Ablehnung unterzeichneten die japanischen Unterhändler ihn; Die Minister des Shōgun wurden von der Nachricht vom Kriegsende in China und der bevorstehenden Ankunft britischer und französischer Botschafter sowie von den Darstellungen des amerikanischen Unterhändlers beeinflusst.

Verträge mit Großbritannien, mit Holland, mit Russland und mit Frankreich folgten in rascher Folge, die ersten drei wurden im August unterzeichnet, die letzten im Oktober. Alle vier gaben den Inhalt der amerikanischen Konvention mehr oder weniger genau wieder. Die Wahl offener Häfen in Perrys Vertrag war im Interesse des allgemeinen Handels unglücklich gewesen – aus Sorge um amerikanische Walfänger und aus Erwägungen im Zusammenhang mit Amerikas neuer Handelsroute nach China. Dieser Mangel wurde in den neuen Verträgen durch Bestimmungen zur Eröffnung zusätzlicher Häfen behoben. Außerdem wurden ein Tarif und ein System von Tonnagegebühren eingeführt. Ansonsten bestätigten oder erweiterten die neuen Verträge lediglich die Bestimmungen früherer Vereinbarungen. Sie erwiesen sich jedoch als Vorläufer einer ganzen Reihe praktisch einheitlicher Abkommen, die Japans Position vereinfachten und gleichzeitig den Umfang der Außenbeziehungen erweiterten. Einer der letzten, der geschlossen wurde, war der Österreichisch-Ungarische Vertrag von 1869, dessen englische Fassung zum „Original" oder maßgeblichen Text gemacht wurde. Aufgrund der Meistbegünstigungsklausel , die in all diesen Übereinkommen enthalten war, regelte dieses Instrument die Beziehungen Japans zu den Vertragsmächten, bis die neuen überarbeiteten Verträge im Jahr 1899 in Kraft traten. Als das japanische Volk sich dessen bewusst wurde Der Charakter dieser Verträge unterschied sich von denen, die westliche Regierungen untereinander geschlossen hatten. Daher wurde schon früh die Gelegenheit genutzt, gegen die Bestimmungen zu protestieren, die Ex-

Territorialität einräumten und einen niedrigen Zolltarif festlegten, sowie gegen das Revisionshindernis, das das Fehlen dieser Verträge darstellte Vereinbarungen mit beliebiger fester Laufzeit. Die dadurch verursachte Verärgerung führte später zu einer Agitation für eine Vertragsrevision, die viel dazu beitrug, die japanischen Gefühle gegenüber Ausländern zu verbittern. Die Beschwerde war nicht unnatürlich, aber man neigte dabei dazu, die Tatsache zu übersehen, dass sich die Stellung der Ausländer in Japan gemäß diesen Verträgen auch stark von ihrer Stellung gemäß anderen Verträgen anderswo unterschied. Die Aufenthalts- und Handelsrechte des Ausländers in Japan galten nur für die „offenen Häfen", während sich sein Reiserecht, außer mit einer nicht ohne weiteres erteilten Sondergenehmigung, nicht über einen engen Bereich derselben Häfen hinaus erstreckte, der als „Vertragsgrenzen" bekannt ist ." Der Rest des Landes blieb geschlossen. Diese Einschränkung der Möglichkeiten für den Handelsverkehr wurde darüber hinaus durch die Tatsache verstärkt, dass die Wahl zwischen „offenen" oder „Vertragshäfen", wie bereits erwähnt, nicht die beste war, die man hätte treffen können. Gegen ihren Willen gezwungen, dem Verkehr mit dem Ausland zuzustimmen, war nur zu erwarten, dass die Japaner versuchen würden, die Konzession wertlos zu machen, indem sie Häfen wählten , die für die Schifffahrt weder geeignet noch sicher waren, und Orte, die weit von Märkten entfernt waren, und dass ein ähnlicher Geist die Konzession diktieren würde Wahl der Standorte für ausländische Siedlungen. Dass die frühen Verhandlungsführer, die Japan vertraten, durch Unkenntnis der Grundsätze, die die internationalen Beziehungen regelten, behindert waren, ist unbestreitbar. Aber die Ungerechtigkeit der Bedingungen, gegen die protestiert wurde, war ihrer Meinung nach in Wirklichkeit ein Segen; denn, wie die Japaner selbst zugaben, diente es als starker Anreiz für den Fortschritt im Sinne der westlichen Zivilisation.

Im Laufe von fünf Jahren seit dem Datum von Perrys Vertrag hatte Japan neben anderen Vereinbarungen weniger formellen Charakters nicht weniger als dreizehn ausführliche Abkommen geschlossen. Eine so rasche Ausweitung des Auslandsverkehrs könnte auf ein Nachlassen der ausländerfeindlichen Gefühle und einen Rückgang des Widerstands gegen den Aufbau freundschaftlicher Beziehungen mit dem Ausland hinweisen. Dies war jedoch nicht der Fall. Die Verhandlungen über diese verschiedenen Abkommen wurden angesichts wachsender ausländerfeindlicher Proteste und inmitten politischer Verwirrung und Aufregung fortgesetzt – den Vorläufern einer Bewegung, die im Zusammenbruch der Tokugawa-Regierung enden sollte.

Um den weiteren Verlauf der Ereignisse verstehen zu können, ist ein noch so kurzer Hinweis auf die damalige politische Situation notwendig. Es wird sich zeigen, welche Komplikationen – ganz abgesehen von den

Peinlichkeiten, die sich aus der Wiederaufnahme des Auslandsverkehrs ergaben – durch die Inkonsequenz und den Ehrgeiz des Hofes, die Schwäche des Shōgunats und die Eifersüchteleien rivalisierender Staatsmänner verursacht wurden. Auf diese Weise kann man sich auch eine Vorstellung von der Unkenntnis ausländischer Angelegenheiten machen, die damals, außer in einigen offiziellen Kreisen, vorherrschte, und von der unbeholfenen Schüchternheit einer Politik, die hauptsächlich darin bestand, die Augen vor Tatsachen zu verschließen, die für jedermann offenkundig waren.

Seit der Errichtung der Tokugawa-Herrschaft gab es am Kiōto- Hof eine Partei, bestehend aus Hofadligen, die sich für die Ansprüche des Throns einsetzte, über seinen verlorenen Ruhm trauerte, seine Intrigen führte und einen gemeinsamen Groll gegen das hegte, was in seinen Augen erschien war eine Regierung von Usurpatoren. Der fatale Fehler des Shōgunats , sich auf Kiōto Perrys Forderungen nach der Wiedereröffnung des Auslandsverkehrs unter neuen und seltsamen Bedingungen zu berufen – eine Angelegenheit, die gemäß etabliertem Präzedenzfall in ihre eigene Zuständigkeit fiel – gab dieser Partei die Gelegenheit, das Lange wiederzubeleben veraltete Ansprüche des Gerichts. Die Gelegenheit wurde sofort genutzt. Die Partei hatte zu dieser Zeit mächtige Anhänger. Unter ihnen war die Hauptfigur der ehemalige Prinz von Mito. Zu Beginn des vorigen Jahrhunderts hatte sein Großvater, der zweite seiner Linie, eine Schule für Literatur und Politik gegründet, die sich für die kaiserliche Sache einsetzte und die einheimische Religion und Sprache im Gegensatz zu dem, was aus China übernommen wurde, förderte – einem Bekenntnis zu Prinzipien der neugierig auf einem führenden Mitglied des Tokugawa-Hauses saß. Der Ex-Prinz vertrat selbst dieselben Ansichten und war einige Jahre zuvor gezwungen worden, zugunsten seines ältesten Sohnes abzudanken, weil er die buddhistischen Tempel in seinem Lehen zerstört und ihre Glocken in Kanonen verwandelt hatte, angeblich um eine ausländische Invasion abzuwehren . Dem Ex-Prinzen gehörten der Tokugawa-Prinz von Owari und die einflussreichen Daimiōs von Chōshiū , Échizen , Tosa und Uwajima an, während unter den prominenten Clans des Südens und Westens ein großes Maß an Sympathie für die imperialen Ziele bestand. Die Anti- Shōgunat- Bewegung erhielt auch Hilfe von der turbulenten Klasse der Clanlosen *Samurai* , bekannt als *Rōnin , deren Zahl zu dieser Zeit aufgrund der wirtschaftlichen Not in den Feudalgebieten und der wachsenden Schwäche des* Shōgunats rasch zunahm . Die Anhänger des letzteren waren dagegen vor allem im Zentrum , im Norden und im Osten zu finden, allesamt alte Hochburgen der Tokugawa. Seine Hauptstärke lag jedoch darin, dass er *beatus possidens war* , d. h. über die Staatsmittel verfügte und in der Lage war, für den Thron zu sprechen; und in der Tatsache, dass die Tokugawa-Regierung aufgrund ihrer langen Dauer und der Vollständigkeit ihrer bürokratischen Organisation das Land so fest im Griff hatte, dass man nicht erwarten konnte, dass jede Sympathie, die man für die wiederbelebten imperialen Ansprüche hervorrufen könnte, ungerechtfertigt nachlassen würde es mangelt an materieller Unterstützung.

Ein weiterer Vorteil des Shōgunats war die Anwesenheit eines Ministers angesehener Abstammung, großer Fähigkeiten und Mutes in der Regierung, verbunden mit einer damals seltenen charakterlichen Unabhängigkeit. Das war das berühmte Ïi Kamon no Kami, allgemein bekannt als Tairō oder Regent, dessen Burgstadt Hikoné in der Nähe von Kiōto den Biwa-See überblickte. Die frühen Verbindungen seiner Familie machten ihn zu einem überzeugten Verfechter der Tokugawa-Herrschaft. Er wurde schnell zum führenden Geist des Ministeriums, und die liberalen Ansichten, die er offenbar in Bezug auf Vertragsabschlüsse und Auslandsverkehr vertrat, brachten ihn sofort in Konflikt mit dem kühnsten und kompromisslosesten Mitglied der Hofpartei – dem ehemaligen Prinzen von Mito. Die Meinungsverschiedenheiten zwischen ihnen zeigten sich erstmals in der Beratung, die der Thron vom Staatsrat und den führenden feudalen Adligen in der Frage der Unterzeichnung des amerikanischen Vertrags von 1858 einholte Hauptprotagonisten. Die Politik des Gerichts im Jahr 1853 war unverbindlich gewesen. Im Jahr 1855 hatte es den Verträgen offiziell zugestimmt, und der in Kiōto ansässige Shōgun- Bewohner berichtete, dass „der kaiserliche Geist nun beruhigt" sei. Dennoch ging der Kreuzzug der Hofpartei gegen den ausländischen Verkehr trotz dieser Zustimmung und trotz der Unterzeichnung neuer Verträge unvermindert weiter. Bei dieser Gelegenheit argumentierte der ehemalige Prinz von Mito entschieden gegen den Vertrag, während der Staatsrat die Ansichten von Ïi übernahm Kamon no Kami, der noch kein Regent war, empfahl die Unterzeichnung des Vertrags als den richtigen Weg. Aber die Frage, die die schärfste Rivalität und den erbittertsten Gegensatz zwischen den beiden Staatsmännern hervorrief, betraf die Nachfolge im Shōgunat .

Der Shōgun Iyésada , der 1853 ernannt wurde, war kinderlos, und wie es in solchen Fällen üblich war, oblag es ihm, einen Nachfolger auszuwählen und zu adoptieren. Der ehemalige Prinz von Mito wünschte, dass die Wahl auf einen seiner jüngeren Söhne fallen würde, den damals fünfzehnjährigen Kéiki , der nach seiner Adoption in die Familie Hitotsubashi für die Ernennung in Frage kam. Aber der neue Shōgun war erst neunundzwanzig und hatte es nicht eilig, einen Nachfolger aus einer anderen Familie auszuwählen. Darüber hinaus waren seine Beziehungen zum ehemaligen Prinzen von Mito nicht freundschaftlich; und es gab noch andere Einwände. Wenn er gezwungen wäre, einen Nachfolger zu adoptieren, würde seine eigene Wahl bekanntlich auf einen näheren Verwandten fallen, den jungen Prinzen von Kishiū , einen zehnjährigen Jungen. Der vom Shōgun bevorzugte Erbe war ebenfalls die Wahl von Ïi . Die Parteien, die die konkurrierenden Kandidaten unterstützten, waren nicht ungleich verteilt. Obwohl der Großteil des

Einflusses des Clans auf der Seite von Kéiki lag , der einige Jahre später der letzte der Tokugawa- Shōguns werden sollte, schloss sich ein Teil der Hofadligen dem Staatsrat an und befürwortete die Kandidatur des dahinter stehenden jungen Kishiū- Prinzen dem auch der Shōgun angehörte .

Die beiden strittigen Fragen waren also völlig unterschiedlich, wobei es sich bei der einen um eine Frage der Außen- und bei der anderen um die Innenpolitik handelte. Aber da beide Protagonisten die gleichen waren, sah es so aus, als ob die Seite, die in einer Ausgabe erfolgreich war, in beiden gewinnen würde. Und genau das ist passiert. Im Juni 1858, in der Zeit zwischen der zweiten und dritten Mission nach Kiōto im Zusammenhang mit der Unterzeichnung des amerikanischen Vertrags, wurde Ïi Regent – eine Ernennung, die sowohl in Notzeiten als auch während der Minderheit eines Shōgun gültig war. Das Ende des fast fünf Jahre andauernden Konflikts war nun in Sicht. Im Juli wurde, wie bereits erwähnt, der amerikanische Vertrag unterzeichnet. Noch bevor eine weitere Woche verstrichen war, wurde der junge Kishiū- Prinz zum Erben des Shōgunats ernannt . Zehn Tage später der Shōgun Iyésada starb.

KAPITEL V

Anti-Ausländer-Gefühl – Chōshiū- Rebellion – Mikados Ratifizierung der Verträge – Prinz Kéiki – Restaurationsbewegung – Bürgerkrieg – Sturz des Shōgunats .

Die Unterzeichnung des Vertrags wurde von der Hofpartei lautstark verurteilt, wobei der ehemalige Prinz von Mito unter den Protestierenden hervorstach. Er richtete eine heftig formulierte Protestkundgebung an den Staatsrat, in der er das Vorgehen der Regierung anprangerte, der Respektlosigkeit gegenüber dem Thron und Ungehorsam gegenüber den kaiserlichen Befehlen vorgeworfen wurde. Der Regent konterte, indem er seine Feinde sofort mit der ganzen Kraft seiner neu erworbenen Position und dem Prestige seines Erfolgs in der Nachfolgefrage attackierte. Der ehemalige Prinz von Mito und der Prinz von Owari waren auf ihre *Yashikis beschränkt* (ein Begriff, der auf die feudalen Residenzen angewendet wurde, die von Daimiōs während ihrer Dienstzeit in Yedo bewohnt wurden); während letzterer zusammen mit den Daimiōs von Échizen , Tosa und Uwajima zur Abdankung gezwungen wurde. Und als das Gericht angesichts dieser plötzlichen Wiederbehauptung der Autorität seitens des Shōgunats unruhig wurde und den Regenten oder einen der Gosanké nach Kiōto berief, um über die Situation zu berichten, wurde eine Antwort mit dem Inhalt versandt, dass der Regent festgenommen wurde durch Staatsangelegenheiten, und dass der ehemalige Prinz von Mito und der Prinz von Owari auf ihren Clan *Yashikis* beschränkt waren . Eine Mission – die dritte in Folge – ging jedoch von Yedo nach Kiōto . Dieses legte einen Bericht zum Thema des Vertrags vor, in dem die Gründe für seine Unterzeichnung vor der kaiserlichen Sanktion als die Ankunft weiterer russischer und amerikanischer Schiffe erläutert wurden. die Niederlage Chinas durch die Engländer und Franzosen; die Nachricht, dass diese beiden Länder Sondergesandte nach Japan entsandten, die den Auftrag hatten, die Angelegenheit mit hoher Hand voranzutreiben; und der Rat des amerikanischen Ministers, sofort zu unterschreiben. Die letztendliche Entscheidung des Gerichts zugunsten des Vertrags zeigte auf eindrucksvolle Weise die Perversität und Konsequenzlosigkeit, die das offizielle japanische Verfahren zu dieser Zeit kennzeichnete. Das Dekret, das die Zustimmung des Kaisers erteilte, brachte die Genugtuung zum Ausdruck, mit der der Thron die Zusicherung erhalten hatte, dass der Shōgun , der Regent und der Staatsrat alle dafür waren , Ausländer auf Distanz zu halten; und machte den Shōgun auf „die tiefe Besorgnis des Throns über das Meer in der Nähe der kaiserlichen Schreine und Kiōto sowie auf die Sicherheit der kaiserlichen Insignien“ aufmerksam, was einfacher ausgedrückt bedeutete, dass es keinen Hafen gab sollte in der Nähe von Isé oder der Hauptstadt eröffnet werden.

In Bezug auf dieses Dekret wurden aus zuverlässiger Quelle zwei Vorschläge gemacht: (1) dass die Agenten des Shōgun in Kiōto angewiesen wurden, alles zu akzeptieren, was die Tatsache beweist, dass eine Einigung mit dem Gericht zustande gekommen ist ; und (2) dass es den betreffenden Agenten gelang, das Gericht davon zu überzeugen, dass die Yedo- Regierung den Verkehr mit dem Ausland nicht wirklich befürwortete , obwohl die Unterzeichnung dieses speziellen Vertrags unvermeidlich war . Beide Vorschläge sind wahrscheinlich richtig. Auf jeden Fall zielte das Vorgehen des Gerichtshofs, die frühere Zustimmung des Throns zu früheren Verträgen zu ignorieren, darauf ab, den Widerstand gegen die Diplomatie des Shōgun zu verstärken , und war daher zweifellos für einige der späteren Schwierigkeiten im Auslandsverkehr verantwortlich, insbesondere im Zusammenhang mit der Öffnung des Hafens von Hiogo , der mit Zustimmung der Vertragsmächte auf Januar 1868 verschoben wurde.

Um zu zeigen, wie bedeutungslos die Zustimmung des Kaisers in Wirklichkeit war, kann man gut anmerken, dass der englische Text des fraglichen Vertrags den Austausch von Ratifikationen in Washington am oder vor dem 4. Juli 1859 vorsah, andernfalls jedoch Der Vertrag sollte jedoch zum fraglichen Zeitpunkt in Kraft treten. Der Vertrag trat am festgelegten Datum in Kraft, der Austausch der Ratifizierungen erfolgte jedoch erst 1860. Die Ratifizierung seitens Japans wird als Bestätigung des „Namens und Siegels Seiner Majestät des Tycoons“ beschrieben.

Die Feindseligkeit gegenüber Ausländern war zu dieser Zeit jedoch bei den meisten Japanern weit verbreitet, und selbst die Beamten des Shōgunats bildeten keine Ausnahme von der Regel. Japan-Autoren nennen als eine Ursache, die dieses Gefühl verstärkte, den Abfluss von Gold aus Japan, der bereits mit den Aktivitäten der ersten portugiesischen Händler einsetzte. Ein weiterer – von der japanischen Regierung selbst angeführter – war der starke Preisanstieg, der auf die Eröffnung der Vertragshäfen folgte. Sir Rutherford Alcock fügt in „The *Capital of the Tycoon*“ eine dritte hinzu – die Erinnerung an die Probleme im Zusammenhang mit der Christenverfolgung im 16. und 17. Jahrhundert und an die große Besorgnis, die die japanischen Behörden damals angesichts der unverhüllten Anmaßungen des Papstes hegten . Die Einigung, die der Regent mit dem Gerichtshof in Bezug auf die Vertragsfrage erzielte, trug wenig dazu bei, das Anwachsen der ausländerfeindlichen Gefühle einzudämmen, denn der Gerichtshof setzte seine Intrigen wie zuvor fort, und der Regent starb im Frühjahr 1860 durch Attentäter Der vom Ex-Prinzen von Mito angestiftete Krieg bot eine weitere Gelegenheit. Die Auswirkungen des erbitterten Anti-Ausländer-Kreuzzugs, den es damals begann, zeigten sich in der Ermordung des Sekretärs der amerikanischen Gesandtschaft, in den aufeinanderfolgenden Angriffen auf die britische Gesandtschaft und in anderen Gewalttaten, unter denen nicht nur Ausländer zu leiden hatten . Die Regierung gab dem Druck der öffentlichen Meinung nach und wurde fast offen feindselig. In dieser schwierigen Lage sahen die Vertreter der Vertragsmächte sowohl ihre Würde als auch ihre Sicherheit gefährdet. Sie könnten wohl fragen, welchen Nutzen es hätte, wenn man bei den japanischen Behörden gegen Taten protestierte, mit denen diese kaum ein Mitgefühl verheimlichten, vor denen sie nicht selten selbst warnten, vor denen sie aber nicht in der Lage oder nicht bereit waren, dagegen vorzugehen Schutz leisten? Unter diesen Umständen ist es nicht verwunderlich, dass sich die Vertreter Großbritanniens, Frankreichs, Deutschlands und Hollands 1862 vorübergehend aus der Hauptstadt nach Yokohama zurückgezogen haben – ein Beispiel, dem der amerikanische Vertreter nicht folgte; auch nicht, dass die britische Gesandtschaft bei ihrer Rückkehr auf Ersuchen der japanischen Regierung vier Wochen später trotz einer formellen Schutzgarantie sofort hätte angegriffen werden müssen. Für diesen Angriff, bei dem zwei Wachposten ermordet wurden, wurde anschließend eine Entschädigung gezahlt. Die Lage wurde noch verschärft durch die Ermordung von Herrn Richardson, einem britischen Staatsbürger, im September desselben Jahres (1862) auf der Landstraße in der Nähe von Yokohama durch den Leibwächter eines Satsuma-Adligen, Shimadzu Saburō, der auf dem Rückweg nach Kiōto war vom Shōgun- Hof in Yedo . Die Briten forderten eine formelle Entschuldigung für dieses Verbrechen und die Zahlung einer Entschädigung.

Die wachsende Macht des Hofes und der ausländerfeindlichen Partei, denn beide waren eins, zeigte sich auch in ihrem Verhalten gegenüber dem Shōgunat nach dem Tod des Regenten.

Die Anhänger des Ex-Prinzen von Mito – der seinen Gegner nur wenige Monate überlebte – erhoben erneut den Kopf, während die Freunde des verstorbenen Regenten ihrerseits aus dem Amt entlassen, mit Geldstrafen belegt, ins Gefängnis gesteckt oder verbannt wurden. Auch die Heirat des Shōgun mit der Schwester des Mikado im Frühjahr 1862 verbesserte die Beziehungen zwischen Kiōto und Yedo nicht wesentlich und milderte auch nicht die eigenmächtige Haltung des Hofes. Im Sommer desselben Jahres wurde der Shōgun zwangsweise nach Kiōto gerufen , wo er seit zweihundertfünfzig Jahren keinen Shōgun mehr gesehen hatte, um mit dem Gericht über die Ausweisung von Ausländern zu beraten. Prinz Kéiki , der erfolglose Kandidat für das Amt des Shōgun im Jahr 1858, wurde zum Regenten ernannt und bei dieser Gelegenheit zum Vormund seines Rivalen, des jungen Shōgun , ernannt Iyémochi , anstelle eines näheren und älteren Verwandten; während der ehemalige Prinz von Échizen , einer der Feinde des verstorbenen Regenten, zum Präsidenten des Staatsrates ernannt wurde. Damit nichts seinen Unmut über die vom Shōgunat in Bezug auf auswärtige Angelegenheiten eingenommene Position zum Ausdruck bringen sollte , ging das Gericht so weit, die Gemahlin des Shōgun zu befehlen , die bei ihrer Heirat dem Brauch entsprechend den üblichen Titel angenommen hatte unter diesen Umständen, zu ihrer früheren Bezeichnung als Prinzessin zurückzukehren. Weitere Zeichen der Zeit, die nicht nur den ausländerfeindlichen Geist des Hofes, sondern auch seine Entschlossenheit zeigten, die Autorität der Tokugawa an der Wurzel zu packen, konnten in Vorfällen wie der Lockerung der Wohnbedingungen feudaler Adliger in Yedo festgestellt werden und die Freilassung der Geiseln, die früher wegen ihres guten Benehmens in ihren Lehen gefordert wurden; die feierliche Festlegung eines Datums für die Einstellung jeglichen ausländischen Verkehrs auf einem Rat der Fürsten, an dem der Shōgun und seine Vormunde teilnahmen; die Wiederbelebung der Staatsprozessionen der Mikado zu Schreinen, die zu Beginn der Tokugawa-Herrschaft eingestellt worden waren; und der lange Aufenthalt feudaler Adliger in Kiōto , entgegen der Tokugawa-Verordnung, die es ihnen sogar verbot, die Hauptstadt ohne Erlaubnis zu besuchen – ein Schritt, der zeigte, dass sie keine Angst davor hatten, dass bekannt wurde, dass sie sich offen auf die Seite des Hofes stellten das Shōgunat . Der gleiche Geist war verantwortlich für den Versuch, den Shōgun und seinen Regenten-Vormund mit der Ablegung eines religiösen Eides zur Ausweisung von Ausländern in Verbindung zu bringen, und schließlich für die Tatsache, dass dabei so vieles geschah, was mit freundschaftlichen Beziehungen zu den Vertragsmächten unvereinbar war Eine an diese Mächte entsandte Mission war damit beschäftigt, sie davon zu überzeugen, der Verschiebung der für die Öffnung bestimmter Häfen und Orte für den Außenhandel und Wohnsitz festgelegten Termine um fünf Jahre zuzustimmen. Diese Zustimmung wurde erteilt und, soweit es Großbritannien betraf, im Londoner Protokoll vom 6. Juni 1862 festgehalten.

Die Übermittlung der Entscheidung zur Schließung des Landes an die ausländischen Vertreter erfolgte wie vereinbart ordnungsgemäß am 24. Juni. Aber daraus wurde nichts. Die ausländischen Regierungen weigerten sich, die Angelegenheit ernst zu nehmen, und deuteten lediglich an, dass Schritte zum Schutz ausländischer Interessen unternommen würden, und fünf Monate später forderte das Shōgunat die Rückgabe der Note.

Sir Rutherford Alcock kam im Verlauf einer ausführlichen Prüfung der Situation, in der er offenbar klar vorausgesehen hatte, dass die Wiedereröffnung des Landes schließlich zu einem Bürgerkrieg führen würde, – wenn auch unfreiwillig – zu dem Schluss, dass ausländische Regierungen, wenn sie dies wünschten um die Einhaltung der Verträge sicherzustellen, muss man zur Anwendung von Gewalt und zu Repressalien bereit sein; Tatsächlich würde dieser Widerstand gegen den Verkehr mit dem Ausland nicht aufhören, bis die Nation durch drastische Maßnahmen von der

Fähigkeit ausländischer Mächte überzeugt worden wäre, ihre Vertragsrechte respektieren zu lassen. Die Wirkung der Repressalien der britischen Regierung im Richardson-Fall, in deren Verlauf die Stadt Kagoshima bombardiert und teilweise zerstört wurde, sowie die Forderung einer Entschädigung bewiesen in gewisser Weise die Richtigkeit dieser Ansicht. Sein Wahrheitsgehalt wurde noch deutlicher, als sich ein zweiter und schwerwiegenderer Vorfall ereignete. Dabei handelte es sich um den Beschuss ausländischer Schiffe in der Straße von Shimonoséki durch Chōshiū -Festungen am 24. Juni 1863. Der Tag, an dem sich die Empörung ereignete, wurde auf dem Rat der feudalen Adligen festgelegt, an dem der Shōgun und der Regent, sein Vormund, teilnahmen Kiōto für die Aufnahme von Verhandlungen mit den ausländischen Vertretern zur Schließung des Landes. Darüber hinaus hatte ihnen der Staatsrat gemäß der damals getroffenen Entscheidung eine Mitteilung gemacht. Das Zusammentreffen der Daten verlieh der Angelegenheit einen ernsteren Aspekt, obwohl die Komplizenschaft des Shōgunats nie aufrichtig war. Auch in diesem Fall war es notwendig, die drastischen Maßnahmen zu ergreifen, die dem betreffenden britischen Minister früher oder später unausweichlich erschienen waren. Weder die ersten Repressalien, die die französischen und amerikanischen Marinebehörden sofort einleiteten, noch die darauffolgenden langwierigen Verhandlungen mit der japanischen Regierung trugen zur Erlangung von Wiedergutmachung bei. Mehr als ein Jahr lang blieb die Meerenge für die Schifffahrt gesperrt. Schließlich führten gemeinsame Operationen gegen die feindlichen Forts, die im August 1864 von einem kombinierten Geschwader der vier unmittelbar betroffenen Mächte durchgeführt wurden, zum gewünschten Ergebnis. Die Forts wurden angegriffen und zerstört, eine Verpflichtung, sie in abgebautem Zustand zu belassen, wurde erpresst und eine Entschädigung von 3.000.000 US-Dollar gefordert. Die auf diese Weise vermittelten Lehren verloren nichts von ihrer Kraft durch die Tatsache, dass die bestraften Clans die beiden mächtigsten waren und in denen die Feindseligkeit gegenüber Ausländern vielleicht am deutlichsten zum Ausdruck kam. Sowohl dies als auch die Kagoshima-Entschädigung wurden von der Yedo- Regierung und nicht von den betreffenden Clans gezahlt . Wäre ein weiterer Beweis für die seltsame Lage der Dinge zu dieser Zeit in Japan nötig, wäre dies die Tatsache, dass in beiden Fällen die ergriffenen drastischen Maßnahmen zur Aufnahme recht freundschaftlicher Beziehungen mit den betreffenden Clans führten. Dieses unerwartete Ergebnis weist darauf hin, dass es sowohl in der Nation insgesamt als auch in einzelnen Clans eine kleine Minderheit gab, die die vorherrschende Feindseligkeit gegenüber Ausländern nicht teilte.

Gegen Ende des Jahres 1863 kamen die britische und die französische Regierung zu dem Schluss, dass die unruhige Lage in Japan und die ausländerfeindliche Stimmung, die keine Anzeichen einer Abschwächung zeigte, es ratsam machten, Truppen zum Schutz der Ausländer in Yokohama zu stationieren Interessen. Dementsprechend wurden nach Absprache mit den japanischen Behörden Kontingente britischer und französischer Truppen angelandet und an Land stationiert. Ihre Anwesenheit erfüllte den beabsichtigten Zweck vortrefflich; Zwischen diesen Garnisonen und den Japanern kam es weder zu Zusammenstößen noch zu Spannungen, und 1875, als ihre Anwesenheit nicht mehr benötigt wurde, wurden sie abgezogen.

Der Shōgun war der kaiserlichen Vorladung nach Kiōto nur sehr widerwillig nachgekommen . Seine Minister hatten sich bemüht , den Besuch auf zehn Tage zu begrenzen. Dort angekommen wurde er jedoch unter verschiedenen Vorwänden bis Juni des folgenden Jahres festgehalten. Zu diesem Zeitpunkt hatte das Gericht bereits mit seiner ausländerfeindlichen Politik begonnen und der Shimonoséki- Vorfall hatte sich ereignet. Seine Rückkehr nach Yedo war das Signal für den Ausbruch weiterer Streitereien zwischen dem Hof und dem Shōgunat , die auf beiden Seiten die gleiche Neigung offenbarten, die Augen vor Fakten zu verschließen und mit verblüffender Inkonsistenz ihre Position zu ändern. Das Shōgunat ignorierte seine jüngste Zusammenarbeit mit dem kaiserlichen Hof und feudalen Adligen bei der in der Hauptstadt eingeleiteten ausländerfeindlichen Politik, der Festlegung eines Datums für die Ausweisung des Ausländers und der Übermittlung seiner Entscheidung an die ausländischen Vertreter ein Denkmal für den Thron, das darauf hinweist, wie ungünstig der gegenwärtige Moment war, um die Dinge in Bezug auf den Verkehr mit Ausländern auf die Spitze zu treiben. Das Gericht wiederum bekundete zwar seine Freude über die Wiederbelebung der alten Praxis der Besuche in der Hauptstadt, tadelte jedoch den Shōgun , weil er den Thron nicht umfassender über seine Bewegungen informiert hatte und nach Yedo zurückgekehrt war *in einem Dampfer* und für sein unbefriedigendes Verhalten in Bezug auf die Außenbeziehungen. Weitere Hinweise auf die allgemeine Ideenverwirrung und Zielschwankung, die das Vorgehen von Autoritätspersonen kennzeichneten, finden sich in der Ausweisung von Mitgliedern des Chōshiū- Clans aus Kiōto als Zeichen der starken Missbilligung des Vorgehens des Chōshiū- Clans in der Shimonoséki- Affäre durch das Gericht sowie in der überraschenden Erklärung des Échizen-Clans – dessen erzwungene Abdankung bereits erwähnt wurde –, der sich für den Verkehr mit Ausländern und die „neue christliche Religion“ aussprach und sowohl die vom Gericht verfolgte Politik als auch die von … gleichermaßen verurteilte das Shōgunat .

Dass es zu diesem Zeitpunkt nicht zu einem endgültigen Abbruch der Außenbeziehungen kam, lag an der Schnelligkeit des Shōgunats , seine eigenen Taten abzulehnen, und an der Geduld und Freundlichkeit ausländischer Regierungen. möglicherweise auch auf die

Meinungsverschiedenheit im Land selbst, wo sich das Zentrum der Autorität zu verschieben begann, wenn auch dieser Prozess noch nicht abgeschlossen war. An ihre Stelle traten die ersten Drohungen , eigentlich der Beginn des Bürgerkriegs, den ein aufmerksamer Beobachter prophezeit hatte. Der Chōshiū -Clan war sich der Schwäche der Regierung bewusst, war aber auch von der Inkonsistenz des Hofes verärgert und brachte die Sache im Sommer 1864 auf ein Problem, indem er einen plötzlichen Überfall auf Kiōto unternahm , mit dem Ziel, den Mikado zu entführen und die kaiserliche Standarte zu erhöhen. Der Versuch wurde abgelehnt; Auch bei seinen Bemühungen, die Invasion seines Territoriums durch die Regierungstruppen abzuwehren, schnitt der Clan nicht besser ab. Der Widerstand wurde bald überwunden. Anfang des folgenden Jahres (1865) wurde der Aufstand niedergeschlagen, und die Härte der dem Clan auferlegten Bedingungen erregte weit verbreitete Unzufriedenheit. Als derselbe Clan kurz darauf erneut rebellierte, angeblich aufgrund der übertriebenen Strafe, erkannte man, dass der Erfolg der Tokugawa-Truppen beim vorherigen Mal nicht auf die militärische Stärke des Shōgunats zurückzuführen war . sondern auf die Mitarbeit anderer Clans – insbesondere des Satsuma – bei den gegen die Rebellen gerichteten Strafmaßnahmen. Bei dieser letzten Gelegenheit wurde die Unterstützung der anderen Clans zurückgehalten, was dazu führte, dass der zweite Feldzug, obwohl er unter der Aufsicht des Shōgun durchgeführt wurde, der zu diesem Zweck Kiōto zu seinem Hauptquartier machte , ein völliger Misserfolg war. Bis zum Ende des Jahres 1866 war ein Kompromiss erzielt worden, der darauf abzielte , die Gesichter beider Parteien zu wahren . Die Feindseligkeiten hörten daraufhin auf. Im Verlauf der Verhandlungen, die zu dieser Schlussfolgerung führten, wurde die Schwäche des Shōgunats noch weiter offengelegt. Die herausragende Rolle, die *Rōnin* sowohl beim Überfall auf die Hauptstadt als auch bei den darauffolgenden Verfahren des Clans spielte, sowie die Unfähigkeit des Feudalfürsten und seines Sohnes kamen ebenfalls ans Licht, zusammen mit der Tatsache, dass die Angelegenheiten der Die Lehen wurden von Clan-Gefolgsleuten kontrolliert, die in zwei sich gegenseitig verfeindete Fraktionen aufgeteilt waren, von denen jede wiederum die Vorherrschaft erlangte.

Die Schmach der Niederlage durch einen rebellischen Clan, zusammen mit einer bankrotten Staatskasse, ganz zu schweigen von der Annahme eines Kompromisses, der an sich schon ein Eingeständnis der Ohnmacht darstellte, beschleunigte den Niedergang dessen, was vom Prestige der Tokugawa übrig geblieben war. Gleichzeitig wurde der Hofpartei neue Energie eingeflößt. Die Lage wurde zunehmend unruhiger und verwirrender. Während die Imperialisten, wie sie nun genannt wurden, lauter denn je die Vertreibung von Ausländern forderten , beschäftigten sich die Minister des jungen Shōgun – dessen Nachfolger bald sehr widerwillig sein Cousin und Vormund, der Regent Prinz Kéiki – damit beschäftigte Erläuterungen gegenüber dem Gerichtshof zum Thema der Verträge und gegenüber den ausländischen Vertretern zur politischen Lage und zur Haltung des Gerichtshofs.

In der Zwischenzeit, im Sommer 1865, als das Chaos in Chōshiū seinen Höhepunkt erreichte, war Sir Harry Parkes als britischer Minister in Japan eingetroffen. Schon bald nach seiner Ankunft wurde er auf die ungewöhnliche Lage des Shōgun (oder Tycoons) aufmerksam gemacht, der nicht, wie in den Verträgen beschrieben, der Souverän Japans war, auf die schwierige Situation, die durch die Wiederbelebung kaiserlicher Ansprüche entstanden war, und auf die Ermutigung erhielt die ausländerfeindliche Partei durch die Tatsache, dass der Mikado die Verträge von 1858 noch nicht offiziell genehmigt hatte, obwohl sie von der Shōgun- Regierung ratifiziert worden waren. Die ausländischen Vertreter, die von ihren Regierungen bereits Anweisungen erhalten hatten, eine Änderung des den Verträgen von 1858 beigefügten Zolltarifs für Ein- und Ausfuhrzölle zu fordern, beschlossen, beide Fragen zusammenzufassen und gleichzeitig dem Shōgunat mitzuteilen , im Namen ihrer Regierungen, ein Angebot zur Überweisung von zwei Dritteln der Shimonoséki- Entschädigung als Gegenleistung für (1) die sofortige Öffnung des Hafens von Hiogo und der Stadt Ōsaka und (2) die Überarbeitung des Zolltarifs für a Basis von 5 Prozent *Ad-Valorem* . Dementsprechend besuchte im November 1865 ein kombiniertes Geschwader zu diesem Zweck Ōsaka.

Umgebung der Hauptstadt fernzuhalten . Man kann sich daher leicht vorstellen, welches Aufsehen das Auftauchen ausländischer Kriegsschiffe in der Bucht von Ōsaka erregte. Es war eine Wiederholung dessen, was passiert war, als Perry kam. Das Vorgehen des Gerichts war dasselbe. Die Forderungen der ausländischen Vertreter wurden, wie im Fall von Perry, an einen Rat feudaler Adliger weitergeleitet. Nachdem diese der bereits vom Shōgun vorgebrachten Ansicht zugestimmt und durch sein Angebot zum Rücktritt bestärkt worden waren, falls dies gewünscht sein sollte, gab das Gericht seine Absicht bekannt, den Rat anzunehmen. Als jedoch das erforderliche Dekret erlassen wurde, stellte sich heraus, dass es eine Klausel enthielt, die die Sanktion von der Änderung bestimmter Vertragspunkte abhängig machte, die nicht mit den kaiserlichen Ansichten übereinstimmten, und auf der Aufhebung der Klausel für die Eröffnung bestand von Hiogo . Das Dekret wurde den ausländischen Vertretern ordnungsgemäß mitgeteilt. Doch dabei verheimlichte das Shōgunat , möglicherweise verwirrt über die Aufgabe , die kaiserlichen Anweisungen mit der Erfüllung der Vertragsverpflichtungen in Einklang zu bringen, oder vielleicht unbewusst die unaufrichtigen Methoden der Zeit, die Klausel, die der Sanktion einen Großteil davon raubte seine Kraft. Die Verträge seien zwar genehmigt worden, hieß es, aber die Frage des Hafens von Hiogo könne vorerst nicht diskutiert werden. Bezüglich des Tarifs würden Anweisungen an Yedo gesendet , um die gewünschte Änderung auszuhandeln. Dieses Versäumnis des Shōgunats , die Dinge so darzustellen, wie sie wirklich waren, führte ausländische Regierungen in die Irre und führte in der Folge zu ernsthaften Missverständnissen.

Die Zusage bezüglich des Tarifs wurde ordnungsgemäß eingehalten. Es wurde im folgenden Jahr (1866) durch die Unterzeichnung des Zollabkommens in Yedo erfüllt. Ein in dieser Urkunde zu beachtender Punkt ist die Erklärung über das Recht einzelner japanischer Kaufleute sowie von Daimiōs und deren Angestellten, in den Vertragshäfen Handel zu treiben und ins Ausland zu gehen und dort Handel zu treiben, ohne irgendwelchen Hindernissen oder Hindernissen ausgesetzt zu sein unangemessene steuerliche Beschränkungen seitens der japanischen Regierung oder ihrer Beamten. Seine Einführung war auf die Entschlossenheit ausländischer Regierungen zurückzuführen, der offiziellen Einmischung in den Handel ein Ende zu setzen – ein Relikt aus der Vergangenheit, als der gesamte Außenhandel vom Shōgunat kontrolliert wurde – und auf deren Wunsch angesichts der drohenden reaktionären Maßnahmen Gericht, um ihre Entschlossenheit zu Protokoll zu geben, die durch die Verträge geschaffene neue Ordnung der Dinge aufrechtzuerhalten. Aufgrund des Monopols des Shōgunats auf den Außenhandel, auf das seine Kontrolle praktisch hinauslief, hatten die Handelsgewinne die Kassen der Regierung zum Nachteil der Clankassen aufgebläht – ein feudaler Missstand, der nicht zuletzt dafür verantwortlich war Feindseligkeit gegenüber der Yedo- Regierung und indirekt eine ausländerfeindliche Haltung.

Der Verlauf der Dinge während der fünfzehn Jahre, die auf den Abschluss von Perrys Vertrag folgten, wurde mit einiger Genauigkeit beschrieben. Dies war aufgrund des komplexen Charakters der politischen Situation im In- und Ausland in dieser Zeit erforderlich und auch, weil die Kenntnis bestimmter Details für das Verständnis späterer Ereignisse unerlässlich ist. Eines der Merkmale des Kampfes zwischen dem Hof und dem Shōgunat , auf das hingewiesen wurde, war die allmähliche Bewegung mehrerer führender Clans auf die Seite des Hofes. Der Aufenthalt der Häuptlinge dieser Clans in Kiōto , entgegen den Tokugawa-Vorschriften, führte zu einer allmählichen Lockerung der Bindungen, die den Territorialadel an Yedo verbanden , und zur Verlagerung des Handlungszentrums in die Hauptstadt, wo die Schlussszene stattfand des Dramas inszeniert werden sollte.

Ende des Jahres 1866 befanden sich sowohl der Shōgun als auch sein Vormund, Prinz Kéiki , in Kiōto . Dort starb Kaiser Kōmei früh im darauffolgenden Frühjahr, und wenige Tage später starb auch der junge Shōgun . Kaiser Mutsuhito, der erst fünfzehn Jahre alt war, bestieg den Thron und Prinz Kéiki wurde gegen seinen Willen Shōgun . Weit davon entfernt, den kraftvollen Charakter seines Vaters, des ehemaligen Prinzen von Mito, zu erben, war der neue Shōgun eher zurückhaltend gesinnt. Obwohl er über große Intelligenz und nicht geringe literarische Fähigkeiten verfügte, hegte er eine Abneigung gegen öffentliche Angelegenheiten. Er war sich der Schwierigkeiten der Zeit und der Tendenzen bewusst, die dem Fortbestehen der Doppelregierung abträglich waren , und zögerte daher, die Verantwortung für das hohe Amt zu übernehmen, in das er berufen wurde. Es ist auch nicht unwahrscheinlich, dass er zumindest einen Teil der politischen Doktrinen seines Vaters geerbt hat. Als daher im Oktober desselben Jahres (1867) der ehemalige Daimiō von Tosa (dessen Abdankung acht Jahre zuvor vom Regenten Ïi erzwungen worden war) der Regierung ein Denkmal überreichte, in dem er „die Wiederherstellung der alten Form der direkten kaiserlichen Herrschaft“ empfahl Regierung“, nahm der Shōgun den erteilten Rat an und trat zurück. Seine Entscheidung wurde den ausländischen Vertretern vom Staatsrat schriftlich mitgeteilt. In diesem Dokument, das kurz den Ursprung der feudalen Duarchie und der Tokugawa-Herrschaft erklärt, geht der Shōgun auf die Unannehmlichkeiten ein, die mit der Führung der Außenbeziehungen unter einem System der Doppelregierung einhergehen, das die Existenz praktisch zweier Gerichte mit sich bringt, und verkündet seine Entscheidung dazu die direkte Herrschaft des Mikado wiederherstellen; Allerdings mit der Zusicherung, dass die Änderung die harmonischen Beziehungen Japans zum Ausland nicht stören wird. Es sollte beachtet werden, dass die Erklärung auch eine ausdrückliche Erklärung der liberalen Ansichten des zurücktretenden Herrschers enthält, der nicht zögert, seine Überzeugung zum Ausdruck zu bringen, dass der Moment gekommen ist, einen neuen Aufbruch in der nationalen Politik zu machen und Verfassungsänderungen einzuführen progressiven Charakter.

Sehr wahrscheinlich hätte der Rücktritt des Shōgun auf friedliche Weise arrangiert werden können, denn seine Ansichten waren für seine Anhänger kein Geheimnis, obwohl sie nur wenige teilten. Bedauerlicherweise erließ das Gericht, das unter dem Einfluss führender Clans handelte, die der Yedo - Regierung feindlich gegenüberstanden , und auf einen Bruch bedacht war, plötzlich ein Dekret, mit dem das Amt des Shōgun abgeschafft und eine Änderung in der Vormundschaft über den Palast vorgenommen wurde, die von Tokugawa übertragen wurde Hände in die Hände der Opposition. Diesem Dekret folgten weitere, die die Wiederherstellung der direkten kaiserlichen Herrschaft verkündeten; Bildung einer provisorischen Regierung aus Hofadligen, Daimiōs und deren Gefolgsleuten; Erlass der gegen den Chōshiū -Clan verhängten Strafe ; und die Anordnung zur Ausweisung aus der Hauptstadt widerrufen. Das Vorgehen des Gerichts machte einen Kompromiss unmöglich. Der Shōgun zog sich nach Ōsaka zurück, von wo aus er nach einem halbherzigen Versuch, seine Autorität mit

Waffengewalt wiederherzustellen, nach Yedo zurückkehrte . Der darauf folgende Bürgerkrieg war von kurzer Dauer. Die Tokugawa-Streitkräfte waren den kaiserlichen Truppen nicht gewachsen, die sowohl zahlenmäßig als auch disziplinarisch überlegen waren. Obwohl ein kleiner Rest der ehemaligen Shōgun- Anhänger einige Monate in bestimmten nördlichen Bezirken der Hauptinsel und noch länger auf der Insel Yezo durchhielt , herrschte im Frühjahr 1869 überall Frieden.

Ein führender Experte für Japan nannte als einen Grund für den Sturz des Shōgunats , dass die Doppelregierung ein Anachronismus sei. Dies allein stellte kein unüberwindbares Hindernis für seinen Fortbestand dar; denn das Galionsfiguren-Regierungssystem, das in einer Atmosphäre des Scheindenkens florierte, war mit der Nation gewachsen und wurde als normaler Zustand der Dinge angesehen. Die Verwendung des Titels *Taikun* (Tycoon) im 18. Jahrhundert und der Rückgriff auf die gleiche Kunstgriffigkeit im 19. Jahrhundert zeugen jedoch von der Unbequemlichkeit bei der Führung der Außenbeziehungen . Und es ist vernünftig anzunehmen, dass ein derart umständliches Verwaltungssystem den praktischen Erfordernissen des modernen internationalen Verkehrs nicht lange genügt hätte. In keinem Fall hätte die Tokugawa-Regierung jedoch viel länger bestehen können. Es trug den Keim seiner Auflösung in sich. Es lag fast im Sterben, als Perry kam. Die Wiedereröffnung des Landes hat das Ende lediglich beschleunigt. Sie stürzte, wie andere Regierungen auch, weil sie aufgehört hatte zu regieren.

Bevor seine Herrschaft endete, hatte das Tokugawa-Haus seine Dynastie verlassen. Die drei Hauptzweige – Mito, Owari und Kishiū – verließen nacheinander die Tokugawa-Sache; Ihrem Beispiel folgten führende Feudalfamilien wie der Echizen -Clan, die mit dem herrschenden Haus verbunden waren.

Als die lange Linie der Tokugawa-Herrscher zu Ende ging, war sie seit mehr als zweieinhalb Jahrhunderten an der Macht. Von den fünfzehn Shōguns der Linie zeigten nur der Gründer und sein Enkel, der dritte Shōgun , echte Fähigkeiten. Ersterer war sowohl als Soldat als auch als Staatsmann brillant; Letzterer hatte administratives Talent. Keiner der anderen zeichnete sich in irgendeiner Weise aus. Das war auch nicht überraschend. Das entnervende Hofleben von Kiōto war in Yedo nachgeahmt worden . Mikado und Shōgun wurden von Kindheit an in der korrupten Atmosphäre der Frauengemächer im orientalischen Stil erzogen und wuchsen ohne eigenen Willen oder Kenntnis der Außenwelt auf, bereit für die Rolle der ihnen zugewiesenen Marionetten. Der letzte Shōgun war keine Ausnahme von der Regel. Wäre es anders gewesen, hätte man vielleicht eine ganz andere Geschichte erzählen können.

In dem kurzen, aber entscheidenden Kampf, der mit der Restauration endete, kam keinerlei ausländischer offizieller Einfluss zum Tragen. Die betreffenden ausländischen Mächte bewahrten eine Haltung strikter Neutralität, die sich im Handeln ihrer Vertreter widerspiegelte. Die Wahrung der Neutralität wurde dadurch erleichtert, dass die Interessen aller Mächte mit einer Ausnahme eher kommerzieller als politischer Natur waren. Die beiden führenden Mächte im Fernen Osten waren zu dieser Zeit Großbritannien und Frankreich, wobei die Handelsinteressen des ersteren die seines Nachbarn auf dem asiatischen Kontinent bei weitem überwogen. Deutschland hatte noch nicht die Reichsstellung erreicht, die es durch den Krieg von 1870 erreichen sollte, da die mit seinem langsam wachsenden Handel verbundenen Aufgaben vom Norddeutschen Bund übernommen wurden, der damals unter der Hegemonie Preußens gegründet wurde . Amerika, das von Anfang an geneigt war, Japan als seinen Schützling zu betrachten, hatte sich noch nicht vollständig von den Auswirkungen des Bürgerkriegs erholt; und obwohl es einen neuen Handelsweg mit dem Fernen Osten eröffnet hatte, steckte die Entwicklung seiner Pazifikküste noch in den Kinderschuhen. Sie war stolz darauf, keine Außenpolitik zu haben, die ihre Unabhängigkeit behindern könnte, und auch keinen organisierten diplomatischen und konsularischen Dienst zu haben. Die Interessen Russlands waren, mit der erwähnten Ausnahme, lediglich politischer Natur und von geringer Bedeutung; denn weder die Amur-Eisenbahn noch die Chinesische Ost-Eisenbahn waren überhaupt geplant worden, und die Entwicklung Ostsibiriens hatte gerade erst begonnen. Die Interessen anderer Vertragsmächte waren vernachlässigbar. Während jedoch unter diesen Umständen der Konflikt zwischen der Tokugawa-Regierung und den Imperialisten außerhalb der Sphäre ausländischen offiziellen Einflusses lag, gab es bestimmte unvermeidliche Tendenzen, die sich bereits vor Ausbruch des Bürgerkriegs manifestierten. Es wurde angenommen , dass die Anwesenheit französischer Militärausbilder, die von der Shōgun- Regierung engagiert wurden, möglicherweise ein gewisses Maß an französischer Sympathie für die Tokugawa-Sache hervorrief – eine Idee, die durch die Haltung des französischen Vertreters und das Verhalten eines oder zweier dieser Offiziere bestärkt wurde. der die Tokugawa-Marineexpedition nach Yezo begleitete , wo ein letzter Widerstand geleistet wurde. Abgesehen von ihrem offiziellen Handeln gab es außerdem eine natürliche Voreingenommenheit der meisten ausländischen Vertreter zugunsten des Shōgunats als De *-facto-* Regierung, eine Position, die es zweieinhalb Jahrhunderte lang innehatte. Andererseits hatte die formelle Sanktion, die der Mikado 1865 auf Verlangen der ausländischen Vertreter in den Verträgen von 1858 verhängte, zweifellos die imperialistische Partei in dem Maße ermutigt, wie sie das Ansehen der Tokugawa-Regierung beeinträchtigt hatte. Diese Forderung war aus der allmählichen Erkenntnis entstanden, dass der

Shōgun nicht, wie in den betreffenden Verträgen dargestellt, der wahre Herrscher Japans war. Aber es gab noch einen weiteren Grund. Von dem Moment an, als die Tokugawa-Regierung zum Zeitpunkt der Ankunft von Kommodore Perry die Frage der Wiedereröffnung des Landes an den Thron verwiesen hatte, waren zwei Autoritätszentren entstanden , anstatt die volle Macht zur Bewältigung auswärtiger Angelegenheiten auszuüben, die dem Shōgun übertragen wurde , eine in Kiōto , deren Einfluss stetig zunahm, die andere in Yedo . Wie aus den Briefen hervorgeht, die die ausländischen Vertreter im Herbst 1864 an den Tycoon (der Titel, der dem Shōgun in der damaligen offiziellen Korrespondenz gegeben wurde) richteten, lag die Existenz dieser beiden unterschiedlichen Autoritätszentren zugrunde der meisten Komplikationen, die in Bezug auf die Außenbeziehungen aufgetreten waren. Die Vertreter seien daher verpflichtet, auf der Anerkennung der Verträge durch den Mikado zu bestehen, „damit zukünftige Schwierigkeiten vermieden werden könnten und die Beziehungen zu Ausländern auf eine zufriedenstellendere und dauerhaftere Grundlage gestellt werden könnten". Mit anderen Worten: Die Anerkennung der Verträge durch den Mikado wurde angestrebt, um der ausländerfeindlichen Hetze ein Ende zu setzen, die die Führung des Shōgunats lähmte und eine äußerst gefährliche Situation schuf. Die Zurückhaltung des Shōgunats , dieser Forderung nachzukommen, trug nicht dazu bei, seine Position gegenüber den ausländischen Vertretern zu verbessern, während diese Position durch das beharrliche Festhalten an dem falschen Status, der dem Shōgun zuerkannt wurde, weiter geschwächt wurde . Die fortgesetzte Verwendung des Begriffs „Seine Majestät" in der offiziellen Korrespondenz zwischen den Ministern des Shōgun und dem diplomatischen Gremium, lange nachdem Zweifel an seiner Richtigkeit aufgekommen waren, erzeugte Misstrauen; Ihr Vertrauen in die Aufrichtigkeit der Regierung wurde durch ihre aus verschiedenen Gründen energischen Bemühungen, Ausländer so weit wie möglich zu isolieren, und durch den Beweis ihrer Mitschuld an der gerichtlichen Anordnung zur Ausweisung von Ausländern sowie an der Shimonoséki- Affäre erschüttert .

Unter diesen Umständen – und auch als Ergebnis der freundschaftlichen Kommunikation mit den beiden führenden Clans nach der Durchführung der Repressalien – ist es nicht verwunderlich, dass einige Zeit vor dem Aufruf zu den Waffen eine Tendenz zur Sympathie für die Sache bestand Der Souverän hätte sich *de jure* in bestimmten diplomatischen Kreisen zeigen müssen. Die geschäftigen Intrigen beider streitenden Parteien, die sich keineswegs auf häusliche Kreise beschränkten, könnten diejenigen, deren Kenntnis der japanischen Geschichte zwar unvollkommen, aber weit über die der anderen hinausging, dazu veranlasst haben, ihr übermäßiges Gewicht beizumessen, was wahrscheinlich auch der Fall war die Doktrin der aktiven und unbeeinträchtigten kaiserlichen Vorherrschaft, die von der Hofpartei gewissenhaft eingeschärft wurde, und so zu der nicht unlogischen Schlussfolgerung zu gelangen, dass die Tokugawa- Shōguns die unrechtmäßigen Usurpatoren waren, als die sie von imperialistischen Historikern beschrieben wurden. Es gibt Grund zu der Annahme, dass diese ausgeprägte Sympathie zugunsten der siegreichen Seite vor Beginn der Feindseligkeiten ein wesentlicher Faktor für den Ausgang des Kampfes war.

Ein weiterer Punkt beansprucht vorübergehende Aufmerksamkeit. Als das Shōgunat aufhörte zu regieren, geriet das weite Gebiet, das als Shōgun-Domänen bekannt ist, unter die Kontrolle der neuen Regierung. Die Einteilung der Ländereien im ganzen Land zu Verwaltungszwecken erfolgte daher vorübergehend in vier Abteilungen: das kleine Gebiet, das unter dem Shōgunat als kaiserliche Domänen bekannt war und dessen feudale Einnahmen für den Unterhalt des Hofes völlig unzureichend waren; die ehemaligen Shōgun- Domänen, deren endgültige Verfügung noch in der Schwebe war; die Territorien der Clans, wie sie durch die Maßnahmen gegenüber denen verändert wurden, die sich, nachdem sie sich für die Sache der Tokugawa eingesetzt hatten, bis zuletzt gegen die imperialistischen Kräfte durchgehalten hatten; und die großen Städte Yedo , Kiōto und Ōsaka, die für sich eine Gruppe bildeten.

KAPITEL VI

Japanische Chronologie – Satsuma- und Chōshiū- Clans – Der „Chartereid".

Shōgune hinwegfegte, erhoben die Imperialisten zwei Rufe: „ Ehre den Souverän" und „Vertreibe den Fremden". Sie bildeten das Programm der Partei. Kaum war die Revolution von Erfolg gekrönt, wurde der zweite Teil des Programms aufgegeben. Der Großteil der Militärklasse war zu der Überzeugung gelangt, dass der Untergang des Shōgunats den Abzug der Ausländer und die Schließung des Landes mit sich bringen würde. Aber die klügeren Köpfe unter den Revolutionsführern erkannten, dass dieser Plan nicht realisierbar war. Sie hatten einst, ohne Rücksicht auf die Konsequenzen, den Aufschrei gefördert, um in der Bevölkerung Stimmung gegen das Shōgunat zu schüren . Doch mit dem Verschwinden der Yedo-Regierung hatte sich die Situation geändert. Darüber hinaus begann im Laufe der fünfzehn Jahre, die seit Perrys Vertrag vergangen waren, die erste Bitterkeit der ausländerfeindlichen Gefühle nachzulassen. Die frühere Unkenntnis der Außenwelt war einem besseren Wissen gewichen. Die engere Zusammenarbeit mit Ausländern hatte die Aussicht auf bestimmte Vorteile des Außenhandels offenbart, während die Kämpfe in Kagoshima und Shimonoséki für viele ein Lehrbeispiel waren, die durch die Interpretation der Geschichte überzogene Vorstellungen von der Stärke ihres Landes erhalten hatten. Unter den Führern gab es auch Männer, die sich nicht nur der militärischen Schwäche Japans im Vergleich zu ausländischen Nationen, mit denen Verträge geschlossen worden waren, bewusst waren, sondern auch der Bedeutung der Einführung von Veränderungen im Sinne der westlichen Zivilisation in vielen Zweigen Japans Verwaltung. So blieb der Ausländer und die Außenpolitik des Shōgunats wurde fortgesetzt. Der andere Ausruf „ Ehre den Souverän" ließ viel Interpretationsspielraum. Das Gerede über die Errichtung einer direkten kaiserlichen Herrschaft, der sich die Imperialisten so großzügig hingaben, war kaum wörtlich zu nehmen, ebenso wenig wie die vagen Formulierungen in den damaligen Manifesten über die Abschaffung der Doppelregierung, denn die persönliche Herrschaft des Souveräns war es in historischen Zeiten unbekannt. Es brachte lediglich indirekt das Hauptziel zum Ausdruck – die Beendigung der Tokugawa-Herrschaft. Dieses Ziel wurde erreicht, und zwar leichter als erwartet; Aber das duale Verwaltungssystem und die Galionsfigurenregierung waren zu tief verwurzelt, als dass man sie auf einmal beseitigen könnte, selbst wenn man den Wunsch dazu gehabt hätte. Das Shōgunat wurde daher durch eine Regierung der Clans ersetzt, die bei der Restauration eine führende Rolle gespielt hatten, während die Galionsfigur-Herrschaftsmethode wie zuvor weiterwirkte.

Die Restauration leitete die sogenannte „Meiji-Ära“ oder „Ära der aufgeklärten Regierung“ ein, so die Bezeichnung für die damals geschaffene neue Jahresperiode. Der Punkt ist von nicht geringer Bedeutung. Diese Jahresperiode markierte den Beginn einer Regierungszeit, die durch raschere und weitreichendere Veränderungen fruchtbarer war als alle vorangegangenen; es ging mit dem Aufstieg Japans von der Position eines obskuren asiatischen Landes zu der einer Großmacht einher; und er wurde mit unbestreitbarer Berechtigung als posthumer Name des Monarchen gewählt, mit dessen Tod er endete. Wenn wir näher darauf eingehen, wird es notwendig sein, einigermaßen ausführlich auf die recht komplizierte Frage der japanischen Chronologie einzugehen, die einer Erklärung bedarf.

Früher gab es in Japan vier Möglichkeiten, die Zeit zu berechnen. Dies waren: (1) Unter der Herrschaft von Mikados ; (2) nach Jahresperioden (*Nengō*), die sich ständig überlappten, wobei einer im selben Jahr unserer Chronologie endete und der andere begann, so dass das letzte Jahr des ersteren das erste Jahr des letzteren, des betreffenden Jahres, war, das nie am ersten Tag des ersten Monats begann und daher zwei Bezeichnungen hatte; (3) nach dem chinesischen Sexagenärzyklus; und (4) durch Berechnung aus dem ersten Regierungsjahr von *Jimmu Tennō* , der mythische Gründer Japans. Ersteres wurde schon früh in historischen Zusammenstellungen verwendet. Es wird seit langem nicht mehr verwendet und die darauf basierenden Aufzeichnungen sind unzuverlässig. Die zweite wurde zur Zeit der „Großen Reform“ im siebten Jahrhundert aus China übernommen und gab der ersten japanischen Jahresperiode ihren Namen. Dieser und der dritte, der Sexagenärzyklus, wurden sowohl einzeln als auch in Verbindung miteinander verwendet. Das vierte System (basierend auf der imaginären Herrschaft des mythischen Gründers Japans um das Jahr 660 v. Chr.) ist vergleichsweise jungen Ursprungs, seine Einführung ist auf denselben etwas weit hergeholten Patriotismus zurückzuführen, der den Glauben an die Göttlichkeit japanischer Herrscher fördert.

Die aus China übernommene Jahresperiode oder *Nengō* hatte in diesem Land eine besondere *Daseinsberechtigung* , denn sie änderte sich mit der Thronbesteigung eines neuen Kaisers und ihre Dauer entsprach folglich der Regierungszeit, mit der sie begann. In Japan hatte der Jahreszeitraum wahrscheinlich aufgrund der Abgeschiedenheit des Souveräns und des Fehlens persönlicher Herrschaft keinen direkten Zusammenhang mit der Herrschaft eines Mikado oder der Herrschaft eines Shōgun, und es gab nur wenige Entsprechungen, als sie stattfanden Ausnahmen, reiner Zufall. In der Regel wurde ein ungewöhnliches oder überraschendes Ereignis zum Grund für eine Änderung gemacht, aber in Japan wie auch in China legte man großen Wert auf die Wahl günstiger Namen für Neujahrsperioden. Seit der Restauration wurde jedoch beschlossen, der alten chinesischen Praxis zu folgen und bei der Thronbesteigung eines neuen Herrschers eine neue Jahresperiode zu schaffen. Diese Entscheidung wurde zum ersten Mal mit dem Tod des verstorbenen Kaisers im Jahr 1912 in Kraft gesetzt. Das *Meiji* -Jahr ging dann zu Ende und ein neues Jahr, *Taishō* oder „Große Gerechtigkeit", begann. Aufgrund der bereits erwähnten Überschneidung von Jahresperioden stammt die neue Jahresperiode aus demselben Jahr wie das Jahr, in dem die vorangegangene *Meiji*- Periode endete.

Der sechszigjährige Zyklus wurde gebildet, indem die zwölf chinesischen Tierkreiszeichen in ihrer festen Reihenfolge, nämlich „Ratte", „Stier", „Tiger", „Hase" usw., mit den sogenannten „Zehn" kombiniert wurden Himmelsstämme." Diese zehn Stämme wiederum wurden gebildet, indem die fünf Urelemente – Erde, Wasser, Feuer, Metall und Holz – in zwei Abschnitte oder Klassen eingeteilt wurden, die „älterer" bzw. „jüngerer Bruder" genannt wurden. Diese Anordnung passte genau zu einem Zyklus von sechzig Jahren, einer durch zehn und zwölf teilbaren Zahl, den Zahlen seiner beiden Teilfaktoren. Wenn die Jahresperiode und der Sexagenärzyklus in Verbindung miteinander verwendet wurden, war es üblich, zuerst den Namen der Jahresperiode, dann die Nummer des betreffenden Jahres in dieser Periode und dann wiederum die Position des Jahres im Sixagenary-Zyklus.

Auch früher war der Monat in Japan ein Mondmonat. Davon waren es zwölf. Alle drei Jahre wurde ein Schaltmonat hinzugefügt, um die für die genaue Zeitberechnung erforderliche Korrektur zu liefern. Es gab keine unserer Woche entsprechende Zeiteinteilung. Dies kam jedoch nach der Restauration nach und nach in Gebrauch, wobei die Tage nach Sonne und Mond und den fünf Urelementen benannt wurden. Der wöchentliche Feiertag ist mittlerweile eine japanische Institution. Außerdem gibt es in jedem Jahr vierundzwanzig Perioden von jeweils nominell fünfzehn Tagen, die je nach Klima und Jahreszeit geregelt sind, eng mit landwirtschaftlichen Betrieben verbunden sind und unterschiedliche Namen tragen, wie „Große Kälte" oder „Geringe Kälte". ", „Regenzeit" usw. Auch jeder Monat ist in drei Perioden von jeweils zehn Tagen unterteilt, die jeweils *Jōjun* , *Chiūjun* und *Géjun* oder erste, mittlere und letzte Perioden genannt werden.

Mit der Einführung des Gregorianischen Kalenders, der am 1. Januar 1873 in Kraft trat, verschwanden der Sexagenärzyklus und der Mondmonat und mit ihnen natürlich auch die urigen Tierkreisbezeichnungen der Jahre. Die anderen Besonderheiten der japanischen Chronologie sind erhalten geblieben. Mittlerweile gibt es drei anerkannte Arten, die Zeit pro Jahr zu berechnen: nach Jahresperioden, nach dem christlichen Kalender und nach dem Nationalkalender, der auf das Jahr 660 v. Chr. zurückgeht . Das Jahr 1921 kann daher entweder wie wir es tun oder als das zehnte Jahr bezeichnet werden von *Taishō* , oder als Jahr 2581 des Nationalkalenders.

Die Einführung des Gregorianischen Kalenders löste einiges Aufsehen aus, ebenso wie bei seiner Einführung in England im 18. Jahrhundert, wo er mit dem Ruf aufgenommen wurde: „Gib uns unsere elf Tage zurück.“ In Japan gab es noch mehr Grund zur Beschwerde, denn das Jahr 1872 wurde um nicht weniger als neunundzwanzig Tage verkürzt, was nach dem alten Kalender dem dritten Tag des zwölften Monats des fünften Meiji-Jahres *entsprochen* hätte als erster Tag des ersten Monats des sechsten Meiji-Jahres (1. Januar 1873). Die Änderung verursachte viele Unannehmlichkeiten und sogar Härten, da das Ende des Jahres, der gewählte Zeitpunkt, der Zeitpunkt ist, an dem alle Rechnungen zwischen Schuldnern und Gläubigern beglichen werden müssen.

Die Restauration war das Werk von vier Clans – Satsuma, Chōshiū , Hizen und Tosa – deren Territorien jeweils im Südwesten des Landes lagen, jedoch keine gemeinsamen Grenzen hatten. Die Bildung kurzfristiger Bündnisse für bestimmte Ziele durch Feudalherren war das charakteristische Merkmal der unruhigen Zeiten, die der Errichtung der Tokugawa-Herrschaft vorausgingen. Dem wurde durch die Tokugawa- Shōguns ein Ende gesetzt , die durch verschiedene, bereits beschriebene Maßnahmen die feudale Aristokratie in völliger Unterwerfung hielten. Sobald jedoch die Macht des Shōgunats zu schwinden begann, setzte sich der unabhängige Geist der Clans wieder durch. Diese Tendenz wurde durch die Haltung der führenden Tokugawa-Familien gefördert. Bei Perrys Ankunft hatte das Haus Mito das Gericht in der Vertragsfrage gegen das Shōgunat unterstützt; während sich das Haus Owari einige Jahre später in seinem zweiten und erfolgreichen Kampf gegen die Yedo- Regierung auf die Seite von Chōshiū stellte und damit die Tokugawa-Sache endgültig aufgab. Die bei dieser Umgruppierung der Clans gebildeten Bündnisse waren von der gleichen künstlichen Art wie diejenigen, die in früheren Feudalzeiten stattgefunden hatten. Abgesehen von dem gemeinsamen Ziel, das sie zusammenbrachte, dem Sturz der Tokugawa-Herrschaft, gab es zwischen keinem der vier Clans, die die Hauptrolle bei der Restauration spielten, wirkliche Sympathie. Es wäre seltsam gewesen, wenn dies der Fall gewesen wäre, denn es gehörte nicht zur Politik eines Clans, dessen Grenzen sorgfältig bewacht wurden, um das Eindringen von Fremden zu verhindern, und freundschaftliche Beziehungen untereinander zu pflegen. Bei zwei der verbündeten Clans, Satsuma und Chōshiū , standen einer Verständigung besondere Schwierigkeiten im Wege. Sie waren seit langem Rivalen um das Vertrauen des Hofes, während die ständigen Veränderungen in den Beziehungen zwischen Kiōto und Yedo Gelegenheit für weitere Reibereien und Eifersucht boten. In jüngerer Zeit kam es auch durch den Untergang eines Satsuma-Dampfers bei den Chōshiū-Festungen, den Chōshiū- Überfall auf den Kaiserpalast und die anschließende Invasion des Chōshiū- Territoriums durch das Shōgunat , bei denen sich Mitglieder des Chōshiū- Clans in beiden Fällen im Kampf mit denen von Satsuma befanden ein Gefühl aktiver Feindseligkeit. Der Autor von „ *Ishin Shi* " oder „Geschichte der Restauration" erklärt, wie diese Schwierigkeiten schließlich durch die Bemühungen der Männer des Satsuma-Clans, die die kritische Lage der Dinge an die Front brachte, durch die Vermittlung von Männern aus dem Satsuma-Clan beseitigt wurden Einfluss auf die Tosa , Hizen und andere Clans, deren politische Sympathien in die gleiche Richtung gingen, und durch die Zusammenarbeit bestimmter Hofadliger, deren Kenntnisse über innere Angelegenheiten bei der Führung der Beziehungen zwischen dem Hof und dem Shōgunat gewonnen wurden und deren Position am Hofe waren für die imperialistische Partei von großem Wert. Einige dieser Hofadligen waren nach der Niederschlagung des ersten Chōshiū- Aufstands in die Obhut des Daimiō von Chikuzen gegeben worden, und durch ihre Bemühungen und die der anderen bereits erwähnten Vermittler kam schließlich eine freundschaftliche Einigung zwischen Satsuma und Chōshiū zustande Clansmänner. Nachdem dieses Hindernis beseitigt war, wurde ein Feldzugsplan besprochen und von den vier Clans festgelegt. Die militärische Stärke des so gebildeten Bündnisses zeigte sich bald in dem kurzen Kampf, der im Sturz des Shōgunats endete .

ŌKUBO ICHIZŌ .

Eine führende Persönlichkeit der Restaurationsbewegung und bis zu seinem frühen Tod Mitglied der anschließenden Regierung. Sein Tod ereignete sich vor der Gründung des neuen Adelsstandes, aber sein Sohn, der jetzige Marquis, wurde in Anerkennung der Verdienste seines Vaters geadelt.

Es blieben noch andere Probleme politischer Art. Diese wurden nach und nach in der Abfolge der Ereignisse gelöst. Dabei ging es nicht zuletzt um die Form der Regierung, die das Gefallene ersetzen sollte. In diesem Punkt gab es vor der Restauration große Meinungsverschiedenheiten. Laut dem Autor von „*Das Erwachen Japans* " wollten die Satsuma-„Föderalisten", wie er sie nennt, das Feudalsystem weitgehend nach den Grundsätzen des halben Jahrhunderts vor der Tokugawa-Herrschaft neu organisieren. Die Chōshiū-Führer, so wird uns erzählt, suchten ihr Ideal weiter zurück. Sie befürworteten die Wiederherstellung der kaiserlichen Bürokratie der vorfeudalen Zeit. Diese Ansicht, die von den Hofadligen unterstützt wurde, die vielleicht hofften, durch die Erhöhung des kaiserlichen Ansehens ihre eigene Position zu stärken, war letztendlich diejenige, die sich durchsetzte. Es gab zwei starke Argumente, die für seine Annahme sprachen . Einer davon war, dass es nicht ratsam war, die Verfassung der vorherigen Regierung beizubehalten, selbst wenn dies möglich gewesen wäre. Ein weiterer Grund bestand in der Notwendigkeit, den Strom der Volksstimmung zugunsten der Restauration voll auszunutzen und gleichzeitig, obwohl der Einfluss der aufstrebenden Männer noch gering war, so weit wie möglich durch die Klasse des Hofes zu wirken Adlige, die dieses System in frühen Tagen verwaltet hatten.

Die für die neue Verwaltung gewählte Form entsprach dem bürokratischen System der vorfeudalen Zeit, teilweise modifiziert durch aus dem Ausland übernommene Innovationen. Das Hauptmerkmal dieser Verwaltung war ihre Gliederung in acht Abteilungen. Zwei davon, die Abteilung für Oberste Verwaltung und die Abteilung für Shintō (die sich nur mit Angelegenheiten befasste, die den einheimischen Glauben Shintō betrafen), rangierten zusammen und vor den anderen sechs, von denen sich eine mit Gesetzgebung befasste, während die übrigen fünf korrespondierten ein allgemeiner Weg zu ähnlichen Abteilungen in westlichen Ländern. Obwohl die Befugnisse zwischen den beiden höheren Abteilungen nominell gleich waren, lag das größere Prestige bei der Abteilung für Shintō .

Es zeigt sich, dass die neue Regierung, die im Frühjahr 1868 vor der endgültigen Kapitulation der Tokugawa-Streitkräfte gebildet wurde, bestenfalls ein Flickenteppichversuch eines administrativen Wiederaufbaus war. Seine vorfeudale Form hatte wenig mit dem noch bestehenden Feudalismus gemein, und es war auch nicht möglich, aus dem Westen entlehnte Neuerungen mit einem alten System in Einklang zu bringen, in dem der höchste Platz der Abteilung vorbehalten war, die alle Angelegenheiten im Zusammenhang mit dem primitiven Shintō kontrollierte Kult. Im Herbst desselben Jahres und zu verschiedenen Zeitpunkten im Laufe der folgenden Jahre wurden zahlreiche Verwaltungsänderungen eingeführt. Auf die Einzelheiten hiervon ist es nicht notwendig, ausführlich einzugehen. Im weiteren Verlauf dieser Erzählung wird auf sie Bezug genommen, wenn sie wesentlich sind. Vorerst genügt die Feststellung, dass an die Stelle des Ministeriums für Oberste Verwaltung ein Staatsrat trat, dessen Verfassung und Aufgaben von Zeit zu Zeit so häufig geändert wurden, dass sie selbst die Administratoren vor ein Rätsel stellten, wodurch sich die Zahl verringerte der Abteilungen auf sieben; und dass die Abteilung für den Shintō- Kult viele Wechselfälle erlebte und schließlich auf den vergleichsweise bescheidenen Status eines Büros im Innenministerium reduziert wurde, eine Position, die sie heute innehat. Wie bei einer Regierung , die mit dem Ruf nach der Wiederherstellung der kaiserlichen Macht eintrat, zu erwarten war, gehörten dem neuen Ministerium zu einer Zeit, als der Hof noch von einer halbgöttlichen Atmosphäre umgeben war, mehrere kaiserliche Fürsten und Hofadlige an. Prinz Arisugawa wurde Präsident der neuen Regierung, während die beiden Hofadligen Sanjō und Iwakura , die von Anfang an maßgeblich an der Förderung der Clan-Allianz beteiligt waren, die das Shōgunat stürzte , zu Vizepräsidenten ernannt wurden. Zwei weitere kaiserliche Fürsten und fünf Hofadlige wurden an die Spitze der verbleibenden sieben Abteilungen gestellt, wobei die zweite Position in drei davon den Daimiōs von Échizen , Aki und Higo zugewiesen wurde. Zu denjenigen, die Ämter in untergeordneten Funktionen innehatten, gehörten Ōkubo und Terashima von Satsuma, Kido von Chōshiū , Gotō von Tosa , Itō und Inouyé , die beiden jungen Chōshiū -Clansmitglieder, die bei ihrer Rückkehr aus England im Jahr 1864 erfolglos versucht hatten, das zu verhindern Shimonoséki- Feindlichkeiten, Ōkuma von Hizen und andere, deren Namen in Japan ein Begriff sind.

Iwakura die einzige herausragende Persönlichkeit , die sofort eine führende Position in der Leitung der Angelegenheiten einnahm. Der Rest beteiligte sich nicht aktiv an der Verwaltung. Sie waren einfach praktische Aushängeschilder, die der neuen Ordnung der Dinge Stabilität und Prestige verliehen, und ihre Anwesenheit vermittelte auch die Gewissheit, dass das Hauptziel der Restauration erreicht worden war.

Trotz der in der Verfassung enthaltenen westlichen Neuerungen gab die von der neuen Regierung angenommene Form kaum Hinweise auf die radikalen Reformen, die im Laufe der neuen Herrschaft durchgeführt werden sollten. Noch im Geburtsjahr lieferte der mörderische Angriff auf den britischen Minister und sein Gefolge auf dem Weg zu einer Audienz des Kaisers in Kiōto den unwiderlegbaren Beweis dafür, dass es noch immer starke ausländerfeindliche Gefühle gab. Allerdings angesichts der Tatsache, dass der Ruf „Vertreibt den Ausländer“ bis zum Vorabend des Sturzes des Shōgunats andauerte und der Großteil der Militärklasse in vielen Bezirken bis zum letzten Moment in diesem Glauben getäuscht wurde Da die Restauration mit der Schließung des Landes einherging, war es nicht verwunderlich, dass sich das Überleben der ausländerfeindlichen Stimmung in fanatischen Ausbrüchen dieser Art zeigte. Andererseits lieferte die Beschäftigung von Männern aus der Militärschicht, die als überzeugte Reformer galten, in untergeordneten Posten des neuen Ministeriums einen guten Beweis dafür, dass die Politik der neuen Regierung, wenn sich ihre Ansichten durchsetzten, fortschrittlich und nicht reaktionär sein würde. Und ein weiterer Beweis für den neuen und radikalen Aufbruch, den diese aktiven Geister in der Regierung ins Auge fassten, wurde durch den sogenannten „Charter-Eid" geliefert, den der junge Mikado am 6. April 1868 nach der Bildung der neuen Regierung leistete.

In diesem Eid verkündete er seine Absichten in einer unmissverständlichen Sprache, die zweifellos die Ideen und Bestrebungen der Reformatoren widerspiegelte. Der erste der fünf Abschnitte des Eides bildete den Grundton des Ganzen und wies auf die Schaffung parlamentarischer Institutionen hin. „Beratungsversammlungen" – so hieß es – „ sollen in großem Umfang eingerichtet werden, und alle Regierungsmaßnahmen sollen von der öffentlichen Meinung entschieden werden." Und die letzte Klausel bekräftigte die zum Ausdruck gebrachte Resolution, indem sie sagte, dass „Wissen auf der ganzen Welt gesucht werden soll", ein Satz, der indirekt die Absicht andeutete, auf die Ressourcen der westlichen Zivilisation zurückzugreifen. Die anderen Passagen des Manifests erläuterten lediglich die veralteten und vagen Prinzipien der chinesischen Staatskunst, die von japanischen Administratoren schon vor langer Zeit übernommen worden waren.

die allgemeine Übereinstimmung der im Eid dargelegten kaiserlichen Absichten mit den Ansichten des letzten Shōguns , wie sie in der den ausländischen Vertretern im Herbst des Vorjahres mitgeteilten Rücktrittserklärung zum Ausdruck kamen . Es zeigt, dass die verkündete liberale Politik kein Monopol der Partei des Fortschritts im neuen Ministerium darstellte, sondern dass ein Gefühl für Reformen weit verbreitet war. Natürlich gab es damals noch keine Idee, den Massen eine Stimme in der Regierung des Landes zu geben, da das Feudalsystem noch existierte und die Mehrheit der Bevölkerung kein Interesse an öffentlichen Angelegenheiten hatte. Es war jedoch klar, dass repräsentative Institutionen irgendeiner Art, so unvollkommen die populäre Vorstellung davon auch sein mochte, das Ziel waren, dem sich die Gedanken der Menschen zuwandten.

KAPITEL VII

Neue Regierung – Clan-Gefühl in Satsuma – Verwaltungsänderungen – Reformatoren und Reaktionäre.

Im Frühjahr des folgenden Jahres (1869), als die Ordnung endlich wiederhergestellt war und der junge Mikado seine erste Audienz ausländischer Vertreter abgehalten hatte, wurde versucht, den kaiserlichen Absichten durch die Einsetzung einer beratenden Versammlung praktische Wirksamkeit zu verleihen, der die Der Name *Kōgisho* oder Parlament wurde gegeben. Es bestand aus 276 Mitgliedern, eines für jeden Clan. Auch hier sind wir beeindruckt von der großen Bandbreite fortschrittlicher Meinungen im Land, unabhängig von Parteigefühlen und ausländerfeindlichen Vorurteilen, denn in einem Manifest, das der ehemalige Shōgun zwei Monate vor seinem Rücktritt herausgab, hatte er seinen Wunsch geäußert, „ … “ Hören Sie auf die Stimme der Mehrheit und gründen Sie eine beratende Versammlung oder ein Parlament“ – genau das Wort, das *Kōgisho* verwendet.

Wie vorherzusehen war, war dieses erste Experiment, das in einer Atmosphäre des Feudalismus durchgeführt wurde, ein Fehlschlag; Aber Sir Harry Parkes, der damalige britische Minister, beschrieb eine Debatte zum Thema Außenhandel und sagte, dass das Ergebnis der Diskussion und ihr allgemeiner Ton dem Urteilsvermögen dieses noch jungen Parlaments zu verdanken seien.

Die Behandlung, die den Anhängern der Tokugawa-Sache zuteil wurde, als die Feindseligkeiten im Frühjahr 1869 endgültig eingestellt wurden, war von einer ebenso klugen wie unerwarteten Großzügigkeit geprägt. Bis dahin hatte man in Japan in Bürgerkriegen wenig Rücksicht auf die unterlegene Partei genommen. Darüber hinaus hatte sich die besiegte Seite im Widerstand gegen die Imperialisten den unglücklichen Titel „Rebellen“ (*Chōteki*) verdient, der denjenigen vorbehalten war, die zu den Waffen gegen die Krone griffen. In diesem Fall herrschten gemäßigte Ratschläge vor. Die Gebiete des Daimiō von Aidzu , dem Rückgrat des Tokugawa-Widerstands, und die eines anderen nördlichen Häuptlings wurden beschlagnahmt; achtzehn weitere Daimiōs wurden mit geringeren Einnahmen auf entfernte Lehen übertragen; während in einigen Fällen das Oberhaupt eines Clans gezwungen war, zugunsten eines nahen Verwandten abzudanken . Die Vergeltung ging nicht weiter. Später, als das Feudalsystem abgeschafft wurde, zeigte sich die gleiche Liberalität in Bezug auf die feudalen Renten, was sich besonders bei zwei großen Teilen der Militärklasse bemerkbar machte, den Hatamoto und den Gokénin, die die erbliche *persönliche* Gefolgschaft *von* bildeten die Tokugawa -Shōgune .

Die Großzügigkeit der Regierung führte in vielen Clans zu großer Unzufriedenheit in der Militärklasse. Dies war insbesondere in Satsuma der Fall, wo es andere Gründe zur Unzufriedenheit gab. Die Position des Satsuma-Clans war schon immer etwas anders als die anderer Clans. Seine Lage am südwestlichen Ende des Königreichs, weit entfernt vom Sitz der Autorität, hatte die Entwicklung eines unabhängigen Geistes begünstigt , und der Clan war seit langem für seine kriegerischen Eigenschaften bekannt. Obwohl der Clan vom Militärherrscher, der den Tokugawa- Shōgunen vorausging , unterworfen war und sich zum Tokugawa-Haus treu bekennte, hatte er ein beträchtliches Maß an Bedeutung und Prestige, wenn nicht sogar Unabhängigkeit, bewahrt, was die betreffenden Shōgune sorgfältig respektierten. Das bisherige Oberhaupt des Clans hatte vor seinem Tod im Jahr 1859 den Sohn seines Bruders, damals ein fünfjähriges Kind, als seinen Erben adoptiert. Die Angelegenheiten des Clans wurden seitdem weitgehend von diesem Bruder, Shimadzu Saburō , kontrolliert , ein Name, der Ausländern im Zusammenhang mit der Gräueltat bekannt ist, die zur Bombardierung von Kagoshima führte; aber sein Gesundheitszustand war schlecht, und als die neue Regierung gebildet wurde, war die Kontrolle über Clanangelegenheiten größtenteils in die Hände des älteren Saigō übergegangen , eines Mannes mit gebieterischem Charakter, der sich in den stürmischen Tagen den Tokugawa-Behörden mutig widersetzte vor der Restauration hatte ihn und andere einflussreiche Clansmitglieder zu einem beliebten Helden gemacht. Sowohl Shimadzu als auch der ältere Saigō waren durch und durch Konservative und lehnten alle ausländischen Innovationen ab. Aber es gab eine starke progressive Gruppe im Clan, angeführt von Männern wie Ōkubo und dem jüngeren Saigō , die weit davon entfernt waren, die reaktionären Tendenzen der älteren Anführer zu teilen. Diese Meinungsverschiedenheit im Clan war eine der Ursachen für die Meinungsverschiedenheiten im Ministerium, die 1870 aufkamen, und sie hatte wichtige Konsequenzen, die sich einige Jahre später in der tragischen Episode der Satsuma-Rebellion zeigten.

Der erste Ton der Zwietracht kam von Satsuma. Eine der ersten Amtshandlungen der neuen Regierung war die Verlegung der Hauptstadt von Kiōto nach Yedo , das in Tōkiō oder „Osthauptstadt" umbenannt wurde. Die Satsuma-Truppen, die in Tōkiō als Wache für die Regierung stationiert waren, beantragten plötzlich ihre Entlassung aus diesem Dienst. Als Begründung wurde angeführt, dass die Finanzen des Clans, die unter den hohen Ausgaben des Bürgerkriegs gelitten hatten, diesen teuren Garnisonsdienst nicht zuließen. Aber die wahren Gründe waren zweifellos ein Gefühl der Enttäuschung seitens der Mehrheit der Clansmitglieder über den angeblich geringen Anteil, der Satsuma in der neuen Regierung zugeteilt wurde, und eine gewisse Eifersucht der beiden Anführer, die die Petition gegenüber ihrem Jüngeren einreichten und aktivere Kollegen, verbunden mit Misstrauen gegenüber ihrer Reformbegeisterung.

Die Garnison durfte nach Hause gehen und auch der ältere Saigō kehrte in seine Provinz zurück. Der Moment war entscheidend. Die Regierung konnte es sich nicht leisten, die Unterstützung der beiden prominentesten Satsuma-Führer zu verlieren oder sich in diesem frühen Stadium der vor ihr liegenden Wiederaufbauarbeit mit dem Abfall eines so mächtigen Verbündeten abzufinden. Im folgenden Jahr (1871) wurde daher eine Versöhnungsmission, in der Iwakura und Ōkubo die Hauptfiguren waren, zu dem beleidigten Clan geschickt, um im Namen des Mikado ein Ehrenschwert am Grab von Shimadzus Bruder, dem verstorbenen Daimiō , zu überreichen von Satsuma. Der Mission wurde auch eine schriftliche Botschaft des Throns an Shimadzu anvertraut, in der er ihn aufforderte, sich für die Mikado-Regierung einzusetzen. Durch diesen Schritt wurde das Clangefühl für einen Moment besänftigt, und Saigō kehrte in die Hauptstadt zurück und wurde Mitglied der Regierung.

Wie instabil die damaligen Verhältnisse waren, zeigten die personellen Veränderungen im Ministerium im September desselben Jahres und die innerhalb weniger Monate darauf folgende Verwaltungsrevision. Die erste Maßnahme hatte zur Folge, dass das fortschrittliche Element in der Verwaltung auf Kosten der alten feudalen Aristokratie gestärkt wurde. Das neu organisierte Kabinett bestand aus Sanjō als Premierminister und Iwakura als Außenminister; Vier Staatsräte , Saigō , Kido, Itagaki und Ōkuma , vertraten die vier Clans Satsuma, Chōshiū , Tosa und Hizen , während ein weiterer Satsuma-Mann, Ōkubo , Finanzminister wurde. Die Überarbeitung der Verfassung hatte zur Folge, dass der im Vorjahr eingerichtete *Dajōkwan , die zentrale Exekutive, in drei Zweige aufgeteilt wurde: den Sei-in* , eine Art Staatsrat unter dem Vorsitz des Premierministers; die *Sa-in* , eine Kammer mit beratenden Funktionen, die bald an die Stelle der *Kōgisho trat* ; und die *U-in* , ein untergeordneter Ableger des Staatsrates, der kurz darauf in diesem Gremium aufging. Diese administrativen Änderungen hatten kaum wirkliche Bedeutung. Ihr Hauptinteresse liegt in der Tatsache, dass sie zeigen, wie besessen einige begeisterte Reformer von der Idee waren, beratende Institutionen, parlamentarische Methoden irgendeiner Art, im Rahmen der neuen Verfassung zu verkörpern; und in der weiteren Tatsache, dass die neuen obersten Staatsminister im Rahmen dieser Umstrukturierung die Daijō Daijin , Sadaijin und Udajin entlehnten ihre offiziellen Titel von den Kammern, denen sie vorstanden. Sir Francis Adams beschreibt diese Veränderungen in seiner *Geschichte Japans* und erwähnt, dass die Beratungskammer damals als „Zufluchtsort für politische Visionäre galt, die so die Möglichkeit hatten, ihre Theorien zu äußern, ohne Schaden anzurichten“, und dass „die Mitglieder ... Mitglieder der untergeordneten

Exekutivkammer (*U-in*), die sich einmal pro Woche zur Erledigung von Geschäften treffen sollten, trafen sich überhaupt nicht." Er fügte hinzu, dass er nie in Erfahrung bringen konnte, welche Aufgaben diese Kammer haben sollte oder was ihre Mitglieder jemals getan hätten. Die eigentliche Verwaltungsarbeit wurde von der kleinen, aber aktiven Gruppe von Reformatoren der vier Clans durchgeführt, die nach und nach alle Autoritäten in ihren eigenen Händen konzentrierten.

Die so geschaffenen hohen Ministerämter wurden von Sanjō , Shimadzu und Iwakura besetzt . Der Letztere, der Jüngste im Rang der Drei, teilte mit Kido und Ōkubo die Hauptrichtung der Angelegenheiten. Die anderen beiden waren lediglich Galionsfiguren, obwohl ihre Positionen am Hof bzw. in Satsuma der Regierung Stärke verliehen.

KIDO JUNICHIRŌ .

Als Anerkennung für die Verdienste um den Staat vor der Gründung des neuen Adelsstandes wurde sein Sohn nach dem Tod seines Vaters geadelt. Sein Tod ereignete sich vor der Gründung des neuen Adelsstandes, aber sein Sohn, der jetzige Marquis, wurde in Anerkennung der Verdienste seines Vaters geadelt.

Shimadzus Ernennung war ein weiterer Schritt in der Versöhnung von Satsuma, eine Weiterentwicklung der Politik der rechtzeitigen Zugeständnisse, die einen Bruch mit diesem Clan abgewendet hatte. Der Abschluss des Bündnisses zwischen den vier Clans, das die Restauration ermöglichte, war, wie wir gesehen haben, eine schwierige Angelegenheit gewesen. Die neue Regierung stand vor einer noch schwierigeren Aufgabe. Dies diente dazu, das Bündnis für künftige Zwecke aufrechtzuerhalten und die weitere Zusammenarbeit derselben Clans beim Wiederaufbau sicherzustellen. Der erste Schritt in die neue Richtung, die Bildung einer Regierung als Ersatz für das Shōgunat , war getan. Auch wenn diese Regierung die Mängel ihres rein künstlichen Charakters aufwies, selbst wenn sie nichts Besseres war als ein dämlicher Versuch, so unvereinbare Dinge wie östliche und westliche Institutionen, feudale und vorfeudale Systeme zu kombinieren, hatte sie zumindest das Verdienst, die Regierung zu sein Ergebnis eines echten Kompromisses, der durch den Druck der politischen Notwendigkeit zustande kam. Sowohl die konservativen und ausländerfeindlichen als auch die progressiven Elemente im Ministerium – die beiden Parteien des Kompromisses – müssen sich der großen Schwierigkeiten, die mit der Arbeit des Wiederaufbaus einhergehen, mehr oder weniger bewusst gewesen sein. Die Unzufriedenheit in Satsuma war nur eines von vielen Symptomen schwerer Unruhen, die sich im ganzen Land zeigten. Ein düsterer Hinweis auf den allmählichen Verfall der Tokugawa-Autorität war die Aufhebung der Zwangsresidenz feudaler Adliger in Yedo im Jahr 1862 mit allen damit verbundenen Folgen. Dieser Verfall hatte eine Schwächung der feudalen Bindungen zur Folge. Die Laxheit der Clanverwaltung, ihre natürliche Folge, hatte der gefährlichen Klasse der Clanlosen Gelegenheit zum Unheil gegeben *Samurai* oder *Rōnin* . Davon machten sie nicht lange Gebrauch, wie die Häufigkeit mörderischer Angriffe auf Japaner und Ausländer gleichermaßen zeigte; und die Angst vor einem gemeinsamen Vorgehen dieser Raufbolde, das jederzeit die Sicherheit der gesamten ausländischen Gemeinschaft gefährden könnte, hatte zur Stationierung ausländischer Truppen in Yokohama geführt. Darüber hinaus zielten die Maßnahmen der Imperialisten darauf ab, antiausländische Gefühle zu fördern für ihre eigenen unmittelbaren Zwecke hatte seinen eigenen Erzfeind mit sich gebracht, indem er den turbulenten Impulsen im Nationalcharakter freien Lauf ließ. Auch die Eifersüchteleien der Clans, die das Bündnis der vier Clans eine Zeit lang unterdrückt hatte, begannen wieder aufzutreten.

Mit dem Sturz der Tokugawa-Regierung kamen diese störenden Einflüsse voll zum Tragen, während die Ressourcen der neuen Herrscher, um mit ihnen umzugehen, sehr unzureichend waren. Von den Trümmern des komplizierten Systems der Tokugawa-Verwaltung blieb tatsächlich nur wenig übrig, was für die Erbauer des neuen Staatsgefüges von materiellem Wert war. Die Methoden der Tokugawa-Finanzierung, die von der Hand in den Mund gingen und weitgehend von unregelmäßigen feudalen Beiträgen abhingen, hatten zu einer Erschöpfung der Staatskasse geführt und den Nachfolgern der Shōguns mehr Schulden als Vermögenswerte hinterlassen .

Auch die Finanzen der Clans waren nicht in einer besseren Verfassung. Die Währung des Landes befand sich aufgrund der großen Vielfalt an Banknoten und Metallausgaben, die im ganzen Land im Umlauf waren, in einem Zustand hoffnungsloser Verwirrung, da das Shōgunat und die meisten Clans über ihr eigenes Papiergeld verfügten, das mit einem Auf- oder Abschlag versehen war. je nach den Umständen. Handel und Industrie wurden in ihrer Entwicklung auch durch die strengen Regeln behindert, die die Grenzen der Clans und Provinzen für Fremde schlossen, und durch die zahlreichen Hindernisse in Form von Barrieren und Zöllen, die den Verkehr und den Warenaustausch zwischen verschiedenen Teilen des Landes behinderten . Zu allem Überfluss bestand die Marine nur aus wenigen Schiffen, alle veralteten Typs, mit Ausnahme eines Monitors, den die Tokugawa-Regierung aus Amerika gekauft hatte, und es gab keine reguläre Armee im Dienste des Staates.

Die Streitkräfte, die dem Shōgunat früher zur Verfügung standen, stellten auf dem Papier für die damalige Zeit zumindest eine respektable Armee dar, die in Verbindung mit der von den Tokugawa -Shōgunen systematisch verfolgten Politik des *Divide et Impera* ausreichte, um den feudalen Adel, dessen Loyalität zweifelhaft war, einzuschüchtern. Die Gesamtzahl dieser Truppen kann auf ungefähr 400.000 Mann geschätzt werden. Sie bestanden aus Abgaben der Clans. Durch ein in der Mitte des 17. Jahrhunderts erlassenes Gesetz waren die Clans verpflichtet, der Regierung bei Bedarf feste Truppenkontingente zur Verfügung zu stellen, wobei die Anzahl der zu versorgenden Männer durch die Einnahmen eines Clans bestimmt wurde – diese Einnahmen wiederum Dabei handelt es sich um den Wert der geschätzten Jahresproduktion seiner Gebiete. Aber die Leistungsfähigkeit dieser Truppen hatte sich während der langen Friedenszeit, die mit der Tokugawa-Herrschaft zusammenfiel, natürlich verschlechtert, und in späteren Tokugawa-Tagen konnte man sich auch nicht viel auf ihre Loyalität gegenüber Yedo verlassen . Die militärische Schwäche des Shōgunats war im Zuge der Operationen gegen den Chōshiū- Clan aufgedeckt worden, und es war auch nicht genügend Zeit vergangen, um die Dienste der wenigen ausländischen Ausbilder, die von der Tokugawa-Regierung zur Neuorganisation der Armee eingesetzt wurden, zu nutzen. Während des Bürgerkriegs griffen die Imperialisten auf die Bildung kleiner Einheiten irregulärer Truppen namens *Shimpei* oder „Neue Soldaten“ zurück, die hauptsächlich aus der bereits erwähnten Klasse der *Rōnin rekrutiert wurden* und von denen einige mit Gewehren bewaffnet waren. Diese hastig aufgestellten Truppen waren jedoch ungeübt, und ihr Mangel an Disziplin zeigte sich, als sie dem Mikado bei seinem ersten Besuch in der neuen Hauptstadt als freiwillige Eskorte dienten. Aus ihrem Verhalten bei dieser Gelegenheit ging hervor, dass sie leicht zu einer Gefahr für die sie beschäftigenden Behörden werden könnten.

Ermutigt durch den Erfolg, den seine Bemühungen in Satsuma begleitet hatten, begab sich die an diesen Clan gesandte Versöhnungsmission auf Anweisung nach Chōshiū , wo eine wichtige Botschaft des Mikado überbracht wurde, die der an den Satsuma-Adligen Shimadzu gerichteten Botschaft ähnelte. Hier schloss sich ihr ein weiteres führendes Mitglied der Regierung an, Kido. Die so verstärkte Mission besuchte nacheinander Tosa , Owari und andere Clans. Abgesehen von seinem allgemeinen Zweck der Versöhnung war es anderswo, wie auch in Satsuma, zu dessen Erreichung notwendig, den Zustand der Clangefühle zu untersuchen und zu ergreifen, welche Schritte ratsam sein könnten, um die vorherrschende Unzufriedenheit, das Hauptziel des Die Mission bestand darin, die Unterstützung der betroffenen Clans für die Regierung zu gewinnen und eine provisorische Truppe zu organisieren, um die zentrale Autorität aufrechtzuerhalten. Das Ergebnis ihrer Bemühungen war, soweit es das Hauptziel betraf, die Bildung einer Streitmacht von etwa acht- oder neuntausend Mann, die aus verschiedenen Clans rekrutiert wurde. Ein günstiges Vorzeichen für die Zukunft lag in der Tatsache, dass nicht nur Clansmitglieder dabei waren, die an der Restaurationsbewegung teilgenommen hatten, sondern auch andere, die die Sache der Tokugawa unterstützt hatten. Auf diese Weise wurde der erste Kern dessen gebildet, was sich langsam zu einer nationalen Armee entwickeln sollte.

Angesichts der geringen finanziellen Mittel, die der neuen Regierung zur Verfügung standen, wurde beschlossen, einen Zwangsbeitrag zu erheben, um den unmittelbaren Bedarf des Finanzministeriums zu decken. Dieser Beitrag, der als „Tribut" bezeichnet wurde, wurde von allen Volksschichten erhoben, wobei die Beamten eine Steuer in Höhe von einem Dreißigstel ihres Gehalts zahlen mussten.

Die wichtigen Punkte, die in der vorstehenden unvollkommenen Darstellung der Situation, mit der die neuen Herrscher zu dieser Zeit konfrontiert waren, zu beachten sind, sind, dass die Revolution von der Militärklasse bestimmter Clans mit Hilfe des Hofes geplant und durchgeführt wurde Nation beteiligt sich daran nicht; und dass die führenden Männer dieser Klasse, die an die Front kamen und die Kontrolle über die Angelegenheiten übernahmen, in zwei Gruppen aufgeteilt waren, deren Ansichten über die zukünftige Politik im Wesentlichen unterschiedlich waren. Auf der einen Seite standen diejenigen, die an den alten traditionellen Verwaltungsmethoden festhielten, unter denen sich jedoch auch Männer mit gemäßigten Ansichten befanden. An Zahl und Einfluss waren sie ihren Gegnern ebenso überlegen wie an Kraft , Können und Einsicht unterlegen. Die andere Gruppe bestand aus einigen Männern mit aufgeklärteren und fortschrittlicheren Ansichten, die davon überzeugt waren, dass die Zeit für die Nation gekommen sei, mit ihrer Vergangenheit zu brechen, und dass in der Errichtung einer neuen Ordnung der Dinge, die bisher nur in den USA sichtbar war, die Zeit gekommen sei Der vageste Umriss birgt die beste Hoffnung für die Zukunft. Die konservative oder reaktionäre Partei, wie sie heute genannt werden kann, hatte sich lange Zeit hartnäckig gegen Auslandsverkehr in jeder Form ausgesprochen, mit Ausnahme derjenigen, die niederländische Händler praktisch in der Position von Staatsgefangenen gehalten hatten. Von dieser Position aus getrieben durch die Macht der Umstände, griffen sie auf eine zweite Linie von Verankerungen zurück – den Widerstand gegen Änderungen jeglicher Art, wenn diese Änderungen die Übernahme ausländischer Bräuche bedeuteten. In ihrer Haltung lag ein verhängnisvoller Fehler der Inkonsequenz, dessen sie sich vielleicht selbst nicht bewusst waren. Sie machten eine Ausnahme zugunsten ausländischer Innovationen, die für die Nation insgesamt attraktiv waren, wie etwa Dampfschiffe und Kriegsmaterial. Auch die Zeit war auf der Seite ihrer Gegner, nicht auf ihrer Seite. Die Lehren, die sie vertraten, waren Teil einer Ordnung, über die die Nation hinausgewachsen war und die sie ablegen wollte. Neue Ideen eroberten die Köpfe der Menschen, und Deserteure aus ihren Reihen schlossen sich einer nach dem anderen der von der Reformpartei erhobenen Fahne an. Noch nie, nicht einmal in der Zeit vor Tokugawa, hatte es der Nation an Unternehmungsgeist gefehlt. Der Verkehr mit den Niederländern hatte die Wertschätzung dessen, was als „westliches Lernen“ bekannt war, beschleunigt und eine heimliche Rebellion gegen die Tokugawa-Edikte der Abgeschiedenheit provoziert. Jetzt lag der Geist des Fortschritts in der Luft. Die Reformwelle, die später auch die weniger gemäßigten Reformer umhauen sollte, hatte eingesetzt.

Zum Glück für das Land gab es zu diesem Zeitpunkt einen Punkt, in dem sich beide Parteien einig waren. Zwischen den führenden Männern auf beiden Seiten herrschte allgemeine Einigkeit darüber, dass die Abschaffung des Feudalismus, so abstoßend er für viele auch war, nicht ohne weiteres vermieden werden konnte. Die Tokugawa-Verwaltung war, wie wir gesehen haben, auf feudaler Basis errichtet worden. Das Fortbestehen dieser feudalen Stiftung dürfte weder mit der Abschaffung der restlichen Verwaltungsstruktur noch mit den erklärten Prinzipien der Restauration vereinbar gewesen sein, wie weit diese auch ausgelegt werden mögen. Darüber hinaus hatte das Shōgunat sozusagen zwei Rollen inne . Es war selbst Teil des Feudalsystems und zugleich die Zentralregierung. Die ausgedehnten, in verschiedenen Teilen des Königreichs liegenden Gebiete, die sogenannten Shōgun- Domänen, deren feudale Einnahmen ein Drittel der Gesamteinnahmen des Landes ausmachten, wurden unter dem Tokugawa- *Regime* von der Zentralregierung verwaltet . Darüber hinaus gab es, wie bereits dargelegt, andere feudale Gebiete, die aus verschiedenen Gründen ebenfalls zeitweise oder dauerhaft derselben Zentralverwaltung unterstanden. Es wäre ein schwieriges Problem gewesen, mit dem großen

Gebiet umzugehen, das diese Domänen und Territorien darstellen, wenn das Feudalsystem fortbestehen würde. Die Shōgun- Domänen selbst waren vorerst in die Hände der neuen Regierung übergegangen, die für ihre Verwaltung verantwortlich war, aber es gab offensichtliche Einwände dagegen, ihnen den dauerhaften Charakter kaiserlicher Domänen zu verleihen. Abgesehen von der Schwierigkeit, auf diese Weise über ein so großes Gebiet zu verfügen, hätte die Annahme dieser Vorgehensweise eine unerwünschte Regelung aufrechterhalten, da die doppelte Eigenschaft als Herrscher und Feudalherr einer der Schwachpunkte im Tokugawa-Verwaltungssystem gewesen war. Es hätte auch die Würde des Throns gemindert, die im Prinzip zumindest in allen Wechselfällen hochgehalten worden war, indem es auf die gleiche feudale Ebene wie das untergegangene Shōgunat gestellt worden wäre, ganz zu schweigen von dem Vorwurf, in die Fußstapfen ihrer Vorgänger getreten zu sein die den neuen Herrschern entstanden wären. Sie zu Kronländern zu machen, hätte noch unangenehmere Konsequenzen nach sich gezogen. Andererseits hätte eine Umverteilung dieses großen Gebiets unter neuen oder alten Feudalherren viel Zeit in Anspruch genommen, und Zeit war bei der anstehenden Wiederaufbauarbeit von entscheidender Bedeutung. Darüber hinaus hätte jeder Schritt in diese Richtung, wie sorgfältig er auch darauf abzielte, widersprüchliche Ansprüche in Einklang zu bringen, in einem Moment, in dem die Clan-Rivalität wieder an Bedeutung gewann, die Tür zu schweren Meinungsverschiedenheiten geöffnet. Diese und andere Überlegungen, bei denen Fragen der Staatsfinanzen – und vielleicht auch die aus dem Ausland übernommene Idee, dass der Feudalismus einen rückständigen Zustand der Zivilisation impliziere – eine Rolle gespielt haben könnten, trugen zweifellos zur Einstimmigkeit bei der Entscheidung bei, den gordischen Knoten zu durchtrennen durch die Abschaffung des Feudalsystems.

Dass es sich bei dieser Lösung um eine Lösung handelte, die bereits vielerorts Akzeptanz gefunden hatte, gibt es eindeutige Belege. Es ist wahr, dass im Charta-Eid vom April 1868 kein direkter Hinweis auf die Maßnahme enthalten ist. Aber das im Herbst des Vorjahres herausgegebene Manifest, das den Rücktritt des Shōgun ankündigte, enthielt den Vorschlag, die alte Ordnung der Dinge zu ändern. und diese Verwaltungsbefugnis sollte dem kaiserlichen Gericht zurückgegeben werden. Die Sprache des Tosa - Denkmals, die diesen Rücktritt inspirierte, war noch klarer. Es sprach von der Gefahr, der das Land durch die Zwietracht zwischen dem Hof, dem Shōgun und dem feudalen Adel ausgesetzt sei, und befürwortete „die Abschaffung des dualen Verwaltungssystems" und „eine Rückkehr zur alten Regierungsform". Unter Berücksichtigung der Unbestimmtheit der verwendeten Formulierungen bedeutete „die Aufhebung des dualen Verwaltungssystems", was eindeutig der Fall war, die Beendigung der Tokugawa-Herrschaft, „die Wiederherstellung der alten" (nämlich vorfeudalen) „Form". der Regierung" wies nicht weniger deutlich auf die Abschaffung des Feudalismus hin. Die gleiche Abfolge von Ideen erscheint in dem Brief, den der Shōgun anlässlich seines Rücktritts an die *Hatamoto* , die vom Gründer der Tokugawa-Herrschaft geschaffene besondere Klasse feudaler Vasallen, richtete, und in der Mitteilung zu diesem Thema, die seine Minister dem Shōgun vorgelegt hatten ausländische Vertreter bei der gleichen Gelegenheit.

KAPITEL VIII

Abschaffung des Feudalsystems – Wiederherstellung der Klassen – Auswirkungen der Abschaffung des Feudalismus.

Die Abschaffung des Feudalsystems war eines der Diskussionsthemen im Embryo-Parlament, dem *Kōgisho* , kurz nach seiner Gründung im Jahr 1869. Der Weg für diese Diskussion war zur Zeit der Shōgun durch die Präsentation von Denkmälern zu diesem Thema vorbereitet worden Achtzehn Monate zuvor traten mehrere Clans zurück, die beide Parteien vertraten, die so bald in aktive Feindseligkeiten verwickelt waren. Denkmäler dieser Art für den Thron und das Shōgunat sowie als Reaktion darauf erlassene Erlasse und Mitteilungen waren in jenen Tagen übliche Methoden, um Entscheidungen in schwerwiegenden Staatsangelegenheiten zu treffen. Sie waren ursprünglich, wie so viele andere Dinge auch, aus China entlehnt und Teil der Maschinerie der Zentralregierung. Die in diesen Gedenkstätten dargelegten Empfehlungen offenbarten erhebliche Meinungsverschiedenheiten. Sie zeigten aber auch, was bereits angedeutet wurde, nämlich die Anerkennung der engen Verbindung zwischen Feudalismus und Shōgunat ; und das Bestehen eines sehr allgemeinen Gefühls, dass trotz der ernsthaften Störung der gesamten Verwaltungsstruktur, die eine so umfassende Änderung zwangsläufig mit sich bringen muss, nichts anderes als die Übergabe feudaler Lehen an die Krone eine zufriedenstellende Lösung des gestellten Problems wäre durch den Fall des Shōgunats . Diese Überzeugung hatte sich in den Köpfen von Männern wie Kido, Iwakura und Ōkubo festgesetzt , deren in einem früheren Kapitel erwähnte Mission für die Clans ein Beweis für ihre führende Position in der neuen Regierung war.

Die Methode zur Umsetzung der getroffenen Entscheidung war die *freiwillige* Übergabe feudaler Lehen an den Thron, wobei in dieser Angelegenheit dieselben vier Clans die Führung übernahmen, die die Restauration geplant und durchgeführt hatten. Im März 1869 – einem denkwürdigen Tag für die Nation – wurde dem Thron von den Daimiōs Satsuma, Chōshiū , Tosa und Hizen ein Denkmal in diesem Sinne überreicht, dessen Urheberschaft allgemein Kido zugeschrieben wird . Der Hauptpunkt, der im Memorial hervorgehoben wurde, war die Notwendigkeit einer völligen Änderung der Verwaltung, damit „ein zentrales Regierungsorgan und eine universelle Autorität“ geschaffen werden könnten; und im Einklang mit den Absichten der Memorialisten wurde der Souverän gebeten, über das Land und die Menschen in den übergebenen Gebieten nach eigenem Ermessen zu verfügen. Die Umstände, unter denen die Doppelregierung entstanden war, wurden erläutert, wobei der Mangel dieses Systems, „die Trennung des Namens von der Realität der Macht“, betont wurde, und die Tokugawa

Shōguns wurden als Usurpatoren angeprangert. Bei dieser aus politischen Gründen erfolgten Verurteilung der letzten Linie japanischer Herrscher wurde die Tatsache, dass das System der Doppelregierung schon lange vor dem Erscheinen der Familie Tokugawa entstanden war, praktisch ignoriert. Was die „Trennung des Namens von der Realität der Macht" betrifft, so ist der Ausdruck eine Anspielung auf einen alten chinesischen Ausdruck, „der Name ohne die Substanz", eine Metapher, die unter anderem auf die Galionsfigur einer Regierung angewendet wird. Dies ist ein gebräuchlicher Satz chinesischer und japanischer Schriftsteller, die sich ständig auf eine Verhaltensregel berufen, die im Verstoß wichtiger ist als in der Einhaltung.

Dem Beispiel der vier Clans folgten andere. Bis Ende des Jahres gab es von den 276 Feudatorien nur siebzehn, die sich der Bewegung enthielten, wobei es sich dabei um Daimiōs aus Ostgebieten handelte, die sich im Bürgerkrieg auf die Seite des Shōgun gestellt hatten. Einer der frühesten und enthusiastischsten Memorialisten war der Daimiō von Kishiū , dem Tokugawa-Prinzen, der dieses Lehen durch die Beförderung seines Verwandten, Prinz Kéiki , zum Shōgun erlangt hatte . Noch drei Jahre zuvor hatte er sich für den Fortbestand des Shōgunats eingesetzt . Diese Änderung der Einstellung seitens eines Prinzen, der neben den Daimiōs von Owari und Mito an der Spitze des feudalen Adels stand, kann als Beweis dafür interpretiert werden, wie selbstverständlich die Verbindung des Feudalismus mit dem Shōgunat in den Köpfen der Menschen war und wie schwierig für ihn war, wie auch für andere, die Vorstellung eines Feudalsystems ohne Shōgun .

Die Antwort des Throns an die Memorialisten war unverbindlicher Natur. Man teilte ihnen mit, dass die Frage demnächst in der neuen Hauptstadt einem Rat feudaler Adliger vorgelegt werden würde. Es gibt keinen Grund anzunehmen, dass die in dieser Antwort zum Ausdruck gebrachte Vorsicht darauf schließen lässt, dass die Regierung zögert, die geplante Maßnahme durchzuführen. Der drastische Charakter des Vorschlags rechtfertigte Vorsicht bei der Behandlung, und die Vielfalt der beteiligten Interessen erforderte eine sorgfältige Abwägung. Nachdem der Vorschlag der Versammlung der Daimiōs zur formellen Genehmigung vorgelegt worden war, wurde im August desselben Jahres ein Dekret erlassen, in dem die Annahme durch den Thron bekannt gegeben wurde, der der Meinung war, „dass dieser Kurs die Autorität der Regierung festigen würde." ." Als Vorstufe wurde die Verwaltung der Clan-Territorien umgestaltet , um der neuen Ordnung der Dinge zu entsprechen; die Daimiōs , die zusammengerufen wurden, um über ihr eigenes Schicksal zu entscheiden, kehrten in der veränderten Rolle von Gouverneuren (*Chihanji*) in die Gebiete zurück, über die sie bisher herrschten; und die Regierung machte sich daran, die verschiedenen Vorkehrungen im Detail zu prüfen und festzulegen, die aufgrund der neuen Bedingungen, die geschaffen werden sollten, erforderlich wurden.

Zwei Jahre später, am 29. August 1871, erschien der Kaiserliche Erlass zur Abschaffung des Feudalsystems. „Die Clans“, so hieß es darin, „werden abgeschafft und an ihrer Stelle werden Präfekturen errichtet.“ Die Kürze des Dekrets, die selbst für solche Dokumente einzigartig ist, deren Länge oft von einem Extrem zum anderen schwankte, kann in diesem Fall durch die Tatsache erklärt werden, dass gleichzeitig eine kaiserliche Botschaft an die neuen Clan-Gouverneure gerichtet war. Dabei wurde auf die Sanktion verwiesen, die der Thron dem Vorschlag zur Übergabe feudaler Lehen bereits gewährt hatte, und es wurde darauf hingewiesen, dass die damals ausgesprochene Sanktion nicht als ein weiteres Beispiel für den allgemeinen Mangel „des Namens ohne“ angesehen werden sollte die Substanz“, aber dass das jetzt erlassene Dekret im wörtlichen Sinne verstanden werden muss, nämlich die Abschaffung der Clans und ihre Umwandlung in Präfekturen. Der Nachricht folgte ein Befehl, der die ehemaligen Daimiōs anwies , künftig mit ihren Familien in Yedo zu wohnen , wobei ihre Gebiete vorübergehend der Obhut ehemaliger Clan-Offiziere anvertraut würden. Obwohl diese Maßnahme zweifellos die Macht der Regierung stärkte, muss sie die betroffenen Adligen eindringlich an die Vorsichtsmaßnahmen der Tokugawa-Zeit erinnert haben.

Ein weiterer Schritt in die gleiche Richtung erfolgte durch die Zusammenlegung von Hof- und Feudaladel zu einer Klasse, die den neuen Namen *Kwazoku* (Adlige) erhielt. Die Abschaffung des Feudalismus führte darüber hinaus zum Verschwinden der *Samurai* , der Kämpfer der Clans, und zur Neuordnung der bestehenden Klassen. Unter dem Feudalsystem gab es außer dem Adel vier Klassen: die Zweischwerter oder Samurai , die Bauern, die Handwerker und die Kaufleute oder Handwerker. Die nun eingeführte neue Ordnung umfasste nur zwei Klassen – den Adel (*shizoku*), der die *Samurai ersetzte* , und das einfache Volk (*heimin*). Was ebenfalls eine eigene Paria-Klasse gebildet hatte, bestehend aus gesellschaftlichen Ausgestoßenen, die als *éta* und *hinin bekannt sind* , wurde abgeschafft und ihre Mitglieder wurden in die Klasse der *heimin eingegliedert* . Eine weitere Neuerung wurde in Form einer Proklamation eingeführt, die es Angehörigen der ehemaligen Militärklasse erlaubte, das Tragen ihres Schwertes, das eine strenge feudale Regel gewesen war, aufzugeben.

Das Dekret zur Abschaffung der Clans wurde in ein oder zwei Feudalgebieten erwartet, wobei die betreffenden Behörden auf der vorherigen Ankündigung reagierten, dass die kaiserliche Sanktion dem Vorschlag der Memorialisten zuerkannt worden sei, und aus eigenem Antrieb die Samurai mit dem *Rest* verschmolzen die Bevölkerung. Das Beispiel wurde nicht allgemein befolgt, aber seit der Veröffentlichung dieser Ankündigung strömten in vielen Bezirken Mahnmale und Petitionen aus der Militärklasse ein, in denen sie darum baten, die geplante Maßnahme bald in Kraft zu setzen, und um die Erlaubnis, ihre Schwerter beiseite legen zu dürfen und landwirtschaftliche Berufe ergreifen. Es fehlte auch nicht an den Impulsen in die gleiche Richtung, die von inspirierten Schriftstellern in der Presse gegeben wurden, die gerade unter offizieller Schirmherrschaft entstand. Einer von ihnen stellte fest, dass die Nation eine kaiserliche Armee und Einheitlichkeit in Bezug auf Landbesitz, Besteuerung, Währung, Bildung und Strafgesetze brauchte – Ziele, die alle in naher Zukunft erfüllt werden sollten. Die so zum Ausdruck gebrachte allgemeine Stimmung hat die Regierung zweifellos bei ihrem letzten Schritt beeinflusst.

Kurz vor Erlass des Dekrets kam es zu einem Umbau des Ministeriums, wodurch die Position der Führer der Reformpartei und der von ihnen vertretenen Clans gestärkt wurde, während der Einfluss des aristokratischen Elements in der Regierung verringert wurde. Im wiederhergestellten Kabinett, wie wir es jetzt nennen können, blieb Prinz Sanjō Premierminister, Prinz Iwakura wurde Außenminister und ersetzte einen Hofadligen, während vier prominente Clansmitglieder, die die Restauration, wie wir gesehen haben, an die Front gebracht hatten, traten ihr Amt als Staatsräte an . Diese vier waren Saigō , Kido, Itagaki und Ōkuma .

Zu diesem Datum gehört auch ein beunruhigender Vorfall, der das Eingreifen der ausländischen Vertreter erforderlich machte. Aus Angst vor einer Wiederholung der mit der christlichen Propaganda des 16. und 17. Jahrhunderts verbundenen Unruhen hatten die japanischen Behörden die Vertragsklausel, die die Errichtung christlicher Kultstätten in den offenen Häfen erlaubte, stets mit Bedenken betrachtet. Diese Besorgnis verstärkte sich durch die Wiederaufnahme der Missionsbemühungen, als das Land wieder für den Außenhandel und Verkehr geöffnet wurde. Als Vorsichtsmaßnahme waren in allen Teilen des Landes weiterhin die alten offiziellen Bekanntmachungen angebracht worden, in denen das Christentum als eine verderbliche Doktrin angeprangert wurde, und in Nagasaki, das einst ein christliches Zentrum gewesen war, war die Bevölkerung jedes Jahr gezwungen worden, darauf herumzutrampeln Symbole des verbotenen Glaubens. Als 1865 an diesem Ort, der mittlerweile ein offener Hafen war, eine römisch-katholische Kirche errichtet wurde, strömten so viele Menschen aus der Nachbarschaft dorthin, dass sie die Aufmerksamkeit der Behörden auf sich zogen. Dann stellte sich heraus, dass die christlichen Lehren dort nicht vollständig ausgerottet worden waren, wie dies anderswo der Fall war. Daraufhin wurde die Verbannung der säumigen Personen in abgelegene Bezirke angeordnet, wobei es den ausländischen Vertretern nur mit Mühe gelang, eine vorübergehende Aufhebung der Anordnungen zu erreichen. Nach der Restauration wurden die offiziellen

Bekanntmachungen, die die christliche Religion verboten, mit der Ersetzung der Autorität des Mikado durch die des Shōgun bewusst erneuert, und 1870 wurden die Anordnungen zur Verbannung der Täter trotz wiederholter Proteste von seiten ausgeführt der Auslandsvertretungen. Ansonsten scheint die Behandlung, der die Verbannten ausgesetzt waren, nach damaligen Maßstäben jedoch im Großen und Ganzen frei von übermäßiger Grausamkeit gewesen zu sein. Erst im Jahr 1873 wurde die Ausübung des Christentums aufgehört, verboten zu sein. Die Verbotsbescheide für die christliche Religion wurden daraufhin zurückgezogen und die Verbannten in ihre Häuser zurückgebracht. In merkwürdigem Gegensatz zu diesem Wiederaufflammen der Verfolgung stand etwa zur gleichen Zeit in einer Broschüre der Vorschlag, das Christentum offiziell anzuerkennen, ein Vorschlag, der einige Jahre später, als die Anziehungskraft für die westliche Zivilisation nachließ, noch weiter vorangetrieben worden sein soll auf seinem Höhepunkt von einem prominenten Mitglied des Ministeriums.

Um auf das Thema des Feudalismus zurückzukommen, von dem uns dieser Exkurs im Interesse der chronologischen Ordnung weggeführt hat: Seine Abschaffung war die erste und zugleich radikalste der Reformen, die die neue Regierung in Angriff nahm . Es hat Altbewährtes an der Wurzel gepackt und den Weg für künftigen Fortschritt frei gemacht. Es ist bedauerlich, dass Marquis Ōkuma in seinem Buch *„Fünfzig Jahre neues Japan“* das Thema in ein paar Zeilen abgetan hat. Da er selbst einer der Hauptdarsteller der Szene war, war niemand besser qualifiziert, damit umzugehen. Ausländische Schriftsteller, die für diese Aufgabe weniger gut gerüstet waren, haben ihm mehr Aufmerksamkeit geschenkt. Einige von ihnen vertraten, gestützt auf die den Denkmälern beigefügten Unterschriften, die oberflächliche Ansicht, dass die freiwillige Übergabe von Lehen auf die Initiative der feudalen Adligen selbst zurückzuführen sei, und lobten ihr Vorgehen für das, was sie als übertriebenen Patriotismus und Einzigartigkeit ansahen Selbstaufopferung. Diese Ansicht ist völlig falsch. Es wurde bereits darauf hingewiesen, dass die Umgebung, in der die Daimiōs jener Tage aufwuchsen, dazu führte, dass sie jeglichen Charakters und jeder Initiative beraubten und dass sie, wie die Mikado und Shōgun , bloße Marionetten in den Händen waren andere, ungeeignet für Verantwortung jeglicher Art, ungewohnt, die Dinge zu lenken. Damit nicht der Eindruck entsteht, das Bild sei überzeichnet, wäre es vielleicht angebracht, die Worte eines japanischen Schriftstellers aus dieser Zeit zu zitieren. Sie kommen in einer anonymen Broschüre vor, die 1869 veröffentlicht wurde und aus der Sir Francis Adams in seiner *Geschichte Japans* Auszüge liefert .

„Die große Mehrheit der Feudalherren“, sagt der Autor, „sind im Allgemeinen Personen, die in der Abgeschiedenheit der Frauengemächer geboren und aufgewachsen sind: ... die, selbst wenn sie in den Besitz eines

Mannes hineingewachsen sind, noch alle Merkmale von … aufweisen Kindheit. Sie führen ein müßiges Leben und treten das Erbe ihrer Vorfahren an ... Und in die gleiche Kategorie fallen diejenigen, die zwar zu Vasallen ernannt wurden, aber aus einer guten Familie auf den großen Ländereien stammen."

Für die Wahrheit dieser Aussage gibt es zahlreiche Beweise. Es gab tatsächlich einige Fälle von Feudalherren, die über einen gewissen Anteil an Macht und Einfluss verfügten. Aber sie stellten Ausnahmen von der allgemeinen Regel dar, und die von ihnen ausgeübte Autorität galt eher den Angelegenheiten des Staates als der Verwaltung ihrer eigenen Gebiete. Lange vor der Restauration war die Verwaltung der feudalen Lehen aus den Händen der nominellen Herrscher und ihrer erblichen Hauptgefolgsleute in die Hände von Clanmitgliedern mit niedrigerem Status übergegangen. Sie waren die wahren Urheber der Reformmaßnahmen, die das Feudalsystem hinwegfegten. Es waren dieselben Männer, die die Restauration durchführten. Während aller Verhandlungen über die Übergabe ihrer Lehen zählte der feudale Adel nichts und war sich als Klasse nur schwach, wenn überhaupt, bewusst, was vor seinen Augen vor sich ging.

Als Gegenleistung für die freiwillige Übergabe ihrer Lehen erhielten die enteigneten Daimiōs Renten in Höhe eines Zehntels ihrer früheren Einkünfte, wobei die Zahlung der geringen erblichen Einkünfte der *Samurai* in ihrem veränderten Adelsstatus vorerst von der Regierung fortgeführt wurde . Von dieser Regelung waren jedoch die *Samurai* eines oder zweier Clans ausgeschlossen, die den imperialistischen Kräften über einen längeren Zeitraum Widerstand geleistet hatten, eine Unterscheidung, die viel Leid und Not verursachte.

Die Übergabe der Clan-Territorien beinhaltete natürlich die Rückgabe der Ländereien, die sich in ihrer Ausdehnung stark unterschieden und von den beiden bereits erwähnten großen Teilen der Militärklasse, den Hatamoto und Gokénin , gehalten *wurden* . Ihre Renten wurden nach einem ähnlichen Schema geregelt wie für den feudalen Adel.

Die Höhe der Einnahmen, die die Regierung infolge der Aufgabe aller feudalen Gebiete, einschließlich der Shōgun- Domänen, deren Verwaltung zuvor übernommen worden war, erzielte, ist nicht leicht zu bestimmen. Eine sehr grobe Schätzung ist alles, was möglich ist. Das Ausmaß des Letzteren wurde bereits festgestellt. Noch bemerkenswerter war seine weite Verbreitung. Von den 68 Provinzen, in die Japan zur Zeit der Restauration aufgeteilt war, leisteten nicht weniger als 47 aufgrund der dortigen Ländereien, die dem Shōgunat gehörten, einen Beitrag zur Tokugawa-Staatskasse . Im Tokugawa-Gesetz, bekannt als „Die Hundert Artikel", wird der geschätzte Gesamtertrag des Landes mit 28.000.000 *Koku* Reis angegeben, wobei der Ertrag des gesamten Landes, unabhängig von der Art seiner Produkte, in diesem Getreide angegeben wird. Davon entfielen 20.000.000 *Koku* auf die Erträge der Ländereien des feudalen Adels und des Adels, der Rest auf die Erträge der Shōgun- Ländereien. Diese Aussage wurde im 17. Jahrhundert gemacht, und es liegt nahe, anzunehmen, dass die betreffenden Einnahmen zum Zeitpunkt der Restauration mit dem allgemeinen Fortschritt der Nation gestiegen sein könnten. In Ermangelung genauer Daten werden wir uns wahrscheinlich nicht sehr irren, wenn wir die Bruttoeinnahmen, die der Regierung durch die Abschaffung des Shōgunats und des Feudalsystems, zu dem es gehörte, zukamen, auf nicht viel weniger als 35.000.000 schätzen *Koku* Reis, was beim durchschnittlichen Reispreis zu dieser Zeit etwa 35.000.000 £ entsprach. Davon musste der Anteil der Landwirte abgezogen werden, der je nach Ort unterschiedlich war. Aus dem Rest mussten wiederum die Renten des feudalen Adels und anderer Angehöriger der Militärklasse gezahlt werden, so dass der Nettosaldo, der in den ersten Jahren der neuen Regierung der Staatskasse zufließen konnte, nicht hätte ausreichen können groß.

Die Auswirkungen, die die Abschaffung des Feudalismus auf die verschiedenen Klassen der Nation verursachte, waren sehr unterschiedlich, wobei der Nutzen, den einige daraus erfuhren, in scharfem Kontrast zu den Härten stand, die anderen zugefügt wurden. Diese Wirkungen vollzogen sich jedoch größtenteils schleichend. Sie wurden in ihrem vollen Umfang erst einige Jahre später realisiert, als die vielfältigen Einzelheiten zur Durchführung dieses großen Unternehmens mühsam ausgearbeitet worden waren.

Mit Ausnahme des *Fudai* Daimiōs und die feudalen Gruppen von *Hatamoto* und *Gokénin* – die die erbliche persönliche Gefolgschaft der Tokugawa Shōguns darstellten und zwischen der höheren feudalen Aristokratie und dem Großteil der Militärklasse standen – gibt es keinen Grund zu der Annahme, dass der Territorialadel sehr stark darunter gelitten hat ändern, sparen sie sofort den Verlust ihrer Würde und später die obligatorische Umwandlung ihrer Renten. Da ihnen durch den Brauch die Beteiligung an der Verwaltung der Clan-Angelegenheiten verweigert wurde, hatten sie kaum Anlass, Einwände gegen eine Maßnahme zu erheben, deren wahre Bedeutung nur unvollkommen erkannt wurde, oder etwas anderes zu tun, als sich stillschweigend den Entscheidungen der herrschaftlichen Gefolgsleute zu fügen, nach deren Rat sie und ihre Angehörigen handelten Vorfahren waren es gewohnt, geführt zu werden. Aus staatspolitischen Gründen lag die Veränderung sowohl außerhalb ihrer Kontrolle als auch außerhalb ihres Verständnisses, das selten aus dem Kreis trivialer Beschäftigungen und Vergnügungen herauskam, mit denen sie zufrieden waren. Einige mögen die Veränderung tatsächlich als Befreiung von belastenden

Existenzbedingungen und als Aussicht auf größere Handlungsfelder begrüßt haben. Der Fall des *Fudai* daimiōs und andere in derselben Kategorie waren anders. Für sie war die Abschaffung des Feudalsystems ein schwerer Schlag, denn sie bedeutete den Verlust offizieller Bezüge, die sie unter dem Shōgunat über Generationen hinweg als besonderes Privileg genossen hatten.

Für die beiden Klassen der Handwerker und Kaufleute war die unmittelbare Wirkung möglicherweise insofern unwillkommen, als sie eine Störung der bestehenden Lebensbedingungen und der althergebrachten Industrie- und Handelsbräuche mit sich brachte. Im Feudalismus entstand nicht nur ein enges System von Clanzünften, sondern, wie im Europa des Mittelalters, waren Handwerker und Händler, die dasselbe Handwerk oder Geschäft ausübten, auf getrennte Viertel einer Stadt beschränkt. Erstere hatten möglicherweise auch Grund, die liberale Schirmherrschaft feudaler Kunden zu bedauern, die Muße und Spielraum für die Ausübung individueller Fähigkeiten ließen, und den Druck des offenen Wettbewerbs auf dem Industriemarkt mit Sorge zu betrachten. Doch als sich die neuen Verhältnisse stabilisierten und die Vorteile einer einheitlichen Verwaltung deutlich wurden, hatte keine der Klassen einen Grund, mit der Veränderung ihrer Umstände unzufrieden zu sein. Sicherlich nicht die Kaufleute und Handwerker. Das Verschwinden der Barrieren zwischen den Provinzen und zwischen den Clans kam ihnen zugute, während die Eröffnung neuer Handelskanäle alle mit der neuen Ordnung der Dinge einhergehenden Nachteile mehr als ausgleichen musste.

Eine Klasse – die damals wichtigste – die *Samurai* , litt stark unter der Veränderung. Seit Jahrhunderten an einen hohen Rang in der Gesellschaftsordnung gewöhnt, an eine Stellung der Überlegenheit gegenüber dem Rest des Volkes, von dem sie sich durch langjährige Privilegien und Bräuche sowie durch einen traditionellen Ritterkodex unterschieden, dem sie folgten Aufgrund ihres berechtigten Stolzes sahen sich die *Samurai* plötzlich in einen Status verwiesen, der sich kaum von dem ihrer früheren Untergebenen unterschied. Es ist wahr, dass sich die Militärklasse als Ganzes aufgrund der Verlegenheit der Clanfinanzen, die in mehreren Fällen zur Reduzierung feudaler Einrichtungen geführt hatte, und der strengen Herrschaft, die die Mitglieder der Clans festhielt, seit langem in einem verarmten Zustand befand diese Klasse davon abzuhalten, irgendeine der gewinnbringenden Beschäftigungen auszuüben, die dem Rest der Nation offen stehen; und dass die Unruhe und Unzufriedenheit, die sich aus diesem Zustand ergaben, sie möglicherweise dazu veranlasst haben, jede Änderung, die eine mögliche Verbesserung ihrer Umstände in Aussicht stellte, mit Wohlwollen zu betrachten. Es ist auch etwas Wahres an der Ansicht, dass der eifrige Enthusiasmus der Reformpartei, der von dem Glauben an die Erfüllung ihrer gehegten Ziele inspiriert war, in den Köpfen der Militärklasse ein Echo gefunden und die dort so auffälligen patriotischen Impulse geweckt haben könnte die Nation; Gleichzeitig könnte das Gefühl der feudalen Loyalität den unbedingten Gehorsam gegenüber der Entscheidung der Clan-Behörden diktiert haben. Unter Berücksichtigung des Einflusses derartiger Überlegungen besteht jedoch kaum ein Zweifel daran, dass die plötzliche Wende im Schicksal der Militärklasse ein bitteres Gefühl hervorrief, das sich später im Ausbruch schwerwiegender Unruhen zeigte.

Die Unbeliebtheit der Maßnahme wurde durch die Rentenumwandlung verstärkt, die sich kaum auf die Militärschicht auswirkte. Bei der Einführung eines Plans zu diesem Zweck im Jahr 1873 ließ sich die Regierung hauptsächlich von den dringenden Bedürfnissen der Staatskasse beeinflussen. Im Rahmen dieses Programms wurden Staatsanleihen mit einem Zinssatz von 8 Prozent ausgegeben. *Samurai* mit einem erblichen Einkommen von weniger als 100 *Koku* Reis konnten ihre Renten, wenn sie dies wünschten, auf der Grundlage einer sechsjährigen Anschaffung umwandeln und erhielten die Hälfte der Summe, auf die sie Anspruch hatten, in bar und den Rest in Anleihen; während die Basis für die Rentenempfänger auf eine Kaufdauer von viereinhalb Jahren festgelegt wurde, waren die niedrigen Kaufraten in beiden Fällen auf die damals vorherrschenden hohen Zinssätze zurückzuführen.

Drei Jahre später wurde der freiwillige Charakter der Kommutierung obligatorisch und auf alle Angehörigen der Militärklasse ausgedehnt, unabhängig von der Höhe des Einkommens. Da der aktuelle Zinssatz zu diesem Zeitpunkt gesunken war, wurde die Grundlage für die Ablösung für alle gleichermaßen auf einen Kauf von zehn Jahren erhöht, wobei der Zinssatz für die Anleihen leicht gesenkt wurde, der je nach Höhe des Einkommens variierte pendelte. Indirekt führte diese Umwandlung zu weiterem Unglück für die Militärklasse. Viele *Samurai* , die sich nicht mit Geschäftsmethoden auskannten und keine Erfahrung mit Handelsgeschäften hatten, waren versucht, das wenige Kapital, das sie erhalten hatten, in unrentablen Unternehmen einzusetzen, deren Scheitern sie in extreme Armut brachte.

KAPITEL IX

Auswirkungen der Abschaffung des Feudalismus auf die landwirtschaftliche Klasse – Änderungen im Landbesitz – Revision der Grundsteuer.

Die Abschaffung des Feudalismus war ein Segen für die Bauernschaft. Wenn es den *Samurai* , die den Großteil der militärischen Klasse ausmachten, viel Leid zufügte, während das Urteil über seine Ergebnisse in anderen Fällen von der Schlussfolgerung abhing, die nach Abwägung der Gewinne und Verluste, die mit seinem Betrieb einhergingen, zu ziehen war, so war es für die Bauern der Fall ein wahrer Segen. Seine volle Bedeutung wurde jedoch erst nach mehreren Jahren spürbar.

Unter dem Feudalsystem variierte die Stellung des Bauern in gewissem Maße je nach Ort. In Satsuma beispielsweise gab es neben der einfachen Bauernschicht auch *Samurai*- Bauern. Auch in bestimmten Teilen der Provinz Mito und anderswo gab es eine besondere Klasse von Freibauern, die einige der Privilegien der *Samurai genossen* . Aber im ganzen Land bestand der Großteil der landwirtschaftlichen Klasse aus Kleinbauern, die ihr Land zwar unter Bedingungen bewirtschafteten, die dem in Europa als Métayage-System bekannten Bedingungen ähnelten, in vielerlei Hinsicht jedoch kaum *besser* waren als Leibeigene. Der Bauer konnte seinen Betrieb nicht verlassen und nach Belieben woanders hingehen; Er konnte auch nicht über sein Interesse daran verfügen, obwohl es durch Hypotheken möglich war, das Gesetz in dieser Hinsicht zu umgehen. Auf die häufigen Forderungen nach Zwangsarbeit musste er reagieren. Er war Beschränkungen in Bezug auf die anzubauenden Feldfrüchte und deren Fruchtfolge unterworfen, während er bei der Verfügung über seine Produkte durch die Einmischung von Clangilden behindert wurde. Der Landwirt musste auch die Kosten und das Risiko für den Transport der Steuererträge seines Landes zu den Empfangsstationen tragen und war außerdem verpflichtet, jedes Mal einen zusätzlichen Betrag zu liefern, um den Verlust zu decken, der durch den Transport entstehen sollte. Andererseits war er in der feudalen Form des Landbesitzes zwar an den Boden gebunden und mit ihm übertragbar, wenn er den Besitzer wechselte, doch war er praktisch frei von Störungen in seinem Besitz, solange er seine Pacht bezahlte, die in Form von … anfiel ein Anteil am Ertrag des Landes und andere Abgaben, die von Zeit zu Zeit von feudalen Gerichtsvollziehern erhoben wurden. Daher genoss er zweifellos die Beständigkeit seiner Amtszeit; und wenn man die besondere Art seiner Verbindung mit dem Feudalgrundbesitzer betrachtet, erscheint es fraglich, ob seine Rechte an dem Land, das er bewirtschaftete, nicht als Eigentum angesehen werden können. Es kann hinzugefügt werden, dass Besitztümer vom Vater auf den Sohn übergegangen sind oder, in Ermangelung direkter

Erben, in derselben Familie liegen, wobei das Recht auf Adoption selbstverständlich anerkannt wird.

Die Interessen der Bauernschaft wurden durch die Abschaffung des Feudalsystems in vielerlei Hinsicht beeinträchtigt. Der abrupte Wandel in der Stellung des Landwirts, der durch das Verschwinden seines feudalen Grundherrn verursacht wurde, warf die gesamte Frage des Grundbesitzes und der Grundsteuer auf, nicht nur in Bezug auf den bäuerlichen Landwirt, sondern auch in ihrer Auswirkung auf die Besitzer aller landwirtschaftlichen Flächen im gesamten Land das Land sowie andere Grundstücke, die nicht in dieser Kategorie enthalten sind. Um die Regierung in die Lage zu versetzen, eine Aufgabe dieser Größenordnung zu bewältigen und gleichzeitig ihre erklärten Ziele in Richtung einer einheitlichen Verwaltung zu verwirklichen, waren weitreichende Rechtsvorschriften erforderlich.

Angesichts des einzigartigen Charakters der von uns beschriebenen Lehensherrschaft, bei der Grundherr und Pächter in einer Art Miteigentum verbunden waren, hätte man annehmen können, dass die durch die Übergabe von Lehen gebotene Gelegenheit genutzt werden würde, um die Lehen zu platzieren Klärung der Frage des Landbesitzes auf einer klaren Grundlage, indem die Stellung der Menschen und insbesondere der Landwirte in Bezug auf das Land genau definiert wird. Dies geschah jedoch nicht. Es wurde kein Dekret erlassen, das die umfassende Frage der Abschaffung des Feudalsystems berührte. Erst nach und nach wurden die Absichten der Regierung deutlich. Schritt für Schritt manifestierte sich die angestrebte Politik durch die Aufhebung der verschiedenen Beschränkungen, die die Rechte der Pächter beschnitten hatten, bis schließlich klar wurde, dass das Eigentum an allem Land von Rechts wegen bei der Krone lag, obwohl an der Theorie festgehalten wurde Ziel war es, dass jeder Landbesitzer praktisch Eigentümer seines Besitzes werden sollte.

Eine der ersten Regierungshandlungen am Ende des Bürgerkriegs bestand darin, das gesamte Land so weit wie möglich auf eine gemeinsame Grundlage zu stellen. Der erste Schritt in dieser Richtung wurde im Frühjahr 1869 unternommen. Dann wurde alles beschlossen Land, das von früheren Regierungen als Schenkung gehalten wurde, sollte steuerpflichtig sein. Diese Maßnahme betraf alle Landempfänger, die *Yashikis* oder feudalen Residenzen des Territorialadels in Yedo , die unter die neue Herrschaft fielen. Das von diesen *Yashikis bedeckte Gelände* , von denen einige ausgedehnt waren und separate Parks in der Nähe des Schlosses und in anderen Vierteln der Stadt bildeten, war ursprünglich, wie andere Landzuteilungen auch, als unentgeltliche Schenkung übergeben worden, weder als Pacht noch als Land -Steuer gezahlt wird.

Ein wesentlicher Punkt in der von der neuen Regierung angestrebten Einheitlichkeit der Verwaltung war die Reform aller Steuern, wobei der Revision der Grundsteuer Vorrang eingeräumt wurde. Es zeigte sich kein Zögern, diese Aufgabe anzunehmen. Die Finanzen waren wie schon bei der vorherigen Regierung der Schwachpunkt der Verwaltungssituation; Da Land seit jeher die Haupteinnahmequelle war, war es nur natürlich, dass die Frage der Grundsteuer als erstes Beachtung fand. Vor der Abschaffung des Feudalismus und während die Clans weiterhin ihre eigene Provinzverwaltung hatten, war es nicht möglich, praktische Schritte in Richtung fiskalischer Änderungen zu unternehmen, die für alle Teile des Landes gelten sollten. Aber die Bewegung zugunsten der Übergabe feudaler Lehen hatte fast schon begonnen, als der Sieg der imperialistischen Streitkräfte gesichert war, und als das Feudalsystem durch das Dekret vom August 1871 abgeschafft wurde, war das Thema bereits von der Regierung geprüft worden Die neue Regierung in all ihren Belangen und die Form, die die Revision der Grundsteuer annehmen sollte, waren festgelegt. Daher war es möglich, dass die Finanzabteilung noch vor Ende desselben Jahres, also innerhalb von vier Monaten nach dem Verschwinden der Clans, einen vollständigen Revisionsplan vorlegte.

Bevor wir auf die Hauptmerkmale dieses Vorschlags eingehen, für den Marquis Ōkuma und Marquis Inouyé , damals Minister bzw. Vize-Finanzminister, und Baron Kanda, eine Autorität in allen Fragen der Verwaltung, hauptsächlich verantwortlich waren, ist es vielleicht angebracht, einen Blick darauf zu werfen einen Moment auf das bisherige System der Grundsteuer ein, damit sich eine klare Vorstellung von den eingeführten Änderungen machen kann.

Kurz gesagt, die Position der Landbesitzer in Bezug auf die Besteuerung in den letzten Tagen der Tokugawa-Herrschaft war folgende. Es wurde nur bewirtschaftetes Land besteuert. Die Grundsteuer war überall in Reis zu zahlen, unabhängig von der angebauten Ernte, und basierte auf dem veranschlagten Ertrag des Landes. Die Methoden zur Schätzung dieses Ertrags waren jedoch sehr unterschiedlich. An einem Ort würde dies durch die Vermessung des Landes geschehen, auf dem die Ernte angebaut wird; in einem anderen Fall wären das Aussehen und der Zustand der Ernte die entscheidenden Faktoren; In einem dritten Fall würde es eine sogenannte „Stichprobenbewertung“ geben, wobei zu diesem Zweck Proben der wachsenden Kulturpflanze ausgewählt würden. Auch die Flächenmaße waren nicht überall gleich. Darüber hinaus war das Prinzip, das die Verteilung der Erträge des Landes zwischen dem Landwirt und dem Grundbesitzer regelte – wobei der Anteil des letzteren praktisch die Grundsteuer des ersteren war – in den verschiedenen Provinzen und in den verschiedenen Bezirken derselben Provinz unterschiedlich. An manchen Orten gingen sieben Zehntel des Landertrags an den Grundbesitzer und drei Zehntel an den Landwirt; in anderen waren diese Verhältnisse umgekehrt; Es gab Bezirke, wie etwa die Herrschaftsgebiete der Shōgun , in denen der Landwirt drei Fünftel erhielt, und wiederum andere, in denen die Anteile gleich waren. Es gab eine allgemeine Ähnlichkeit zwischen den im ganzen Land geltenden Steuersystemen, die bis in die Zeit der Großen Reform zurückreicht. Die alte Klassifizierung, nach der es drei Hauptsteuern gab: die Grundsteuer, die Industriesteuer und die Zwangsarbeit, die alle vom Landwirt zu zahlen waren, wurde überall in abgewandelter Form beibehalten. Aber in anderer Hinsicht ging jeder Clan seinen eigenen Weg und hatte seine eigenen Methoden zur Veranlagung und Erhebung sowie seine eigenen Regeln für die Steuerbefreiung und den Steuererlass. Außer in den Herrschaftsgebieten des Shōgun , wo die Angelegenheiten im Allgemeinen etwas besser geregelt waren als anderswo, gab es keine klare Unterscheidung zwischen zentraler und lokaler Besteuerung; Und unabhängig davon, ob es sich um einen Clan oder um das Shōgunat selbst handelte, dem Steuern geschuldet wurden, bestand ständig die Gefahr unregelmäßiger Forderungen, die den Behörden nach Belieben auferlegt wurden.

Die Hauptmerkmale des neuen Systems zeigen die Bedeutung der vorgeschlagenen Änderungen.

Es sollte eine neue amtliche Landvermessung im ganzen Land durchgeführt werden. Für jedes Land, ob bewirtschaftet oder nicht, sollten Eigentumsurkunden ausgestellt werden. Überall musste Land geschätzt werden, und der Wert sollte in der Eigentumsurkunde angegeben werden. Bei kultiviertem Land sollte die Grundsteuer in Geld statt wie bisher in Reis zu zahlen sein und auf dem Verkaufswert des Landes basieren, wie in der Eigentumsurkunde angegeben, und nicht auf wie bisher von der veranschlagten Rendite des Betriebs abhängig. Der Eigentümer – zu dem nach Abschluss der Revision praktisch der Landwirt wurde – sollte die Freiheit haben, sein Land in jeder Hinsicht nach Belieben zu bewirtschaften und es nach Belieben zu verkaufen oder anderweitig darüber zu verfügen.

Der *Sei-in* – dieses seltsame Gremium in der neu organisierten Regierung von 1869, das einen Versuch darstellte, gesetzgebende, beratende und exekutive Befugnisse in einem Zweig der Autorität zu vereinen – signalisierte seine Zustimmung zu dem Plan, und es wurden Vorkehrungen getroffen, um einige davon in die Tat umzusetzen Bestimmungen. Im Januar 1872 wurden als vorläufige Maßnahme Eigentumsurkundenbestimmungen erlassen. Diese wurden zunächst nur in der Präfektur Tōkiō in Betrieb genommen , ihre Tätigkeit wurde jedoch nach und nach auf andere Orte ausgeweitet. Kurz darauf wurden weitere Vorschriften veröffentlicht, die die jährliche Zahlung einer Grundsteuer in Höhe von 2 Prozent auf den in der Eigentumsurkunde eingetragenen Grundstückswert vorsahen. Und im März desselben Jahres wurden die Beschränkungen der Landveräußerung aufgehoben, die zuvor alle Landübertragungen zwischen der Militärklasse und anderen Volksklassen sowie zwischen deren Angehörigen verhindert hatten.

Bevor dieser Plan zur Revision der Grundsteuer jedoch seine endgültige gesetzgeberische Gestalt annahm, erfuhr er verschiedene Änderungen. Es wurde Anfang 1873 einer Konferenz der obersten Verwaltungsbeamten der Provinzen vorgelegt, die in der Hauptstadt stattfand. Die Notwendigkeit einer Reform in der vorgeschlagenen Richtung wurde von allen Beteiligten anerkannt. Die Meinungen gingen vor allem darüber auseinander, ob die Revision der Grundsteuer so bald wie möglich oder schrittweise erfolgen sollte. Die Befürworter eines raschen Handelns drängten darauf, die Frage schnell und entschieden zu klären, und argumentierten, dass die damit verbundenen Nachteile durch die Vorteile eines einheitlichen Steuersystems mehr als ausgeglichen würden. Die andere Seite war der Ansicht, dass es unklug wäre, alte Bräuche und Gebräuche plötzlich abzuschaffen, und dass es besser wäre, die geplanten Änderungen sehr schrittweise durchzuführen und dabei darauf zu achten, lokale Vorurteile nicht zu verletzen. Am Ende setzten sich die Ansichten der Befürworter eines raschen Handelns durch und es wurde ein Gesetzesentwurf ausgearbeitet. Nachdem dies die Zustimmung des Throns erhalten hatte, wurde es dem Land im Juli desselben Jahres durch kaiserlichen Erlass mitgeteilt. In dem Dekret wurde weder direkt auf den Regierungswechsel noch auf die Abschaffung des Feudalismus Bezug genommen, da dies die eigentlichen Gründe für die Maßnahme waren. Es mag als unratsam erachtet worden sein, auf eine Vergangenheit zu verweisen, die so voller gefährlicher Erinnerungen und so aktuell ist, dass sie zu unbequemen Vergleichen einlädt.

Im Dekret selbst wurde lediglich der Zweck der Maßnahme dargelegt, der darin bestand, „die bestehende harte und ungleiche Besteuerung zu beheben“, und die Tatsache, dass bei der Ausarbeitung neben anderen Beamten auch lokale Behörden konsultiert worden waren. In der beigefügten Mitteilung wurden weitere Informationen gegeben. Es wurde erklärt, dass das alte System der Zahlung von Steuern auf Reisanbauflächen abgeschafft wurde; dass, sobald neue Eigentumsurkunden erstellt wurden, eine Grundsteuer in Höhe von 3 Prozent des Grundstückswerts gezahlt werden würde; und dass derselbe Weg im Fall der lokalen Grundsteuer eingeschlagen würde, mit der Maßgabe, dass der lokale Grundsteuersatz ein Drittel der kaiserlichen Grundsteuer nicht überschreiten sollte.

Aufgrund einer ungenauen Formulierung, die seinerzeit möglicherweise nicht zur Kenntnis genommen wurde, sprachen sowohl das Dekret als auch die Mitteilung davon, dass die Grundsteuer geändert worden sei. Dazu brauchte es mehr als einen Federstrich. Weder diejenigen, die sich auf der Konferenz gegen übereilte Maßnahmen aussprachen, noch diejenigen, die ein schnelles Handeln befürworteten , hatten vorausgesehen, wie lange die Umsetzung der Reform dauern würde. Es blieb den praktischen Erfordernissen der Situation überlassen, einen Kompromiss zwischen den beiden Parteien herbeizuführen , der auf der Konferenz nicht zustande gekommen war. Die ursprüngliche Schätzung des Zeitaufwands für die Durchführung der Maßnahme erwies sich als völlig unzureichend. Obwohl die Aufgabe sofort in Angriff genommen wurde, vergingen mehrere Jahre, bis sie abgeschlossen war; und schließlich wurde beschlossen, das neue System in jedem Bezirk in Kraft treten zu lassen, sobald die erforderlichen Vorkehrungen getroffen worden waren, ohne auf seine Annahme an anderen Orten zu warten.

Der Bekanntmachung waren umfangreiche Vorschriften beigefügt. In einer davon wurde versprochen, dass der Grundsteuersatz auf 1 Prozent gesenkt werden würde, wenn die jährlichen Gesamteinnahmen aus anderen Quellen die Summe von 2.000.000 *Yen* (400.000 £) erreicht hätten. Dieses Versprechen wurde nie erfüllt. Als die Einnahmen aus anderen Quellen den angegebenen Betrag erreichten, waren die Bedürfnisse der neuen Regierung so weit über ihre Ressourcen hinausgewachsen, dass eine Reduzierung im vorgesehenen Umfang nicht möglich war. Eine Reduzierung von 3 auf 2½ Prozent erfolgte jedoch einige Jahre später, während die Revisionsarbeiten noch im Gange waren.

Am Rande seien noch einige weitere Punkte erwähnt, die Aufschluss über die der Maßnahme zugrunde liegenden Grundsätze geben.

Alle Landbesitzer waren verpflichtet, das Land neu zu vermessen und eine Erklärung über seinen Wert abzugeben. Diese Schätzungen sollten dann durch Vergleich mit ähnlichen Schätzungen offizieller Experten überprüft werden. Weigerte sich ein Grundstückseigentümer, dem von den Gutachtern festgesetzten Wert zuzustimmen, musste das Grundstück verkauft werden.

Die Grundsteuer von 3 Prozent sollte nur auf bebautem Land erhoben werden, wobei diese Kategorie sowohl Reisland als auch anderes Ackerland umfasste. Die Steuer auf Hausgrundstücken war höher, während die Steuer auf andere Landklassen, etwa mit Wäldern, Weiden oder Mooren bedecktes Land, nahezu minimal war.

Der Plan, der bei der Festsetzung des Wertes von Grundstücken in einem Bezirk gewählt wurde, bestand, wo immer möglich, darin, ein bestimmtes Dorf als Muster zu nehmen und, nachdem der Wert des darin befindlichen Grundstücks festgelegt worden war, diesen Wert zur Grundlage für die Bestimmung des Wertes aller zu machen anderes Land im Bezirk, wobei das Leitprinzip darin besteht, den tatsächlichen Gewinn zu ermitteln, den es dem Landwirt bringt. Unter Berücksichtigung dieses Prinzips wurde zur Bestimmung des Wertes von Kulturland folgende Methode angewendet: Das

Land wurde zunächst in zwei Klassen eingeteilt: Reisland und Land, auf dem andere Feldfrüchte angebaut wurden. Nachdem die offiziellen Gutachter mit Unterstützung des Landwirts den Jahresertrag des Betriebs geschätzt hatten, wurde dieser Ertrag im Fall von Reis, Weizen und Bohnen anhand des durchschnittlichen Marktpreises pro Koku (etwa fünf Scheffel) in Geld *umgerechnet* . von jedem dieser Erzeugnisse für die fünf Jahre von 1870 bis einschließlich 1874. Bei der Festsetzung dieses durchschnittlichen Marktpreises wäre es unmöglich gewesen, einen einheitlichen Preis für das ganze Land anzunehmen, da die Preise aller Grundnahrungsmittel in vielen Bezirken unterschiedlich waren. Die Schwierigkeit bestand daher darin, mehrere Marktwerte festzulegen, die als separate Bewertungsgrundlagen verwendet werden sollten, wenn die örtlichen Gegebenheiten und Umstände eine besondere Berücksichtigung erforderten. So wurde in einigen Fällen ein Marktpreis für Reis oder Weizen zur Grundlage für die Bewertung von Land in einer ganzen Provinz gemacht; während in anderen Fällen separate Marktpreise für bestimmte Bezirke oder sogar Dörfer ermittelt werden mussten. Bei Land, auf dem andere Produkte wie Tee, Seide, Hanf und Indigo usw. angebaut wurden, bestand die angewandte Methode darin, zu schätzen, welche Weizen- oder Bohnenernte das Land derselben Art am selben Ort einbrachte . Dieser Ertrag wurde dann als der des betreffenden Landes angenommen und auf übliche Weise in Geld umgewandelt. Bis zu diesem Zeitpunkt war die Methode für alle Grundstücke gleich, unabhängig davon, ob ein Mann sein eigenes Land bewirtschaftete oder es vom Eigentümer gepachtet hatte. Im ersteren Fall bestand der nächste Schritt bei der Festsetzung des Bodenwerts darin, vom Gesamtwert des Bodenertrags 15 Prozent als Kosten für Saatgut und Dünger abzuziehen. Von der verbleibenden Summe wurden wiederum die Grundsteuer und die örtlichen Steuern sowie die Lohnkosten, sofern diese gezahlt wurden, für die eingesetzten Arbeitskräfte abgezogen . Der verbleibende Restbetrag wurde als Nettowert des Grundstücksertrags angesehen. Und da die Regierung beschloss, 6 Prozent als durchschnittliche Gewinnrate eines Landwirts anzunehmen, wurde der Wert eines Betriebs durch eine einfache Berechnung ermittelt. Dieser so ermittelte Wert wurde zum geschätzten oder steuerpflichtigen Wert des Grundstücks, und auf diesen wurde die Grundsteuer erhoben. Bei einem Landwirt, der sein Land gepachtet hatte, war der Prozess der Wertermittlung etwas komplizierter. Mit anderen Worten: Der durch die Revision ermittelte steuerpflichtige Wert des bebauten Landes war in allen Fällen der Nettowert seines Ertrags für den Landwirt, unabhängig davon, ob dieser Eigentümer oder nur Pächter war.

Der Frage der Zahlungsfristen der Grundsteuer wurde große Aufmerksamkeit geschenkt. Die zunächst in drei Raten zu zahlenden Raten wurden später auf zwei reduziert, wobei die Zahlungstermine je nach Art der angebauten Kultur variierten. Es sollte auch beachtet werden, dass bei der landesweiten Vereinheitlichung der überarbeiteten Grundsteuer eine Ausnahme zugunsten von Yezo oder dem Hokkaidō eingeführt wurde, der ihm seinen Verwaltungsnamen gab. Um die Entwicklung der damals nördlichsten Insel zu fördern, wurde dort der Steuersatz auf 1 Prozent festgelegt.

Vier Jahre nach Beginn der Revisionsarbeiten wurde die Grundsteuer, wie bereits erwähnt, auf 2½ Prozent gesenkt. In dem Dekret, das diese Kürzung ankündigte, wurde auf die wachsenden Bedürfnisse des Landes verwiesen, das sich noch nicht an die durch die Restauration veränderten Bedingungen anpassen konnte, und auf die noch immer in der Landwirtschaft herrschende Not Klassen. Die offensichtliche Langsamkeit, mit der die Revisionsarbeiten voranschritten, wurde den örtlichen Behörden von der Regierung zur Kenntnis gebracht und das Jahr 1876 als Datum festgelegt, bis zu dem die Revision abgeschlossen sein muss. Doch weder in diesem noch im nächsten Jahr war das Unternehmen zu Ende. Es dauerte fünf Jahre länger und wurde schließlich 1881 fertiggestellt.

MARQUIS INOUYÉ.

Beteiligte sich aktiv an der nach der Restauration gebildeten Regierung und war eine herausragende Persönlichkeit sowohl in auswärtigen als auch in finanziellen Angelegenheiten.

MARQUIS ŌKUMA .

War maßgeblich an der Bildung der neuen Regierung nach der Restauration beteiligt; war einige Zeit in der Opposition und kehrte später ins Ministerium zurück. Er zeichnete sich als Verfechter einer verfassungsmäßigen Regierung, als Autor und als Pädagoge aus und war der vielseitigste aller Staatsmänner seiner Zeit.

Durch eine sehr grobe Berechnung, die aufgrund der damaligen Unzuverlässigkeit der Statistiken nicht möglich ist, kann die Größe des steuerpflichtigen Landes, das die Menschen vor der Revision bewohnten oder besaßen, auf etwa zehn Millionen Acres geschätzt werden. Durch die Revision wurde diese Fläche mehr als vervierfacht. Andererseits gingen die Einnahmen aus dem Land um 5 Prozent zurück. Dieses Ergebnis erklärt sich aus der Tatsache, dass ein Teil des Landes zuvor überbesteuert worden war, während ein großer Teil der neuen steuerpflichtigen Fläche aus unbebautem Land bestand, das nur eine nominelle Steuer zahlte und daher nur wenig zu den Einnahmen beitrug.

Die Gesamtkosten der Revision der Grundsteuer beliefen sich nach offiziellen Schätzungen auf etwa 7.500.000 £. Von diesem Betrag wurden etwa 6.000.000 Pfund vom Volk zurückgezahlt, der Rest wurde von den Provinzbehörden getragen, mit Ausnahme eines Postens von etwa 100.000 Pfund, der der Zentralregierung in Rechnung gestellt wurde. So hoch diese Kosten auch waren, der Gewinn für Japan hätte höhere Kosten gerechtfertigt. Zum ersten Mal in ihrer Geschichte gab es für das ganze Land ein einheitliches Grundsteuersystem und, mit der oben genannten Ausnahme, einen einheitlichen Steuersatz.

Seit Abschluss der Revisionsaufgabe ist das Grundsteuersystem *in seinen Grundzügen* unverändert geblieben. Doch die hohen Ausgaben, die der Russisch-Japanische Krieg 1904–1905 mit sich brachte, machten es für die Regierung notwendig, die Steuern aller Art zu erhöhen. Anschließend wurden besondere Kriegssteuern erhoben. Darunter war eine zusätzliche Grundsteuer. Als der Krieg zu Ende ging, wurde diese zusätzliche Steuer beibehalten, ebenso wie unsere eigene Einkommensteuer und die chinesische Transitsteuer auf Waren (*Lekin*), die beide ursprünglich ebenfalls Kriegssteuern waren.

Bemerkenswert im Zusammenhang mit dieser Bodenreform ist die Änderung des Grundstückstitels. Bisher bildeten die Eintragung des Grundstücks in das örtliche Grundbuch, wie es jahrhundertelang üblich war, sowie die im selben Grundbuch eingetragenen Eintragungen über die Übertragung von Grundstücken den Titel des Inhabers. Von nun an wurde der Besitz eines Grundstücks durch den Besitz einer Eigentumsurkunde bestimmt. Das neue System blieb jedoch nicht bestehen. Nach einem mehr als fünfzehnjährigen Versuch wurde es im März 1889 zugunsten der alten Methode der Eintragung in die Grundbücher eines Bezirks aufgegeben , die mit einigen späteren Änderungen in Einzelheiten jetzt in Kraft ist.

Die Neuklassifizierung von Land – eines der Ergebnisse der Landreform – wurde in einem ausführlichen Zeitplan festgelegt, auf dessen Einzelheiten nicht näher eingegangen werden muss. Ein Verweis auf die verschiedenen Klassen, in die Land eingeteilt wurde, stellt zwei Tatsachen fest:

1.

Mit wenigen Ausnahmen gehört das gesamte bewirtschaftete Land dem Volk.

2.

Bis auf wenige Ausnahmen gehört das gesamte Brachland der Regierung.

Zu diesen können wir noch einen dritten hinzufügen, nämlich dass alle Grundstücke in Japan mit drei Ausnahmen der Grundsteuer unterliegen:

(*a*)

Regierungsland.

(*b*)

Land, das für religiöse Zwecke gehalten wird.

(*c*)

Land, das für Bewässerungs-, Entwässerungs- und Straßenzwecke genutzt wird.

KAPITEL X

Missionen bei ausländischen Regierungen – Reformhindernisse – Sprachschwierigkeiten – Haltung ausländischer Mächte.

Die zahlreichen Maßnahmen, die die Abschaffung des Feudalismus erforderte, hinderten die neue Regierung nicht daran, ihre Aufmerksamkeit auf die Außenpolitik zu richten. Im selben Jahr (1871), als das Dekret zur praktischen Umsetzung der Übergabe feudaler Lehen erlassen wurde, wurde eine Mission bestehend aus Iwakura , dem Außenminister, und den beiden Staatsräten Kido und Ōkubo nach Europa entsandt Vereinigte Staaten. Zur Suite der Mission, die mehr als fünfzig Personen zählte, gehörte Herr (später Prinz) Itō .

Dies war die dritte Mission, die Japan an die Gerichte der Vertragsmächte entsandte, und bei weitem die wichtigste. Die erste davon, die von der Tokugawa-Regierung Anfang 1862 versandt wurde, als die Bedingungen für den Verkehr mit Ausländern durch die offene Feindseligkeit der Hofpartei prekär geworden waren, hatte einen gewissen Erfolg gehabt und eine Verschiebung der festgelegten Termine um fünf Jahre erreicht die Eröffnung der Häfen von Hiogo und Niigata sowie der Städte Yedo und Ōsaka; Die Gründe, auf die der Antrag gestützt wurde, sowie die Bedingungen, unter denen die Zustimmung erteilt wurde, wurden, soweit Großbritannien betroffen war, im Londoner Protokoll vom Juni 1862 festgehalten. Die Gründe waren: „die Schwierigkeiten, mit denen der Tycoon konfrontiert war." und seine Minister bei der Umsetzung ihrer Verpflichtungen gegenüber ausländischen Mächten, die Verträge mit Japan geschlossen haben, als Reaktion auf den Widerstand einer Partei in Japan, die jeglichem Verkehr mit Ausländern feindlich gegenüberstand." Die Bedingungen, kurz gesagt, waren: die strikte Einhaltung aller anderen Vertragsbestimmungen; die Aufhebung des alten Ausländergesetzes; und die künftige Einstellung behördlicher Eingriffe jeglicher Art in den Handel und Verkehr.

Der zweite Brief wurde von derselben Regierung im Februar 1864 verschickt. Sein angeblicher Zweck bestand darin, sich bei der französischen Regierung für die Ermordung des französischen Offiziers, Leutnant Camus, zu entschuldigen, die im Oktober des Vorjahres stattgefunden hatte. Ihr eigentliches Ziel bestand jedoch darin, sich um die Zustimmung der Vertragsmächte zur Schließung des Hafens von Yokohama zu bemühen , eine Angelegenheit, in der sich die Minister des Shōgun bereits vergeblich an die ausländischen Vertreter gewandt hatten; und im Übrigen die sich bietende Gelegenheit zum Kauf von Kriegsmaterial zu nutzen. Die Mission, die nie über Paris hinausging, kehrte im darauffolgenden August nach Japan zurück, als die Vorbereitungen für die Überquerung der Straße von

Shimonoséki durch ein kombiniertes ausländisches Geschwader abgeschlossen wurden. Es brachte der Shōgun- Regierung eine von den Mitgliedern der Mission mit der französischen Regierung geschlossene Vereinbarung zur Genehmigung . Dieses etwas einzigartige Instrument, das die Unterschrift von Monsieur Drouyn de Lhuys , dem damaligen Außenminister, trug, sah vor, dass es nach seiner Annahme durch die Shōgun- Regierung sofort in Kraft treten und als integraler Bestandteil angesehen werden sollte Teil des bestehenden Vertrags zwischen Frankreich und Japan. Es enthielt unter anderem eine Bedingung für die Wiedereröffnung der Meerenge innerhalb von drei Monaten nach der Rückkehr der Mission nach Japan und sah bei Bedarf auch die Zusammenarbeit des französischen Marinegeschwaders in japanischen Gewässern mit den Shōgun vor Kräfte bei der Verwirklichung dieses Ziels. Die Ablehnung der Vereinbarung durch den Shōgun verhinderte das Auftreten möglicherweise problematischer Komplikationen. Die einzige Folge des Vorfalls war eine Verzögerung der Abreise des alliierten Geschwaders nach Shimonoséki um einige Tage.

Der angebliche Zweck dieser dritten Mission bezog sich, wie auch der erste, auf Vertragsbestimmungen. Durch eine Klausel der Verträge von 1858 – deren Texte mehr oder weniger identisch waren, während ihre Auslegung durch die Bestimmung der „ Meistbegünstigungsbehandlung “ bestimmt wurde – war 1872 eine Überarbeitung *im gegenseitigen Einvernehmen* vorgesehen. Diese Zustimmung Es war der Zweck der Mission, dies zu erreichen. Die Zahl der Vertragsmächte hatte sich zu diesem Zeitpunkt auf fünfzehn erhöht, aber da die Interessen der meisten von ihnen sehr gering waren, wurde anerkannt, dass andere keine Schwierigkeiten aufwerfen würden, wenn die Zustimmung der Hauptmächte eingeholt werden könnte.

Das Funktionieren der Verträge sei im Großen und Ganzen zufriedenstellend gewesen, das heißt so zufriedenstellend, wie man es angesichts der außergewöhnlichen Umstände, die ihre Verhandlungen begleiteten, vernünftigerweise erwarten konnte; und es schien keine besonderen Punkte zu geben, bei denen eine Überarbeitung in irgendeiner Weise dringend erforderlich wäre. Dies war jedoch nicht die Ansicht der japanischen Regierung. Sehr bald nach Inkrafttreten der Verträge von 1858 scheinen die japanischen Behörden und das japanische Volk sich über die extraterritorialen Privilegien geärgert zu haben, die Ausländer in Japan aufgrund der Vertragsbestimmungen genießen. Es ist mehr als wahrscheinlich, dass dieses Gefühl in Bezug auf die Extraterritorialität nicht ganz spontan war, sondern zu dieser Zeit von Ausländern geweckt wurde, die gemischte Motive hatten und zu voreiligen Schlussfolgerungen neigten. Auf jeden Fall wurde den Japanern schon früh klar, dass der Genuss der Extraterritorialität im Allgemeinen als ein Privileg betrachtet wurde, das unter Druck den Untertanen von Ländern zugestanden wurde, die eine Zivilisation besaßen oder zu besitzen behaupteten, die in mancher Hinsicht weiter fortgeschritten war als die des Landes, aus dem sie stammten dem die Konzession erteilt wurde. Der Stolz der Nation lehnte sich gegen die auf diese Weise ausgeübte Diskriminierung auf, und es war nicht unnatürlich, dass sie bestrebt war, die erstbeste Gelegenheit zu nutzen, um die widerwärtigen extraterritorialen Klauseln loszuwerden, die der Ausübung der japanischen Gerichtsbarkeit über Ausländer im Wege standen Japan. Dies war das Hauptmotiv für den Wunsch nach einer Revision der Verträge.

Mit der Entsendung der Mission wurden jedoch noch weitere Ziele verfolgt. Den ausländischen Vertretern erklärte die Regierung ihr Anliegen, den Regierungen der Vertragsmächte Einzelheiten über die innere Geschichte ihres Landes in den Jahren vor der Revolution von 1868 mitzuteilen, und ihren Wunsch, sie über den tatsächlichen Stand der Dinge und die Zukunft zu informieren welche Politik es verfolgen sollte. Außerdem hielten sie es für wichtig, die Institutionen anderer Länder zu studieren und sich genaue Kenntnisse über deren Gesetze, die geltenden Handels- und Bildungsmaßnahmen sowie über ihre Marine- und Militärsysteme zu verschaffen.

Was diese kleineren Ziele betraf, verlief die Mission erfolgreich. Dies zeigte sich nicht nur in der Zeit seiner Abwesenheit im Ausland, die sich über zwei Jahre und damit deutlich länger als vorgesehen erstreckte, sondern auch in dem raschen Fortschritt der Reformarbeit nach seiner Rückkehr. Die von seinen Mitgliedern gewonnenen Informationen, darunter einige der talentiertesten Männer der Zeit, waren später für ihr Land von großem Nutzen. Dabei war der Einblick, den sie in die auswärtigen Angelegenheiten und in die Einstellung ausländischer Regierungen gegenüber Japan gewannen, von größtem Wert. Bezüglich des angeblichen Zwecks der Mission wurde jedoch nichts erreicht. Die Bemühungen der Botschafter in dieser Richtung stießen auf keinerlei Ermutigung. Die betroffenen ausländischen Regierungen wollten nicht übersehen, dass die Erfüllung der Vertragsbestimmungen durch Gleichgültigkeit und Missgunst seitens japanischer Beamter ständig behindert wird. Angesichts der kurzen Zeit, die vergangen war, seit Japan aus dem Feudalismus hervorgegangen war, hatten sie es auch nicht eilig, die Erwartungen zu erfüllen, die in dem Beglaubigungsschreiben zum Ausdruck kamen, das der Leiter der Mission dem Präsidenten der Vereinigten Staaten überreichte – dem ersten besuchte Land – in dem von der „Absicht, die Verträge zu reformieren und zu verbessern, damit Japan auf Augenhöhe mit den aufgeklärtesten Nationen stehen könnte“ gesprochen wurde. Sie lehnten es daher ab, sich an einer Diskussion zu diesem Thema zu beteiligen, mit der Begründung, dass der

Zeitpunkt noch nicht gekommen sei, an dem die Diskussion nützlich sein könnte.

Die auf diese Weise erteilte Zurückweisung löste Enttäuschung und Unmut aus und führte bald zum Beginn einer Agitation für eine Vertragsrevision, die den Außenbeziehungen großen Schaden zufügte. wurde von Politikern im Zuge von Angriffen gegen die damalige Regierung häufig als passender Ausruf verwendet; und dauerte bis zur Unterzeichnung des ersten der neuen überarbeiteten Verträge durch Großbritannien im Sommer 1894. Seine Hauptwirkung bestand jedoch gegenüber Ausländern darin, die japanische Regierung in ihrer Entschlossenheit zu stärken, allen Bemühungen ihrerseits zu widerstehen ausländischer Mächte, um weiteren Zugang zum Landesinneren zu erhalten und die Gewährung zusätzlicher Erleichterungen für den Außenhandel und -verkehr im Rahmen bestehender Verträge auf jede erdenkliche Weise einzuschränken.

In den vorangegangenen Kapiteln wurde der Abschaffung des Feudalismus als Ausgangspunkt des modernen Fortschritts Japans viel Raum gewidmet. Die unmittelbare Wirkung dieses Schrittes sowie die verschiedenen Maßnahmen im Zusammenhang mit Grundbesitz und Grundsteuer, die seine natürliche Folge waren, wurden ebenfalls ausführlich erläutert. Es besteht jedoch nicht die Absicht, die aufeinanderfolgenden Phasen der Reformarbeit mit der gleichen Genauigkeit oder in strenger chronologischer Reihenfolge nachzuzeichnen. Unser Ziel ist es, einen allgemeinen Überblick über den Prozess zu geben, der die allmähliche Umwandlung eines orientalischen Landes in ein fortschrittliches modernes Imperium herbeiführte. Wir werden viele Dinge beiläufig übergehen und uns hauptsächlich auf die auffälligen und herausragenden Merkmale konzentrieren, die den Charakter am deutlichsten veranschaulichen und Verlauf der modernen Entwicklung Japans.

Bevor wir auf andere Reformmaßnahmen eingehen, die in den ersten Jahren nach der Restauration durchgeführt wurden, ist es vielleicht sinnvoll, einen Blick auf die Bedingungen zu werfen, unter denen die Reformarbeit verlief. Die anfängliche Schwierigkeit, die die Reformatoren zunächst behinderte, war das Fehlen eines konkreten Plans für den Wiederaufbau. Über die Übergabe feudaler Lehen hinaus war nichts in der Art eines detaillierten Programms geplant. Sie mussten sich ihren Weg ertasten. Wie eine der führenden Persönlichkeiten der Ereignisse der Restauration einige Jahre später sagte: „Sie konnten nicht weit nach vorne blicken; Es genügte, wenn man sich auf den nächsten Schritt einigen konnte.“ Eine weitere Schwierigkeit, mit der sie zu kämpfen hatten, war die Frage der Sprache. Die Ausbreitung des Christentums im 16. und 17. Jahrhundert ging nicht mit der Einführung einer nennenswerten Einführung einer der Sprachen der drei Nationalitäten – Portugiesisch, Spanisch und Italienisch – einher, denen die frühen Missionare angehörten. Die Verwendung von Latein in den Gottesdiensten und das Erlernen der japanischen Sprache durch die Missionare hatten dies unnötig gemacht. Und als das Christentum verschwand, verschwand auch das bisschen Portugiesisch oder eine andere lateinische Sprache, das damit einherging. Doch mit dem Aufkommen der Niederländer änderten sich die Dinge. Die niederländische Sprache wurde zum Handelsmedium und auch zum Medium, über das alle westlichen Lehren und tatsächlich alles Wissen über den Westen empfangen wurden. Es entstand eine Klasse niederländischsprachiger Dolmetscher, die im Außenhandel eine Anstellung fanden; Und mit dem Unternehmungsgeist, unbeeindruckt von ständiger offizieller Repression und der Neugier auf das Neue, die das japanische Volk seit jeher auszeichnen, begannen die Männer, Niederländisch zu lernen, um sich weiterzubilden.

Als in der Mitte des 19. Jahrhunderts die Außenbeziehungen auf breiterer Basis erneuert wurden, war Niederländisch die Sprache, der sich Japaner und Ausländer ganz natürlich als Medium für die Führung des neu etablierten Verkehrs bedienten. Alle Mitteilungen wurden in dieser Sprache geführt und sie wurde zum authentischen Text aller früheren Verträge, einschließlich der von 1858. Harris, der erste amerikanische Vertreter in Japan, gibt uns in seinem Tagebuch eine Vorstellung von den Schwierigkeiten und dem Ärger, die mit beiden verbunden waren Seiten im Umgang mit dem Sprachproblem. Das Niederländisch, das die Japaner gelernt hatten, war, wie er uns erzählt, ein kaufmännisches Patois, und das korrekte Niederländisch, das die niederländischen Dolmetscher seiner Mission sprachen, war ihnen ziemlich fremd. Als es darum ging, schriftliche Vereinbarungen in beiden Sprachen zu erstellen, bestanden sie darauf, dass jedes Wort in der niederländischen Version in der gleichen Reihenfolge stehen sollte wie sein Äquivalent in der japanischen Version. Er sagt, dass dies zu einigen Schwierigkeiten geführt habe, und wir sind der Meinung, dass er den Sachverhalt nicht überbewertet.

Die Verwendung des Niederländischen als Kommunikationsmedium in den frühen Tagen des erneuten Auslandsverkehrs war zwar unvermeidlich, aber unglücklich. Und aus diesem Grund. Während der vielen Jahre des niederländischen Handelsmonopols mit Japan befand sich Holland – soweit es westliche Nationen betraf – auf dem Höhepunkt seiner Macht. Obwohl sie nicht gerade die Herrin der Meere war, nahm sie als Seestaat eine herausragende Stellung ein. Doch als die ersten Verträge mit Japan ausgehandelt wurden, hatte Holland diese hohe Stellung bereits verloren. Es war keine Großmacht mehr, und infolgedessen waren die Niederländischkenntnisse, die viele Japaner besaßen, für Japan nicht mehr von Nutzen. Es war notwendig, dass eine andere Sprache an ihre Stelle trat. Dank des wachsenden Handels und der Macht Großbritanniens und der Vereinigten Staaten war Englisch die Sprache, die auf natürliche Weise in die

Bresche sprang, und es wurde für die Japaner notwendig, das Niederländische aufzugeben und ihre Aufmerksamkeit auf den Erwerb der neuen Sprache zu richten, die dies getan hatte hat es abgelöst.

Bisher haben wir uns mit den Schwierigkeiten befasst, die mit den Sprachen der Ausländer verbunden sind, die mehr oder weniger unwillkommen auf der Bühne erschienen waren und von denen Japan die Materialien für die geplanten Reformen übernehmen wollte. Wenn wir uns nun der anderen Seite der Frage zuwenden, den Schwierigkeiten, die sich aus der japanischen Sprache selbst ergeben, wird deutlich, welch ernstes Hindernis für Japans modernen Fortschritt ihre eigene Sprache darstellte.

Bis zum siebten Jahrhundert unserer Zeitrechnung hatte Japan, wie wir gesehen haben, seine eigene Sprache. Dies wurde gesprochen, nicht geschrieben. Dann folgte sie einem jener unerklärlichen Impulse folgend, die das Schicksal von Nationen beeinflussen, dem Beispiel Koreas, das ebenfalls eigene Dialekte gesprochen hatte, und übernahm die Schriftsprache Chinas. Später entwickelte sie aus den so entlehnten chinesischen Schriftzeichen Silbenschriften, die für uns den Platz unseres Alphabets einnahmen, und entwickelte so ihre eigenen einheimischen Schriften. Aber diese einheimische Schriftsprache konnte sich im Wettbewerb mit den chinesischen Schriftzeichen, von denen sie abgeleitet war, nie durchsetzen. Obwohl es in der Poesie und in anderer einheimischer klassischer Literatur verwendet wurde und als literarisches Vehikel für Frauen der Oberschicht, in deren Händen es unerwartete Möglichkeiten entfaltete, und für die ungebildete Masse einen nützlichen Zweck erfüllte, fand es schließlich seinen gewöhnlichsten Platz in Literatur als einfache Ergänzung zum Gebrauch der chinesischen Sprache.

Dieser Inkubus zweier als eine einzige Sprache getarnter Sprache wurde noch lästiger durch die Tatsache, dass die entlehnte chinesische Schriftsprache nie vollständig mit der japanischen gesprochenen Sprache, mit der sie verbunden war, assimiliert und integriert wurde, sondern eine mehr oder weniger getrennte Identität bewahrte. Es hätte die Sache vereinfacht, wenn die Japaner ihre gesprochene Sprache aufgegeben und stattdessen Chinesisch übernommen hätten. Dann hätte es eine natürliche Harmonie und Beziehung zwischen der gesprochenen und der geschriebenen Sprache gegeben, wie sie heute in China besteht. Die Japaner hätten dann geschrieben, während sie sprachen, und gesprochen, während sie geschrieben haben. Aber das taten sie nicht. Ihre eigene gesprochene Sprache war vorhanden und verfügte über genügend Vitalität, um das Eindringen der fremden Sprache abzulehnen, jedoch nicht genug, um es der Nation zu ermöglichen, sich von dem Incubus zu befreien, den sie sich durch diesen Massenimport chinesischer Schriftzeichen freiwillig auferlegt hatte. In diesen Überlegungen liegt die

Erklärung für die immer wiederkehrende Befürwortung der Einführung des römischen Alphabets anstelle des chinesischen .

Um den chinesischen Schriftzeichen gerecht zu werden, sollte man den Vorteil nicht übersehen, den die Kenntnis dieser Schriftzeichen dem japanischen Volk gegenüber ausländischen Konkurrenten im Verkehr und Handel mit China verschafft. Es sollte auch bedacht werden, dass sich die chinesische Seite der japanischen Sprache sozusagen mit besonderer Leichtigkeit für die Bildung neuer Wörter eignet, um neue Ideen auszudrücken. In dieser Hinsicht hat es dazu gedient, die Einführung der westlichen Zivilisation zu fördern. Diese Vorteile werden jedoch weitgehend dadurch aufgewogen, dass der Sprache eine zahllose Schar zweisilbiger Wörter hinzugefügt wurde, die nur durch die dazugehörigen Hieroglyphen voneinander unterschieden werden können. Das Ergebnis ist die Schaffung eines umständlichen, auf Chinesisch basierenden Vokabulars, das so schnell wächst, dass es die Wissenschaft entmutigt und so den Fortschritt behindert, den es eigentlich fördern soll.

Eine weitere Schwierigkeit muss noch berücksichtigt werden. Als Japan sich beim Wiederaufbau an den Westen wandte, nahm es nicht wie zuvor Anleihen bei einem Land, sondern bei mehreren. Es bestand auch keine natürliche Affinität zwischen ihr und ihnen, wie im Fall des ersten Landes, China, das sie als Beitrag verpflichtet hatte. Die neuen Ideen, die sie sich aneignete, stammten zudem nicht aus derselben, sondern aus unterschiedlichen Zeiträumen. Es gab eine ebenso große Vielfalt an Daten wie an Herkunft. Aber sie kamen alle zusammen und mussten bis zu einem gewissen Grad mit einer Grundlage chinesischer Herkunft in Einklang gebracht werden. Man geht allgemein davon aus, dass Japan bewusst eine Politik des Eklektizismus verfolgt hat. Es stand ihr kein anderer Weg offen. Aus der Menge der neuen Dinge, die sich ihr boten, musste sie eine Wahl treffen. Und die Dringlichkeit des Augenblicks ließ ihr nur wenig Zeit, es zu schaffen.

Wir haben einige der Schwierigkeiten bemerkt, die dem Fortschritt Japans im Weg standen und dazu neigten, den Wiederaufbau zu erschweren. Lassen Sie uns sehen, welche Vorteile sie hatte, um ihr zu helfen. Es gab nicht viele, und einige waren moralisch und nicht materiell. Den reformierenden Staatsmännern half das Gefühl der Begeisterung, das allen politischen Revolutionen gemeinsam ist, sowie die Welle der Begeisterung für das, was als Wiederherstellung der direkten Herrschaft des Souveräns gefeiert wurde, obwohl dies, wenn es erreicht würde, darüber hinausgehen würde Vom Verschwinden des Shōgunats hatte keiner seiner Befürworter eine klare Vorstellung. Zu ihren Gunsten sprach auch die allgemeine Reformstimmung, die, mit Ausnahmen im Falle der ehemaligen Militärschicht, im ganzen Land herrschte . Auch Japan war sich in diesen frühen Jahren der Sympathie der

Vertragsmächte bewusst. Bei einer bestimmten Klasse von Schriftstellern war es üblich, die Haltung ausländischer Mächte anzuprangern, die als unsympathisch dargestellt wurden und der jungen Regierung, die damals vor Gericht stand, keine helfende Hand gereicht hatten. Das ist eine falsche Ansicht. Schon vor der Restauration, zu der Zeit, als der Hof dem Verkehr mit Ausländern offen feindlich gesinnt war und das Shōgunat in seiner äußersten Notlage in beide Richtungen blickte – es verkündete dem Thron seine Entschlossenheit, den verhassten Barbaren zu vertreiben, und versicherte letzterem dies ebenfalls Hauch der Freundlichkeit seiner Gefühle; Sie dulden die Behinderung, die sie gerne offener geübt hätten, und heucheln dann Empörung über ihre eigenen Missetaten – die Nachsicht ausländischer Regierungen und die Geduld ihrer Agenten sind Dinge, auf die der Westen durchaus stolz sein kann. Und sobald die Ernsthaftigkeit der japanischen Reformen klar erkannt wurde, nahm die Sympathie ausländischer Regierungen eine aktivere Gestalt an.

Vielleicht können wir auch mit Sicherheit davon ausgehen, dass die neue Regierung bei der Einführung von Reformen in gewissem Maße durch die Unterwürfigkeit des Volkes, das sie regieren sollte, unterstützt wurde. Unter dem Einfluss chinesischer Ideen wurde die Trennlinie zwischen Herrschern und Beherrschten sehr scharf gezogen. Sowohl in der konfuzianischen Ethik als auch in der buddhistischen Lehre, den beiden Grundlagen der japanischen Moral, wird der Tugend der Loyalität gegenüber Vorgesetzten das größte Gewicht beigemessen, zu der – und das ist ein wesentlicher Punkt – der Gehorsam gegenüber etablierten Autoritäten gehört. In derselben Ethik und Lehre kommt der entsprechenden Pflicht des Herrschers, weise oder, wie es heißt, „mit Wohlwollen“ zu regieren, die gleiche Bedeutung zu. Die Vorstellung von der Beziehung zwischen Gouverneuren und Regierten, wie sie sich dem damaligen japanischen Geist darbot, war, dass es die Aufgabe, die Pflicht der Regierung, zu regieren, das Privileg oder Recht des zu regierenden Untertanen sei . Letzterer suchte Licht und Führung bei den Autoritäten. Solange die Regierung im Einklang mit der konfuzianischen Doktrin stand und mit „Wohlwollen“, das heißt ohne offensichtliche Ungerechtigkeit und Tyrannei, geführt wurde, war er zufrieden. Die spätere Einführung einer verfassungsmäßigen Regierung und die praktische Arbeit eines Landtags und lokaler Versammlungen haben diese Denkweise etwas verändert. Aber selbst in den stürmischsten und turbulentesten Sitzungen, die die Entwicklung der parlamentarischen Institutionen in den letzten Jahren geprägt haben, war der Einfluss dieser alten Idee offensichtlich; während es in den früheren Perioden , von denen wir jetzt sprechen, ein dominierender und heilsamer Faktor war, der die Aufgabe des Verwalters sehr wesentlich erleichterte.

Es gab noch eine andere Agentur, die in die gleiche Richtung arbeitete. Dies war das neue Tätigkeitsfeld, das durch die mit der Restauration einhergehenden Veränderungen in den Energien der Menschen, insbesondere der Handels- und Industrieklassen, eröffnet wurde. Ihre Aufmerksamkeit war weitgehend von ihren eigenen Anliegen in Anspruch genommen, die durch die Umwälzungen, die die Revolution im nationalen Leben verursachte, an größeres und vielfältigeres Interesse gerieten. Sie hatten daher wenig Zeit, sich eingehend über die Richtung der öffentlichen Angelegenheiten zu informieren, selbst wenn der Wunsch da gewesen wäre.

Vorteilhaft war auch die Tatsache, dass Japan schon früher Anleihen aufgenommen und daher Erfahrung in der Kunst der Assimilation fremder Ideen gesammelt hatte. Sie war kein Neuling in der Arbeit. Sie tat jetzt nur noch in geringerem Umfang das, was sie bei einer früheren Gelegenheit getan hatte. Und ihre Aufgabe wurde einfacher, weil das, was sie jetzt vom Westen nahm, ihren unmittelbaren Bedürfnissen entsprach, vielleicht auf praktischere Weise als ihre Anleihen früherer Tage bei einer Schwesternation.

Schließlich dürfen wir den immensen Vorteil nicht übersehen, den sie bei der Annahme aller Reformen hatte, die auf westlichen Vorbildern basierten. Ohne Kosten für sich selbst, ohne Zeit-, Gedanken-, Arbeits- oder Geldaufwand erntete sie die Früchte der mühsamen Arbeit von Generationen in Europa und Amerika. Sie verlangte von der gesamten westlichen Welt Zoll. Sie profitierte sofort von den Entdeckungen und Verbesserungen, die im Laufe der Jahrhunderte auf allen Gebieten der menschlichen Energie gemacht wurden, und begann ihre Karriere des konstruktiven Fortschritts an einem Punkt, den andere Länder bereits erreicht hatten.

KAPITEL XI

Veränderungen und Reformen – Beziehungen zu China und Korea – Bruch im Ministerium – Abspaltung der Tosa- und Hizen- Führer – Fortschritt der Reformen – Annexion von Loochoo – Unzufriedenheit der ehemaligen Militärklasse.

Die nach der Restauration eingeführten Veränderungen lassen sich grob in zwei Arten einteilen: solche, die aus dem Ausland übernommen wurden, und solche, die auf die Inspiration der Reformatoren selbst zurückzuführen sind. Die von uns bereits betrachteten Reformen, die das Land betreffen, fallen im Wesentlichen in die letztere Kategorie. Auch wenn in der Betonung der Einheitlichkeit von Grundbesitz und Besteuerung und in einigen anderen Aspekten eine gewisse Färbung westlicher Ideen erkennbar sein mag, war die Landreform insgesamt gesehen das logische Ergebnis der Abschaffung des Feudalismus. Es handelte sich also von Anfang an um eine Angelegenheit, bei der nur innenpolitische Erwägungen eine Rolle spielten, die also frei von jeglichen ausgeprägten ausländischen Einflüssen war.

Von anderer Art und mit dem offensichtlichen Eindruck einer Einfuhr aus dem Westen war die Einführung der Wehrpflicht auf europäischen – hauptsächlich deutschen – Linien; die Schaffung eines Postsystems und die Eröffnung einer Münzstätte; der Bau der ersten Eisenbahnen, Telegrafen und Werften; die Unterdrückung antichristlicher Erlasse und die Beendigung der religiösen Verfolgung; die Annahme des Gregorianischen Kalenders; die Bildung eines Vorstands für die Entwicklung von Yezo ; die Aufnahme vertraglicher Beziehungen mit China im Einklang mit westlichen Gepflogenheiten; die Gründung der Tōkiō- Universität; und die Aufhebung des Verbots der Verwendung des Namens Mikado in Wort und Schrift. Alle diese Veränderungen vollzogen sich in rascher Folge innerhalb der kurzen Zeitspanne von fünf Jahren.

Im Hinblick auf die zuletzt erwähnte Änderung oder Reform – die Aufhebung des Verbots bezüglich der Verwendung des Kaisernamens – erscheint Ausländern die Erlaubnis ebenso seltsam wie das Verbot. Es klingt wie ein Echo aus fernen Zeiten. Aber es ist schwierig, die Kluft zu überschätzen, die bisher den Thron vom Volk getrennt hatte. Nur in einem ironischen Sinne hätte der Ausdruck „das wilde Licht, das auf einen Thron schlägt“ auf einen japanischen Monarchen angewendet werden können. Sowohl der Thron als auch sein Besitzer waren in einen geheimnisvollen Schatten gehüllt, und zu dem dem Königtum gebührenden Respekt kam noch die Verehrung eines Gottes hinzu. Im Fall des Mikado erschien sein Name erst 1868 schriftlich, als die Botschaft vom 3. Februar dieses Jahres datierte und den ausländischen Regierungen seine Übernahme der „höchsten

Autorität" infolge des freiwilligen Rücktritts des Shōgun von der „Regierung " ankündigte Macht" wurde den ausländischen Vertretern übergeben. Diese Botschaft trug die Unterschrift „Mutsuhito", die angeblich das Zeichenhandbuch des Souveräns war. Die eingeführte Änderung hatte jedoch keine praktische Bedeutung, da niemand von der gewährten Erlaubnis Gebrauch machen wollte. Es ist nur deshalb interessant, weil es eine deutliche Abweichung vom traditionellen Brauch darstellt, und auch, weil es den Geist veranschaulicht, in dem alle Reformen konzipiert wurden.

Die Einrichtung eines neuen Gremiums oder einer kleineren Abteilung im Jahr 1871 für die Entwicklung der damals nördlichsten Insel Yezo , die fortan als *Hokkaidō* oder Nördlicher Seekreis bekannt ist – eines der vielen geografischen Gebiete, in die Japan mit diesem Namen eingeteilt ist ist gespalten – fällt vor allem dadurch auf, dass es sich um eine der wenigen Reformen handelte, die erfolglos blieben. Für das betreffende Unternehmen wurden die Dienste amerikanischer Experten in Anspruch genommen. Das Projekt, für das insgesamt etwa 10.000.000 Pfund aufgewendet wurden, scheiterte von Anfang an, obwohl letztlich einige Vorteile aus der damals entstandenen Pferdezuchtindustrie gezogen wurden; und zehn Jahre später wurde der Vorstand aufgelöst. Im Zusammenhang mit der Aufgabe dieses Unternehmens, dessen Leitung General Kuroda, einem führenden Mitglied des Satsuma-Clans, übertragen wurde, verließ Marquis (damals Herr) Ōkuma das Ministerium, dem er erst sieben Jahre später wieder beitrat.

Für dieses Scheitern wurden verschiedene Gründe angeführt, wobei der Vorwurf der Amtskorruption freimütig erhoben wurde. An einer Ursache kann kaum Zweifel bestehen: die Abneigung oder vielleicht auch die verfassungsmäßige Untauglichkeit des japanischen Volkes gegenüber dem, was man als Pionierarbeit der Kolonisierung bezeichnen könnte. Diejenigen, die dieser Ansicht nicht zustimmen, verweisen möglicherweise auf die Erfolge, die Japan anderswo, beispielsweise in Formosa, erzielte und die es als Teil der Früchte seines Sieges über China im Krieg von 1894–95 erhielt. Allerdings waren die Bedingungen in diesem Fall außerordentlich günstig . Das Geheimnis ihres dortigen Erfolgs lag in den großen natürlichen Reichtümern der Insel, den Vorzügen des Klimas und des Bodens, in einem reichlichen Angebot an billigen Arbeitskräften und in der Stille, der Industrie und dem Organisationstalent, die das japanische Volk auszeichnen. Formosa produziert fast den gesamten weltweiten Kampferbedarf, den Japan zum Staatsmonopol erklärt hat . Zu den weiteren bemerkenswerten Produkten zählen Rohrzucker, der mittlerweile ebenfalls ein Staatsmonopol ist, Tee und Reis. Die Entwicklung dieser Grundnahrungsmittel ist eine Hommage an die Gründlichkeit japanischer Verwaltungsmethoden. Aber die Japaner waren dort nie Pioniere ; Sie schufen auch nicht die Industrien, die sie entwickelten. Diese verdanken ihre Entstehung der chinesischen Bevölkerung, ursprünglich Siedler vom Festland, die bei der Ankunft der Japaner mit den Ureinwohnern um das Bergland kämpften. Zehn Jahre nach der japanischen Besetzung der Insel betrug die Zahl der japanischen Einwohner, darunter viele Beamte, nur 40.000, im Vergleich zu etwa 100.000 Ureinwohnern, mit denen immer noch zeitweise Krieg geführt wird, und etwa 3.000.000 Chinesen. Diese Zahlen sprechen für sich.

Die ungünstigeren Klima- und Bodenbedingungen, unter denen ähnliche Operationen auf den nördlichsten japanischen Inseln durchgeführt wurden, führten zu sehr unterschiedlichen Ergebnissen. In den letzten Jahren gab es aufgrund der Ausbeutung von Kohlebergwerken und des allgemeinen Wachstums von Schifffahrt und Handel einen deutlichen Fortschritt in der Entwicklung von Yezo . Im Vergleich zu den großen Fortschritten Japans in andere Richtungen ist die Bilanz dessen, was dort in dem halben Jahrhundert seit der Restauration erreicht wurde, jedoch enttäuschend. In Verbindung mit anderen Tatsachen rechtfertigt dies die Schlussfolgerung, dass der Fleiß und der Unternehmergeist des japanischen Volkes zwar bemerkenswerte Ergebnisse unter günstigen Bedingungen erzielen, aber dort, wo keine Pionierarbeit erforderlich ist – wie in Formosa, Hawaii und an den Pazifikküsten Kanadas und Amerikas – Weder von ihrem Körperbau noch von ihrem Temperament her sind sie in der Lage, unter widrigen Umständen mit der anstrengenden Arbeit und den schweren Nöten der Pionierkolonisierung fertig zu werden. Und diese Schlussfolgerung wird durch das gestützt, was wir über die japanische Besetzung mandschurischen Territoriums wissen. Dieser Punkt ist von Bedeutung, da er sich auf die Frage bezieht, wie ein Absatzmarkt für die überschüssige Bevölkerung Japans gefunden werden kann, ein Thema, das in der japanischen Presse häufig diskutiert wird und auf das in einem späteren Kapitel noch einmal Bezug genommen wird.

Wenn die Bedeutung eines Themas in öffentlichen Angelegenheiten lediglich an der ihm gewidmeten Aufmerksamkeit und Arbeit gemessen würde , würde die Religion einen unauffälligen Platz in der Liste der Reformen der Meiji-Ära einnehmen. Nur bedingt und dann auch nur allgemein mit fortschrittlichen Ideen westlichen Ursprungs gleichgesetzt, können die ergriffenen Maßnahmen im Bereich der Religion als aus dem Ausland übernommene Reformen angesehen werden. Abgesehen von geringfügigen Änderungen in den Einzelheiten der zeremoniellen Bräuche bei religiösen Festen, die später übernommen wurden und die darauf abzielten, solche Volksfeste besser mit den westlichen Vorstellungen von Anstand und Anstand in Einklang zu bringen, hatte die religiöse Reform von Anfang an lediglich negativen Charakter. Es ging nicht über die Rücknahme der antichristlichen Maßnahmen hinaus, die ein Überbleibsel der Christenverfolgungen des 17. Jahrhunderts waren. Es wird allgemein anerkannt, dass die antichristliche Stimmung, die damals aufkam, und die grausamen Strafgesetze, die sie hervorrief, eher politische als religiöse Ursachen hatten. In der Duldung gegenüber dem Christentum, die ihren Ausdruck in der Rücknahme antichristlicher Erlasse fand, sind wiederum eher politische als religiöse Motive am Werk. Politische Zweckmäßigkeit und nicht religiöse Feindseligkeit waren somit mit dem Beginn und Ende der antichristlichen Bewegung verbunden. Dies steht im Einklang mit allem, was wir über das japanische Schriftzeichen wissen. Alle Berichte über Japan, ob von Japanern oder Ausländern verfasst, zeugen davon, dass es keinerlei Annäherungsversuche an religiösen Fanatismus gibt.

Was die anderen von der neuen Regierung ergriffenen Maßnahmen betrifft, die die Religion betrafen, so waren diese nicht einmal fortschrittlicher Natur, denn sie stellten erklärtermaßen eine Rückkehr zu dem dar, was Jahrhunderte zuvor bestanden hatte. Sie entsprachen jedoch den von den Imperialisten zur Zeit der Restauration vertretenen Grundsätzen; und das war der Grund für ihre Adoption. Es ist zweckmäßiger, diese Änderungen unter dem Stichwort „Religion“ zu betrachten, das in den folgenden Kapiteln behandelt wird.

Als die Iwakura- Mission 1873 aus dem Ausland zurückkehrte, wurden ihre Mitglieder auf die schwere innenpolitische Krise aufmerksam, die während ihrer Abwesenheit eingetreten war. Zum Thema Korea sei es zu Meinungsverschiedenheiten gekommen. Seit dem endgültigen Scheitern der japanischen Invasion dieses Landes gegen Ende des 16. Jahrhunderts, was auf die Intervention Chinas zu einem Zeitpunkt zurückzuführen war, als Japan sich in dem langen Kampf erschöpft hatte, waren die Beziehungen zwischen den beiden Ländern eingeschränkt zur Durchführung eines unbedeutenden Handels und zu formellen Höflichkeitsmissionen, die ausgesandt wurden, um die Thronbesteigung eines neuen Souveräns anzukündigen oder zu diesem Anlass Glückwünsche auszusprechen. Dieser Handel wurde von den Japanern im Hafen von Pusan an der Südküste Koreas gegenüber der japanischen Insel Tsushima betrieben. Hier gab es eine kleine Handelsniederlassung, die mit den Koreanern auf die gleiche Weise Geschäfte machte, wie die Niederländer zuvor über ihre Fabrik in Déshima (Nagasaki) mit den Japanern Handel getrieben hatten. Eine weitere Ähnlichkeit zwischen der früheren niederländischen Position in Japan und der der Japaner in Korea bestand darin, dass die Handelsaktivitäten der japanischen Kaufleute aufgrund von Böswilligkeit oder mangelndem Unternehmertum seitens der Koreaner allmählich ausgeweitet wurden und eingeschränkter. Zum fraglichen Zeitpunkt war die Haltung der Koreaner gegenüber den Bewohnern der winzigen Siedlung das Gegenteil von freundlich, und die japanischen Behörden hatten alle außer untergeordneten Beamten aus Pusan abgezogen. Japanischen Berichten zufolge scheinen die Koreaner während der gesamten Zeit der Tokugawa-Herrschaft weiterhin regelmäßig Höflichkeitsmissionen entsandt zu haben. Doch als die Restauration stattfand, weigerten sie sich, den üblichen Gesandten nach Tōkiō zu schicken , und lehnten es auch ab, den von der neuen japanischen Regierung entsandten Gesandten zu empfangen . Ihre Weigerung, weitere Kontakte mit Japan aufzunehmen, wurde mit der Begründung begründet, dass Japan durch die Annahme einer neuen und fortschrittlichen Politik gezeigt habe, dass es mit westlichen Barbaren im Bunde sei und damit die Traditionen des Fernen Ostens aufgegeben habe, denen China und Korea treu geblieben seien. Dieser Angriff auf die japanische Würde löste im ganzen Land großen Unmut aus. Es kam zu einem Zeitpunkt, als es unter den führenden Mitgliedern der Regierung bereits große Spannungen und schwelende Unzufriedenheit gab und das Kabinett, wenn wir so die innere politische Gruppe betrachten dürfen, die die Angelegenheiten kontrollierte, sofort in zwei Teile gespalten war Parteien. Einer davon, angeführt vom älteren Saigō , Soyéshima , Itō Shimpei , Itagaki und Gotō forderten die sofortige Absendung einer starken Protestkundgebung. Davon wollte Saigō unbedingt die Führung übernehmen, ein Kurs, der, wie jeder wusste, der die damalige Stimmung der Nation und den Charakter des vorgeschlagenen Gesandten kannte,, wenn er befolgt würde, zum Krieg führen musste. Die andere Partei, bestehend aus Chōshiū und anderen Clansmitgliedern rund um den Premierminister, war zwar nicht bereit, absichtliche Unhöflichkeit seitens eines Nachbarstaates , der in der japanischen Geschichte eine so herausragende Rolle gespielt hatte, zu dulden, war jedoch der Ansicht, dass der Zeitpunkt für einen Krieg ungünstig sei . Wahrscheinlich misstrauten sie auch – und das nicht ohne Grund – den Motiven, die die Befürworter einer aggressiven Politik bewegten.

Iwakura und seine Kollegen in der Mission weitergeleitet . Ihr Einfluss lenkte den Ausschlag zugunsten einer friedlichen Lösung der Schwierigkeit, mit der Folge, dass die Führer der Kriegspartei ihre Ämter in der Regierung niederlegten und ihrem Beispiel viele untergeordnete Amtsträger folgten. Saigō und ein oder zwei andere zogen sich in ihre Heimatprovinzen zurück, der Rest blieb in der Hauptstadt. Dies geschah im Oktober 1873.

Der Bruch im Ministerium – der erste seit der Bildung der neuen Regierung vor fünf Jahren – war angeblich wegen der Korea-Frage entstanden. Aber in Wirklichkeit standen andere Probleme auf dem Spiel. Dies geht aus dem Denkmal hervor, das der Regierung im Januar des folgenden Jahres von vier der scheidenden Staatsmänner, Soyéshima , Itō, überreicht wurde Shimpei , Itagaki und Gotō , zusammen mit fünf weiteren Beamten von geringerem Rang, deren Namen uns nichts angehen. Weder in der Gedenkschrift selbst noch in dem gemeinsamen Brief, der ihr beigefügt war, findet sich ein Wort über Korea. Die Memorialisten beschweren sich in ihrem Brief über die Verzögerung der Regierung bei der Ergreifung von Schritten zur Einrichtung repräsentativer Institutionen. Eines der Ziele der Iwakura- Mission sei es gewesen, zu diesem Zweck Informationen zu sammeln. Seit seiner Rückkehr wurden die versprochenen Maßnahmen jedoch nicht eingeleitet. Das anhaltende Vorenthalten der Möglichkeit zur öffentlichen Diskussion hatte eine gefährliche Situation geschaffen, die zu ernsten Problemen im Land führen würde.

Aus diesem Brief geht hervor, dass sich die Beschwerde der zurückgetretenen Minister – mit Ausnahme des älteren Saigō – nicht auf die Frage eines Krieges mit Korea bezog, sondern auf die Einrichtung irgendeiner Form repräsentativer Institutionen, wie im Kaiserreich angedeutet Eid. Ihr Streit mit der Regierung beruhte auf der Ansicht, dass diese ihr Versprechen, Schritte in die gewünschte Richtung zu unternehmen, gebrochen hatte.

Das Memorial war eine Wiederholung dieses Vorwurfs in sehr weitschweifiger Form. Es ging um das Recht des Volkes auf Beteiligung an der Leitung öffentlicher Angelegenheiten und um die Dringlichkeit der Schaffung repräsentativer Institutionen.

Das Fehlen von Saigōs Unterschrift sowohl im Brief als auch im Memorial ist nicht überraschend. Er hatte kein Verständnis für Volksreformen westlichen Ursprungs. Sein Umgang mit Männern, deren politische Ansichten sich so sehr von seinen eigenen unterschieden und mit denen er außer der Unzufriedenheit mit der Führung öffentlicher Angelegenheiten kaum etwas gemeinsam haben konnte, deutet einfach auf die Existenz einer allgemeinen Unruhe hin.

Die Antwort der Regierung an die Denkmalschützer war nicht ungünstig . Ihnen wurde gesagt, dass der Grundsatz einer vom Volk zu wählenden Versammlung ausgezeichnet sei. Die Frage der Einrichtung lokaler Versammlungen muss jedoch Vorrang haben, und diese Angelegenheit beschäftigte bereits die Aufmerksamkeit der Regierung.

Als in einem früheren Kapitel die Auswirkungen der Abschaffung des Feudalismus erörtert wurden, wurde darauf hingewiesen, welch große Not diese Maßnahme für die Militärklasse mit sich brachte. Dass die *ehemaligen Samurai* , oder *Shizoku* , wie sie ihren neuen Namen gaben, als Klasse mit der plötzlichen Veränderung ihres Schicksals unzufrieden waren, war nicht überraschend. Es wäre seltsam gewesen, wenn sie sich nicht über den Verlust ihrer vielen Privilegien geärgert hätten: des überlegenen sozialen Status, den sie genossen, ihres dauerhaften Einkommens, das in der Familie vererbt wurde; ein Haus und einen Garten ohne Miete; Befreiung von jeglicher Besteuerung; und der von einer so armen Klasse geschätzte Vorteil, zu günstigeren Tarifen reisen zu können als andere Menschen. Im Zuge der unvermeidlichen Reaktion, die auf die Verwirklichung des gemeinsamen Ziels folgte, das die westlichen Clans geeint hatte und das, was nicht vergessen werden sollte, das Werk der Militärklasse war, gab es für die Shizoku reichlich Gelegenheit, alles *zu* verwirklichen die sie durch das Verschwinden des Feudalismus verloren hatten. Auch die Eile, mit der die neue Regierung ihren vom Ausland kopierten Reformkurs eingeschlagen hatte, erzürnte die Konservativen in dieser Klasse, die immer noch zahlreicher waren als die, die den Fortschritt befürworteten . Auch das Engagement von Ausländern, deren Dienste bei der Durchführung dieser Reformen unverzichtbar waren, war nicht weniger unwillkommen. Die benötigten ausländischen Experten kamen aus verschiedenen Ländern. Für die Armee und für Rechtsreformen wurde die Hilfe Frankreichs in Anspruch genommen; das Deutschlands für die Armee und für die medizinische Wissenschaft; das von Großbritannien für die Marine, für den Eisenbahnbau, Telegrafen und Leuchttürme sowie für den technischen Unterricht im Ingenieurwesen; Amerikaner wurden hinzugezogen, um im Bildungswesen und in der Landwirtschaft zu helfen; während Experten aus Italien und Holland als Berater in Fragen der Seidenkultur und der Böschungen fungierten.

Über die Begeisterung, den Westen zu imitieren, die zu dieser Zeit vorherrschte, heißt es in der unter offizieller Leitung der Chicagoer Weltausstellung von 1893 zusammengestellten *Geschichte Japans* : „In den frühen Jahren der Meiji-Ära war jede noch so geringe Kenntnis der westlichen Wissenschaft vorhanden galt als Qualifikation für eine offizielle Anstellung. Studenten, die sich als intelligent erwiesen hatten, wurden nach Europa und Amerika geschickt, um die dort herrschenden Bedingungen zu untersuchen und darüber zu berichten, und da jeder dieser Reisenden etwas Neues fand, das er befürworten und importieren konnte, nahm die Manie für abendländische Innovationen ständig zu. Die Bewahrung oder Verehrung alter Bräuche und Moden wurde mit Verachtung betrachtet, und so weit kam es, dass einige ernsthaft den Plan hegten, die japanische Sprache abzuschaffen und sie durch Englisch zu ersetzen."

Kapitän Brinkley, ein freundlicher Kritiker, bestätigt in seiner *Geschichte Japans* diese Aussage. „Kurz gesagt", sagt er, „haben die Japaner es auf die unbeschwerteste Art und Weise unternommen, sich in Kleidung zu kleiden, die sie noch nie zuvor getragen hatten und die auf andere Menschen zugeschnitten war." Das Spektakel sah seltsam genug aus, um die Befürchtungen ausländischer Kritiker zu rechtfertigen, die fragten, ob es möglich sei, dass so viele Neuheiten erfolgreich assimiliert würden oder dass sich eine Nation an Systeme anpassen könne, die von einer bunt zusammengewürfelten Gruppe von Außerirdischen geplant worden seien, die nichts über ihre Charaktere wüssten Zoll."

Dennoch blieb das Innenleben der Menschen in vielerlei Hinsicht von den so eifrig übernommenen westlichen Innovationen unberührt. Die Nation war nicht dazu aufgerufen, so weitreichende Opfer zu bringen, wie es der Anschein vermuten ließ. Aber der unzufriedene Konservative der ehemaligen Militärklasse, der den raschen Fortschritt der Reformen in den Händen begeisterter Reformer beobachtete, würde wahrscheinlich keine guten Unterscheidungen treffen; Es war auch nicht verwunderlich, wenn der Eifer, den er beobachtete, und vielleicht auch die Beschäftigung unwillkommener Ausländer zu seiner Meinung nach übertriebenen Gehältern dazu beitrugen, seine Unzufriedenheit mit der neuen Ordnung der Dinge zu steigern.

Im Januar 1874, wenige Tage nach der oben erwähnten Überreichung des Denkmals, brach die schwelende Unzufriedenheit in Flammen auf. Es Shimpei , einer der Memorialisten, der sich nach Saga, der Hauptstadt seiner Heimatprovinz Hizen , zurückgezogen hatte, sammelte dort eine beträchtliche Anzahl unzufriedener *Shizoku* und führte eine erfolgreiche Razzia in den Präfekturbüros durch. Die Regierung entsandte schnell Truppen gegen die Rebellen. Aus der Stadt vertrieben, flohen sie nach Satsuma in der Hoffnung, von Saigō Hilfe zu erhalten . Aus diesem Viertel kam jedoch keine Hilfe, und Itō und die anderen Aufständischenführer wurden verhaftet und hingerichtet.

Der Hizen- Aufstand und die große Unzufriedenheit im ganzen Land, die sich unter anderem in dem versuchten Attentat auf Iwakura zeigte , legten nahe, dass es ratsam sei, ein Ventil für die schelmischen Energien der aufgelösten *Samurai zu finden* und ihre Aufmerksamkeit abzulenken aus der Innenpolitik. In diesem Moment ergab sich eine unerwartete Schwierigkeit im Zusammenhang mit Loochoo , die die gewünschte Gelegenheit bot.

Loochoo wird als der Ort in Erinnerung bleiben, an dem Perry seine Operationsbasis errichtete, bevor er den Vertrag von 1853 aushandelte. Das Fürstentum – denn damals gab es einen Prinzen, dem seine eigenen Untertanen, die Chinesen und sogar die Japaner, den Titel gaben King – bestand aus der großen Insel Okinawa und neun abgelegenen Gruppen, die etwa zweihundert Meilen südlich von Japan lagen, entsprechend den damaligen geografischen Grenzen Japans. Durch eine merkwürdige „Box and Cox"-Vereinbarung, die sich für die damaligen Beziehungen zwischen Loochoo und ihren mächtigeren Nachbarn eignete und offenbar die stillschweigende Zustimmung jedes Oberbefehlshabers hatte, betrachtete sich das Fürstentum als eine Abhängigkeit beider Chinas und Japan, das jedem als seinen „Eltern" Tribut zollt, wie es in der damaligen Ausdrucksweise heißt. Die Tributzahlungen an China stammen aus dem 14. Jahrhundert; das seit Beginn des 17. Jahrhunderts nach Japan, als die Inseln vom Satsuma-Clan erobert wurden. Im Winter 1872/73 waren einige Loochooaner , die an der Küste von Formosa (damals Teil Chinas) Schiffbruch erlitten hatten, auf dieser Insel von Wilden misshandelt worden.

Als die Nachricht von der Gräueltat Japan erreichte, was einige Monate lang nicht der Fall war, unternahm die japanische Regierung eine Vertretung in Peking. Da die chinesischen Behörden sich weigerten, die Verantwortung für die Taten der Wilden zu übernehmen, wurde im Mai 1894 eine Expedition nach Japan entsandt, mit dem Ziel, vom säumigen Stamm Wiedergutmachung zu fordern. General Saigō Tsugumichi , der jüngere Bruder des ehemaligen Staatsrats , von dem er sich durch seine fortschrittlichen Ansichten unterschied, wurde zum Kommandeur der japanischen Streitkräfte ernannt, die aus etwa dreitausend Mann bestanden. China reagierte mit der Entsendung eigener Truppen nach Formosa, und eine Zeit lang bestand die Gefahr einer Kollision. Die Schwierigkeit wurde schließlich durch die Intervention des britischen Ministers in Peking gelöst. Die chinesische Regierung erklärte sich bereit, eine Entschädigung zu zahlen, und die Expedition kehrte nach sechsmonatiger Abwesenheit nach Japan zurück.

Der Streit mit China über Loochoo war damit vorerst beigelegt, aber einige Jahre später, im Jahr 1879, als Japan die Inseln offiziell annektierte und der König nach Tōkiō versetzt wurde , bestritt die chinesische Regierung ihre Klage mit der Begründung, Loochoo sei ein Tributpflichtiger Staat aus Treue zu China. Der Vorfall wurde zum Gegenstand längerer Diskussionen zwischen Peking und Tōkiō , in deren Verlauf angeblich der Rat von General Grant, dem ehemaligen Präsidenten der Vereinigten Staaten, der damals Japan besuchte, von japanischen Ministern eingeholt worden sein soll; aber am Ende ließ man die Angelegenheit fallen, ohne dass es zu einer endgültigen Einigung kam.

Die Schwierigkeiten mit Korea, die angeblich die Ursache für den ersten Bruch in der neuen Regierung gewesen waren, wurden ebenfalls durch eine Machtdemonstration ohne Rückgriff auf tatsächliche Feindseligkeiten beigelegt. Im Sommer 1875 wurde ein japanisches Vermessungsschiff beschossen, als es den Fluss untersuchte, der zur koreanischen Hauptstadt führte. General (später Graf) Kuroda und Herr (später Marquis) Inouyé , der aus Chōshiū stammte , wurden mit Kriegsschiffen geschickt, um Genugtuung zu fordern. Die koreanische Regierung entschuldigte sich und die Gesandten schlossen einen Vertrag, der zwei koreanische Häfen für den japanischen Handel öffnete.

Ein Vorfall in den Außenbeziehungen Japans, der sich zu dieser Zeit ereignete und der Aufmerksamkeit verdient, ist die mit Russland in Bezug auf Saghalien getroffene Vereinbarung . Im Vertrag von 1858 zwischen Russland und Japan wurde die Insel zum gemeinsamen Besitz beider Mächte erklärt. Die Tokugawa- Regierung schlug daraufhin den 50. nördlichen Breitengrad als Grenze zwischen den beiden Ländern vor, es wurde jedoch keine endgültige Entscheidung getroffen. Nach der Restauration nahm die japanische Regierung über die Vereinigten Staaten die Verhandlungen zu diesem Thema wieder auf und schlug dieselbe Grenze vor. Die russische Regierung würde diese Lösung des Problems jedoch nicht akzeptieren. Schließlich schlossen die beiden Mächte in der russischen Hauptstadt ein Abkommen, durch das Russland die Kurileninseln, auf die sein Anspruch zweifelhaft war, im Austausch gegen Saghalien an Japan übergab .

Weder die Formosa-Expedition noch die entschlossenen Maßnahmen in Bezug auf Korea hatten eine heilsame Wirkung auf die allgemeine Unzufriedenheit unter den *Shizoku* , da die friedliche Lösung beider Angelegenheiten alle Hoffnungen zunichte gemacht hatte, die sich auf einen militärischen Einsatz in einem Auslandsfeldzug hätten gründen können. Die Regelung der Korea-Frage wurde als schwache Kapitulation angeprangert und das Ministerium wurde verurteilt, weil es einen Vertrag auf der Grundlage der Gleichberechtigung mit einem Land geschlossen hatte, das die Oberhoheit Chinas anerkannte und damit die Würde Japans gefährdete. Auch trotz der Ernennung prominenter Satsuma-Männer zum Oberkommando jeder Expedition und der Einbeziehung des Satsuma-Edelmanns Shimadzu in die Regierung in der hohen Position des *Sadaijin* oder zweiten Staatsministers kam es zu keiner Verbesserung der Haltung des Clans.

Im Laufe des Jahres 1876 kam es in Chōshiū und Higo zu zwei weiteren Aufständen, die beide sofort niedergeschlagen wurden , und zu diesem Zeitpunkt löste die Lage in Satsuma bei der Regierung große Besorgnis aus. Der Ton der Halbunabhängigkeit, den dieser Clan während der Tokugawa-Herrschaft annahm, wurde, wie bereits erwähnt, auch nach der Restauration beibehalten. In anderen Provinzen war die Arbeit an der Verwaltungsvereinheitlichung schnell und reibungslos vorangekommen, und die örtlichen Beamten wurden nun häufig aus anderen Teilen des Landes ausgewählt. Doch in Satsuma lehnte man die Aufnahme von Beamten ab, die nicht aus der Provinz stammten. Ein gewisser Trost für die Regierung könnte die Tatsache sein, dass der Clan darauf verzichtet hatte, mit den rebellischen Clanmitgliedern in anderen Provinzen gemeinsame Sache zu machen, und dass die Beziehungen zwischen den beiden Anführern Shimadzu und dem älteren Saigō weiterhin angespannt waren . Aber diese Überlegungen wurden von anderen überwogen.

waren die Einführung der Wehrpflicht, die obligatorische Umwandlung von Renten und das Verbot des Tragens von Schwertern diejenigen, gegen die die *Shizoku überall* den stärksten Einspruch erhoben . Die letzte dieser Maßnahmen trat im Januar 1877 in Kraft. Dass die Wehrpflicht von der ehemaligen Militärklasse mit Missfallen betrachtet wurde, war nur natürlich, schon allein deshalb, weil ihre Einführung durch die Öffnung einer militärischen Laufbahn für alle Klassen der Nation einen Anstoß an die

Antike gab Vorurteile, außerdem war dies ein Todesstoß für jede Hoffnung reaktionärer Clansmitglieder auf eine Wiederbelebung des Feudalismus. Die Rentenumwandlung war, wie wir gesehen haben, 1871 mit der Abschaffung des Feudalismus geregelt worden. Doch das damals eingeführte System war freiwillig. Nun wurde es zur Pflicht gemacht. Als dies geschah, löste es Unmut aus. Zu diesem Zeitpunkt war auch das Tragen von Schwertern optional. Das jetzt geltende Verbot spielte für die *Shizoku der Städte* kaum eine Rolle , viele von ihnen hatten die Gelegenheit begrüßt, einen Brauch aufzugeben, der für die Stadtbewohner nicht ohne Unannehmlichkeiten war und keinen Vorteil mehr bot. Aber für diejenigen in den Provinzen, mit deren Traditionen und Gewohnheiten das Tragen von Schwertern eng verbunden war, war die Änderung äußerst unangenehm. Darüber hinaus wurde gerade in Satsuma und ein oder zwei benachbarten Clans von der Möglichkeit, kein Schwert zu tragen, am wenigsten Gebrauch gemacht. Den Satsuma-Unzufriedenen, zu deren militärischen Vorbereitungen auch Schwertübungen gehörten, könnte es durchaus vorkommen, dass das Verbot speziell auf sie gerichtet war.

KAPITEL XII

Lokale Aufstände – Satsuma-Rebellion – Zwei-Clan-Regierung.

Als in einem früheren Kapitel das Auftreten von Meinungsverschiedenheiten im Ministerium kurz nach der Restauration erwähnt wurde, wurde die Aufmerksamkeit auf einen Punkt von einiger Bedeutung gelenkt – die Meinungsverschiedenheit, die in mehreren Clans herrschte. Am auffälligsten war dies bei Satsuma, Chōshiū und Mito. Schon vor der Restauration hatten die Streitigkeiten rivalisierender Parteien in Chōshiū zu schweren Unruhen geführt, die diesen Clan in seinem Konflikt mit der Tokugawa-Regierung geschwächt hatten; während in Mito der Kampf der gegnerischen Fraktionen, die das Shōgunat bzw. die vom alten Prinzen von Mito vertretene Hofpartei unterstützten, zu langwierigen und heftigen Kämpfen geführt hatte. Obwohl in Satsuma die Rivalität einzelner Führer bis zu offenen Feindseligkeiten aufgehört hatte, war die Meinungsverschiedenheit nicht weniger ausgeprägt. Dort wurde die Situation, wie bereits erwähnt, durch die Existenz von nicht weniger als drei Parteien erschwert – zwei konservativen Gruppen, angeführt vom alten Adligen Shimadzu, dem Vater des jungen Ex-Daimiō, und vom älteren Saigō . Letzteres ist gleichzeitig das einflussreichste und zahlreichste; und eine dritte – die Reformpartei – die neben anderen prominenten Männern nach Führung bei Ōkubo , Kuroda, Matsugata , Kawamura und dem jüngeren Saigō suchte . Nach der Restauration wurde die Lage in Mito und teilweise auch in Chōshiū weniger unruhig . Aber in Satsuma blieb die Meinungsverschiedenheit unverändert, ein Umstand, der zusammen mit separatistischen Tendenzen, die einer gemeinsamen Aktion im Wege standen, im weiteren Verlauf für die Regierung von großem Nutzen war.

Wir haben die allgemeinen und besonderen Ursachen angesprochen, die zunächst zu einem Bruch im Ministerium, dann zu den früheren Aufständen in Hizen , Chōshiū und Higo und schließlich zum Satsuma-Aufstand führten. Ein weiterer Grund, der noch nicht genannt wurde, waren persönliche Eifersüchteleien und Ehrgeiz innerhalb des Clans. Was die unzufriedenen Clans und Einzelpersonen wollten, war ein größerer Machtanteil. Vielleicht überschätzten alle ihren Anteil an der Verwirklichung der Restauration. Sie dachten, sie hätten den Pfeifer bezahlt und wollten nun den Ton angeben.

Seit seinem Rücktritt vom Amt und seinem Rückzug in seine Heimatprovinz im Jahr 1873 war der ältere Saigō in Kagoshima, der Hauptstadt von Satsuma, geblieben. Hier hatte er eine Einrichtung gegründet, die, um ihren Zweck zu verschleiern, „Privatschule“ genannt wurde. In Wirklichkeit war es eine Militärhochschule. In den zentralen Vierteln dieser Stadt und in Zweigstellen an anderen Orten erhielt die Jugend des Clans eine militärische Ausbildung.

Im Herbst 1875 befand es sich bereits in einem blühenden Zustand, und im Laufe des folgenden Jahres gab es allein in Kagoshima etwa siebentausend Schüler oder Mitarbeiter. Zu diesem Zeitpunkt herrschte große Unruhe. Die öffentliche Besorgnis fand freien Ausdruck in der Presse, die erklärte, die Nation sei in zwei Parteien gespalten, eine für die Regierung, die andere für Satsuma, und fragte, was getan werden könne, um den Frieden zu bewahren.

Das Inkrafttreten des im Vorjahr erlassenen Edikts, das das Tragen von Schwertern verbot, im Januar 1877 führte dazu, dass Shimadzu sein hohes Amt im Ministerium niederlegte. Aus Abscheu über diesen jüngsten Schritt einer Regierung , mit der er von Anfang an nie Sympathie gehabt hatte, verließ er Tōkiō . Da er nicht auf dem Seeweg reisen durfte, kehrte er auf dem Landweg nach Satsuma zurück und folgte dabei der historischen Route, die er und andere Adlige zuvor so oft genommen hatten. Die Mitglieder seines Gefolges trugen in Baumwolltaschen die Schwerter, die sie nicht mehr tragen durften; und als sich am Ende seiner Reise die Tore des *Yashiki* in Kagoshima vor seiner Sänfte schlossen, wurde ihm möglicherweise klar, dass er für immer aus dem politischen Leben verschwunden war, in dem er einst eine so herausragende Rolle gespielt hatte . An den darauffolgenden Feindseligkeiten beteiligte er sich nicht und begnügte sich damit, seine Missbilligung des neuen *Regimes* dadurch zum Ausdruck zu bringen, dass er sich in einen Ruhestand zurückzog, aus dem er nie wieder herauskam.

Anfang 1877 brach der Aufstand aus. In Satsuma hatte das Gerücht über eine Verschwörung zur Ermordung von Saigō für Aufregung gesorgt , und die Regierung hielt es für klug, sich darum zu bemühen , zumindest einen Teil der Vorräte im Kagoshima-Arsenal zu entfernen. Die Umsetzung dieses Plans wurde von Kadetten der „Privatschule" verhindert, und ein Mitte Januar aus Tōkiō entsandter Offizier, um die Angelegenheit zu regeln, stieß auf feindseligen Empfang und musste ohne Landung zurückkehren. Der Krieg war nun sicher. Ein paar Tage später eroberte Saigō das Feld, marschierte schnell nach Norden und belagerte die Burg von Kumamoto, der Hauptstadt der Provinz Higo. Dieser Schritt gilt allgemein als fatal für seinen Erfolg. Es wird angenommen, dass sein richtiger Weg darin bestanden hätte, sofort zur Hauptinsel zu überqueren und direkt auf Tōkiō weiterzufahren , wobei er auf die Magie seines Namens vertraute, um auf seinem Weg neue Anhänger zu gewinnen. Die Rebellen hatten einige Vorteile auf ihrer Seite. Ihre Vorbereitungen waren getroffen; ihr Anführer war ein beliebter Held; und der Ruf des Clans für seine Kampfqualitäten war unübertroffen. Der Respekt, den Satsuma-Schwertkämpfern damals entgegenbrachten, war so allgemein, dass Mütter in weiter nördlich gelegenen Bezirken unruhige Säuglinge durch Warnungen vor der Ankunft der gefürchteten Satsuma-Männer beruhigten, so wie Frauen in Europa im letzten Jahrhundert zu demselben Zweck von Bonapartes Namen. Darüber hinaus war es fraglich, inwieweit man sich auf die gemischte Truppe verlassen konnte, die die Regierung zur Bekämpfung der Rebellen entsandt hatte. Aber im Übrigen war die Regierung für den Kampf weitaus besser gerüstet als ihre Gegner. Neben Geld und Krediten verfügte es über große militärische Vorräte, die in Erwartung dessen angesammelt wurden, was kommen würde. Es verfügte ausschließlich über Eisenbahnen und Telegrafen, eine kleine Flotte, Schifffahrtsanlagen und die Seebeherrschung. Auch die Krone war auf ihrer Seite, ein wichtiger Punkt in der japanischen Kriegsführung, wie wir gesehen haben; und es hatte den weiteren und etwas einzigartigen Vorteil , dass es durch die Zusammenarbeit in der Armee, der Marine und der Zivilverwaltung der intellektuell ausgewählten Männer des Rebellenclans unterstützt wurde, die sich auf die Seite der Regierung gestellt hatten und Bescheid wussten Die Satsuma-Ressourcen sind möglicherweise besser als die Rebellen selbst. Ein weiterer Faktor im Kampf muss noch erwähnt werden: die zahlreichen Rekruten, die zur kaiserlichen Standarte aus Bezirken strömten, die früher die Sache der Tokugawa unterstützt hatten. Unter diesen waren Mitglieder des Aidzu- Clans auffällig. Voller Hass auf ihre verstorbenen Feinde im Bürgerkrieg von 1868 bis 1869 und begierig darauf, sich für die Katastrophe zu rächen, die sie damals heimgesucht hatte, kämpften sie mit verbissenem Mut und Hartnäckigkeit und als Schwertkämpfer in unmittelbarer Nähe In den Handkämpfen, die ein Merkmal des Krieges waren, konnten sie sich gegen ihre gefürchteten Gegner mehr als behaupten.

Die Besetzung von Kumamoto durch die Rebellen gab den kaiserlichen Streitkräften Zeit, sich zu konzentrieren, und die Befreiung dieses Ortes im Frühsommer war der Wendepunkt des Kampfes. Es endete im September desselben Jahres mit dem Tod von Saigō in Kagoshima, wohin er mit einigen Anhängern über die kaiserlichen Linien zurückgekehrt war. Er starb auf echte *Samurai* -Art. Er wurde von Granaten aus einer Bergfestung in der Hauptstadt Satsuma vertrieben und zog sich gerade in einen anderen Teil der Stadt zurück, als ihn eine Kugel am Oberschenkel traf und eine gefährliche Wunde verursachte. Er fiel und forderte einen Freund an seiner Seite auf, ihm den Kopf abzuschlagen, um die Schande zu vermeiden, die nach dem damaligen Militärkodex entstehen würde, wenn er in die Hände des Feindes geraten würde. Sein Freund tat, was von ihm verlangt wurde, und flüchtete mit dem Kopf.

Der Krieg belastete die Staatskasse stark. Eine offizielle Kostenschätzung aus dem Jahr 1893 bezifferte die Kosten auf 82.000.000 £, eine Schätzung, die übertrieben erscheint. Aber die Vorteile, die sich aus der gefährlichen Krise ergaben, die die Nation sicher überstanden hatte, überwogen bei weitem die Opfer an Leben und Schätzen. Es ist auch nicht leicht zu erkennen, wie sie auf andere Weise hätten erreicht werden können. Die Niederschlagung des

Aufstands war mehr als ein bloßer Sieg für die Regierung. Es bedeutete den Triumph einer fortschrittlichen Politik über das Mittelalter des alten Japan. Den reaktionären und unruhigen Elementen im Land wurde beigebracht, dass die neue Ordnung der Dinge akzeptiert werden müsse. Die neue Wehrpflichtarmee hatte alle Zweifel an ihrer Leistungsfähigkeit zerstreut und zur Überraschung aller bewiesen, dass der Kampfgeist nicht nur das Erbe der ehemaligen Militärklasse war, sondern dass eine aus allen Klassen des Volkes rekrutierte Armee eine Institution war auf die sich der Staat sicher verlassen konnte. Darüber hinaus hatte die Verwaltungsorganisation die härteste Prüfung, die ihr gestellt werden konnte, erfolgreich bestanden, und die Regierung hatte das Gefühl, das Vertrauen der Nation und auch ausländischer Mächte in einem bisher nicht gekannten Ausmaß erworben zu haben. Ein Ergebnis der Rebellion war daher, dass die Regierung gestärkt und kompakter als zuvor aus dem Kampf hervorging. Hinzu kommt noch etwas noch Auffälligeres: die Tatsache, dass der Einfluss Satsumas in der Regierung trotz der jüngsten Ereignisse ungebrochen blieb. Dies kann teilweise durch den bereits erwähnten Umstand erklärt werden, dass die Partei des Rebellenclans, die sich für den Fortschritt einsetzte , nie in ihrer Loyalität gegenüber der Regierung nachgelassen hatte, und vielleicht auch teilweise durch die Großzügigkeit, die die Sieger den Besiegten entgegenbrachten. Die von den Imperialisten am Ende des Restaurationskrieges verfolgte liberale Politik, die den Traditionen und dem Geist jener Zeit völlig widersprach, wurde nach dem Satsuma-Aufstand erneut verfolgt. Als die Feindseligkeiten aufgehört hatten, waren die Männer, die für den Clan gekämpft hatten, nicht mit einem Stigma belegt. Der Tempel, der kurz darauf den Gefallenen des Konflikts gewidmet war, wurde zum gemeinsamen Gedenken aller, sowohl der Loyalisten als auch der Rebellen, errichtet. Auch von diesem Moment an – obwohl sich die Tendenz in diese Richtung schon früher gezeigt hatte – wurde die Verwaltung, anstatt wie nach der Restauration eine Regierung der vier führenden Clans zu sein, offen gesagt eine Regierung der beiden Clans Satsuma und Chōshiū . ein Charakter, den es bis heute behält.

Die wichtigste Tatsache, die aus der vorstehenden Darstellung der Ereignisse hervorgeht, sind die schwerwiegenden Schwierigkeiten, mit denen die nach der Restauration errichtete Regierung zu kämpfen hatte. Man sieht den Kampf zwischen dem alten und dem neuen Japan und den Meinungskonflikt, der die Männer, die die Revolution durchführten, spaltete; man merkt, wie hartnäckig, allen Erlassen und Verordnungen zum Trotz, die alten feudalen Instinkte überlebten; und man erkennt, welcher Mut und welches Können erforderlich waren, um das Reformministerium in die Lage zu versetzen, einen Mittelweg zwischen denen zu finden, die die Uhr zurückdrehen wollten, und denen, die den Fortschritt noch schneller machen wollten.

Während der Zeit der Unruhen, die mit der Niederschlagung des Satsuma-Aufstands endete, stand der Wiederaufbau nicht ganz still. Zu dieser Zeit gehören die Geburt der Presse und die Gründung der *Mitsu Bishi* , der ersten japanischen Dampfschifffahrtsgesellschaft; die erste Versammlung der Provinzgouverneure, die nach der Niederschlagung des Satsuma-Aufstands zu einem jährlichen Bestandteil des Verwaltungsverfahrens wurde; die Frage der Verordnungen, die den ersten Schritt zur Neugestaltung der Kommunalverwaltung in Städten und Dörfern darstellten; und die Schaffung eines Obersten Gerichtshofs (*Daishinin*) und einer gesetzgebenden Kammer oder eines Senats (*Genrō -in*), bestehend aus Beamten, die bis 1890 bestehen blieben. Die kaiserliche Botschaft, die bei der Eröffnung der ersten Sitzung überbracht wurde, kündigte diesen Wunsch an schrittweise eine repräsentative Regierung aufzubauen, und bezeichnete die Schaffung des Senats als einen ersten Schritt in diese Richtung. In mancher Hinsicht ähnelten die Funktionen dieser Kammer eher denen eines Beirats als eines Senats, wie er in westlichen Verfassungen zu finden ist. Es hatte weder die Befugnis, Gesetze zu initiieren, noch ihnen endgültige Wirkung zu verleihen. Aber als provisorische Institution im Verwaltungsapparat erfüllte es einen nützlichen Platz. Es erleichterte die Arbeit der Regierung, indem es neue Gesetze ausarbeitete und Änderungen an den ihm zur Prüfung vorgelegten Maßnahmen erörterte und vorschlug . Auch auf außenpolitischem Gebiet wurden durch die Aufnahme vertraglicher Beziehungen mit Korea und den bereits erwähnten Abschluß eines Abkommens mit Rußland über Saghalien und die Kurilen-Inseln belastende Kontroversen endgültig beigelegt. Mit der Wiederherstellung der Ordnung ging der Wiederaufbau schneller voran. In der Hauptstadt wurden eine Börse und eine Handelskammer gegründet, wo auch die erste nationale Industrieausstellung stattfand; ein bimetallisches Währungssystem wurde eingeführt; während die Komplikationen, die mit der doppelten Loyalität von Loochoo einhergingen , durch die bereits erwähnte Annexion dieser Insel ein Ende fanden. Ein weiterer Schritt in Richtung Beruhigung des Volksrufs nach einer repräsentativen Regierung wurde auch durch das Versprechen von 1878 getan, bald Präfekturversammlungen einzuführen.

Man wird sich daran erinnern, dass die Regierung in ihrer Antwort auf die Denkmäler ungeduldiger Reformer im Jahr 1873, als es zum ersten Bruch im Ministerium kam, erklärt hatte, dass die Einführung von Präfekturversammlungen notwendigerweise der Schaffung eines Nationalparlaments vorausgehen müsse. Seine damalige Haltung gegenüber den Forderungen des fortgeschrittenen Teils der Reformatoren, die sich für die sofortige Einrichtung repräsentativer Institutionen einsetzten, kam in einem inspirierten Artikel deutlich zum Ausdruck, der in einer Tōkiō-Zeitung erschien . Darin wurde darauf hingewiesen, dass außerhalb der offiziellen Klasse nur sehr wenig Wissen über öffentliche Angelegenheiten vorhanden sei, dass der unmittelbare Bedarf des Landes die Bildung sei und dass die Regierung bessere Ziele erreichen könne, indem sie die Bildungseinrichtungen durch die Einrichtung von Schulen ausbaue als durch die überstürzte Schaffung einer Repräsentantenversammlung. Das nun nach Ablauf von fünf Jahren abgegebene definitive Versprechen entsprach der damals geäußerten Ansicht über die Notwendigkeit, den örtlichen Versammlungen Vorrang einzuräumen, und wurde zwei Jahre später erfüllt.

Es erscheint wünschenswert, ausführlicher zu erklären, wie die Regierung, die von den vier Clans geleitet wurde, die die Restauration durchführten, zu einer Regierung von nur zwei von ihnen wurde. Bei der Konzentration der Verwaltungsgewalt nach der Niederschlagung des Satsuma-Aufstands in den Händen der beiden Clans Satsuma und Chōshiū wurde auf eine frühere Tendenz in dieser Richtung hingewiesen. Dies war im Jahr 1873, als es zum ersten Mal zu Meinungsverschiedenheiten im Ministerium kam. Der Widerstand, auf den die Regierung damals stieß, kam von zwei gegensätzlichen Seiten – einerseits von den Reaktionären und andererseits von der Seite der fortgeschrittenen Reformer. In jedem Fall spielten, wie wir gesehen haben, die Eifersüchteleien und Ambitionen von Clans und Einzelpersonen eine gewisse Rolle. Aber während das Ziel der Reaktionäre die Tür zu Kompromissen versperrte, da sie westliche Innovationen jeglicher Art ablehnten, unterschied die Ansicht der eifrigeren Reformer von denen der Regierung nur die Frage der Zweckmäßigkeit – mit anderen Worten: die Geschwindigkeit, mit der der Fortschritt auf modernen Linien, die gleichermaßen das Ziel beider ist, voranschreiten sollte. Die Reaktionäre setzten auf Gewalt, um ihre Ziele zu erreichen. Sie wurden mit Gewalt konfrontiert und niedergeschlagen. Nach dem Scheitern lokaler Aufstände und des gewaltigeren Satsuma-Aufstands wurde klar, dass sich die Regierung nicht durch die offene Drohung der Streitkräfte davon abhalten ließ, ihre Politik der schrittweisen Reformen fortzusetzen. Abgesehen von den vereinzelten Angriffen fanatischer Attentäter, denen Ōkubo , einer der stärksten der neuen Minister im Frühjahr 1878, zum Opfer fiel, hatte die Regierung von nun an nichts mehr von den reaktionären Elementen im Land zu befürchten. Es blieb die Waffe der politischen Agitation, die allen offen stand, die mit der Regierung nicht einverstanden waren. Darauf griffen die fortgeschrittenen Reformer zurück.

Der Vorwurf, den sie gegen die Regierung erhoben, weil sie das im Rahmen des Kaisereids gegebene Versprechen hinsichtlich der Schaffung repräsentativer Versammlungen nicht eingehalten hatte, war nicht ganz unbegründet. Wie wir gesehen haben, gab es in dieser Hinsicht keine Unklarheiten im Wortlaut des Kaiserlichen Eides. Für ein Dokument, das in einer Sprache verfasst wurde, der die Präzision europäischer Sprachen fehlt, war die kaiserliche Ankündigung außergewöhnlich klar. Mehr als ein Japan-

Autor, der sich mit dieser Frage beschäftigt hat, hat festgestellt, dass der Kaiserliche Eid nicht das bedeutete, was er sagte, und dass es ein Fehler ist anzunehmen, dass die Gründung repräsentativer Institutionen zu dieser Zeit ernsthaft erwogen wurde . Es gibt zwar keinen Grund, den Männern, deren Händen die Bildung der neuen Regierung anvertraut wurde, etwas anderes als grobe Vorstellungen davon zuzuschreiben, was die kaiserliche Ankündigung vermitteln sollte; denn der Eid war keine Erklärung der Rechte, sondern lediglich eine Absichtserklärung der Grundsätze, nach denen die neue Regierung geführt werden sollte. Es ist auch unwahrscheinlich, dass zu einer Zeit, als das Feudalsystem in Kraft war, klare Vorstellungen von Volksrechten, wie sie später konzipiert wurden, existiert haben könnten. Zweifellos hatten die Verantwortlichen für die Formulierung des Kaisereids auch die Absicht, die zu gewährenden Entscheidungsrechte klassenmäßig einzuschränken. Dies geht aus dem Charakter hervor, der dem deliberativen Element in der neuen Regierung beigemessen wird. Was jedoch ebenso sicher ist, ist, dass im Allgemeinen, wenn auch vage, die Hoffnung bestand, die Grundlage der Verwaltung zu erweitern und in gewissem Sinne populärer zu machen; und dass die Tatsache, dass repräsentative Regierung und öffentliche Diskussion wichtige Merkmale der Verwaltung in bestimmten westlichen Ländern sind, vielen führenden Japanern wohlbekannt war, die sie als typisch für fortgeschrittene Bedingungen des Fortschritts betrachteten und die baldige Einführung ähnlicher Bedingungen in Japan wünschten.

Unter diesem Gesichtspunkt war das Vorgehen der fortgeschrittenen Reformer nicht ohne Berechtigung. Andererseits ließ sich die Regierung bei ihrer Entscheidung, bei der Einrichtung repräsentativer Institutionen vorsichtig vorzugehen, wahrscheinlich von der Überzeugung leiten, dass das Versprechen im Kaiserlichen Eid, wie es in der ersten Welle revolutionärer Begeisterung gegeben wurde, nicht im Interesse des Landes zu wörtlich ausgelegt werden; und im Lichte der späteren Ereignisse wurde die Richtigkeit seiner Entscheidung reichlich bewiesen.

Tosa- Clans-Mitglieder vorherrschten, zum Thema repräsentative Regierung hatten, wie wir gesehen haben, erhebliche Anerkennung von den Autoritäten gefunden. In die neue Verwaltung, die nach der Restauration gebildet wurde, war ein beratendes Element eingeführt worden; und der so anerkannte Grundsatz wurde bei allen nachfolgenden Verwaltungsänderungen beibehalten. Nach dem Bruch im Ministerium im Jahr 1873 zeigte sich die Regierung erneut bestrebt, den Wünschen der fortgeschrittenen Reformatoren nachzukommen, die inzwischen in der Hauptstadt die erste politische Vereinigung Japans gegründet hatten, die den Namen erhielt „Vereinigung der Patrioten“ (*Aikoku-tō*) wurde gegeben. Ungefähr zur gleichen Zeit hatte der Oberführer der Tosa , Itagaki , in seiner

Heimatprovinz die erste lokale politische Gesellschaft namens *Risshi -sha* oder „Vereinigung von Männern mit einem bestimmten Ziel" gegründet. Im Kapitel „Politische Parteien" in „ *Fünfzig Jahre neues Japan*" wird diese Gesellschaft als eine politische Schule beschrieben, ähnlich dem Kadettenkolleg, das der ältere Saigō vor dem Satsuma-Aufstand gegründet hatte. Anfang 1875 hatte das Ministerium Annäherungsversuche für eine Versöhnung gemacht, und auf einer Konferenz in Ōsaka, an der Itagaki und Kido teilnahmen, der im Vorjahr aus einer anderen Frage von seinem Amt zurückgetreten war, kam es zu einer Einigung, sowohl Itagaki als auch Kido tritt wieder der Regierung bei. Was Ersteres betraf, war eine der Bedingungen der Versöhnung die Schaffung des Senats (*Genrō -in*), auf den bereits hingewiesen wurde.

Die Versöhnung mit der Tosa -Partei war von kurzer Dauer. Auf der bereits erwähnten Präfektenversammlung, die einige Wochen später stattfand, wurde die Frage der repräsentativen Regierung erörtert. Die Meinung der Präfekten befürwortete die frühere Entscheidung der Regierung, die in ihrer Antwort an die Memorialisten im Jahr 1873 bekannt gegeben wurde, dass die Einrichtung von Präfekturversammlungen der Schaffung eines Nationalparlaments vorausgehen muss. Die Zustimmung der Präfekten zu der von der Regierung in diesem Punkt bereits eingenommenen Haltung und die endgültige Entscheidung der Regierung, dem Senat nicht nur den von den fortgeschrittenen Reformern gewünschten Wahlcharakter vorzuenthalten, sondern die Mitgliedschaft nur auf Beamte zu beschränken, lösten große Unzufriedenheit in der Regierung aus Tosa- Partei, und im März 1876 trennte Itagaki erneut seine Verbindung zur Regierung, zu der er erst einige Jahre nach der Bildung der parlamentarischen Regierung zurückkehrte. Seit dem ersten Bruch im Ministerium hatte es große Sympathie zwischen der Tosa- Partei und jenen Hizen- Clansmitgliedern gegeben, die ähnlich fortschrittliche Ansichten zu Reformen vertraten. Itagakis endgültiger Rückzug aus der Regierung führte zum Aufbau noch engerer Beziehungen. Von diesem Moment an begann die Bildung einer regulären Oppositionspartei fortgeschrittener Radikaler und der Beginn einer heftigen politischen Agitation zugunsten von Volksreformen, die, mit Unterbrechungen der Ruhe, viele Jahre lang andauerte.

Als im Verlauf dieser Agitation die Entfremdung der Tosa- und Hizen- Clans von der Regierung immer ausgeprägter wurde, verschlechterten sich die Beziehungen zwischen den beiden anderen konservativeren und gleichzeitig kriegerischeren Clans, die die für die Regierung wesentliche militärische Stärke lieferten. kam uns natürlich näher. Nach der Niederschlagung der Satsuma-Rebellion – die, wie wir gesehen haben, Satsumas Einfluss im Ministerium in keiner Weise beeinträchtigte – entwickelte sich allmählich ein klareres Verständnis hinsichtlich der allgemeinen Politik, mit dem bereits erwähnten Ergebnis, dass die Richtung der Angelegenheiten festgelegt wurde ging in die Hände von Satsuma und Chōshiū über , wo es noch heute verbleibt.

KAPITEL XIII
Japanische Religionen vor der Restauration: Shintō und Buddhismus.

Im vorherigen Kapitel wurden der Ausbruch und die Niederschlagung des Satsuma-Aufstands aufgezeichnet. Es wurde auch ein Überblick über den Verlauf der Ereignisse gegeben, durch die die Verwaltung einen neuen Charakter annahm und die Leitung der Angelegenheiten in die Hände der Satsuma- und Chōshiū -Clans überging. Der nun erreichte Punkt, an dem die neue Regierung endlich fest im Sattel sitzt, scheint eine geeignete Gelegenheit zu bieten, sich mit dem Thema Religion zu befassen. Obwohl es nicht in jeder Hinsicht eng mit der Entwicklung Japans im modernen Sinne verbunden war, war es doch, wie wir gesehen haben, indirekt mit der Arbeit des Wiederaufbaus und der Reform verbunden; und diese Verbindung bleibt bestehen und macht sich von Zeit zu Zeit in verschiedenen zeremoniellen Änderungen und anderen Neuerungen bemerkbar.

Bei der Gestaltung des japanischen Lebens und Charakters haben vier Religionen eine Rolle gespielt: Shintō , Buddhismus, Konfuzianismus und Taoismus. Zu diesen ist in jüngster Zeit ein Fünftel hinzugekommen, das Christentum in verschiedenen Formen. Daran ist nichts Besonderes, denn in anderen Ländern gibt es mehr als eine Religion. Aber in Japan hat das Nebeneinander von völlig unterschiedlichen Religionen merkwürdige Folgen gehabt. Die vier frühesten dieser unterschiedlichen Religionen haben sich nicht nur in erheblichem Maße gegenseitig beeinflusst, diese Interaktion führte in einem Fall zu einer Verschmelzung zweier Glaubensrichtungen, die man fast als neue Religion oder Sekte bezeichnen könnte, sondern auch zu der einzigartigen Gewohnheit, sich zu zweien zu bekennen Gleichzeitig haben sich Religionen entwickelt – ein Umstand, der anderswo seinesgleichen sucht. Jedes japanische Haus, unabhängig davon, ob der Bewohner dem Shintō- oder buddhistischen Glauben angehört , verfügt über sowohl Shintō- als auch buddhistische Altäre, an denen täglich Opfergaben dargebracht werden. Für die Betroffenen vermittelt dieser doppelte Gottesdienst kein Gefühl der Inkongruenz und wird seltsamerweise auch nicht als unvereinbar mit der anerkannten Zugehörigkeit zu einem der beiden Glaubensrichtungen angesehen. Wenn man sie nach der Religion fragt, zu der sie sich bekennen, antworten sie, dass es Shintō bzw. Buddhismus sei. Und damit bleibt die Sache bestehen.

In Bezug auf diesen Punkt gibt das *Japan-Jahrbuch* für 1915 zu, dass die meisten Japaner in Religionsfragen dualistisch eingestellt sind. „Ein neugeborenes Kind“, heißt es, „wird in einen Shintō-Tempel gebracht – [die Worte „oder buddhistisch“ hätten hier hinzugefügt werden sollen] – „um die

Hilfe der Schutzgottheit für seinen Wohlstand oder Erfolg im Leben anzurufen.“ . Wenn es stirbt, wird es zur Beerdigung in einen buddhistischen Tempel gebracht.“

Die vorstehenden Tatsachen scheinen die Aussage des Autors von „ *Fünfzig Jahre neues Japan*“über die Freiheit des japanischen Volkes von sektiererischen Vorurteilen zu bestätigen. „In China hingegen“, sagt Marquis Ōkuma , „führte die Koexistenz von Taoismus, Konfuzianismus und Buddhismus zu einem Krieg der Glaubensbekenntnisse, der das Reich schwächte und die Ursache für seinen gegenwärtigen Zustand war, das Nebeneinander von vier verschiedenen Glaubensrichtungen.“ in Japan“ [das Christentum nicht mitgerechnet] „führte zu keinerlei sektiererischem Streit.“ Die Behauptung von Marquis Ōkuma gilt tatsächlich genauer für die Gegenwart als für vergangene Zeiten. Er scheint mehr als einen Fall in der japanischen Geschichte zu übersehen, in dem übermäßiger religiöser Eifer nicht nur zu konfessionellen Konflikten, sondern auch zu Aufruhr in der Bevölkerung geführt hat, was wiederum zu Einmischung seitens der Behörden geführt hat. Es besteht jedoch kaum ein Zweifel daran, dass die Frage der Religion von den Japanern im Großen und Ganzen noch nie so ernst genommen wurde wie von anderen Völkern. Es ist ebenso klar, dass die Autoritäten in ihrer Haltung gegenüber der Religion ausnahmslos von politischen Zweckmäßigkeiten und nicht von religiösen Motiven geleitet wurden.

Inwieweit politische Überlegungen die religiöse Entwicklung in Japan beeinflusst haben, wird sich später im nächsten Kapitel zeigen, wenn es auch zweckmäßiger sein wird, sich mit der jüngsten japanischen Religion, dem Christentum, zu befassen, die in besonderer Weise mit dem modernen Fortschritt des Landes in Verbindung gebracht wird . Lassen Sie uns zunächst kurz auf die Besonderheiten der Religionen selbst eingehen, wie sie vor der Wiedereröffnung Japans für den ausländischen Verkehr existierten, beginnend mit Shintō , dem einheimischen Glauben.

Shintō war ursprünglich eine Form der Naturverehrung und umfasste schon früh die Ahnenverehrung. Dies war auf den Einfluss des Buddhismus und des Konfuzianismus zurückzuführen. Der Kult natürlicher Gottheiten, der unter der allgemeinen Bezeichnung *Kami bekannt* ist – ein Wort mit vielen Bedeutungen –, wurde so erweitert, dass er vergötterte Helden, verstorbene Herrscher und schließlich abgedankte und regierende Mikados mit göttlicher Abstammung umfasste. Das seit der Antike überlieferte Shintō- Ritual beschränkt sich auf Gebetsformeln an natürliche Gottheiten; Bei seiner Zeremonie geht es ausschließlich um die Reinigung von Fehlverhalten oder von Befleckungen durch realen oder eingebildeten Kontakt mit den Toten. Es gab keine autorisierten Bestattungsriten und es gab auch keine Shintō-Friedhöfe. Es gibt keine heiligen Bücher, keine Dogmen, keinen Moralkodex. All dies wurde anderen Religionen, vor allem dem Buddhismus, überlassen.

Ungeachtet des Fehlens dieser Merkmale, die den meisten Religionen gemeinsam sind, spricht der Autor eines Werks über den Buddhismus, *The Creed of Half Japan* (Reverend Arthur Lloyd), davon, dass er „einen leichten Hauch von Philosophie, eine vage, aber tief verwurzelte Religiosität " habe " und als „einen starken Appell an den japanischen Stolz". Die Richtigkeit dieser letzten Aussage wird niemand bestreiten wollen, denn der ungebrochene Charakter der Dynastie ist weitgehend dem Einfluss der Shintō- Vorstellungen über die Halbgöttlichkeit japanischer Monarchen zu verdanken.

Ein besonderes Merkmal der japanischen Urreligion, nämlich ihre Verbindung mit der Verehrung von Tieren, wird von Herrn Aston in seinem „ Shintō " beschrieben:

„Tiere", sagt er, „können um ihrer selbst willen verehrt werden, als wunderbare, schreckliche oder unheimliche Wesen." Der Tiger, die Schlange und der Wolf werden aus diesem Grund *Kami genannt* . Aber es gibt keine Schreine zu ihren Ehren und es gibt keinen regelmäßigen Kult. Ein häufigerer Grund für die Verehrung von Tieren ist ihre Verbindung mit einer Gottheit als deren Diener oder Boten. So ist der Hirsch heilig bei" [dem Schrein von] „ Kasuga , der Affe bei" [dem von] „ Hiyoshi , der Taube des Gottes (des Kriegs), der Silberreiher beim Schrein von Kébi no Miya, der Schildkröte bei." Matsunöo und die Krähe bei Kumano.... Der Fasan ist im Allgemeinen der Bote der Götter. Der bekannteste Fall der Verehrung eines damit verbundenen Tieres ist der von Inari, dem Reisgott, dessen begleitende Füchse von den Unwissenden (nämlich den ungebildeten Massen) mit dem Gott selbst verwechselt werden und dessen Bildnisse Opfer dargebracht werden ihnen." Die „koreanischen Hunde", fügt er hinzu, die vor vielen Shintō- Schreinen zu sehen sind, seien nicht als Götter, sondern als Wächter gedacht, wie die großen Figuren auf beiden Seiten des Eingangs buddhistischer Tempel.

Japanische Schriftsteller legen das Datum der Einführung des Buddhismus in Japan auf etwa die Mitte des sechsten Jahrhunderts fest. Der damals eingeführte Buddhismus war der der sogenannten Nordschule, deren Lehren auf dem sogenannten „Mahayana-Fahrzeug" basieren. Einer seiner frühesten Anhänger war der Kaiserprinz Shōtoku Taishi , der, obwohl er nie den Thron bestieg, das Land praktisch viele Jahre lang als Stellvertreter oder Vizeregent seiner Tante, der Kaiserin Suiko , regierte . Er war es, der die „Große Reform" durchführte, die die japanische Verwaltung nach chinesischem Vorbild revolutionierte. Er tat auch viel für die Verbreitung des Buddhismus, der zu dieser Zeit konfessionslos war. Erst nach seinem Tod im Jahr 620 n. Chr . entstanden die ersten Sekten. Bis zum Ende des achten Jahrhunderts gab es acht Sekten, von denen heute nur noch zwei, die Tendai und die Shingon , überleben. Die wichtigsten Sekten sind neben diesen beiden die

Zen- , *Jōdo-* , *Shin-* und *Nichiren* -Sekten, die alle während der Herrschaft der Hōjō- Regenten im 12. und 13. Jahrhundert gegründet wurden. Auf die Frage nach den Grundsätzen, die diese verschiedenen Sekten voneinander unterscheiden, ist es unnötig, näher einzugehen. Es wird genügen, die Hauptmerkmale der drei Sekten, der *Zen-* , *Shin-* und *Nichiren* -Sekten, anzugeben, die bei weitem die zahlreichsten Anhänger haben.

Die *Zen-* Sekte, die älteste der drei Sekten, die aus sechs Untersekten besteht, wurde in den ersten Jahren des 13. Jahrhunderts gegründet. Ihr Gründer war der buddhistische Priester Eisai Zenshi . Sie sei, wie uns Herr Lloyd erzählt, schon immer mehr oder weniger vom Konfuzianismus beeinflusst worden und stehe im Gegensatz zu dem, was ihre Anhänger als anthropomorphe Tendenzen anderer Sekten betrachten. Sie erkennt ein höchstes Wesen an, weigert sich jedoch, es zu personifizieren, und vertritt die Auffassung, dass eine solche Personifizierung nur ein frommer Trick sei, um die Wahrheit an die Schwäche des menschlichen Intellekts anzupassen. Abgesehen von der eigentlichen Lehre ist das Hauptmerkmal der *Zen-* Sekte die Praxis der stillen Meditation mit dem Ziel, durch introspektive Kontemplation eine distanzierte und philosophische Geisteshaltung zu erlangen. Vor der Abschaffung des Feudalismus war sie die beliebteste Sekte der Militärklasse und zählt bis heute mehr Marine- und Militärangehörige zu ihren Anhängern als andere Sekten, während ihr Einfluss auf *Bushidō* sehr deutlich war.

Die *Shin* -Sekte, die ebenfalls sechs Untersekten hat, wurde vom Priester Shinran gegründet Shōnin . Die Position, die sie gegenüber anderen buddhistischen Sekten einnimmt, ähnelt in mancher Hinsicht der des Protestantismus gegenüber dem römischen Katholizismus. Seine Anhänger essen Fleisch und die Geistlichen dürfen heiraten. Der Hauptpunkt seiner Lehre ist die Erlösung durch Glauben durch die Barmherzigkeit Buddhas, und nach Meinung von Herrn Lloyd „ riecht das gesamte System des Gründers stark nach dem Nestorianismus“, der in China bereits im siebten Jahrhundert propagiert wurde.

Nichiren -Sekte zu beachten . Diese von allen buddhistischen Sekten aktivste und in der Tat aggressivste und, man muss hinzufügen, lauteste in der Durchführung religiöser Feste, wurde vom Priester Nichiren gegründet . Wie wir aus dem zuvor zitierten Autor erfahren, bestand sein Ziel darin, den japanischen Buddhismus von den Fehlern zu befreien, die sich seiner Ansicht nach in ihn eingeschlichen hatten, und den ursprünglichen Charakter wiederherzustellen, den sein indischer Begründer dem buddhistischen Glauben verliehen hatte. Der Eifer , mit dem er sein Ziel verfolgte, veranlasste ihn, sich in politischen Fragen zu engagieren, und brachte ihn in Konflikt mit den Behörden. Er war ein erbitterter Gegner der *Zen-* Sekte und ihrer konfuzianischen Tendenzen und beschrieb sie als „eine Lehre von Dämonen und Unholden“.

Aufgrund der Umstände seiner Einführung sind die Spuren chinesischen Einflusses im japanischen Buddhismus natürlich sehr deutlich. Dieser Einfluss wurde durch die häufigen Besuche japanischer Mönche in China verstärkt, wo sie in direkten Kontakt mit dem religiösen Denken Chinas kamen. Dennoch ist die Tatsache, dass die drei heute bedeutendsten Sekten ihren Ursprung und ihre Entwicklung japanischen Priestern verdanken, ein Beweis für eine gewisse Tendenz zur nationalen Unabhängigkeit in religiösen Angelegenheiten. Man kann hinzufügen, dass der Buddhismus in Japan mehr Anhänger hat als der Shintō , wenngleich der zahlenmäßige Unterschied nicht groß ist.

Die Verschmelzung von Shintō und Buddhismus unter dem Namen *Riōbu Shintō* , das den besten Experten zufolge im 9. Jahrhundert stattfand, wird allgemein als das Werk der *Shingon* -Sekte der Buddhisten angesehen, obwohl die *Tendai-* Sekte offenbar mit der Bewegung verbunden war. Durch diese Verschmelzung, die offenbar von früheren Versuchen in China übernommen wurde, Buddhismus und Konfuzianismus zu verschmelzen, entstand der Shintō *Kami* oder Gottheiten wurden – durch einen frommen Betrug, den japanische Buddhisten unter dem Begriff „ *hōben*“ *kennen* – als Avatare antiker Buddhas in das buddhistische Pantheon aufgenommen. Sein buddhistischer Charakter wird durch das qualifizierende Präfix *Riōbu* in seinem Namen hinreichend angedeutet , was „zwei Teile“ bedeutet, nämlich die beiden mystischen Welten, die in der Lehre der *Shingon-* Sekte eine Rolle spielen; seine Shintō- Verbindung wird durch die Verehrung von Shintō-Gottheiten unter buddhistischen Namen deutlich. „Trotz seiner Bekenntnisse zum Eklektizismus“, sagt Herr Aston in seinem bereits zitierten Buch, „ist die Seele von *Riōbu* .“ *Shintō* war im Wesentlichen buddhistisch.“ Er spricht auch von der Bewegung als der Bildung einer neuen Sekte, eine Ansicht, der Professor Chamberlain in seinem Werk „ *Things Japanese*“ nicht ganz zuzustimmen scheint. Es kann den Shintō- und buddhistischen Gelehrten überlassen werden, die Frage zu klären. Das Ergebnis der Fusion war jedenfalls, dass die meisten Shintō- Schreine zu *Riōbu wurden Shintō-* Tempel. In vielen dieser buddhistischen Tempel amtierten allein Priester, aber in einigen Fällen verfügten solche Tempel über getrennte Niederlassungen von Shintō- und buddhistischen Geistlichen, die abwechselnd Gottesdienste in denselben Gebäuden abhielten.

Obwohl Konfuzianisten auf die Existenz eines Tempels dieser Religion in Tōkiō verweisen können, hatten weder der Konfuzianismus noch der Taoismus – die beide mit der Übernahme der Schriftsprache Chinas nach Japan kamen – jemals den Status etablierter Religionen. Man kann die Rolle der konfuzianischen Ethik bei der Entwicklung des japanischen Charakters und Denkens kaum überschätzen. Darüber hinaus behaupten diejenigen, die sich mit dem Thema befasst haben, sowohl im Shintō als auch im

Buddhismus die Prägung der taoistischen Philosophie zu sehen . In beiden Fällen wurde der Einfluss dieser Kulte auf das japanische Volk jedoch indirekt durch die Infiltration konfuzianischer und taoistischer Prinzipien in andere Glaubensrichtungen ausgeübt und nicht direkt, wie es der Fall gewesen wäre, wenn sie als getrennte Glaubensrichtungen gewirkt hätten und verschiedene Religionen.

KAPITEL XIV
Japanische Religionen nach der Restauration: Christentum – Bushidō – Religiöse Bräuche.

Die politischen Überlegungen, die die religiöse Entwicklung in Japan beeinflusst haben, hängen hauptsächlich, aber keineswegs ausschließlich, mit dem modernen Fortschritt Japans zusammen. Unter der Tokugawa-Regierung wurden religiöse Angelegenheiten offiziellen Würdenträgern namens *Jisha-bugiō* anvertraut , die, wie ihr Name „Kontrolleure buddhistischer und Shintō -Tempel" andeutet, zusätzlich zu anderen und wichtigeren Verwaltungsaufgaben die Verantwortung für alle damit verbundenen Geschäfte übernahmen mit diesen beiden Religionen. Beide Religionen wurden somit vom Staat anerkannt und waren für die Tokugawa-Regierung gleichermaßen Anliegen, obwohl sie eher dem Buddhismus zuneigten. Der kaiserliche Hof hingegen begünstigte in dieser Zeit Shintō . Dies war nicht immer der Fall. Bis zur Machtübernahme des Militärherrschers Nobunaga Mitte des 16. Jahrhunderts war der Buddhismus mehrere Jahrhunderte lang die vorherrschende Religion gewesen. Die jesuitischen Missionare, die dann Japan erreichten, fanden den Buddhismus auf dem Höhepunkt seiner Macht vor. Am kaiserlichen Hof und überall im Land übte es einen überragenden Einfluss aus. Auch seine militärische Stärke war damals gewaltig. Die Äbte buddhistischer Klöster in der Nähe der Hauptstadt und anderswo unterhielten, ebenso wie militante Bischöfe im Mittelalter in Europa, Garnisonen kämpfender Mönche, was eine ernsthafte Bedrohung für die Verwaltungsgewalt darstellte. Ein rücksichtsloser Feldzug des jeweiligen Herrschers setzte diesem Zustand ein Ende. Von dem Schlag, der ihr damals zugefügt wurde, erholte sich der buddhistische militante Klerus nie mehr. Als Folge der Bewegung im 18. Jahrhundert, bekannt als „Die Wiederbelebung des reinen Shintō ", auf die in einem früheren Kapitel Bezug genommen wurde, geriet der Buddhismus eine Zeit lang ins Wanken. Doch sein Einfluss wurde später wiederhergestellt, und Shintō sank wieder auf den zweitrangigen Platz zurück, den es zuvor eingenommen hatte.

Als die Restauration stattfand, änderten sich die jeweiligen Positionen der beiden Religionen völlig. Das erklärte Ziel der Revolution bestand darin, das System der direkten kaiserlichen Herrschaft wiederherzustellen, und die neue Regierung ergriff natürlich alle Mittel, um dieses Ziel zu erreichen. Und da der Glaube an die göttliche Abstammung der Mikados Teil der Shintō-Doktrin war, wurde die Förderung der einheimischen Religion zu einem wichtigen Punkt im Programm der Reformatoren. Bei der Organisation der neuen Verwaltung, die nach einem alten bürokratischen Modell aufgebaut war, wurde daher der Religion in der einzigen Form des Shintō durch die Schaffung eines separaten Staatsministeriums für die Kontrolle der Shintō-

Angelegenheiten Vorrang eingeräumt. Dieser erhielt den Namen *Jinji-jimu-Kioku* , der kurz darauf in *jingikwan geändert wurde.* Shintō wurde so gewissermaßen zum Synonym für Religion; während der Buddhismus außen vor blieb und als Kirche praktisch aufgelöst wurde. Auch der Eifer der Reformatoren, die damit faktisch eine Staatsreligion geschaffen hatten , endete hier nicht.

Eine in Japan häufig vorkommende Form der Abdankung war der Rückzug in das buddhistische Priestertum. Der Brauch war in der gesamten Nation üblich, und seine Praxis durch Mikados , Prinzen des Kaiserhauses, Hofadlige und die feudale Aristokratie, hatte das Ansehen des Buddhismus erhöht und gleichzeitig die Sekten bereichert, deren Tempel auf diese Weise bevorzugt wurden . Die neue Regierung verbot diesen Brauch, soweit es das Kaiserhaus und den Adel betraf; alle *Riōbu Shintō-* Tempel erhielten wieder ihren alten Status als Shintō- Schreine; und gleichzeitig wurden vielen buddhistischen Tempeln im ganzen Land die Ländereien entzogen, aus denen sie ihre Einnahmen größtenteils bezogen. Dieser Enteignungsakt diente einem doppelten Zweck. Es kam der erschöpften Staatskasse zugute und entmutigte die Anhänger des ehemaligen Shōgun , dessen Familie den Buddhismus stets unterstützt hatte.

Eine zu dieser Zeit eingeführte Neuerung, offenbar mit dem Ziel, Shintō bekannt zu machen und es sozusagen mit anderen Religionen in Einklang zu bringen, war die Einrichtung von Shintō- Beerdigungen; Die Wahrnehmung der Bestattungsrechte sowie die Pflege der Friedhöfe waren bisher buddhistischen Priestern anvertraut.

Dass diese Schritte von der Politik diktiert wurden und nicht auf sektiererische Gefühle zurückzuführen waren, geht aus dem gesamten weiteren Verlauf des Vorgehens in religiösen Angelegenheiten hervor. Im Jahr 1871 wurde das *Jingikwan* abgeschafft, und Shintō war nicht mehr die einzige Staatsreligion, behielt jedoch bis zu einem gewissen Grad seinen privilegierten Charakter bei. An die Stelle der nicht mehr existierenden Abteilung, die dem Staatsrat angehörte, trat die *Kiōbusho* oder Religionsabteilung, in der nach wie vor sowohl Shintō als auch Buddhismus offizielle Anerkennung genossen. Zur Vereinfachung der Verwaltung wurde zwischen weltlichen Angelegenheiten und religiösen Gottesdiensten unterschieden, wobei letztere der Kontrolle eines Büros für Riten und Zeremonien unterstellt wurden. Diese Unterscheidung wird weiterhin beibehalten. Die offizielle Anerkennung, die jede Religion genießt, wurde stillschweigend auf das Christentum ausgedehnt; aber das Prinzip der Staatspolitik in Bezug auf Shintō bleibt bestehen. Es ist immer noch die Hofreligion *schlechthin , obwohl die Tatsache, dass bei der Thronbesteigung eines neuen Herrschers dessen Gewänder in einem bestimmten buddhistischen Tempel in* Kiōto gesegnet werden , zeigt, dass der Buddhismus am Hof immer noch eine akzeptierte Position einnimmt. Es gibt ein Shintō- Büro in der kaiserlichen Haushaltsabteilung und im Palast steht ein Shintō- Schrein.

Die Gottesdienste im Palastschrein, die der Kaiser persönlich leitet, und die Verehrung durch Mitglieder der kaiserlichen Familie oder deren Stellvertreter in den wichtigsten Schreinen des Landes sichern dem Shintō- Glauben den ersten Platz in der öffentlichen Wertschätzung. Darüber hinaus wurde in der Hauptstadt seit der Restauration ein nationaler Schrein zum Gedenken an alle errichtet, die im In- oder Ausland im Kampf ums Leben kamen, und ein neues Zentrum der Shintō - Verehrung geschaffen , in dem die einheimische Religion in direkter Verbindung steht Militärische und patriotische Gefühle gewinnen einen neuen Einfluss auf die Sympathie der Bevölkerung. In jüngerer Zeit wurden die Funktionen des Shintō- Klerus auch auf die Trauung ausgeweitet, die früher nichts mit irgendeiner Religion zu tun hatte, und seit der Annexion Koreas wurde in Seoul ein Shintō- Schrein errichtet.

Der rein nationale Charakter der japanischen Urreligion schließt die Idee ihrer Verbreitung im Ausland aus. Im Fall des Buddhismus gibt es kein solches Hindernis. Nach der Restauration wandten mehrere buddhistische Sekten ihre Aufmerksamkeit der Missionsarbeit im Ausland zu. Seitdem wird in den asiatischen Ländern eine mehr oder weniger aktive Propaganda betrieben, und das Recht japanischer Untertanen, sich an der Missionsarbeit in China zu beteiligen, wird im Vertrag mit diesem Land im Jahr 1905 nach dem Russisch-Japanischen Krieg anerkannt. Die Aktivitäten des buddhistischen Klerus in jüngster Zeit haben sich in zweierlei Hinsicht als völlig unabhängig von religiöser Propaganda erwiesen. Ausgedehnte Reisen in Zentralasien aus politischen und wissenschaftlichen Gründen wurden von buddhistischen Reisenden unternommen , die im Laufe ihrer Wanderungen viele wertvolle Informationen erlangten; während andere nützliche Arbeit bei der Befriedigung der spirituellen Bedürfnisse japanischer Gemeinschaften im Ausland geleistet haben.

Die Wiedereröffnung Japans für den Verkehr mit Ausländern fügte der Liste der japanischen Religionen eine weitere Religion hinzu, obwohl es dem japanischen Volk erst nach der Aufhebung der antichristlichen Erlasse im Jahr 1870 gestattet wurde, den neuen Glauben offen anzunehmen. Wenn die Fortschritte, die das Christentum seither gemacht hat, im Vergleich zu seiner raschen Verbreitung bei seiner Einführung im 16. Jahrhundert ungünstig sind , liegt dies an den ungünstigeren Umständen , die seine Wiedereinführung begleiteten. Als es von jesuitischen Missionaren eingeführt wurde, wurde es mancherorts einfach als eine neue Form des Buddhismus betrachtet, wobei die Autoritäten durch eine gewisse Ähnlichkeit im Ritual in die Irre geführt wurden. Bei seiner späteren Wiedereinführung musste es gegen offizielle und populäre Vorurteile aufgrund der vorangegangenen Verfolgung ankämpfen, während es nicht wie früher in der einzigen Form des römischen Katholizismus gepredigt wurde, sondern in mehreren Formen, deren Zahl immer mehr zunahm Missionare kamen. Ein etwas ähnlicher Vorteil kennzeichnete jedoch jedes Mal seine Einführung. So wie das Christentum, als es unter der Schirmherrschaft der Jesuiten eingeführt wurde, zunächst wegen des damit verbundenen Handels gefördert wurde, so wurde es bei seiner Wiedereinführung als Mittel zum Erlernen der englischen Sprache begrüßt. Dieser Vorteil bleibt bestehen. Ein 1917 verfasster Bericht über die religiöse Arbeit der „Young Men's Christian Association" seit ihrer Gründung in der Hauptstadt im Jahr 1880 enthält die folgende Aussage: „Eine der fruchtbarsten Phasen der Bewegung war die Sicherung des Christentums." Hochschulabsolventen aus Kanada und den Vereinigten Staaten, um Englisch an japanischen Schulen zu unterrichten. Während diese Lehrer von den Schulen ernannt und bezahlt werden, steht es ihnen frei, ihre Freizeit für die christliche Arbeit unter den Schülern zu nutzen . Mittlerweile gibt es siebenundzwanzig solcher Lehrer." Beweise für die enge Verbindung zwischen dem Christentum und dem modernen Fortschritt Japans und für den Nutzen, den ersteres aus dem verstärkten Studium von Fremdsprachen zieht, was eines der Ergebnisse dieses Fortschritts ist, werden außerdem von einem japanischen Bischof geliefert: die Rev. Y. Honda und Herr Y. Yamaji in dem von ihnen beigesteuerten Kapitel über das Christentum zu dem bereits erwähnten Buch „ *Fifty Years of New Japan* ".

Über die Zukunft des Christentums in Japan gehen die Meinungen auseinander. Die Berichte ausländischer Missionsgesellschaften liefern ermutigende Daten über die Ergebnisse der Missionsbemühungen im letzten halben Jahrhundert. Dennoch herrscht sowohl in japanischen als auch in ausländischen Kreisen ein Gefühl der Unsicherheit über die Aussichten des Christentums. Es besteht die Tendenz, die endgültige Christianisierung des Landes als zweifelhaft zu betrachten, obwohl die bereits erzielten Fortschritte freimütig zugegeben werden. Auf die verschiedenen Überlegungen einzugehen, die die Meinung zu diesem Punkt beeinflussen, würde mehr Raum erfordern, als uns zur Verfügung steht. Nicht wenige aufmerksame Beobachter hegen jedoch die Idee, dass das Christentum, falls es in ferner Zukunft zur vorherrschenden Religion Japans werden sollte, das Christentum in einer neuen Form sein wird, die das Volk selbst entwickelt hat. Man geht davon aus, dass sie mit dem Christentum so umgehen werden, wie sie es mit dem aus dem Ausland importierten Buddhismus gemacht haben, und es nach ihrem eigenen Geschmack gestalten werden . Diese Ansicht erhält einige Unterstützung von den beiden getrennten Bewegungen – einer in Richtung Unabhängigkeit, nämlich Freiheit von ausländischer Kontrolle, und einer in Richtung Unabhängigkeit, d. h. Freiheit von ausländischer Kontrolle; der andere in Richtung Zusammenschluss – was in den letzten Jahren in mehreren japanischen christlichen Kirchen stattgefunden hat. Ein bemerkenswertes Beispiel für die erste dieser Bewegungen ereignete sich vor einigen Jahren im Fall der Kongregationalistischen Universität in Kiōto . In diesem Fall führte die Unabhängigkeitsbestrebung dazu, dass die Kontrolle über das College in die Hände der japanischen Direktoren überging, während die mit der Institution verbundenen amerikanischen Missionare lediglich als Berater fungierten. Der amerikanische Einfluss überwiegt heute in ausländischen Missionsunternehmen, wobei das herausragende Merkmal der Arbeit amerikanischer Missionen die Einrichtung von Bildungseinrichtungen auf christlicher Grundlage ist. Laut offizieller Statistik für 1917 betrug die Zahl der japanischen Christen in diesem Jahr etwas über 200.000.

Bushidō , die Religion des Kriegers, wie der Name schon sagt, zu erwähnen . Als Produkt des japanischen Feudalismus, um den herum sich eine Menge romantischer Gefühle und noch mehr philosophischer Literatur entwickelt haben, kann man es als eine ungeschriebene Verhaltensregel beschreiben, die von Mitgliedern der Militärklasse beachtet werden muss. Sein bekanntester Vertreter ist Yamaga Sokō , dessen Vorträge und Schriften in der Mitte des 17. Jahrhunderts über Bushidō , Konfuzianismus und Militärstrategie, wie sie damals verstanden wurden, ihm großen Ruf einbrachten. Ōishi , der berühmte Anführer der Siebenundvierzig *Rōnin* , war einer seiner Schüler. Die Tugenden, auf die in *der Bushidō- Ethik* Wert gelegt wurde, waren hauptsächlich feudale Loyalität, Selbstaufopferung, kindliche Frömmigkeit und ein einfaches Leben, die sich vielleicht alle in dem einzigen Wort Pflicht zusammenfassen ließen. Das Bestreben der *Samurai , die den Bushidō -Idealen* treu blieben, bestand darin, ein Leben in Selbstbeherrschung zu führen, um jederzeit bereit zu sein, dem Ruf der Pflicht zu folgen. Dies erklärt die Anziehungskraft für die Anhänger des *Bushidō* , die in der *Zen-* Sekte des Buddhismus mit ihrer Praxis der stillen Meditation lag. Es half ihnen, die strenge und distanzierte Geisteshaltung zu kultivieren, die für die ordnungsgemäße Einhaltung der spartanischen Regeln des *Bushidō unerlässlich sein sollte* . Gleichzeitig wirkte sich der starke, wenn auch unbestätigte Einfluss der Sung-Schule des Konfuzianismus auf die *Zen-* Doktrin indirekt auf die *Bushidō-* Ideen aus und verlieh ihnen einen Hauch der abstrusen Philosophie dieser Schule. Die Verbindung der *Zen* -Sekte mit der urigen Zeremonie des Teetrinkens, bekannt als „ *Cha-no-yu* “, führte darüber hinaus dazu, dass die Praxis dieser Zeremonie in *Bushidō-* Kreisen weit verbreitet war. Trotz seiner Verbindung zum Buddhismus und Konfuzianismus war *Bushidō* keineswegs eine Religion im engeren Sinne des Wortes, sondern wurde im Laufe seiner späteren Entwicklung mit Patriotismus gleichgesetzt. Dieser Aspekt ist seit dem Verschwinden des Feudalismus am auffälligsten. Moderne japanische Schriftsteller verweisen zu diesem Thema ständig auf den *Yamato Damashii* oder den japanischen Geist, den er symbolisieren soll; und obwohl vieles von dem, was gesagt wird, weit hergeholt und möglicherweise für den ausländischen Konsum gedacht ist, haben die einfachen Gebote von *Bushidō* zweifellos einen nützlichen Zweck erfüllt, indem sie in allen Klassen des Volkes die Ausübung der darin vermittelten Tugenden angeregt haben. Die japanische Regierung erkannte schnell die Nützlichkeit ihrer ethischen Lehren und nutzte die Dienste von *Bushidō* in Verbindung mit Shintō , um das Gefüge der Monarchie zu stärken. Sein Vorgehen in dieser Richtung, das offenbar auf ähnlichen Motiven beruhte wie jene, die die deutsche Politik vor dem Ersten Weltkrieg beeinflussten, indem sie ein Glaubensbekenntnis zum Staatskult förderten, wurde vor einigen Jahren in einem Zeitschriftenartikel mit dem Titel „The Erfindung einer neuen Religion."

Das japanische Volk könnte, wie bereits vermutet wurde, geneigt sein, die Religion weniger ernst zu nehmen als andere Nationen. Über die große Rolle, die es im nationalen Leben in Form von Wallfahrten und religiösen Festen spielt, kann jedoch kein Zweifel bestehen. Zu bestimmten Zeiten im Jahr, die durch Bräuche so geregelt sind, dass die landwirtschaftlichen Betriebe möglichst wenig beeinträchtigt werden, unternehmen Tausende von Pilgern beiderlei Geschlechts lange Reisen zu bekannten Heiligtümern im ganzen Land, da sie sich nicht damit zufrieden geben, weniger entfernte Heiligtümer zu besuchen. Der Pilger, der auf diese Weise das Große Heiligtum in Isé besucht, einen der vielen heiligen Berge Japans bestiegen oder an anderen weit entfernten Schreinen verehrt hat, erwirbt dadurch nicht nur „Tugend", sondern gewinnt auch in seinem Heimatkreis in der Stadt oder im Dorf viel an gesellschaftlichem Ansehen auf die gleiche Weise wie der muslimische *Hadschi* , der in Mekka war, oder der russische Bauer, der die heiligen Stätten im Heiligen Land gesehen hat. Diese Wallfahrten dienen indirekt auch einem pädagogischen Zweck. Unter den unzähligen religiösen Festen, die die Eintönigkeit des japanischen Alltags abwechseln, sind die Blumenmessen die typischsten für Japan. An jedem Abend des Jahres findet in einem Viertel der Stadt Tōkiō ein Blumenmarkt statt, der mit dem Fest eines örtlichen Schreins verbunden ist . Auch diese Messen sind keine Besonderheiten der Hauptstadt. Sie sind in den meisten bedeutenden Provinzstädten zu sehen, obwohl die geringere Anzahl städtischer Schreine ihr tägliches Vorkommen ausschließt. Es sollte angemerkt werden, dass weder Pilgerfahrten noch religiöse Feste ausschließlich auf religiöse Gefühle zurückzuführen sind. Sie appellieren an die Liebe zu Zeremonien und die Leidenschaft für Besichtigungen, die die Nation auszeichnen.

Bevor wir das Thema Religion verlassen, ist es vielleicht gut, einen Punkt hervorzuheben, der bisher nur oberflächliche Aufmerksamkeit erregt hat. In allen drei Religionen, die am meisten mit der Prägung des japanischen Charakters und Denkens zu tun hatten – Buddhismus, Shintō und Konfuzianismus – ist das Prinzip der Ahnenverehrung verankert. Das Ergebnis war, dass in Japan vielleicht eine engere, innigere Verbindung der

Vergangenheit mit der Gegenwart, der Toten mit den Lebenden möglich ist als anderswo. Das wunderschöne buddhistische Fest der verstorbenen Geister; die einfacheren, wenn auch primitiveren Gottesdienste in Shintō-Schreinen zum Gedenken an verstorbene Verwandte; der tägliche Gottesdienst an Familienaltären, die mit Ahnentafeln geschmückt sind; die sorgfältige Einhaltung der Todestage; die religiöse Pflege von Gräbern; und die Idee, um nicht zu sagen der Glaube, an die Teilnahme verstorbener Geister an nationalen Festen – alle tragen nicht nur dazu bei, die Erinnerung an ihre Toten im Gedächtnis der Menschen frisch zu halten, sondern auch das Gefühl ihrer Fortführung im Land der Geister zu fördern. Dadurch wird das Unheil, das die Zeit anrichtet, gemindert, während der Tod eines Teils seiner Schrecken beraubt wird.

KAPITEL XV

Politische Unruhen – Die Presse – Pressegesetze – Schlichtung und Unterdrückung – Rechtsreformen – Scheitern des Yezo - Kolonisierungsprogramms – Ōkumas Rückzug – Verstärkte politische Agitation.

Als der Hauptstrang unserer Erzählung unterbrochen wurde, um dem Leser eine Vorstellung von den japanischen Religionen und ihrer Beziehung zum modernen Fortschritt des Landes zu ermöglichen, begann der Ablauf der Ereignisse, die zur Konzentration der Autorität in den Händen der Japaner führten Die Clans Satsuma und Chōshiū sowie die Bildung einer regulären Oppositionspartei fortgeschrittener Reformer wurden kurz beschrieben. Zu dieser Zeit gab es, wie bereits erwähnt, hinsichtlich der innenpolitischen Reformen keine großen prinzipiellen Unterschiede zwischen fortschrittlichen Politikern in der Regierung und denen außerhalb. Beide waren sich darin einig, wie wichtig es sei, die Verwaltungsbasis zu verbreitern und das Volk in die Regierungsarbeit einzubeziehen. Auch die Vorstellung davon, was mit „ *Volk*“ *gemeint war* , war so gewachsen, dass sie alle Klassen der Nation umfasste. Der Punkt der Meinungsverschiedenheit war lediglich die Geschwindigkeit, mit der Fortschritte in Form von Reformen nach westlichem Vorbild voranschreiten sollten. Zwischen gemäßigten und fortgeschrittenen Reformern hätten daher Kompromisse möglich sein müssen. Aber die Situation war nicht so einfach, wie es schien. Ein Umstand, der einem Kompromiss zwischen den beiden Teilen der Reformer im Wege stand, war die große Zahl aufgelöster *Samurai* , die die Abschaffung des Feudalismus über das Land gebracht hatte und die in anderen Berufen unter der neuen Ordnung der Dinge absorbiert werden mussten Es war noch keine Zeit. Viele Männer dieser Klasse hatten mit den fortgeschrittenen Reformern eigentlich nichts gemeinsam, außer in Bezug auf ihre Unzufriedenheit. Müßig und mittellos waren sie zu jeder Art von Unheil bereit und beteiligten sich eifrig an der Agitation für Dinge, von denen sie größtenteils keine Ahnung hatten. Bewegt durch den bloßen Wunsch, in unruhigen Gewässern zu fischen, fügten diese Leute der Sache, für die sie eintraten, großen Schaden zu und verliehen ihr einen turbulenten Charakter, der die Besorgnis der Behörden erregte. Eine weitere Überlegung, die die Situation beeinflusst haben könnte, war die Reaktion nach der unruhigen Zeit, die das Land durchgemacht hatte. Die Regierung war sich der Ernsthaftigkeit der Krise, die sie erfolgreich überstanden hatte, völlig bewusst und war sich gleichzeitig ihrer neu gewonnenen Stärke bewusst. Sie war wahrscheinlich nicht in der Stimmung, irgendeinen noch so gut gemeinten Widerstand gegen ihre nun festgelegte Politik zu dulden einer schrittweisen Reform. Auch die Tatsache, dass das Ministerium nun einer von zwei Clans und nicht wie ursprünglich von vier war, verschärfte die Kluft zwischen denen, die die Geschäfte leiteten, und denen, die zwangsläufig von außen zuschauten. Der Clan verärgerte die von den fortgeschrittenen Reformern ins Leben gerufene Bewegung nicht nur zu Beginn, sondern während ihres gesamten Verlaufs. Ein Großteil der Sympathie und Unterstützung, die sie im Verlauf der Agitation von vielen Seiten erhielten, hatte kaum etwas mit ihren erklärten Zielen zu tun und war größtenteils auf Abneigung und Eifersucht gegenüber der anhaltenden Vorherrschaft von Männern dieser beiden Clans im Ministerium zurückzuführen, das den Spitznamen erhielt „ Satchō-Regierung."

Der endgültige Rückzug Itagakis aus der Regierung im Frühjahr 1876 wurde als der Zeitpunkt erwähnt, von dem an die organisierte Agitation für eine repräsentative Regierung begonnen haben kann. Es ist schwierig, genaue Daten für politische Bewegungen dieser Art zuzuordnen. Es kann mit ebenso großer Richtigkeit davon ausgegangen werden, dass es im Jahr 1873 begann, als der Tosa- Führer zum ersten Mal sein Amt niederlegte, was die Ansicht ist, die Herr Uyéhara in *„The Political Development of Japan"* vertritt . Der Punkt ist von geringer Bedeutung, aber es scheint zulässig, davon auszugehen, dass die Agitation erst nach Itagakis endgültigem Austritt aus dem Ministerium die Form einer organisierten Bewegung angenommen hat .

Bevor dies geschah, hatte die Regierung, zweifellos gut über die Absichten der fortgeschrittenen Reformer informiert, den ersten Schritt einer Reihe repressiver Maßnahmen unternommen, um die Agitation einzudämmen. Dies war das im Juli 1875 erlassene Pressegesetz. Es ist schwer vorstellbar, wie die Regierung zu diesem Zeitpunkt anders hätte handeln und an der Macht bleiben können. Der Attentatsversuch auf Iwakura durch Tosa-Unzufriedene hatte gezeigt, welche Gefahr von Extremisten einer gefährlichen Klasse ausgeht, deren Unzufriedenheit über die friedliche Lösung der Korea-Probleme bekanntermaßen vom Tosa-Führer geteilt worden war . Der gestörte Zustand des Landes war auch durch die gescheiterten Provinzaufstände deutlich geworden und sollte durch den Satsuma-Aufstand noch deutlicher zum Ausdruck kommen.

Bis zu diesem Zeitpunkt hatte es kaum Eingriffe in die Presse gegeben. Die ersten Zeitungen erschienen Ende der sechziger Jahre. Diese waren von vorübergehender Art, aber einige Jahre später entstand die Presse in ihrer weiter entwickelten und dauerhaften Form. Sie wuchs sehr schnell, und ihre Vitalität lässt sich daran ablesen, dass einige der damals erschienenen Papiere noch heute im Umlauf sind. Allein in der Hauptstadt gab es bald sechs oder sieben Tageszeitungen von einiger Bedeutung, die bis auf eine Ausnahme alle ihre Hilfe bei der Agitation leisteten. Die junge Presse stürzte sich mit Begeisterung in den Kampf für die Rechte des Volkes und fand ihren Vorteil gerade in den Umständen, die der Regierung peinlich waren. Unter der ehemaligen Militärklasse – dem gebildeten Teil der Nation –, die nach der Abschaffung des Feudalismus nur über spärliche Mittel zum Lebensunterhalt verfügte, gab es viele Männer mit literarischen Fähigkeiten, wie man sie damals als solche verstand. Daraus konnte die Presse einen großen Vorrat an Autoren schöpfen, alle mit echten oder eingebildeten Missständen, einige mit einer Vorliebe für populäre Reformen, andere wiederum mit einer Fassade westlichen Wissens, das der Gelehrsamkeit diente. Die politischen Artikel, die damals in den Zeitungen erschienen, waren kaum von der Qualität, die man heute wahrnimmt. Sie waren voll von Zitaten europäischer Schriftsteller zum Thema Gleichheit und Menschenrechte, durchsetzt mit Phrasen aus chinesischen Klassikern, die zum Standardwerk aller Journalisten gehörten; Und so seltsam der Kontrast auch war, den die aus so unterschiedlichen Quellen stammenden Materialien darstellten, waren sie doch alle gleichermaßen wirksam für den beabsichtigten Zweck, nämlich die anzuprangern, was man als tyrannische Politik der Regierung bezeichnete.

Pädagogische Einflüsse, die nicht über die Presse wirkten, verliehen der Agitation Kraft. Die Zusammenlegung der Klassen, eines der ersten Ergebnisse der Restauration, hatte zur Folge, dass öffentliche und private Schulen gleichermaßen für alle Schichten des Volkes geöffnet wurden und so die Bildung, die zuvor nur der Militärklasse vorbehalten war, für jedermann zugänglich machte und buddhistische Geistliche. Durch die Lehrer dieser Schulen, durch Pädagogen, die ausdrücklich mit dem Ziel schrieben, westliche Ideen zu verbreiten, und durch Dozenten ging die Arbeit zur Bildung der Nation zügig voran.

Niemand hat in dieser Richtung größere Dienste geleistet als Fukuzawa Yūkichi . Auffällig in jeder dieser Rollen , als Schulmeister, Autor und Dozent, sowie in der Doppeleigenschaft als Gründer einer Schule, die die Dimensionen einer Universität erreicht hat, und Hauptlehrer dort; und als Inhaber und Herausgeber einer der besten japanischen Zeitungen, des *Jiji Shimpō* , wird sein Name in der Geschichte seiner Zeit immer berühmt sein. Der „Weise von Mita “, wie er in dem Viertel der Stadt, in dem er lebte, genannt wurde, wird als jemand in Erinnerung bleiben, der nicht nur die Sache der Bildung unterstützte, sondern sich von Anfang an auch darum bemühte, der Klassenverschmelzung durch Förderung Wirkung zu verleihen ein Geist der Unabhängigkeit in jenen Teilen des Volkes, deren Selbstachtung durch Jahrhunderte des Feudalismus geschwächt worden war. Für reine Parteipolitik hatte Fukuzawa wenig Geschmack, was vielleicht daran lag, dass er keine Clan-Verbindung zu politischen Angelegenheiten hatte und seine Zeitung nie mit irgendeiner politischen Vereinigung in Verbindung gebracht wurde. Aber er war ein aktiver Verfechter der Volksrechte, und seine umfangreichen Schriften, deren Popularität so groß war, dass von einem Buch mehr als drei Millionen Exemplare gedruckt wurden, gaben der Agitation für Volksreformen viel indirekten Auftrieb.

Der öffentlichen Empörung, die das Pressegesetz hervorrief, folgte Bestürzung über die rigorose Art und Weise, wie es durchgesetzt wurde. Die Inhaftierung von Redakteuren wegen inzwischen geringfügiger Gesetzesverstöße war an der Tagesordnung, und Zeitschriften, die Themen veröffentlichten, die von den Behörden als anstößig angesehen wurden, wurden umgehend suspendiert. Die Einmischung in die Presse ging so weit, dass einst allein in Tōkiō mehr als dreißig Journalisten im Gefängnis saßen . Die ständige Erschöpfung des Personalbestands der Zeitungen, die offiziellen Unmut erregte, führte zur Entstehung einer Klasse von Scheinredakteuren, deren Aufgabe es war, die „Prügelknaben" der von ihnen vertretenen Zeitungen zu sein und die verhängten Gefängnisstrafen zu erleiden. Die Aufregung ging jedoch unvermindert weiter, und an verschiedenen Orten entstanden politische Vereinigungen, in deren Programmen die nie ganz klar definierte Forderung nach einer repräsentativen Regierung den ersten Platz einnahm. Eine führende Persönlichkeit der Bewegung, die bald nach ihrer Gründung auf sich aufmerksam machte und zusammen mit Itagaki mehrere Jahre lang eine herausragende Rolle spielte, sowohl als Dozent als auch bei der Gründung politischer Clubs, war Kataoka Kenkichi , ebenfalls aus Tosa stammend . Seine Verhaftung und die anderer Parteimitglieder auf dem Höhepunkt der politischen Unruhen, die in der Satsuma-Rebellion gipfelten, führten zu einem vorübergehenden Ende der Agitation und bremsten eine Zeit lang das Wachstum politischer Clubs. Doch mit der Wiederherstellung der Ordnung im Land nahmen die Agitatoren ihre Tätigkeit wieder auf. Die Führer machten Touren durch die Provinzen, um lokale Bemühungen anzuregen. Als Ergebnis wurden 27 Provinzverbände gegründet, die etwa 90.000 Mitglieder vertraten. und bei einem Treffen in Ōsaka wurden diese unter dem Namen „Union zur Errichtung eines Parlaments" zusammengelegt. Die Regierung reagierte mit der Verkündung des Gesetzes über öffentliche Versammlungen im Jahr 1880, das die bisherigen Rechte der Öffentlichkeit in dieser Hinsicht erheblich einschränkte. Aber die Agitatoren arbeiteten mit unverminderter Energie weiter und die Tatsache, dass trotz der Verabschiedung dieses Gesetzes an einem Treffen in Tōkiō im Herbst desselben Jahres Vertreter von mehr als der Hälfte der Präfekturen teilnahmen, denen Japan angehörte Die damalige Spaltung zeigt, wie stark die Bewegung das Land mittlerweile im Griff hatte.

Wir haben gesehen, wie die von der Regierung durchgeführte Wiederaufbauarbeit während der Zeit der Unruhen nie aufhörte, obwohl sie behindert wurde. So war es auch während der darauffolgenden langen Volksbewegung. Seite an Seite mit der Unterdrückung gab es immer auch

Reformen. Bei der langwierigen und schwierigen Angelegenheit der Grundsteuerrevision wurden stetige Fortschritte erzielt. Dies war eine Aufgabe ersten Ranges, die eine Neuvermessung und Bewertung des gesamten Landes sowie die Untersuchung von Landtiteln und Grenzen umfasste. Gleichzeitig wurde der Umstrukturierung der Kommunalverwaltung Aufmerksamkeit geschenkt. Dazu gehörten neben der Neuordnung der lokalen Steuern auch die notwendigen Vorkehrungen für die eventuelle Einrichtung der Präfektur- und anderer lokaler Versammlungen, die Teil des allgemeinen Plans der lokalen Selbstverwaltung waren und, so wurde davon ausgegangen, notwendigerweise der Gründung einer Gemeinde vorausgehen mussten nationales Parlament. Erst nach der Wiederherstellung der Ordnung, als der Wiederaufbau endlich schneller voranschreiten konnte, wurden die Ergebnisse dieser langwierigen und wenig beachteten Arbeit sichtbar.

im Frühjahr 1878 die Fertigstellung der Entwürfe der „drei großen Gesetze", wie sie damals genannt wurden, auf der bereits erwähnten zweiten Präfektenkonferenz. Diese gewährten ein hohes Maß an lokaler Autonomie und betrafen lokale Steuern, Präfekturversammlungen und ähnliche kleinere Körperschaften, die in städtischen und ländlichen Bezirken, Städten und Dörfern geschaffen werden sollten.

Das Gesetz zur Einrichtung von Präfekturversammlungen trat 1880 in Kraft; die Regelungen für kleinere Körperschaften erst einige Jahre später. Auf diese Maßnahmen wird noch einmal zurückgegriffen, wenn wir uns mit der gesamten Frage der Neuordnung der Kommunalverwaltung befassen.

Es wurde gesagt, dass die Regierung in den früheren Phasen der Agitation für Volksreformen nie ein Zugeständnis gemacht habe, bis sie durch die Zwänge der Umstände dazu gezwungen wurde. Und die Behauptung wurde durch die Andeutung eines zeitlichen Zusammenhangs zwischen bestimmten Manifestationen der Volksstimmung und einigen der von der Regierung ergriffenen liberalen Maßnahmen gestützt. Dem Attentatsversuch auf Iwakura folgte sicherlich kurz darauf der Erlass der jährlichen Präfektenkonferenzen. Andererseits erfolgte die Fertigstellung der Entwürfe der drei oben genannten Gesetze auf der zweiten dieser Konferenzen nur einen Monat vor Ōkubos Ermordung. In diesem Fall war kein Zusammenhang möglich. Auch in den Folgejahren scheint es nicht möglich zu sein, einen Zusammenhang in der vorgeschlagenen Art herzustellen. Wenn es überhaupt nachvollziehbar ist, kann man davon ausgehen, dass es sich lediglich um einen Zufall handelt.

Eine etwas ähnliche Ansicht über den Druck, der durch die Agitation auf die Regierung ausgeübt wird, vertritt Herr Uyéhara , der bereits zitierte Autor, der seine Sympathie für die fortgeschrittenen Reformer nicht verhehlt. Er bezeichnet die Bewegung von Anfang an als einen Kampf für eine Verfassungsreform, bei dem die Agitatoren erfolgreich waren, und betrachtet die Einführung einer repräsentativen Regierung als Beweis für ihren Erfolg. Es ist in der Tat mehr als wahrscheinlich, dass die Agitation, die sie so lange führten, verstärkt durch die zunehmende Unterstützung der Öffentlichkeit, die Gründung der repräsentativen Institutionen, die sie forderten, in gewissem Maße beschleunigte . Wenn man jedoch die Vorgehensweise der Regierung studiert, gewinnt man den Eindruck, dass sie zwar nicht zögerte, die Agitation durch repressive Maßnahmen einzudämmen, wie es die Lage erforderte, dass sie jedoch bereit war, die öffentliche Stimmung zu besänftigen, indem sie den Ansichten der fortgeschrittenen Partei entgegentrat, wann immer dies der Fall war schien zweckmäßig, dies zu tun; Damit verfolgte es im Großen und Ganzen konsequent und unter ungewöhnlich schwierigen Umständen die Politik der schrittweisen Reformen, die es sich vorgenommen hatte. Geht man von der Richtigkeit dieses Eindrucks aus, können die fortschreitenden Etappen, in denen schließlich die Errichtung einer repräsentativen Regierung erreicht wurde, mit mehr Grund als eine erfolgreiche Rechtfertigung dieser Politik denn als ein Triumph der Agitatoren angesehen werden. Es ist wichtig zu bedenken, dass letztere nicht die einzigen Reformbefürworter waren. Die Regierung selbst war eine Regierung von Reformern, die ihren Titel als solche mehr als gerechtfertigt hatten. Einige seiner Mitglieder hatten bereits vor der Restauration an repräsentative Institutionen gedacht. Die Machthaber waren besser als andere in der Lage, den Umfang der Vorbereitungen und die Vorarbeit, die erforderlich war, bevor irgendein Schritt einer praktischen Reform durchgeführt werden konnte, richtig einzuschätzen. und wenn sie zögerten, so schnell vorzugehen, wie es der eifrige und möglicherweise unausgeglichene Enthusiasmus verlangte, kann ihr Zögern nicht zu Unrecht einer umsichtigen Staatsführung zugeschrieben werden.

Dennoch darf bei der Annahme dieser doppelten Politik der Versöhnung und Unterdrückung durch die Regierung der Einfluss des konservativen Elements im Ministerium nicht übersehen werden. Zweifellos veränderte es frühere ministerielle Impulse hin zu einem fortschrittlicheren Programm ; verstärkte sich das Zögern, Experimente durchzuführen, die als gefährlich galten, angesichts der jüngsten Überwindung des Feudalismus durch die Nation; und schuf die Tendenz, die sich letztendlich in der Entscheidung zeigte, bei der Gestaltung repräsentativer Institutionen sowie bei anderen Fragen der Verwaltungsreorganisation nach Orientierung in Ländern zu suchen, in denen weniger demokratische Ideen herrschten als diejenigen, aus denen die Führer der Restaurationsbewegung ihre Inspiration bezogen hatten erste Inspiration. Ein weiterer Grund für die vorsichtige Tendenz der Ministerpolitik könnte auch in den Erfahrungen liegen, die zumindest einige Mitglieder der Regierung bei der Untersuchung des Wachstums und der

Entwicklung der westlichen Institutionen gesammelt haben, die sie kopieren sollten.

Im Jahr 1880 wurden die ersten Rechtsreformen abgeschlossen. Im Laufe dieses Jahres wurden ein neues Strafgesetzbuch und eine Strafprozessordnung erlassen, bei deren Ausarbeitung die Dienste eines französischen Juristen, Monsieur Boissonade , in Anspruch genommen worden waren. Die ersten Schritte zur Ausarbeitung dieser wichtigen Gesetze, die, wie erwähnt, auf französischen Vorbildern basieren, wurden sieben Jahre zuvor unternommen, als im Justizministerium ein Untersuchungsausschuss gebildet wurde. Beide Gesetze traten Anfang 1882 in Kraft. Die Strafprozessordnung wurde 1890 durch eine spätere ersetzt. Auch das Strafgesetzbuch wurde anschließend überarbeitet und trat in seiner überarbeiteten Form 1908 in Kraft.

Im Herbst 1881 wurden die Reihen der fortgeschrittenen Partei durch den Rückzug aus dem Ministerium von Ōkuma verstärkt . Seit dem Bruch im Jahr 1873, als sich die führenden Tosa- und Hizen- Politiker von ihren Ämtern zurückzogen, war er alleiniger Vertreter der Provinz und des Hizen -Clans . Gerüchten zufolge gibt es mehr als einen Grund für seinen Rückzug. Meinungsverschiedenheiten in verschiedenen Fragen mit Chōshiū-Staatsmännern, deren Einfluss zunahm; Empörung über die Führung der Geschäfte zweier Clans; das Vertreten von Ansichten zu Reformen, die denen der Regierung als Ganzes voraus waren; und Intrigen mit dem Gericht waren Punkte, denen im damaligen politischen Klatsch große Bedeutung beigemessen wurde. Dass Ōkumas Liberalismus ausgeprägter war als der seiner Kollegen, scheint angesichts der späteren Ereignisse sehr wahrscheinlich. Persönliche Erwägungen hatten jedoch möglicherweise etwas mit seinem Ausscheiden aus der Regierung zu tun. Die Charakterstärke, gepaart mit außergewöhnlichem und vielseitigem Talent, die ihn als Führungspersönlichkeit auszeichnete, machte es ihm schwer, die Führung anderer zu akzeptieren, und schmälerte seine Nützlichkeit als Kollege.

Kurz vor seinem Rücktritt war es zu einem Verwaltungsskandal im Zusammenhang mit der Abschaffung des Gremiums für die Entwicklung des *Hokkaidō gekommen* , auf den bereits hingewiesen wurde. Seine Abschaffung beinhaltete die Veräußerung von Regierungseigentum, und im Verlauf der Prüfung eines der Regierung vorgelegten Plans zu diesem Zweck wurden schwerwiegende behördliche Unregelmäßigkeiten aufgedeckt. Der Plan, den er als einer der ersten verurteilt hatte, wurde daraufhin aufgegeben, doch der Vorfall brachte das Ministerium in Misskredit.

Auf den Rücktritt von Ōkuma folgte fast unmittelbar die Erlassung eines Dekrets, das das Jahr 1890 als Datum für die Gründung eines Parlaments festlegte.

Dieses eindeutige Versprechen eines Parlaments zu diesem Zeitpunkt wurde von einigen Seiten als ein Zugeständnis interpretiert, das aufgrund der Diskreditierung, die die Regierung durch den Verwaltungsskandal erlitten hatte, und aufgrund der Schwächung ihrer Position durch Ōkumas Rücktritt erforderlich war . Aber die fast gleichzeitige Verabschiedung des Gesetzes, das öffentliche Versammlungen und die Meinungsfreiheit einschränkt, scheint die Annahme zu rechtfertigen, dass beide Maßnahmen lediglich eine Veranschaulichung der doppelten Politik der Unterdrückung im Wechsel mit Reformen waren, die die Regierung verfolgte.

Mit dem wichtigen Zugeständnis, das die Regierung jetzt gemacht hat, kann man davon ausgehen, dass die erste Periode der Agitation für die Rechte des Volkes zu Ende geht. Die Hauptmerkmale dieser Zeit wurden festgestellt; der Ausbruch und die Unterdrückung schwerwiegender Unruhen, die einst drohten, allen nationalen Fortschritten ein Ende zu setzen; die Schaffung einer starken Regierung aus zwei Clans; das Wachstum einer politischen Bewegung, die in großem Maße von der öffentlichen Meinung unterstützt wurde; und die zu seiner Kontrolle durch die Regierung ergriffenen Maßnahmen. Wir haben auch gesehen, wie wenig homogen die Oppositionspartei war, die die Bewegung anführte; wie sie aus echten Reformern, anderen, die hauptsächlich von Clan-Eifersucht angetrieben wurden, enttäuschten Politikern und mittellosen *Shizoku* , den Trümmern des Feudalsystems, bestand, die lange Zeit ein störendes Element in der Politik waren und sich später zu der Klasse politischer Rowdies entwickelten, die als *Sōshi bekannt ist* .

Für all diese schlecht sortierten Verbündeten war die Forderung nach Volksrechten ein passender Schlachtruf. Für die so gebildete Opposition, die nach und nach immer kompakter wurde, je weniger erwünschte Elemente sie abgab , bedeutete der Rückzug Ōkumas aus dem Ministerium den Beitritt eines mächtigen Verbündeten, obwohl seine gedankliche Unabhängigkeit und sein etwas kompromissloses Temperament es ihm nie erlaubten, sich selbst zu identifizieren eng mit den Ansichten anderer Politiker überein. Mit der Energie und Vielseitigkeit, die sein gesamtes Handeln kennzeichnete, stürzte er sich in die von den fortgeschrittenen Reformern geführte Bewegung und trat bald in der neuen Rolle des Pädagogen auf. Dem Beispiel Fukuwazas vor fünfzehn Jahren folgend , gründete er das Waséda College, heute eine Universität , die bis heute ein Denkmal seiner Fähigkeiten ist. Wie sein Vorgänger war er ein umfangreicher Autor, der jedoch nie selbst schrieb, sondern einem Amanuensis diktierte, und gründete eine Tageszeitung, die noch immer im Umlauf ist. Ebenso wie er konnte er für sich in Anspruch nehmen, eine sehr große Zahl derjenigen ausgebildet zu haben, die heute in Japan offizielle Posten besetzen.

Die politischen Glaubensbekenntnisse der fortgeschrittenen Reformer, mit denen Ōkuma während der sieben Jahre, in denen er in der Opposition blieb, verbunden bleiben sollte, waren zwangsläufig zu einem gewissen Grad von den ausländischen Einflüssen geprägt, mit denen das japanische Volk nach der Wiedereröffnung des japanischen Volkes zum ersten Mal in Kontakt kam Land zum Auslandsverkehr. Westliche politische Literatur aller Art, in der das Produkt des fortgeschrittenen amerikanischen Denkens eine große Rolle spielte, wurde damals von einem Volk, das jahrhundertelang vom Kontakt mit der Außenwelt ausgeschlossen war, eifrig studiert. Unter diesen Umständen ist es nur natürlich, dass die republikanische Atmosphäre des nächsten westlichen Nachbarn Japans – der als erster in Vertragsbeziehungen mit Japan eintrat – in gewissem Maße die politischen Bestrebungen derjenigen beeinflusste , die lautstark Volksreformen forderten, und sogar das Land beeinflusste Studien von Studierenden in den Bildungseinrichtungen, auf die aufmerksam gemacht wurde.

KAPITEL XVI

Versprechen einer repräsentativen Regierung – Politische Parteien – Erneute Unruhen – Lokale Ausbrüche.

Am 12. Oktober 1881 wurde der Erlass erlassen, der den kaiserlichen Beschluss zur Gründung eines Parlaments im Jahr 1890 verkündete. In diesem Erlass verweist der Kaiser auf seine Absicht, von Anfang an nach und nach eine konstitutionelle Regierungsform zu etablieren, die bereits von ihm nachgewiesen worden war die Schaffung eines Senats (*Genrō -in*) im Jahr 1875 und die Ausarbeitung der Gesetze über kommunale Maßnahmen drei Jahre später, die, wie es erklärt wird, als Grundlage für die weiteren geplanten Reformen dienen sollten. Seine Majestät ist sich seiner Verantwortung bei der Erfüllung seiner Pflichten als Souverän gegenüber den kaiserlichen Vorfahren bewusst, deren Geister seine Handlungen beobachteten, und erklärt seine Entschlossenheit, mit der Reformarbeit fortzufahren, und beauftragt seine Minister, Vorbereitungen zu treffen für die Einrichtung eines Parlaments zum ernannten Zeitpunkt; Er behielt sich die Aufgabe vor, später über die Fragen der Beschränkungen zu entscheiden, die den kaiserlichen Vorrechten auferlegt werden sollten, und über den Charakter des zu schaffenden Parlaments. Das Dekret geht auf die Unerwünschtheit plötzlicher und überraschender Änderungen in der Verwaltung ein und endet mit einer Warnung an das Volk, unter Androhung des Unmuts des Kaiserreichs den öffentlichen Frieden nicht durch das Drängen auf Neuerungen dieser Art zu stören.

Obwohl die Erteilung einer Verfassung in dem Dekret nicht ausdrücklich erwähnt wurde, implizierte der darin enthaltene Hinweis auf die Beschränkungen, die den kaiserlichen Vorrechten auferlegt werden sollten, eindeutig, dass die Schaffung eines Parlaments und die Erteilung einer Verfassung zusammenpassen würden. Dass es sich bei letzterer, wenn sie verkündet würde, um eine schriftliche Verfassung handeln würde, war sowohl aus den damaligen Umständen als auch aus den Methoden klar, die die Regierung bereits bei der Umsetzung ihrer Politik der Gesetzesreformen anwandte.

Es wurde keine Zeit verloren, um mit den in der kaiserlichen Ankündigung erwähnten Vorbereitungen zu beginnen. Im März des folgenden Jahres wurde der verstorbene Prinz (damals Herr) Itō , wie wir in seinen Erinnerungen zu „ *Fünfzig Jahre neues Japan*“ *lesen können,* vom Kaiser angewiesen, einen Verfassungsentwurf auszuarbeiten, und am fünfzehnten Im selben Monat begab er sich, wie er uns erzählt, auf „eine ausgedehnte Reise in verschiedene verfassungsmäßige Länder, um die tatsächliche Funktionsweise verschiedener verfassungsmäßiger Regierungssysteme, ihre verschiedenen Bestimmungen sowie Theorien und Theorien so gründlich wie möglich zu studieren." Meinungen, die tatsächlich von einflussreichen Personen auf der eigentlichen Bühne des Verfassungslebens vertreten werden." Bei der Durchführung dieser verfassungsrechtlichen Untersuchung, die ihn achtzehn Monate lang beschäftigte, wurde Prinz Itō von einem zahlreichen Assistentenstab unterstützt.

Durch die definitive Zusage eines Parlaments, das von einer Verfassung begleitet werden sollte , änderte sich die Position der Agitatoren. Mit dem Verschwinden ihrer größten Beschwerde war ihnen der Boden unter den Füßen weggezogen worden. Es ging nicht mehr darum, ob es ein Parlament geben sollte oder nicht, sondern um die Art des Parlaments, das 1890 gegründet werden sollte. Weder zu diesem Punkt noch zur Ausgestaltung der Verfassung bestand jedoch die Absicht, die Nation zu konsultieren. Im Erlass war ausdrücklich festgelegt worden, dass diese Fragen der späteren kaiserlichen Entscheidung vorbehalten bleiben würden. Während die Regierung daher ihre Vorbereitungen für die Errichtung repräsentativer Institutionen fortsetzte, oblag es den Führern der Oppositionspartei, sich auf ihrer Seite auf die Zeit vorzubereiten, in der eine Art verfassungsmäßige Regierung eine vollendete Tatsache sein würde, und diese zu vervollständigen Organisation in Vorbereitung für das Parlament, dessen Eröffnung ihnen das gewünschte Feld für ihre Aktivitäten bieten würde. Die Wirkung des kaiserlichen Erlasses bestand also darin, die Entwicklung politischer Parteien zu beschleunigen. Für diese gab es nach ihrer Gründung wenig zu tun, bis die repräsentativen Institutionen tatsächlich ihre Arbeit aufnahmen; und ihr eingeschränkter Nutzungsbereich wurde durch die zunehmende Härte der repressiven Maßnahmen der Regierung noch weiter eingeschränkt. Dennoch begünstigten die gleichen Dinge, die früher den Fortschritt der Agitation für Volksreformen unterstützt hatten, nun auch die Entwicklung politischer Parteien. Dies waren: die Magie der Ausdrücke „öffentliche Diskussion" und „öffentliche Meinung", die erstmals zur Zeit der Restauration zu hören waren und die das öffentliche Ohr vielleicht umso mehr gefesselt hatten, weil sie nur unvollständig verstanden wurden; und die Neuheit, die für das japanische Volk immer attraktiv war, der von den fortgeschrittenen Reformern angewandten Methoden in Form öffentlicher Versammlungen und öffentlicher Ansprachen, die ein neues Phänomen in der Geschichte des Landes darstellten.

Wie wir gesehen haben, hatten sich bereits früher im Zusammenhang mit der Agitation für Volksreformen sowohl in der Hauptstadt als auch in den Provinzen politische Vereinigungen gebildet. Die meisten von ihnen , die hauptsächlich dem Anführer der Tosa- Partei und seinen Leutnants zu verdanken waren, führten ein eher prekäres Leben, blühten auf oder gingen unter, je nachdem, wie streng die Kontrollmaßnahmen der Behörden waren.

Weder hinsichtlich ihrer Organisation noch hinsichtlich der Bestimmtheit ihres Ziels konnten sie durchaus als politische Parteien angesehen werden. Die jüngste und wichtigste dieser Vereinigungen war die 1880 gegründete Union zur Gründung eines Parlaments, die, wie bereits erwähnt, zwischen zwanzig und dreißig Gesellschaften in verschiedenen Teilen des Landes vertrat. Aus diesem unhandlichen Gremium erwuchs die erste politische Partei, die an die Stelle des aufgelösten Muttervereins trat. Dabei handelte es sich um die *Jiyūtō* oder Liberale Partei, die von Itagaki im Oktober 1881, nur wenige Tage nach Erlass des kaiserlichen Erlasses, gegründet wurde. Seine Geburt wurde durch einen Zusammenstoß mit den Behörden eingeläutet, ein Unglück, das nicht zu Unrecht als Vorzeichen einer stürmischen Karriere gedeutet werden konnte. Offenbar hatten die Parteimanager es versäumt, die Polizei über Versammlungen der Partei zu informieren und damit gegen das Gesetz über öffentliche Versammlungen verstoßen. Für ihr Versäumnis wurden den Managern Geldstrafen auferlegt, und eine weitere Folge des Verstoßes war, dass die Partei, obwohl sie tatsächlich am oben genannten Datum gegründet wurde, erst im Juli des folgenden Jahres offiziell anerkannt wurde. Itagaki wurde zum Präsidenten der Partei gewählt und einer der vier Vizepräsidenten war Gotō Shōjirō , dessen Zusammenhang mit dem Rücktritt des letzten Shōguns in Erinnerung bleiben wird.

Das Programm der Liberalen Partei war umfassend, wenn auch eher vage. Ihre Absichten, wie im herausgegebenen Manifest angekündigt, bestanden darin, „sich darum zu bemühen , die Freiheiten des Volkes zu erweitern, seine Rechte zu wahren, sein Glück zu fördern und seine soziale Lage zu verbessern“. Das Manifest brachte auch den Wunsch der Partei zum Ausdruck, „eine verfassungsmäßige Regierung der besten Art zu schaffen“ und ihre Bereitschaft, mit allen zusammenzuarbeiten, die ähnliche Ziele verfolgen. Sein Präsident, Itagaki Taisuké war von Anfang an die treibende Kraft bei der Agitation für Volksreformen gewesen, die ohne seine Inspiration und Führung nie das Ausmaß erreicht hätten, das sie erreichten; Sowohl in der Saison als auch außerhalb der Saison hatte er die Regierung und das Land darauf aufmerksam gemacht, dass es wünschenswert sei, die Verwaltungsbasis wann und wo immer möglich zu erweitern; und er teilte mit Ōkuma die Ehre, ein Pionier bei der Organisation politischer Parteien in Vorbereitung auf die Gründung des Parlaments und ein erfolgreicher Parteiführer zu sein, nachdem repräsentative Institutionen in Kraft getreten waren. Da ihm die Vielseitigkeit seines Hizen- Zeitgenossen und Kollegen fehlte, war er dennoch eine führende Persönlichkeit in politischen Kreisen, wo seine Aufrichtigkeit und Hartnäckigkeit großen Respekt einflößten. Die öffentliche Empörung, die durch den erfolglosen Attentatsversuch im Frühjahr 1882 hervorgerufen wurde, war eine Hommage an seine Popularität, und die Worte, die er bei seiner Messerattacke geäußert haben soll: „Itagaki mag sterben, aber nicht die Freiheit“, werden noch heute zitiert

. Hätte er, wie andere Politiker seiner Zeit, mehr in Tōkiō und weniger in seiner Heimatprovinz gelebt, wäre er möglicherweise außerhalb Japans bekannter geworden.

Im Frühjahr 1882 entstanden zwei weitere politische Parteien. Eine davon war die „ *Rikken-Kaishintō* “ oder Verfassungsreformpartei, die von Ōkuma in Zusammenarbeit mit einer Reihe bekannter Männer gegründet wurde, die ihm nach seinem Ausscheiden aus dem Ministerium im Vorjahr in den Ruhestand gefolgt waren. Prominente unter diesen ehemaligen Beamten waren Shimada Saburō , ein angesehener Schriftsteller, der später Präsident des Repräsentantenhauses wurde; Yano Fumiō , ein weiterer angesehener Schriftsteller, der später das Amt des japanischen Ministers in China innehatte; und Ozaki Yukiō , der später Bildungsminister und Bürgermeister von Tōkiō war und heute eine führende Position als Redner, Schriftsteller und Parlamentarier einnimmt. Das Programm der *Kaishintō* war eindeutiger als das der Liberalen Partei. Neben den üblichen Floskeln zur Wahrung der Würde des Throns und zur Förderung des Glücks des Volkes ging es um die Notwendigkeit des inneren Fortschritts als Vorstufe zur „Ausweitung nationaler Rechte und Ansehen“ und befürwortete die Entwicklung lokaler Selbstverwaltung, die schrittweise Ausweitung des Wahlrechts *gleichberechtigt* mit dem Fortschritt der Nation, die Förderung des Außenhandels und die Finanzreform.

Die Unterschiede zwischen der Liberalen Partei und den *Kaishintō* , oder gemäßigten Liberalen, wie wir sie nennen könnten, unterschieden die beiden Parteiführer voneinander. Die größere Kultur und Raffinesse sowie die Mäßigung des Hizen- Staatsmannes spiegelten sich in den nüchterneren Ansichten seiner Partei wider, die einen gebildeteren Teil des Volkes ansprachen als die gröberen und radikaleren Lehren und Methoden des *Jiyūtō*
.

Die zu dieser Zeit gegründete dritte Partei war der *Rikken Teisei -to* oder konstitutionelle imperialistische Partei. Fukuchi, Herausgeber des *Nichi Nichi Shimbun* , damals ein halboffizielles Organ, beteiligte sich aktiv an seiner Gründung. Ihre *Daseinsberechtigung* war die Unterstützung der Regierung, die von den beiden anderen Parteien abgelehnt wurde. Sie wurde daher üblicherweise als Regierungspartei bezeichnet. Einige Punkte seines ausführlichen Programms waren an sich schon ein ausreichender Hinweis auf seine offiziellen Sympathien. Dem für die Einsetzung eines Parlaments festgelegten Datum (1890) wurde seine Zustimmung ausgesprochen; welche Form der Verfassung auch immer von der Regierung mit kaiserlicher Genehmigung beschlossen werden könnte; dass es zwei Kammern gibt; der Notwendigkeit der Qualifikation der Mitglieder; und die endgültige Entscheidung in allen Angelegenheiten obliegt dem Kaiser . Andere Punkte im Programm deuteten jedoch auf eine gewisse Unabhängigkeit der Meinung hin. Die Partei befürwortete die Trennung von Heer und Marine von der Politik; die Unabhängigkeit der Richter; Freiheit öffentlicher Versammlungen, sofern dies mit der nationalen Ruhe vereinbar ist ; sowie die Freiheit der öffentlichen Meinungsäußerung, der Veröffentlichung und der Presse innerhalb gesetzlicher Grenzen und eine Finanzreform.

Derselbe Geist, der zur Gründung dieser drei politischen Parteien in der Hauptstadt führte, inspirierte die Entstehung vieler weiterer Parteien in den Provinzen. Mehr als vierzig davon schossen wie Pilze aus dem Boden, und die Verwirrung, die das plötzliche Auftauchen so vieler natürlicherweise begleitete, wurde durch die Regel noch verstärkt, die es erforderlich machte, jede als separate Organisation zu registrieren, selbst wenn Name und Assoziationen eindeutig auf ihre Verbindung hindeuteten die Mutterpartei in der Hauptstadt. Fast jede Präfektur konnte sich einer eigenen politischen Partei rühmen, die normalerweise einer der drei Hauptparteien in Tōkiō angehörte , deren Beispiel im Allgemeinen durch die Aufnahme des Wortes „Verfassung“ in den Titel übernommen wurde, eine Tatsache, die zeigt, welche Bedeutung dieser Partei beigemessen wurde Verfassungsgrundsätze als Grundlage der Regierung. Der Mangel an festen politischen Vorstellungen zeigte sich mitunter auch in der völligen Unbestimmtheit der Namenswahl. Ein Beispiel hierfür war der Fall der in der Provinz Noto gegründeten politischen Partei, die die unverbindliche Bezeichnung Jiyū - *Kaishintō annahm* , was eigentlich „Partei der Freiheit und Reform“ bedeuten sollte, sich aber für die Interpretation eignete eine liberale und gemäßigte liberale Partei zu sein . In diesem wie in vielen anderen Fällen war der Name lediglich eine Bezeichnung ohne große Bedeutung.

Trotz des Aufschwungs der Trompeten, der die Bildung dieser drei politischen Parteien und ihrer zahlreichen Ableger – zumeist waren es solche – in den Provinzen begleitete, brach die Bewegung ebenso plötzlich zusammen, wie sie entstanden war. Bevor achtzehn Monate vergangen waren, hatte eine der drei, die Imperialistische Partei, beschlossen, sich aufzulösen. Ein Jahr später folgte die Liberale Partei ihrem Beispiel; während die dritte Partei, die von Ōkuma angeführte Partei der Gemäßigten Liberalen , zwar der Auflösung entging, sich aber Ende 1884 in einem sterbenden Zustand befand und weder einen Präsidenten noch einen Vizepräsidenten hatte.

Für diesen plötzlichen Verlust der Hoffnungen der neu gebildeten Politikerklasse gab es mehrere Gründe. Erstens hatte die Regierung in Verfolgung ihrer sogenannten festen Politik der abwechselnden Versöhnung und Unterdrückung nach Erlass des kaiserlichen Dekrets, das die Bildung eines Parlaments versprach, einen Kurs weiterer repressiver Gesetze eingeleitet. Das 1880 erlassene Gesetz zur Einschränkung des Rechts auf öffentliche Versammlung und Rede wurde 1882 überarbeitet und deutlich verschärft. Durch dieses überarbeitete Gesetz wurden die Befugnisse der Polizei für inquisitorische Zwecke erweitert; politische Parteien waren verpflichtet, ausführliche Angaben zu den Vereinsregeln und Mitgliederlisten zu machen; Es konnte kein Treffen abgehalten werden, es sei denn, die Polizei hatte drei Tage zuvor die Erlaubnis eingeholt. es war verboten, für die Themen politischer Vorträge und Debatten zu werben oder zur Teilnahme an einer Versammlung einzuladen; Politischen Vereinigungen war es nicht nur untersagt, Niederlassungen an anderen Orten zu haben, sondern ihnen war es auch untersagt, mit anderen politischen Parteien zu kommunizieren oder irgendwelche Beziehungen zu unterhalten – eine Bestimmung, die angeblich aus der Angst vor dem Zusammenschluss von Parteien, die gegen die Regierung waren, entstand; und aus dem einfachen Grund, dass es für die Wahrung des öffentlichen Friedens notwendig sei, hatte die Polizei jederzeit die Befugnis, eine öffentliche Versammlung zu schließen. Und doch war seltsamerweise die Regierung, die diese Dinge tat und nichts unversucht ließ, um die Absichten verdächtiger Politiker zu vereiteln, selbst eine Regierung von Reformern und verriet zeitweise nicht wenig Sympathie für die Sache des Volkes, die sie war Kampf.

Die Strenge der von der Regierung verfolgten Politik erstreckte sich auch auf die Presse. Im Frühjahr 1883 wurde das Pressegesetz von 1875, dessen Umsetzung eine besondere Klasse von „Gefängnisredakteuren“ hervorgebracht hatte, in einem Geiste zunehmender Härte überarbeitet. In Fällen, die unter das sogenannte „Gesetz der Verleumdung“ fielen, wurden nicht wie bisher nur der Herausgeber einer Zeitung, sondern auch der Inhaber und der Manager gemeinsam zur Verantwortung gezogen; Das Gesetz selbst wurde so ausgelegt, dass es dem mutmaßlichen Täter keine Fluchtmöglichkeit ließ; und die dem journalistischen Unternehmertum auferlegten Bedingungen machten es fast unmöglich, eine Zeitung zu gründen oder sie nach ihrer Gründung weiterzuführen.

Die neu gegründeten politischen Parteien waren auch hinsichtlich des Ortes benachteiligt, der notwendigerweise ihr Wirkungszentrum war . Wir haben gesehen, dass Tōkiō , damals Yedo genannt , vor der Wiedereröffnung Japans für den ausländischen Verkehr fast drei Jahrhunderte lang der Sitz der Verwaltung gewesen war; wie sich mit dem allmählichen Verfall der Tokugawa-Autorität das Zentrum der politischen Aktivität eine Zeit lang in die ehemalige Hauptstadt Kiōto verlagerte ; und wie nach der Restauration von 1868–1869 Tōkiō , jetzt mit seinem geänderten Namen genannt, seine Position mehr als wiedererlangt hatte und als neue Hauptstadt zum Ort wurde, an dem sich das neue Leben der Nation und ihre Interessen konzentrierten . Seine Position war nun stärker als je zuvor, denn die Abschaffung des Feudalismus hatte allen separatistischen Tendenzen ein Ende gesetzt und die Provinzstädte hatten viel von ihrer früheren Bedeutung verloren. Die Änderung blieb nicht ohne Auswirkungen auf die Organisation der politischen Parteien. So groß der lokale Einfluss der Führer auch sein mochte, in Tōkiō fand die Gründung der Parteien statt. Die Provinzen zählten kaum. Sie stellten vielleicht die Anführer, aber die Hauptstadt war das Zentrum der Operationen. Dort als Sitz der Verwaltung war die Regierung am stärksten, während die Parteipolitiker im Nachteil waren. Außerhalb der Reichweite der örtlichen Bindungen im Clan oder in der Provinz, auf deren Unterstützung sie angewiesen waren, arbeiteten sie in einer seltsamen und unangenehmen Umgebung. Darüber hinaus wurden sie durch die Durchsetzung der Regel, die die Bildung von Provinzzweigen und den Zusammenschluss mit anderen politischen Körperschaften verbot, in eine Position vergleichsweiser Isolation gezwungen.

Eine weitere Schwierigkeit, mit der die politischen Parteien zu kämpfen hatten, war das Fehlen konkreter und klar definierter Themen, auf die sich die Politiker konzentrieren könnten. So wie es im frühen Ministerbruch von 1873, in dem die politischen Parteien ihren Anfang nahmen, keine umfassende Grundsatzfrage hinsichtlich der Reformen gab, die die zurücktretenden Staatsmänner von ihren Kollegen trennte, die weiterhin an der Spitze der Geschäfte standen, so war es auch mit politischen Parteien zu dieser Zeit und viele Jahre danach. Keine klare Grenzlinie trennte die einen vom anderen. Alle waren gleichermaßen für Fortschritt und Reformen, alle waren, wenn auch nicht ganz im gleichen Maße, um die Ausweitung der Volksrechte bemüht. Zwar wiesen die von den verschiedenen Parteien zum Zeitpunkt ihrer Gründung herausgegebenen Programme sowie die Reden der Parteiführer einige Unterschiede auf, aber die darin zum Ausdruck gebrachten Ansichten waren fromme Meinungen und nichts weiter. Sie befassten sich mit abstrakten Dingen, nicht mit praktischen Fragen, die noch nicht aufgetreten waren. Es ist daher nicht verwunderlich, dass in Ermangelung materiellerer Bedenken Zeit mit vagen und vergeblichen Kontroversen über so abstrakte Themen wie Souveränitätsrechte und ihre Ausübung verschwendet wurde; die Liberalen erklärten, dass die Souveränität beim Volk liege, die Imperialisten, dass sie beim Souverän liege; während die Partei der Verfassungsreform behauptete, dass sie in etwas repräsentiere, das beides vertrete, nämlich in einem Parlament, das noch nicht existierte. Unter solchen Umständen ließ die Begeisterung der Bevölkerung nach, und selbst seriöse Politiker verloren das Interesse am Wohlergehen ihrer Partei.

Viel Unheil wurde auch durch Uneinigkeit verursacht, die das Ergebnis von Unerfahrenheit und mangelnder Disziplin war. Dies wurde im Fall der Liberalen Partei dadurch verschärft, dass ihr Präsident Itagaki und Gotō , einer ihrer Vizepräsidenten, zu einer Beobachtungsreise durch Europa und Amerika aufbrachen . Der Regierung wurde vorgeworfen, diese Reise mit dem doppelten Ziel arrangiert zu haben, die *Jiyūtō zu schwächen* , indem sie ihr die Dienste ihrer fähigsten Politiker entzog, und Zwietracht zwischen den Liberalen und der Partei der Verfassungsreform zu stiften. Wenn das ihr Plan war, dann war es auf jeden Fall erfolgreich. Der *Jiyūtō wurde nicht nur* durch interne Meinungsverschiedenheiten geschwächt, sondern auch die Beziehungen der beiden Parteien entfremdeten sich sofort. Der eine beschuldigte den anderen, Bestechungsgelder von der Regierung erhalten zu haben, und als beide praktisch von der Bildfläche verschwanden, wurde die Fehde ihren Nachfolgern überlassen.

Ein einziger Grund hätte jedoch in Ermangelung anderer wahrscheinlich ausgereicht, um dieses erste Experiment der Parteibildung für parlamentarische Zwecke vergeblich zu machen. Es gab kein Parlament und niemand wusste, was für ein Parlament es sein würde. Unter diesen Umständen mangelte es den Vorgängen der politischen Parteien an Realität und erweckte den Eindruck einer Bühnenaufführung.

Die Ergebnisse der politischen Aktivität der Nation in der von uns beschriebenen Richtung waren sicherlich nicht ermutigend. Alles, was von den drei Parteien nach zwei oder drei Jahren anstrengender Bemühungen übrig blieb , war ein zerschmetterter und führerloser Überrest der einen, während die anderen beiden völlig verschwunden waren; und von ihrer Arbeit blieb nichts übrig, außer einer schwachen Nachzeichnung der Linien, entlang derer die spätere Entwicklung der politischen Parteien verlief.

Mehr als einmal wurde auf den vorangegangenen Seiten auf die Peinlichkeit und Gefahr hingewiesen, die das Land durch die große Zahl ehemaliger *Samurai* mit geringen Mitteln und weniger Beschäftigung verursachte, die nach der Abschaffung des Feudalsystems auf der Strecke geblieben waren und nun daliegen wie eine Seuche über dem Land. Für einige der besser gebildeten dieser ehemaligen Mitglieder der Militärklasse hatte die sich schnell entwickelnde Presse eine Beschäftigung geschaffen. Die ruhelosen Energien des Rests hatten eine Zeit lang Beschäftigung in der Bewegung zur Bildung politischer Parteien gefunden. Sobald jedoch der erste Impuls der Bewegung seine Kräfte verbraucht hatte und bevor sich eine der Parteien tatsächlich auflöste, wurde ihre Aufmerksamkeit auf andere Kanäle politischer Aktivität gelenkt, die unmittelbarere Ergebnisse versprachen; und das Auftreten mehrerer in kurzen Abständen aufeinanderfolgender Ausbrüche und Anschläge zeugte davon, dass von dieser widerspenstigen Klasse noch immer ernstes Unheil zu befürchten war.

Der erste Aufstand, der das Eingreifen der Behörden forderte, war ein Aufstand, der 1883 in einer Präfektur nördlich der Hauptstadt stattfand. Ursache der Unruhen war ein Streit zwischen den Beamten und der Bevölkerung des Bezirks über den Straßenbau. In die Frage des Straßenbaus, wie auch in die aller anderen öffentlichen Arbeiten, kam die Frage der *Corvée ein* . Dies war ein wichtiges Merkmal der ländlichen Verwaltung, das bis in die Antike zurückreicht und aus persönlicher Dienstleistung oder deren Umwandlung durch eine Geldzahlung bestand. Sie öffnete Tür und Tor für viele Missbräuche, aber wenn sie in Form persönlicher Dienste zu Zeiten erhoben wurde, in denen wenig Arbeit im Freien zu verrichten war, wurde sie vom Bauern anderen Steuerarten vorgezogen. Im vorliegenden Fall gab es keine grundsätzlichen Einwände gegen die *Corvée* , das Vorgehen der Behörden wurde jedoch mit der Begründung abgelehnt, dass die Straßen, die sie bauen sollte, nicht erforderlich seien. Als der Gouverneur daher Arbeitskräfte auf den Straßen einberufen hatte , weigerten sich die Menschen, zu arbeiten, und die daraus resultierenden Unruhen wurden so schwerwiegend, dass zu ihrer Unterdrückung der Einsatz von Truppen erforderlich wurde. In den Tagen vor der Restauration hätte sich das Problem nicht über einen einfachen Agraraufstand hinaus ausgedehnt. Was es wichtiger machte und ihm einen politischen Aspekt verlieh, war die Beimischung des *Shizoku-* oder Ex- *Samurai* -Elements, was in feudalen Zeiten nie hätte vorkommen können. Einer der Anführer dieses Aufstands, der mit einer Gefängnisstrafe wegen einer Straftat davonkam, die ihn einige Jahre zuvor den Kopf gekostet hätte, wurde später Präsident des Repräsentantenhauses. In dieser Funktion erlangte er schnell neue Berühmtheit durch sein eigensinniges Vorgehen, das zur sofortigen Auflösung des Parlaments und zum Ende seiner parlamentarischen Karriere führte.

Weitere Aufstände und Verschwörungen, die nichts mit lokalen Missständen zu tun hatten, sondern das Ergebnis von Unzufriedenheit und Gesetzlosigkeit waren, ereigneten sich in verschiedenen Teilen des Landes. Das Einzigartigste, da es das letzte der Reihe war, war ein fantastischer Versuch aus dem Jahr 1885, in Korea Unruhe zu schüren, in der Hoffnung, dass dies auf die politische Situation in Japan reagieren und die Bildung einer repräsentativen Regierung beschleunigen könnte. Die an der Verschwörung Beteiligten waren allesamt *Samurai-* Abstammung und nahmen anschließend eine herausragende Rolle in den Verhandlungen der Parlamentsparteien ein.

Die Komplizenschaft vieler Mitglieder der Liberalen Partei sowohl vor als auch nach ihrer Auflösung an diesen Aufstandsbewegungen wird von japanischen Schriftstellern zugegeben, die geneigt sind, dies hauptsächlich auf die übermäßige Härte der von den Behörden ergriffenen Repressionsmaßnahmen zurückzuführen.

KAPITEL XVII

Ausarbeitung der Verfassung – Neuer Adelsstand – Neuorganisation des Ministeriums – Englischer Einfluss – Finanzreform – Scheitern der Konferenzen zur Vertragsrevision.

Mit der Rückkehr der Itō- Mission im September 1883 wurde mit der Ausarbeitung einer Verfassung begonnen. Zu diesem Zeitpunkt waren die konservativen Tendenzen im Ministerium stärker ausgeprägt. Sie sollten durch die Untersuchung westlicher politischer Systeme, in denen die Mission tätig war, noch weiter ansteigen. Die meiste Zeit hatte er in Deutschland verbracht. Der rasche Fortschritt dieses Landes seit seiner Expansion zum Kaiserreich, die bürokratische Grundlage seiner Verwaltung, die konservative Einstellung seiner Herrscher und die Persönlichkeit Bismarcks waren vermutlich Gründe, die auf die Übernahme deutscher Vorbilder sowohl in Verfassungs- als auch in Verfassungsfragen hinwiesen andere Verwaltungsangelegenheiten, die am besten für eine Nation geeignet sind, die gerade aus dem Feudalismus hervorgegangen ist. Auch für eine Regierung , die so viel Macht wie möglich in den Händen der Krone behalten wollte, hatte eine Verfassung wie die der deutschen Staaten, in der der Souverän und seine Minister vom Parlament unabhängig waren, eine natürliche Anziehungskraft. Und es mag eine Überzeugung von der Notwendigkeit eines Gegengewichts zu den demokratischen Ideen gegeben haben, die sich aus dem Verkehr mit republikanischen Ländern und aus der westlichen Literatur fortgeschrittener Art ergeben, deren schädliche Auswirkungen sich in den extremen Ansichten und noch extremeren Methoden gezeigt hatten. der politischen Agitatoren, die repräsentative Institutionen forderten .

Im Frühjahr 1884 wurde Itō Minister des kaiserlichen Haushalts, und in dieser Abteilung wurde ein Sonderbüro eingerichtet, das unter seiner Leitung eine Verfassung ausarbeiten sollte . Die Wahl des Haushaltsministeriums für diese Aufgabe wurde durch politische Erwägungen bestimmt. Es sollte betont werden, dass die Verfassung vom Souverän aus eigenem Antrieb gewährt und nicht von seinen Untertanen entrissen wurde. Es bestand auch der Wunsch, der Nation klarzumachen, dass der Thron die Quelle aller Autorität sei. Die Vereinbarung hatte auch den Vorteil, Kritik zu entschärfen, während die Privatsphäre, die mit den Verfahren einer das Gericht vertretenden Abteilung verbunden war, jedes Risiko einer Einmischung von außen ausschloss.

Bald nach Itōs Ernennung zum Haushaltsminister wurden neue Adelsorden geschaffen, deren Vorbild das des europäischen Kontinents war. Mit dem Fall des Shōgunats und der Abschaffung des Feudalsystems waren alle Territorialtitel verschwunden. Auch die leeren Hof- oder Amtstitel, nach denen so sehnsüchtig gesucht wurde und deren Verleihung eines der letzten verbliebenen Vorrechte der Krone gewesen war, waren ebenfalls verschwunden.

Über diese antiken Titel wurde bereits berichtet. Viele von ihnen waren in den Familien, in denen sie lebten, erblich geworden, und ihr Verschwinden wurde in vielen Kreisen mit Bedauern aufgenommen. Die Schaffung neuer Adelsorden erfreute sich daher beim neuen Haushaltsminister großer Beliebtheit. Es gab tatsächlich einen besonderen Grund für die Maßnahme. Es war der erste Schritt zur Errichtung eines *Verfassungsregimes* . Ein Peershaus sollte ein Hauptmerkmal der derzeit in Vorbereitung befindlichen Verfassung sein, und es war unerlässlich, einen neuen Adel zu schaffen, bevor die Institution, zu der es gehören sollte, in Kraft treten konnte. Insgesamt wurden etwa fünfhundert Adlige geschaffen, darunter 12 Prinzen, 24 Marquisen, 74 Grafen, 321 Vizegrafen und 69 Barone. Die Empfänger dieser neuen Titel waren die Ex- *Kugé* oder Hofadligen, die Ex- Daimiōs , die unter dem Feudalsystem den territorialen Adel gebildet hatten, und Ex- *Samurai* , die noch im Amt waren und dem Staat hervorragende Dienste geleistet hatten die Zeit der Restauration. Es ist nicht unnatürlich, dass der Löwenanteil der von Bürgern erhaltenen Titel an Satsuma- und Chōshiū - Männer ging. Wenn man davon ausgeht, dass die Zahl der Ex- *Kugé* 150 und die der Ex- Daimiōs 300 beträgt, stellt man fest, dass die Zahl der geadelten Bürger nur ein Zehntel der Gesamtzahl ausmachte. Die unverhältnismäßig große Zahl der geschaffenen Viscounts erklärt sich aus der Tatsache, dass es bei den meisten Territorialadligen kaum Unterschiede in den Positionen gab, obwohl jeder seinen festen Platz in der offiziellen Rangordnung hatte. Es war daher schwierig, in diesen Fällen eine Unterscheidung zu treffen, als das alte System der Dinge in das neue übertragen wurde. Darüber hinaus scheint dies auch beim alten Hofadel der Fall gewesen zu sein. Zu den Ex- *Samurai* , die geadelt werden sollten, gehörten die Chōshiū- Staatsmänner Itō , Yamagata und Inouyé sowie drei Satsuma-Regierungsmitglieder, Kuroda, der jüngere Saigō und Matsugata , die alle Grafen wurden. Die Dienste anderer Ex- *Samurai* , die sich zur Zeit der Restauration hervorgetan hatten, sich aber bei der Schaffung des neuen Adels in Opposition befanden, wurden einige Jahre später anerkannt, und Ōkuma , Itagaki und Gotō erhielten dann denselben Grafentitel.

Bei der Neuorganisation des Verwaltungssystems, die im folgenden Jahr stattfand, war erneut die Handschrift des neuen Haushaltsministers zu erkennen. Die vorherige Umstrukturierung des Ministeriums hatte im Jahr 1871 stattgefunden. Die damals vorgenommenen Änderungen waren zweierlei Art: die Ersetzung der führenden Geister der Restauration anstelle von Vertretern der feudalen Aristokratie in der neuen Regierung, wodurch das fortschrittliche Element in der Regierung gestärkt wurde Ministerium;

und die Aufteilung der zentralen Exekutive in drei Zweige, die von den drei obersten Staatsministern (dem *Daijō) geleitet werden Daijin* oder Premierminister, *Sadaijin* oder Minister der Linken und *Udaijin* oder Minister der Rechten). Unter diesem System, das in seinen Grundzügen seitdem fortbesteht, gab es weder eine klare Trennung zwischen den verschiedenen Außenministerien, noch hatte der Premierminister, in dessen Namen alle Dekrete erlassen wurden, eine angemessene Kontrolle über die zuständigen Minister sie, die alle unabhängig voneinander waren. Die nun eingeführte Änderung, die das deutsche Kabinettssystem nachahmte, hatte zur Folge, dass dem Posten des Ministerpräsidenten, der die neue Bezeichnung „Ministerpräsident des Kabinetts" erhielt, größere Bedeutung und Autorität verliehen wurde. Durch die Schaffung eines neuen Ministeriums für Landwirtschaft und Handel wurde die Zahl der Außenministerien auf neun erhöht. Die Minister dieser Ministerien bildeten zusammen mit dem Ministerpräsidenten das Kabinett. Der kaiserliche Haushalt bildete eine eigene Abteilung, wobei der Minister des Haushalts nicht dem Kabinett angehörte. Nach der neuen Regelung leitete der Ministerpräsident praktisch die Politik des Staates und hatte Anspruch auf ein Portfolio, wenn er sich dazu entschloss, eines zu halten. Wie die deutschen Kanzler unter der Hohenzollernherrschaft war er für die gesamte Verwaltung verantwortlich und übte gleichzeitig eine allgemeine Kontrolle über alle Abteilungen aus. Die Änderungen, die diese noch bestehende Verwaltungsreorganisation mit sich brachte, hatten auch eine andere und tiefere Bedeutung. Sie bedeuteten den endgültigen Triumph westlicher Ideen und die offene Übernahme der Regierungsgeschäfte durch die Männer, die bis zu diesem Zeitpunkt hinter den Kulissen gearbeitet hatten.

Weitere Änderungen, die etwa zu dieser Zeit und auf Initiative desselben Staatsmanns vorgenommen wurden, waren die Schaffung des Amtes des Lord Keeper of the Seals (*Naidaijin), der einer Gruppe von fünfzehn* Hofräten (*Kiūchiū-Komonkwan*) vorstand , deren Aufgaben waren um Ratschläge zu Gerichtszeremonien und -bräuchen zu geben; und die Einrichtung eines Systems von Auswahlprüfungen für die Beschäftigung im öffentlichen Dienst. Diese Reform, die man als Anwendung eines der im Kaiserlichen Eid erwähnten Prinzipien betrachten könnte, obwohl das Motiv einfach das gleiche gewesen sein könnte, das auch andere westliche Innovationen hervorrief, machte einem Großteil der Günstlingswirtschaft ein Ende, die zuvor Einfluss genommen hatte offizielle Ernennungen und hatte politischen Agitatoren einen nützlichen Ausruf geliefert. Ein weiterer Hinweis auf fortschrittliche Tendenzen war die Einführung von Englisch als Unterrichtsfach in Grundschulen. Dieser Schritt war eine offizielle Anerkennung des Einflusses, den das Land auf die moderne Entwicklung Japans ausgeübt hatte und noch immer ausübt. Dieser Einfluss wurde von japanischen Schriftstellern voll und ganz anerkannt. In „*Fifty Years of New*

Japan" , einem Buch, auf das auf diesen Seiten mehr als einmal Bezug genommen wurde, sagt uns Professor Haga , als er über die Auswirkungen der Wiedereröffnung Japans für den Verkehr mit Ausländern spricht, dass dies immer durch Bücher in englischer Sprache geschehen sei Sprache, mit der das japanische Volk seine Vorstellungen von europäischen Dingen formte und Einblicke in die allgemeinen Merkmale der Außenwelt erhielt. An anderer Stelle im selben Werk bemerkt Professor Nitobé , der hauptsächlich in den Vereinigten Staaten studierte, dass „die Wirkung der englischen Sprache auf die geistigen Gewohnheiten [? Mentalität] des japanischen Volkes ist unberechenbar"; und er fügt hinzu, dass „der moralische Einfluss einiger der einfachen Lehrbücher, die in unseren Schulen verwendet werden, nicht hoch genug eingeschätzt werden kann."

Das Jahr 1886 ist mit einer Finanzreform von höchster Bedeutung verbunden – der Wiederaufnahme des Bargeldzahlungsverkehrs, mit anderen Worten, der Ersetzung von konvertierbarem durch nicht konvertierbares Papiergeld. Als ich in einem früheren Kapitel einen Moment über die finanziellen Schwierigkeiten verweilte, mit denen die neue Regierung, die nach der Restauration gebildet wurde, konfrontiert war, wurde auf den verwirrten Zustand des Währungssystems zu dieser Zeit und insbesondere auf den chaotischen Zustand des Papiergelds hingewiesen im Umlauf. Aus einer von der Regierung im oben genannten Jahr veröffentlichten Geschichte der Währung erfahren wir, dass das zu Beginn der Meiji-Ära (1868) verwendete Geld vier Arten von Goldmünzen umfasste (eine davon war eine Münze, die nicht allgemein verwendet wurde) ; zwei Arten von Silbermünzen, außer Barren und Kugeln aus Silber mit festem Gewicht; sechs Arten von Kupfer-, Messing- und Eisenmünzen, bekannt unter dem allgemeinen Begriff *Zeni* oder „Bargeld" (eine davon ist lediglich ein Geldschein und keine echte Münze); und nicht weniger als 1600 verschiedene Währungen an Papiergeld. Ein Großteil der Münzen wurde entwertet. Die Papierwährungen stammten teilweise von der zentralen Tokugawa-Regierung und teilweise von den örtlichen Feudalbehörden. Mehr als zwei Drittel der damals etwa 270 Clans und acht *Hatamoto*- Territorien verfügten über eigene Papierwährungen, und in vielen Fällen waren Ausgaben unterschiedlichen Datums gleichzeitig im Umlauf. Auch dieses Papiergeld war unterschiedlicher Art. Es gab Goldnoten, Silbernoten, *Sen* -Noten, Banknoten, die feste Beträge in Kupfer-, Messing- und Eisen-„Bargeld" darstellten, sowie Reisnoten, die bestimmte Reismengen darstellten und zur Zahlung von Steuern verwendet wurden, die hauptsächlich in Form von Sachleistungen erhoben wurden . Es gab auch so genannte „Gutschriftscheine", die als Gegenleistung für Geld ausgegeben wurden, das von kommerziellen Einrichtungen eingezahlt wurde, die damals für Banken Steuern leisteten, und die je nach Sachlage Gold, Silber, Bargeld oder Reis repräsentierten. Das Unheil wurde durch die damaligen falschen

Vorstellungen über das richtige Verhältnis zwischen Gold und Silber sowie zwischen diesen beiden Metallen und Kupfer noch verstärkt, was dem ausländischen Händler unrechtmäßige Gewinne ermöglichte und dem Land große Verluste verursachte. Zu den Maßnahmen, die die Regierung nach der Gründung einer Münzstätte und der Abschaffung des Feudalsystems zur Behebung dieser Situation unternahm, gehörte die Einstellung der aktuellen Ausgabe von Münzen und Papiergeld und die Ausgabe anderer Währungen an ihrer Stelle. Die erste Wirkung dieser Maßnahmen bestand also darin, die bestehende Verwirrung zu verstärken. Auch die Ausgabe der neuen Münzen, die in der Münzstätte Ōsaka geprägt wurden, neigte dazu, die Situation zu verschleiern. Obwohl der angenommene Standard nominell ein Goldstandard war, wurde er in seiner Funktionsweise zu einem Bimetall; Denn im Jahr 1878 erlaubte die Regierung den allgemeinen und uneingeschränkten Umlauf von Ein-Yen-Silbermünzen, ein Schritt, der einer Änderung des Monometall-Münzens in einen Bimetall-Münzen gleichkam.

PRINZ ITŌ .

Beteiligte sich aktiv an der nach der Restauration gebildeten Regierung; Er war der Hauptgestalter der japanischen Verfassung und der parlamentarischen Institutionen und Gründer des Seiyūkai . Sein letzter Posten war der des Generalgouverneurs von Korea.

Mit der Gründung von Nationalbanken im Jahr 1872, die befugt waren, in einem bestimmten Verhältnis zu ihrem Kapital Banknoten auszugeben, versuchte man, die Abhebung des alten Papiergeldes zu erleichtern, Bankgeschäfte auf einem modernen System zu fördern und die Dinge allgemein auf ein höheres Niveau zu bringen zufriedenstellenderen Stand. Nach der Gründung von nur vier Nationalbanken, den Pionieren des modernen Bankwesens in Japan, wurde es als notwendig erachtet, die Vorschriften der Nationalbank zu überarbeiten. Die Revision trat sofort in Kraft. Innerhalb von fünf Jahren war die Zahl der Nationalbanken von vier auf einhunderteinundfünfzig gestiegen, viele davon jedoch, wie Baron Shibusawa, der bekannte Bankier, in seinem Kapitel über das Bankwesen in „Fünfzig Jahre neues Japan " *erklärt* lokale Unternehmen von begrenzter Bedeutung. Eines der Ziele der Gründung von Nationalbanken, die Förderung von Bankunternehmen, war damit erreicht. Auch bei der Verwirklichung eines anderen Ziels waren Fortschritte erzielt worden, nämlich der Einlösung früherer Papierwährungen durch die Ausgabe von Papiergeld- Umtauschanleihen (*Kinsatsu) und Pensionsanleihen, die die Nationalbanken als Sicherheit für ihre Notenausgabe halten durften.* Allerdings wurde von der den Nationalbanken erteilten Erlaubnis zur Ausgabe von Banknoten allzu großzügig Gebrauch gemacht, was zur Folge hatte, dass das Papiergeld erheblich an Wert verlor; und als die Regierung während des Satsuma-Aufstands auf eine weitere große Ausgabe von Banknoten zurückgriff, um die gestiegenen Ausgaben zu decken, kam es zu einem weiteren Wertverfall. Der tiefste Stand des Papiergeldpreises wurde im Frühjahr 1881 erreicht, als es einen Abschlag von über 70 Prozent aufwies. Mit der Gründung der Bank of Japan im darauffolgenden Jahr erhielt das Land ein von den Nationalbanken unabhängiges Bankenzentrum, das in der Lage war, deren Geschäfte zu kontrollieren, und das befugt war, Wandelanleihen auf der Grundlage einer Barwertreserve auszugeben, die die Zentralbanken innehatten Nationalbanken waren verpflichtet, dort Einlagen zu leisten; und ein Jahr später führte der damalige Finanzminister, Herr (später Marquis) Matsugata , einen Plan ein, der die Beendigung des diesen Banken gewährten Privilegs der Ausgabe von Banknoten, die schrittweise Rücknahme ihrer im Umlauf befindlichen Banknoten und die Änderung ihres Banknotenumlaufs vorsah Status wie Privatbanken. Die Annahme dieser und anderer Schritte, auf deren Einzelheiten nicht näher eingegangen zu werden braucht, machte es endlich möglich, die Artenwiederaufnahme auf Silberbasis herbeizuführen. Eine entsprechende Mitteilung wurde im Juni 1885 herausgegeben und die Maßnahme trat am 1. Januar 1886 in Kraft. Der jetzt bestehende Goldstandard wurde erst elf Jahre später eingeführt.

Im selben Jahr (1886) kam es zu einem Wiederaufleben der politischen Agitation. Dies war, wie wir gesehen haben, nach dem Scheitern des ersten Versuchs, politische Parteien zur Vorbereitung auf das versprochene Parlament zu organisieren, zum Erliegen gekommen, und die extremistischen Mitglieder der mittlerweile zahlreichen Partei fortgeschrittener Reformer waren versucht, gewalttätigere Methoden anzuwenden, um dieses Ziel zu erreichen ihre Enden, mit bereits beschriebenen Ergebnissen. Im September desselben Jahres fand in der Hauptstadt ein Treffen von Politikern aller Schattierungen liberaler und radikaler Meinungen statt, um Maßnahmen für ein gemeinsames Vorgehen zu vereinbaren. Gleichzeitig mit dieser erneuten Tätigkeit wurde das Tätigkeitsfeld erweitert. Seitdem die Agitation eine mehr oder weniger organisierte Form angenommen hatte, konzentrierten sich die Politiker, die sie leiteten, fast ausschließlich auf innenpolitische Angelegenheiten. Jetzt jedoch trat eine wichtige ausländische Frage in einer deutlicheren Form als zuvor an die Öffentlichkeit. Dies war die Frage der Vertragsrevision.

Es wurde bereits in einem früheren Kapitel im Zusammenhang mit der Mission von Iwakura nach Europa und Amerika im Jahr 1872 mit dem angeblichen Zweck, eine Revision der Verträge mit ausländischen Mächten zu erreichen, erklärt, wie schnell und in welcher Stärke nach der Wiederaufnahme des Auslandsverkehrs , die japanische Nation verärgerte die Befreiung von Ausländern von der japanischen Gerichtsbarkeit gemäß den Verträgen von 1858; Welche Bedeutung maß die japanische Regierung einer Überarbeitung dieser Verträge bei, die extraterritoriale Privilegien abschaffen würden? und welche Enttäuschung und Missgunst sowie andere unwillkommene Ergebnisse wurden dadurch verursacht, dass es der Mission nicht gelang, die betroffenen ausländischen Regierungen davon zu überzeugen, in Verhandlungen zu diesem Thema einzutreten. Es wird zweckmäßiger sein, dieser wichtigen Frage später einen Platz einzuräumen, wenn der Verlauf unserer Erzählung den Punkt erreicht hat, an dem das Ziel der langwierigen Verhandlungen endlich erfolgreich erreicht wurde. Vorerst wird es genügen zu erwähnen, dass die Frage wegen des schlechten Erfolgs der Iwakura- Mission nicht fallen gelassen wurde: dass die Verhandlungen von der japanischen Regierung im Jahr 1882 wieder aufgenommen wurden, als eine Vorkonferenz in Tōkiō abgehalten wurde ; dass vier Jahre später eine weitere und formellere Konferenz in derselben Hauptstadt stattfand; und dass bei keiner dieser Gelegenheiten ein eindeutiges Ergebnis erzielt wurde.

Dies war die Situation, als im Zuge der Wiederbelebung der politischen Agitation diese Frage, die für die Regierung so peinlich und für die Empfindlichkeiten der Nation so irritierend war, in öffentlichen Kontroversen eine immer wichtigere Rolle spielte. Eine solche nationale Beschwerde, die alle gebildeten Menschen empfanden, wurde natürlich auch von den Politikern geteilt. Dies wurde durch die Erkenntnis, dass die Tatsache, dass es keine feste Laufzeit für die Laufzeit bestehender Verträge gab, ein ernsthaftes Hindernis für deren Überarbeitung darstellte, was mittlerweile allgemein bekannt ist, noch verschärft. Die Vertragsrevision wurde daher zu einem Hauptthema im Programm der politischen Agitatoren, und ihr wurde noch mehr Bedeutung beigemessen, als es der zweiten Konferenz nicht gelang, eindeutige Ergebnisse zu erzielen, und als Folge dieses Misserfolgs der Rücktritt der Konferenz der damalige Außenminister Graf (später Marquis) Inouyé , der als oberster japanischer Delegierter die Sitzungen geleitet hatte.

Eine gewisse Zunahme der Verwirrung im Land und ein allgemeines Gefühl der Instabilität wurden zu dieser Zeit auch durch die pro-ausländischen Tendenzen verursacht, die seit einigen Jahren die Politik der Regierung geprägt hatten. Ursprünglich verbunden mit dem Wunsch nach einer Überarbeitung der Verträge, die die Anfälligkeiten Japans lindern sollte, und mit der begründeten Überzeugung, dass die Übernahme westlicher Institutionen, Gesetze und Bräuche die Sympathien anderer Länder wecken und so zur Erreichung beitragen würde Um das angestrebte Ziel zu erreichen, nahm die Bewegung in den offiziellen und höfischen Kreisen der Hauptstadt solche Ausmaße an, dass man vermuten konnte, dass nichts Geringeres als die Europäisierung Japans beabsichtigt war. Ernsthafter als einige andere in ihrem Charakter und in ihren Auswirkungen nachhaltiger, verlief sie wie andere ähnliche Bewegungen, deren Wiederkehr ein Zeugnis für den impulsiven Charakter des Volkes ist; und als es ausstarb, verlief der Prozess so still und allmählich, dass keine reaktionäre Welle kam, um die normale Flut der ausländerfeindlichen Stimmung anzuschwellen.

Das Scheitern der zweiten Konferenz im Jahr 1887, die mehr als ein Jahr gedauert hatte, bot den politischen Agitatoren eine willkommene Gelegenheit. Der Moment war günstig, um Unruhe zu schüren. Die Erneuerung der politischen Aktivität wurde durch die Bildung einer Konföderation von Männern aller Parteien, darunter sogar einer Handvoll Konservativer, unter dem Namen General Agreement Union (*Daidō-Shō-i) signalisiert Danketsu*), ein Titel, der die Bedeutung vermitteln sollte, dass es sich um eine Vereinigung von Personen handelte, deren Meinungen im Wesentlichen übereinstimmen und sich nur in unwesentlichen Dingen unterschieden. Es handelte sich nicht um eine politische Partei im eigentlichen Sinne, sondern um eine lose Ansammlung von Personen, die nur durch die Unzufriedenheit mit der Regierung vereint waren. Ermutigt durch die Gründung dieser neuen und mächtigen Vereinigung wuchs die Klasse der politischen Rowdys zahlenmäßig; das Gesetz, das die Organisation politischer Parteien einschränkte, wurde durch die Gründung von Geheimgesellschaften umgangen; und schließlich wurde die Lage so ernst, dass die Regierung den stärkste Schritt seit der Restauration ergriff und die sogenannten Friedenserhaltungsverordnungen (*Hō -an Jōrei*) erließ. Diese Vorschriften untersagten unter strengen Strafen die Abhaltung geheimer Versammlungen, die Bildung von Geheimgesellschaften und die Veröffentlichung von Büchern oder Broschüren jeglicher Art, die den öffentlichen Frieden stören könnten. Sie statteten die Behörden auch mit der Befugnis aus, jede Person, die im Verdacht stand, den öffentlichen Frieden zu stören und sich in einem Umkreis von sieben Meilen um den Kaiserpalast in der Hauptstadt aufhielt, zu verhaften und für drei Jahre aus dem Bezirk, in dem er lebte, zu verbannen.

Die Vorschriften traten am Tag ihrer Verkündung, dem 25. Dezember 1887, in Kraft. Mehr als fünfhundert Personen wurden verhaftet und mit einer Frist von vierundzwanzig Stunden aus der Hauptstadt und ihrer Umgebung verbannt, darunter mehrere prominente Männer Danach bekleidete er hohe Positionen als Kabinettsminister oder Präsidenten des Unterhauses. Die Vorsichtsmaßnahmen der Behörden endeten hier nicht. Die Garnison von Tōkiō wurde vergrößert, die Außenministerien und die offiziellen Residenzen der Minister wurden von Polizeipatrouillen bewacht, und die Minister selbst wagten sich nie ohne die Eskorte von zwei oder drei bewaffneten Detektiven hinaus. Die Art der getroffenen Vorsichtsmaßnahmen deutet darauf hin, dass weniger Volksunruhen als vielmehr gefährliche politische Unruhen befürchtet wurden. Dass sie gebraucht wurden, beweist die Tatsache, dass im Jahr 1889 ein Kabinettsminister ermordet und ein anderer durch politische Unzufriedene gefährlich verletzt wurde.

Nach wie vor ging Versöhnung mit Repression einher. Drei Tage nach der Verkündung der Friedenssicherungsbestimmungen wurde ein neues und milderes Pressegesetz erlassen, das die freiere Meinungsäußerung der Bevölkerung förderte. Und im Februar des folgenden Jahres (1888) wurde die öffentliche Meinung durch die Aufnahme von Ōkuma in das Kabinett weiter besänftigt , dessen Ansichten in Verfassungsfragen denen des Ministeriums, dem er wieder beigetreten war, stets übertroffen hatten. Seine Rückkehr ins Kabinett war für das Land in einer kritischen Zeit von großem Nutzen und half der Regierung, eine unangenehme Zeit bis zur Verkündung der Verfassung zu überbrücken.

KAPITEL XVIII

Kaiserliche Autorität – Geheimer Rat – lokale Selbstverwaltung – Verkündung der Verfassung – kaiserliche Vorrechte – die beiden Kammern des Parlaments – Merkmale der Verfassung und erste Parlamentswahlen.

Die Bestimmungen zur Wahrung des Friedens sahen, wie wir gesehen haben, unter anderem die Entfernung von Personen vor, die im Verdacht standen, den öffentlichen Frieden zu stören, aus Gebieten in der Hauptstadt und ihren Vororten in einem Umkreis von sieben Meilen um den Kaiserpalast. Diese Erwähnung des Kaiserpalastes zeigt, wie stark die Macht der Gewohnheit in Japan war und immer noch ist. Die Aufrechterhaltung der „Sicherheit des Throns", ein aus den chinesischen Klassikern entlehnter Ausdruck, war jahrhundertelang ein Leitgedanke in der japanischen Verwaltung. Der Ausdruck, der normalerweise in Verbindung mit einer anderen klassischen Phrase zu finden ist, „die Ruhe des Volkes", taucht schon früh in der gesamten offiziellen Literatur auf, in Dekreten, Denkmälern und Manifesten. So bemerkenswert die Kontinuität der Dynastie, auf die die Nation nicht unnatürlich stolz ist, auch diese ständige Sorge um das Wohl des Kaisers, diese Manifestation dessen, was für ausländische Augen wie ein etwas übermäßiges Maß an Ehrfurcht vor dem Thron erscheinen mag, war oft im umgekehrten Verhältnis zu der Autorität, die es ausübte. Wir haben zum Beispiel gesehen, wie die Politik des Begründers der Tokugawa-Linie der Shōguns darin bestand, den äußerlichen Respekt, der dem Hof gezollt wurde, zu erhöhen, indem er ihn mit einem verstärkten Anschein von Würde umgab, während gleichzeitig seine Autorität spürbar gemindert wurde. Zu keinem Zeitpunkt waren die zeremoniellen Beziehungen zwischen den Überresten des Hofes und dem Shōgunat ausgefeilter als unter der Herrschaft der Shōguns dieser Linie; Vielleicht war die Autorität des Throns nie weniger wirksam. Dies war jedoch das Ergebnis einer bewussten Politik, in der sich der Wunsch erkennen lässt, die Nation zu täuschen und die ehrgeizigen Absichten ihrer Herrscher zu verbergen. Als in den letzten Jahren der Shōgunat -Herrschaft das Ansehen des Shōgunats abnahm, ging die Wiederherstellung der kaiserlichen Autorität mit der Tendenz einher, den uralten Respekt, der dem Thron gebührt, zusätzlich zu betonen. Es war dieses Gefühl, das die Hofpartei vor der Restauration dazu veranlasste, darauf zu bestehen, dass in den fünf „Heimatprovinzen" aufgrund der Nähe von Kiōto , wo der Kaiser residierte, kein „Vertragshafen" eröffnet werden sollte. Als die Öffnung des Hafens von Hiogo nicht länger aufgehalten werden konnte, inspirierte das gleiche Gefühl zur Verengung der „Vertragsgrenzen" – der Bezeichnung für das Gebiet in der Nähe eines „Vertragshafens", in dem Ausländer gemäß den Verträgen Zutritt hatten

Machen Sie Ausflüge – in Richtung der alten Hauptstadt; Jetzt, einige Jahre später, nachdem die persönliche Herrschaft des Souveräns zumindest dem Namen nach wiederhergestellt worden war, bemerken wir die gleiche Sorge um die Sicherheit des Throns, die immer noch eng mit der Aufrechterhaltung der öffentlichen Ruhe verbunden ist . Und der gleiche hohe Respekt vor dem Thron wird in der Verfassung, die bald verkündet werden sollte, und in den offiziellen „Kommentaren", die ihre Verkündung begleiteten, zu sehen sein. Doch der ungewöhnliche Kontext, in dem die indirekte Anspielung auf den Thron in den Friedenssicherungsbestimmungen auftauchte, zeigte, dass hinter dieser Erwähnung des Kaiserpalastes noch ein weiterer Grund steckte. Damals wie heute war es üblich, dass die offiziellen Messungen aller Entfernungen zur neuen Hauptstadt von einem zentralen Punkt in der Stadt aus vorgenommen wurden. Dies war die *Nihonbashi* oder Brücke Japans, die im Zentrum der Altstadt lag. Da jedoch allgemein anerkannt wurde, dass alle Entfernungen von diesem Mittelpunkt aus gemessen wurden , wurde es als unnötig erachtet, diesen Punkt zu erwähnen. Die Tatsache, dass im vorliegenden Fall der Punkt, von dem aus Entfernungen gemessen werden sollten, überhaupt erwähnt wurde, gepaart mit der Tatsache, dass die fragliche Brücke durch den Kaiserpalast ersetzt wurde, konnte nicht umhin, Aufmerksamkeit zu erregen. Dadurch wurde die Öffentlichkeit sowohl an ihre Pflicht erinnert, für die Sicherheit des Throns zu sorgen, als auch an die kaiserliche Autorität, die den von der Regierung eingeschlagenen Kurs unterstützte. In den stürmischen Zeiten, die auf die Gründung parlamentarischer Institutionen in Japan folgten, diente die direkte oder indirekte Berufung auf die kaiserliche Autorität als politisches Barometer, anhand dessen die Schwere einer politischen Krise eindeutig beurteilt werden konnte.

Im April 1888, zwei Monate nach der Rückkehr von Ōkuma in das Ministerium mit dem Titel eines Grafen, wurde der Geheimrat (*Sūmitsu -in*) gegründet. In dem Dekret, mit dem seine Gründung angekündigt wurde, hieß es, der Kaiser halte es für zweckmäßig, „in wichtigen Angelegenheiten Persönlichkeiten zu konsultieren, die sich um den Staat verdient gemacht hatten", und stellte damit klar, dass die Funktionen des Rates rein beratender Natur sein würden – a Punkt, der später durch die Verfassung bestätigt wurde – und dass seine Mitglieder aus Beamten mit großer Erfahrung ausgewählt würden. Der Umfang seiner in den Organisationsregeln festgelegten Aufgaben umfasste ein weites Feld und umfasste unter anderem die Ausarbeitung und Prüfung neuer Verwaltungsmaßnahmen, die Überarbeitung bestehender Gesetze, Änderungen der Verfassung und die Vorlage seiner Ansichten zu Verträgen mit dem Ausland und Finanzfragen.

Mit Funktionen, die denen des entsprechenden Gremiums in Großbritannien in einigen Punkten ähneln, nimmt der Japanische Geheimrat einen größeren Platz in der politischen Maschinerie des Staates ein und beteiligt sich aktiver an der Gesetzgebung, obwohl er keine richterlichen Funktionen hat. Noch mehr als bei uns ist es das Endziel, das alle Beamten anstreben und bei dem ihre Dienste dem Staat weiterhin zur Verfügung stehen. Aber es ist auch etwas anderes. Sie hat einen politischen Einfluss, den es bei unserer gleichnamigen Institution nicht gibt; seine Mitglieder haben Anspruch auf Wiedereintritt in das Ministerium oder für eine andere staatliche Anstellung; und sie stehen in ständigem und engem Kontakt mit den öffentlichen Angelegenheiten.

Der Bedarf an so etwas war in Japan weitaus größer als in Europa. Um seine Notwendigkeit zu erkennen , muss man bedenken, dass die gleichen Tendenzen in Japan, die das System der Galionsfigurenregierung förderten , die Existenz von Beiräten begünstigten, deren Aufgabe es war, eine Stellungnahme zur Verwaltungspolitik vorzuschlagen oder abzugeben, deren Umsetzung anvertraut wurde an leitende Beamte. Als das gesamte Regierungssystem auf westlicher Basis neu organisiert wurde, wurde die Gelegenheit zur Einführung dieses Merkmals westlicher Verwaltungssysteme begierig genutzt, da man der Ansicht war, dass es in gewisser Weise die peinliche Lücke schließen würde, die durch das Verschwinden der Beratergruppen entstanden war die unter dem alten *Regime* eine so führende Rolle gespielt hatte .

Die Dienste des neuen Rates wurden umgehend in Anspruch genommen. Die Verfassung war zu diesem Zeitpunkt bereits ausgearbeitet und lag zur Prüfung durch den Geheimen Rat bereit. Dementsprechend diskutierten die neuen Geheimräte innerhalb von vierzehn Tagen nach ihrem Inkrafttreten entsprechend den ihnen übertragenen Aufgaben den Verfassungsentwurf in einer Reihe von Sitzungen, denen die Anwesenheit des Kaisers eine erhöhte Bedeutung verlieh.

Das Jahr 1888 war durch die Verabschiedung einer weiteren wichtigen Maßnahme gekennzeichnet. Dabei handelte es sich um das kommunale Selbstverwaltungsgesetz, bekannt als Gesetz der Städte, Gemeinden und Dörfer (*Shi -chō - som-pō*). Der erste Schritt zur Reform der Kommunalverwaltung, die ihr einen repräsentativen Charakter verlieh, war 1878 unternommen worden, als die Präfektenkonferenz Entwürfe der „Drei Großen Gesetze“, wie sie im Volksmund genannt wurden, ausarbeitete. Eines davon, das Gesetz zur Schaffung von Präfekturversammlungen, trat, wie wir gesehen haben, zwei Jahre später in Kraft. Die Umsetzung der anderen gleichzeitig ausgearbeiteten Regelungen, die kleinere Bereiche der Kommunalverwaltung betrafen, war verschoben worden. Diese traten nun im Frühjahr 1889 in Kraft, nachdem inzwischen einige Änderungen vorgenommen worden waren. Im folgenden Jahr wurden diese Regelungen sowie das gesamte System der Kommunalverwaltung einer weiteren Revision unterzogen. Das damals eingeführte überarbeitete System ist jetzt in 45 der 46 Präfekturen in Kraft, in die das eigentliche Japan unterteilt ist, mit Ausnahme von Loochoo , das seit seiner Annexion als Präfektur Okinawa bekannt ist. Die Grundlage des gegenwärtigen Systems ist die Aufteilung der lokalen Verwaltung in zwei Hauptzweige, städtische und ländliche. Jede dieser Präfekturen – drei davon (Tōkiō , Kiōto und Ōsaka) haben einen eigenen Status als städtische Präfekturen (*Fu*), der Rest sind ländliche Präfekturen (*Ken*) – ist jetzt in städtische Bezirke oder „Städte" (*Shi*) unterteilt. und ländliche Bezirke oder Landkreise (*Gun*). Ein Landkreis oder Landkreis (*Gun*) ist wiederum in Städte (*Chō*) und Dörfer (*Son*) unterteilt. Die Einstufung einer Stadt als Stadtbezirk oder „Stadt" (*Shi*) oder „Stadt" (*Chō*) hängt von ihrer Einwohnerzahl ab. Sofern der Innenminister, bei dem die endgültige Entscheidung liegt, nichts anderes bestimmt, haben alle Städte mit mehr als 25.000 Einwohnern den Status „Städte" und genießen als solche ein etwas größeres Maß an Selbstverwaltung als diejenigen, die nicht in diese Kategorie fallen. In jeder Präfektur gibt es eine Präfekturversammlung (*Kenkwai* bzw. *Fukwai*) und einen Exekutivrat (*Sanjikwai*). Ähnliche Versammlungen und Exekutivräte gibt es in jedem ländlichen Bezirk und jeder „Stadt", aber Städte und Dörfer verfügen zwar über Versammlungen, haben aber keine Exekutivräte; die Aufgaben dieser letztgenannten Gremien werden den Bürgermeistern übertragen.

MARQUIS MATSUGATA .

Beteiligte sich aktiv an der nach der Restauration gebildeten Regierung. Als Finanzminister führte er 1886 die Wiedereinführung des Goldstandards auf Silberbasis durch und führte 1897 den heutigen Goldstandard ein.

FELDMARSCHALL PRINZ ŌYAMA .

Leistete im Krieg mit China herausragende Dienste und war Oberbefehlshaber im Russisch-Japanischen Krieg.

Das Wahlsystem für die örtlichen Verwaltungsorgane ist in jeder Verwaltungseinheit mehr oder weniger gleich. In Präfekturen, in denen die Bevölkerung nicht mehr als 700.000 Einwohner beträgt, besteht eine Versammlung aus dreißig Mitgliedern. Bei größerer Bevölkerungszahl kann für jede weiteren 50.000 Einwohner ein anderes Mitglied gewählt werden. „Stadt"-Versammlungen bestehen aus mehr Mitgliedern, wobei die Zahl zwischen 30 und 60 schwankt, wobei die letztere Zahl die Höchstzahl darstellt. Der *Sanjikwai* oder Exekutivrat einer Präfektur besteht aus zehn Ratsmitgliedern , die von der Versammlung aus ihrer Mitte ausgewählt werden. Der Präfekt führt den Vorsitz und wird von zwei Präfekturbeamten unterstützt. In ländlichen Bezirken ist der vorsitzende Beamte der *Gunchō* oder Bezirksverwalter, der wie bei Präfekten vom Innenminister ernannt wird. In „Städten" präsidiert der Bürgermeister der Stadt, unterstützt von einem oder mehreren Stellvertretern. Die Hauptaufgabe aller dieser Versammlungen besteht darin, die Ausgaben zu regeln und die zu ihrer Deckung erforderlichen Steuern aufzuteilen. Im System der lokalen Besteuerung nimmt die *Corvée* nach wie vor einen herausragenden Platz ein, obwohl, außer in Notfällen, Ersatzleistungen bereitgestellt oder Geldzahlungen im Tausch erfolgen können. Bei der Wahl der Mitglieder erfolgt die Abstimmung geheim. Die Vermögensqualifikation für Wähler und diejenigen, die als Mitglieder in Frage kommen, wird durch die jährliche Höhe der von einer Einzelperson gezahlten nationalen oder kaiserlichen Steuern bestimmt. Die Altersvoraussetzung ist auf 25 Jahre festgelegt, das gesetzliche Alter, in dem die Volljährigkeit erreicht wird. Der Besitz bürgerlicher Rechte ist ebenfalls erforderlich.

Die gesetzgeberische Tätigkeit, die sich in der oben erwähnten Reihe von Verwaltungsmaßnahmen zeigt, zeigt, wie weitreichend die Entscheidung zur Schaffung eines Parlaments war, zu der unter den gegebenen Umständen eine Verfassung eine wesentliche Folge war. In einigen Fällen war diese Gesetzgebung das direkte Ergebnis dieser Entscheidung. Der neue Adelsstand, die Umstrukturierung des Ministeriums und der Geheimrat hatten alle ihren eigenen Platz im Schema der Verfassung. In anderen Fällen war der Zusammenhang zwar nicht so eng, aber dennoch offensichtlich; denn es war nicht möglich, eine Verfassung zu verfassen und sie in den bestehenden Rahmen der Regierung einzupassen, der, wie dieser Stück für Stück zusammengestellt worden war, ohne einige sinnvolle Änderungen der Verwaltungsmaschinerie vorgenommen worden war. Unter diesem Gesichtspunkt wird ersichtlich, dass die Reform der Kommunalverwaltung und sogar die Einrichtung von Gerichtsräten , die für den Sitz im Oberhaus ausgewählt werden könnten, einen eindeutigen, wenn auch indirekten Einfluss auf die Verfassung und die Verfassung hatten Das Nationalparlament steht kurz vor der Gründung.

Nachdem die Verfassung vom Geheimen Rat geprüft und gebilligt worden war, dessen Beratungen zu diesem Thema, wie wir gesehen haben, durch die Anwesenheit des Souveräns eine größere Würde erhalten hatte, wurde sie am 11. Februar 1889 vom Kaiser persönlich verkündet Die Zeremonie fand im Thronsaal des neu erbauten Palastes in Tōkiō statt, einem Gebäude japanischer Architektur, das in einigen seiner Merkmale durch eine leichte Beimischung ausländischer Designs verändert wurde. Der Kaiser und die Kaiserin befanden sich auf ungleich hohen Podesten an einem Ende des Saals, der mit Würdenträgern des Imperiums und hochrangigen Beamten gefüllt war. Die Sitzplätze außerhalb des Gerichtskreises wurden nach den neuen Rangordnungsregeln angeordnet. Die drei ersten Plätze wurden den ehemaligen Daimiōs von Satsuma und Chōshiū und dem neuen Oberhaupt der Tokugawa-Familie in der genannten Reihenfolge zugewiesen, wobei alle drei den Rang eines Prinzen im neuen Adel hatten. Das Oberhaupt des Tokugawa-Hauses war der Cousin und Adoptiverbe des ehemaligen Shōgun Kéiki und gelangte nach der erzwungenen Pensionierung des letzten Shōguns am Ende des Bürgerkriegs an die Spitze der Familie . Die anwesenden Würdenträger und Beamten trugen alle moderne Hoftracht im europäischen Stil, mit Ausnahme von Prinz Shimadzu von Satsuma, dessen Auftritt in japanischer Tracht und mit altmodisch gekleideten Haaren vom tief verwurzelten Konservatismus des Clans zeugte repräsentiert. Noch nie zuvor in der Geschichte des Landes hatte es eine eindrucksvollere Szene gegeben, die weniger den traditionellen Vorstellungen Japans entsprach. So groß die von allen Schichten des Volkes seit jeher empfundene Ehrfurcht vor der Krone war, so war es doch eine Ehrfurcht, die von politischer Zweckmäßigkeit geprägt war und sich in der festen Politik zeigte, den Gegenstand der Verehrung vor der Öffentlichkeit zu verbergen. Die Atmosphäre des Geheimnisses und der Abgeschiedenheit, die den Monarchen umgab, hatte sich natürlich auch auf den Palast und seine Umgebung ausgeweitet und in noch größerem Maße, aus Gründen, die allen orientalischen Ländern gemeinsam sind, auf die Person des kaiserlichen Gemahls. Nun wurde der Palast zum ersten Mal für eine Versammlung geöffnet, die so groß war, dass ihm jeglicher sehr erlesene oder exklusive Charakter entzogen wurde, und die jahrhundertealte Tradition wurde auf eine Weise gebrochen, die im Widerspruch zu allen früheren Vorstellungen stand, um nicht zu sagen: abstoßend Anwesenheit des Souveräns und seiner Gemahlin persönlich, wobei ersterer aktiv an den Verhandlungen teilnimmt. Die Zeremonie symbolisierte daher in gewisser Weise den neuen Geist, der die Nation inspirierte und eine andere Ordnung der Dinge einleitete. Abgesehen von der Pracht und Pracht seiner Umgebung markierte es den neuen Aufbruch in der Staatspolitik und stellte die endgültige Überbrückung der Kluft zwischen dem alten und dem neuen Japan dar.

Kaiser bei dieser Gelegenheit vorlas, war in dem vagen und hochtrabenden Stil gehalten, der allen Äußerungen des Throns eigen ist. Darin wurde von der Verfassung als „einem unveränderlichen Grundgesetz" gesprochen und beschrieben, dass die Grundlagen des Imperiums vom Gründer des Kaiserhauses und anderen kaiserlichen Vorfahren mit Hilfe ihrer Untertanen auf einer dauerhaften Grundlage gelegt worden seien für immer eine Leistung, die den glorreichen Tugenden der kaiserlichen Vorfahren und der Tapferkeit und Loyalität des Volkes zu verdanken ist; und es drückte die Hoffnung aus, dass die gleiche loyale Zusammenarbeit zwischen Souverän und Untertan für immer die Stabilität des von den kaiserlichen Vorfahren hinterlassenen Staatsgefüges sichern würde.

Das kaiserliche Dekret oder Reskript, das am selben Tag wie die Verkündung der Verfassung erlassen wurde und das Zeichenhandbuch des Souveräns und die Unterschriften der neun Staatsminister trägt, erscheint im offiziellen englischen Text als Präambel die „Kommentare zur Verfassung", obwohl sie im japanischen Originaltext nicht zu finden sind. Es sah vor, dass der Reichstag (der Name, der dem neuen Parlament gegeben wurde) zum ersten Mal im Jahr 1890 einberufen werden sollte und dass das Datum seiner Eröffnung das Datum sein sollte, an dem die Verfassung in Kraft treten sollte. Das so festgelegte Datum war der 29. November 1890. In diesem Dekret, das einen Hinweis auf das Versprechen eines Parlaments aus dem Jahr 1881 enthielt, erklärte der Kaiser seine Absicht, seine souveränen Rechte gemäß den Bestimmungen der Verfassung auszuüben für deren Ausführung die Staatsminister verantwortlich wären. Es wurde auch die wichtige Bedingung betont, dass jeder Vorschlag zur Änderung der Verfassung in der Zukunft vom Thron ausgehen muss und dass die Nachkommen oder Untertanen des Kaisers auf keine andere Weise versuchen dürfen, die Verfassung zu ändern gestattet.

Zusätzliche Feierlichkeit erhielt die Verkündung der Verfassung durch einen Eid, den der Kaiser im Shintō- Schrein (im englischen offiziellen Text der „Kommentare" „Sanctuary" genannt) ablegte, der an den Palast angeschlossen war. In diesem Eid – dem zweiten seiner Art, der erste wurde, wie wir gesehen haben, im Jahr 1869 geleistet – verpflichtete sich der Kaiser , „die alte Regierungsform aufrechtzuerhalten und vor dem Niedergang zu bewahren" und würdigte gleichzeitig die von ihm erhaltene Hilfe Die kaiserlichen Vorfahren in der Vergangenheit flehten um die Fortsetzung ihrer Unterstützung in der Zukunft.

Die verkündete Verfassung bestand aus 76 Artikeln, die in sieben Kapitel unterteilt waren und sich jeweils mit der Stellung und den Vorrechten des Souveräns, den Rechten und Pflichten des Volkes, den Funktionen des Landtages und den Beziehungen zwischen dem Kabinett und dem Parlament befassten der Geheimrat, die Judikatur und die Finanzen; und eine der ihm beigefügten Zusatzregeln sah seine Revision vor, ein Punkt, der, wie wir gesehen haben, der Initiative der Krone vorbehalten war. Gleichzeitig mit seiner Verkündung wurden verschiedene Nebengesetze erlassen. Dabei handelte es sich um das im Reichseid erwähnte Kaiserliche Hausgesetz, die Reichsverordnung über das Haus der Peers, das Hausgesetz, das Gesetz über die Wahl der Mitglieder des Repräsentantenhauses und das Finanzgesetz.

Die Grundzüge der Verfassung orientieren sich an der als Vorbild dienenden Bayerischen Verfassung. Seine Hauptprinzipien sind die geringfügigen Einschränkungen der kaiserlichen Vorrechte und der Unabhängigkeit des Kabinetts, das allein dem Souverän und in keiner Weise dem Landtag verantwortlich ist. Weder das Kabinett noch der Ministerpräsident werden in der Verfassung erwähnt, obwohl sie in den „Kommentaren" von Prinz Itō erwähnt werden . Artikel LXXVI der Verfassung sieht jedoch vor, dass alle bestehenden Verordnungen, sofern sie nicht im Widerspruch dazu stehen, weiterhin in Kraft bleiben. Der Erlass von 1885 zur Neuordnung des Ministeriums fällt unter diese Regelung. Folglich blieb die Position des Ministerpräsidenten und des Kabinetts, dem er vorstand, nach Inkrafttreten der Verfassung unverändert.

Die Aufzählung der kaiserlichen Vorrechte nimmt in der Verfassung viel Platz ein. Die wichtigsten zu beachtenden Punkte sind, dass der Souverän die gesetzgebenden Befugnisse mit Zustimmung des Landtages ausübt; dass seine Sanktion für alle Gesetze notwendig ist; dass er in dringenden Fällen, die auftreten, wenn der Landtag nicht tagt, befugt ist, „kaiserliche Verordnungen" zu erlassen, die vorläufig Gesetzeskraft haben, die jedoch der Zustimmung des Landtages auf seiner nächsten Sitzung bedürfen, wenn sie nicht genehmigt werden nicht mehr wirksam sein; dass er den Friedensstatus sowohl der Armee als auch der Marine bestimmt; und dass die Autorität, Krieg zu erklären, Frieden zu schließen, einen Belagerungszustand auszurufen und Verträge abzuschließen, bei ihm liegt. Alle diese Angelegenheiten werden der Kontrolle des Landtages entzogen, der auch bei künftigen Änderungen des Gesetzes des Kaiserhauses kein Mitspracherecht hat. Die bemerkenswerte Ehrfurcht vor dem Thron, die für das Volk charakteristisch ist, wird durch die Erklärung der Heiligkeit und Unantastbarkeit der Person des Kaisers in einem der frühen Artikel veranschaulicht . Dies ist, wie uns in den „Kommentaren" gesagt wird, eine Folge seiner göttlichen Abstammung. Er muss tatsächlich, so wird erklärt, „das Gesetz gebührend respektieren, aber das Gesetz hat keine Macht, ihn dafür zur Rechenschaft zu ziehen" – eine Aussage, die einen Widerspruch in sich zu enthalten scheint, denn es ist schwer zu verstehen, wie a Souveräne, die dem Gesetz nicht verpflichtet sind, können dazu verpflichtet werden, es zu respektieren.

Zu den in der Verfassung festgelegten Pflichten japanischer Untertanen gehört die Pflicht zum Dienst in der Armee oder der Marine. Es sollte jedoch erklärt werden, dass der Dienst in der Armee nur auf der Wehrpflicht beruht, während die Rekrutierung für die Marine in der Praxis auf dem Freiwilligensystem basiert, das durch die Wehrpflicht ergänzt wird. Zu ihren Rechten gehört Immunität vor Festnahme, Gerichtsverfahren oder Bestrafung, außer im Einklang mit den gesetzlichen Bestimmungen; ähnliche Immunität beim Betreten oder Durchsuchen von Häusern und bei privater Korrespondenz; und Freiheit des religiösen Glaubens. Was das Versäumnis angeht, die Tatsache zu Protokoll zu geben, dass es zwei offiziell anerkannte Religionen gibt, Shintō und Buddhismus, könnte man nach der Lektüre der Erläuterungen zu diesem Punkt in den „Kommentaren" versucht sein zu glauben, dass das letzte Wort nicht der Fall sei wurde zu diesem Thema gesagt. Gleichzeitig wird anerkannt, dass der gewählte Weg die einfachste Lösung der Frage darstellt .

Der Landtag oder das Parlament – für japanische Schriftsteller verwenden beide Begriffe, wenn sie auf Englisch schreiben, gleichgültig – besteht aus zwei Kammern, einem House of Peers und einem House of Representatives. Das House of Peers besteht aus Mitgliedern fünf verschiedener Kategorien: (1) Mitgliedern der kaiserlichen Familie, die die Mehrheit erreicht haben, in solchen Fällen auf zwanzig Jahre festgelegt; (2) Fürsten und Marquisen, die die gesetzliche Volljährigkeit erreicht haben, nämlich seit fünfundzwanzig Jahren; (3) andere von ihren jeweiligen Orden ausgewählte Mitglieder des

Adels; (4) vom Kaiser besonders ernannte angesehene Persönlichkeiten ; und (5) Personen (eine für jeden Stadt- und Landkreis), die von den höchsten Steuerzahlern gewählt werden. Diejenigen, die unter die erste, zweite und vierte Kategorie fallen, sind lebenslange Mitglieder; diejenigen der dritten und fünften Kategorie werden für sieben Jahre gewählt. Die ursprünglich in der Verfassung festgelegte Zahl der Mitglieder des Repräsentantenhauses betrug 300, und für die Mitgliedschaft bestand eine Vermögensvoraussetzung. Sie werden von Wählern gewählt, die die gesetzliche Mehrheit erreicht haben, und zahlen jährlich direkte nationale Steuern in Höhe von etwa 1 £. Nach dem 1902 in Kraft getretenen revidierten Wahlgesetz gibt es für die Mitgliedschaft keine Eigentumsvoraussetzung mehr, die einzigen Voraussetzungen sind nun eine Altersgrenze von dreißig Jahren und der Besitz bürgerlicher Rechte. Dasselbe Gesetz reduzierte sowohl das Eigentum als auch die Altersvoraussetzungen für Wähler, wodurch diese Ausweitung des Wahlrechts zu einer Erhöhung der Zahl der Wähler auf 1.700.000 führte; ersetzte die offene Abstimmung durch die geheime Abstimmung; und erhöhte die Zahl der Mitglieder des Unterhauses auf 381, die Stadtbezirke kehrten auf 73 und die Landbezirke auf 308 zurück. Die große Mehrheit der Mitglieder dieser Kammer gehörte schon immer der Agrarklasse an. Die natürliche Amtszeit des Repräsentantenhauses beträgt vier Jahre. Die Auflösung, die zu den kaiserlichen Vorrechten gehört, gilt nur für das Unterhaus. Wenn es dazu kommt, wird das Oberhaus (oder House of Peers) vertagt. Neuwahlen müssen innerhalb von fünf Monaten nach dem Auflösungsdatum stattfinden, wobei die nächste Sitzung des Landtages zu einer sogenannten außerordentlichen Sitzung wird.

Das Kaiserhausgesetz enthält verschiedene Bestimmungen zur Thronfolge, die auf die männliche Linie beschränkt ist; die Ernennung eines Regenten, für den unter bestimmten Umständen die Kaiserin, die Kaiserinwitwe und andere Damen des Hofes in Frage kommen, und, während der Minderheit des Souveräns, eines Gouverneurs oder Vormunds; und das Alter (18), in dem ein Souverän volljährig wird. Zu beachten ist die Einschränkung des Adoptionsbrauchs im Falle der kaiserlichen Familie, deren Mitglied keinen Sohn adoptieren darf.

Zum Abschluss dieses kurzen Abrisses der Verfassung und der Zusatzgesetze ist es vielleicht angebracht, einen Punkt zu erwähnen, der einen wichtigen Einfluss auf die praktische Funktionsweise des japanischen parlamentarischen Systems hat, nämlich die Kontrolle, die der Landtag über den Haushalt ausübt. Dies behebt in gewissem Maße die Schwäche der parlamentarischen Oppositionsparteien – im Vergleich zu ähnlichen Parteien anderswo –, die sich aus der Tatsache ergibt, dass das Kabinett vom Landtag unabhängig ist. Bei Konflikten über den Haushalt kann der Landtag durch die Zurückhaltung von Lieferungen eine Auflösung erzwingen. In diesen Fällen ist die Regierung aufgrund der Bestimmungen der Verfassung verpflichtet, anstelle des abgelehnten Haushalts den in der vorangegangenen Sitzungsperiode verabschiedeten Haushaltsplan des vorangegangenen Haushaltsjahres zu ersetzen . Daher wird jedes neue Finanzprogramm , zu dem sich die Regierung im abgelehnten Haushaltsplan verpflichtet hat, folglich auf Eis gelegt und kann nicht weiterverfolgt werden, bis in einer anschließenden außerordentlichen Sitzung des Parlaments ein neuer Haushaltsplan verabschiedet wurde. Dies bedeutet eine Verzögerung von mindestens mehreren Monaten. Allerdings ist die Regierung finanziell nicht unbedingt immer der Leidtragende, denn wie Marquis Ōkuma in seinem bereits erwähnten Buch darlegt, führten Auflösungen aus diesem Grund meist zu einer Verringerung der Ausgaben und nicht zu Einnahmen.

Die ersten Parlamentswahlen fanden im Sommer 1890 statt, die erste Sitzung des Landtages fand im darauffolgenden Herbst statt.

KAPITEL XIX

Arbeitsweise der repräsentativen Regierung – Stürmische Verhandlungen im Landtag – Rechts- und Justizreform – Politischer Rowdytum – Klassenverschmelzung.

Die gleichzeitige Schaffung eines Parlaments und einer Verfassung in Japan bietet einen Kontrast zum Verlauf der politischen Geschichte anderswo. Es besteht kein wesentlicher Zusammenhang zwischen beiden. Einige Länder genossen parlamentarische Rechte unterschiedlicher Art, bevor sie mit Verfassungen ausgestattet wurden. In anderen wiederum wurde die Rangfolge umgekehrt. Die Tatsache, dass in Japan beides zusammenkam, kann als natürliche Folge der Entscheidung der neuen Regierung angesehen werden, die bei der Restauration gebildet wurde, die allgemeine Verwaltung des Landes nach westlichen Maßstäben neu zu organisieren. Die Gründung irgendeiner parlamentarischen Institution war die feste Idee aller Reformatoren. Die Wirkungsweise dieser Leitidee lässt sich im gesamten Verlauf des Verwaltungsumbaus verfolgen. Darauf wurde im kaiserlichen Eid von 1869 Bezug genommen, der von den Japanern in englischer Sprache als „Charta-Eid der Nation" bezeichnet wurde. Dies zeigt sich in der Einführung eines deliberativen Elements in die ansonsten archaische Form der neuen Regierung; bei der anschließenden Schaffung eines Senats (*Genrō -in*); bei der Gründung von Präfekturversammlungen im Jahr 1880; im definitiven Versprechen eines Parlaments, das von einer Verfassung begleitet werden sollte, im Jahr 1881; bei der Gründung kleinerer lokaler Versammlungen im Jahr 1890 auf derselben repräsentativen Basis wie die Präfekturversammlungen; und schließlich in der Verkündung der Verfassung im Jahr 1889, die im folgenden Jahr gleichzeitig mit dem Landtag in Kraft trat und die Verwirklichung des von Anfang an angestrebten Ziels signalisierte. Dass die Verfassung bei ihrer Verkündung weniger liberal war als ursprünglich beabsichtigt und dennoch von fortgeschrittenen Reformern gewünscht wurde, war auf den bereits beschriebenen Druck reaktionärer Einflüsse zurückzuführen. Dies sowie die kurze Zeitspanne des Übergangs vom Feudalismus zur verfassungsmäßigen Regierung, mit deren Funktionsweise die Nation bis auf das Wenige, das im Zusammenhang mit der Revision der Kommunalverwaltung erworben worden war, keine Erfahrung hatte, ist von großer Bedeutung Ausmaß für den stürmischen Charakter, der die Verhandlungen des Landtages mehrere Jahre nach seiner Gründung kennzeichnete.

Mit der endgültigen Bildung einer repräsentativen Regierung im selben Jahr gingen weitere wesentliche Fortschritte in Richtung einer Rechts- und Justizreform einher. Die Zivilprozessordnung und das Handelsgesetzbuch wurden fertiggestellt. Davon wurde der erste sofort in Betrieb genommen;

Letzteres erst acht Jahre später, nachdem es einer sorgfältigen Überarbeitung unterzogen worden war. Außerdem wurde das Gesetz über die Organisation der Gerichtshöfe erlassen, und das seit 1882 geltende Strafgesetzbuch und die Strafprozessordnung erschienen in neuen und überarbeiteten Formen. Bei der Ausarbeitung all dieser Gesetze sowie bei der Ausarbeitung der Verfassung und anderer Nebenmaßnahmen wurde viel Hilfe von ausländischen Juristen geleistet, darunter die Namen von Herrn (jetzt Sir Francis) Piggott und dem verstorbenen Herrn Feodor Satow erwähnt.

Der Zeitraum von fast zwei Jahren, der zwischen der Verkündung der Verfassung und ihrem Inkrafttreten verging, war eine Zeit zunehmender politischer Unruhe und Unruhe. Noch am Morgen der Verkündung der Verfassung wurde der Bildungsminister Viscount Mōri , dessen pro-ausländische Tendenzen in reaktionären Kreisen für große Verärgerung gesorgt hatten, von einem Shintō- Priester im Beisein seiner Wachen ermordet, als er seine Kutsche bestieg um zum Palast zu gehen. Seiner Initiative war es zu verdanken, dass die englische Sprache in den Lehrplan der Grundschulen aufgenommen wurde. Es wurde damals berichtet, dass seine Ermordung das Ergebnis einer tatsächlichen oder eingebildeten Kränkung seitens des verstorbenen Staatsmannes war, als er den Nationalheiligtümern in Isé einen offiziellen Inspektionsbesuch abstattete . Was an diesem Gerücht dran war , wird wohl nie ans Licht kommen.

Die Wiederaufnahme der Verhandlungen über die Revision der Verträge mit ausländischen Mächten zu dieser Zeit führte auch zu dieser Frage zu weiterer Unruhe. Als bekannt wurde, dass in den neuen Vorschlägen der japanischen Regierung die Ernennung ausländischer Richter vorgesehen war, kam im Herbst desselben Jahres die öffentliche Empörung über die als Verletzung der Würde Japans empfundene Beleidigung in einem Versuch zum Ausdruck das Leben des neuen Außenministers Graf (später Marquis) Ōkuma . Obwohl er mit dem Leben davonkam, wurde er durch die Explosion einer Bombe, die von einem aus seiner Heimatprovinz Hizen stammenden politischen Fanatiker geworfen wurde, so schwer verletzt, dass er zum Rücktritt gezwungen wurde. Auch die Eröffnung der ersten Sitzung des Landtages hatte keine beruhigende Wirkung auf die vorherrschende allgemeine Unruhe. Tatsächlich war das Wiederaufleben ausländerfeindlicher Gefühle so schwerwiegend, dass der verstorbene russische Zar Nikolaus II., der sich als Kronprinz auf einem Besuch in Japan befand, im Frühjahr 1891 nur knapp einer Handverletzung entging eines diensthabenden Polizisten, der ihn mit einem Schwert angriff. Wenn jedoch die Lage der Dinge sowohl am Vorabend der Eröffnung des Landtages als auch nach der vollständigen Inbetriebnahme der parlamentarischen Institutionen einen beunruhigenden Eindruck machte, wurden die Befürchtungen der Regierung durch den Mangel an Einheit unter den verschiedenen politischen Fraktionen gemildert im Gegensatz. Die Auflösung der General Agreement Union, bei der einer ihrer prominenten Führer, Graf Gotō , wieder in die Regierung eintrat, zeigte, dass interne Meinungsverschiedenheiten stärker waren als die Motive, die ihre Anhänger zusammenbrachten, und ihrem Beispiel folgten andere ebenso kurzlebige Vereinigungen. Im Zuge des anschließenden Wiederaufbaus der politischen Parteien wurde die *Jiyūtō* unter der Führung des Grafen Itagaki wiederbelebt , wobei ihre Zahl auf sehr kleine Dimensionen reduziert wurde; Die General Agreement Union tauchte in Form einer organisierten politischen Partei wieder auf, ein Charakter, den sie zuvor nicht besessen hatte, und unter dem geänderten Namen Daidō *Club* . während die *Kaishintō* , die nur knapp der Auflösung entgangen war, ihre ursprüngliche Verfassung behielt, jedoch ohne ihre prominentesten Führer.

Inzwischen hatten im Sommer 1890 die ersten Landtagswahlen stattgefunden. Das Ergebnis entsprach dem, was man angesichts der damals in der politischen Welt herrschenden Ideenverwirrung und der dem entgegenstehenden lokalen Stimmung hätte erwarten können der kombinierten Aktion. Die in das erste Parlament zurückgekehrten Mitglieder verpflichteten sich zu zehn verschiedenen politischen Gruppen, wobei die zahlreichsten unter ihnen die Freiberufler waren, die keiner Partei angehörten und unter dem Namen „Unabhängige" zusammengefasst waren. Es handelte sich also weder um eine organisierte noch in irgendeiner Weise einheitliche Opposition, die den Ministern im Landtag gegenüberstand; Doch so uneinig sie auch untereinander in Tagesfragen sein mochten, waren die verschiedenen Gruppen in der Lage, vorübergehende Bündnisse zu schließen, was aufgrund der Unsicherheit, die sich aus der großen Zahl unabhängiger Mitglieder ergab, dem „Zwei-Clan" nicht wenig Verlegenheit bereitete „Regierung, die sie ins parlamentarische Leben berufen hatte. Der allgemeine Ton des ersten Repräsentantenhauses war unverkennbar demokratisch.

Buckle macht in seiner *Geschichte der Zivilisation* einige Bemerkungen zu den gesellschaftlichen Verhältnissen, die in Frankreich am Vorabend der Französischen Revolution herrschten und die auf die Verhältnisse in Japan zu der Zeit, von der wir sprechen, übertragbar sind. Im letztgenannten Land waren diese Bedingungen jedoch das Ergebnis und nicht der Vorläufer der Revolution. „Solange", sagt er, „die verschiedenen Klassen sich auf Beschäftigungen beschränkten, die ihrem eigenen Bereich eigen waren , wurden sie ermutigt, ihre unterschiedlichen Gewohnheiten beizubehalten; und die Unterordnung oder sozusagen die Hierarchie der Gesellschaft konnte leicht aufrechterhalten werden. Aber als sich die Mitglieder der verschiedenen Orden am selben Ort mit demselben Ziel trafen, verband sie eine neue Sympathie. Das höchste und dauerhafteste aller Vergnügen, das Vergnügen, das die Wahrnehmung neuer Wahrheiten hervorruft, war nun ein Bindeglied, das jene sozialen Elemente zusammenband, die früher im Stolz ihrer eigenen Isolation versunken waren.“ Und er weist weiter darauf hin, wie die neue Begeisterung für das Studium der Naturwissenschaften zu dieser Zeit in Frankreich das demokratische Gefühl stimulierte.

In Japan war die Trennung der Beschäftigungen, auf die Buckle anspielt, ein auffälliges Merkmal der Zeit vor der Restauration. Es gab nicht nur streng gewahrte Klassenunterschiede zwischen den *Samurai* , den Bauern, den Handwerkern und den Kaufleuten; aber zwei dieser Klassen, die der Kaufleute und der Handwerker , wurden in Zünfte mit exklusivem Charakter aufgeteilt. Darüber hinaus waren die Städte wie im mittelalterlichen Europa in Viertel unterteilt, in denen Menschen lebten, die demselben Gewerbe oder Handwerk nachgingen. Die Klassenverschmelzung hatte bereits vor der Restauration begonnen. Der erste Impuls in dieser Richtung war aus der wirtschaftlichen Situation gegen Ende der Tokugawa-Regierung hervorgegangen. Die Not der Bauern und die Armut der *Samurai* verursachten Brüche in den Barrieren, die die Klassen von den Klassen trennten, und insbesondere in denen, die die beiden genannten Klassen vom Rest der Nation trennten. Dabei handelte es sich allerdings nur um vorläufige Symptome. Die wirkliche Verschmelzung der Klassen erfolgte nach der Restauration, als die Abschaffung des Feudalismus der privilegierten Stellung der *Samurai ein Ende setzte* und gleichzeitig die Klassenvorurteile verringerte, wenn auch nicht völlig auslöschte. Die verschiedenen darauf folgenden Reformen: die Gründung von Schulen und Hochschulen, die Bildung für jedermann zugänglich machten; die Maßnahmen, die Landbesitz und Besteuerung betreffen; die Kodifizierung von Gesetzen; und die Wehrpflicht – um nur einige zu nennen – trugen allesamt dazu bei, die Einheitlichkeit zu fördern; Der letzte Faktor in diesem Prozess war die Schaffung parlamentarischer Institutionen, die einen Treffpunkt für alle Teile der Nation und ein gemeinsames Interessengebiet für alle boten.

Eine Stärkung des demokratischen Gefühls war daher eine logische Konsequenz der Reformpolitik nach westlichem Vorbild, die die Regierung nach der Restauration begonnen hatte. Als der Monarch und seine Minister mit einer Stimme ihre Absicht verkündeten, das Volk in die Regierungsarbeit einzubeziehen, als die lokale Autonomie schrittweise eingeführt wurde, als eine Verfassung in Kraft war und ein Parlament tagte, wäre das in der Tat seltsam gewesen Der allgemeine Strom populärer Tendenzen hatte sich nicht in Richtung demokratischer Ideen entwickelt. Solche Tendenzen waren auch nicht unvereinbar mit der imperialistischen Stimmung, der Stimmung, die beim Sturz des vorherigen *Regimes so wichtig gewesen war* . Denn dieses letztere Gefühl war einfach eine Gewohnheit des Geistes, eine passive Tradition, ein Prinzip, das, soweit es die Politik betraf, selten in die Praxis umgesetzt worden war, obwohl es die Grundlage für eine aktivere, wenn auch etwas künstliche Loyalität bildete ein übertriebener Patriotismus.

Mit dem Inkrafttreten der Verfassung trat die antike Monarchie in eine neue Phase ihrer Existenz ein. Während der langen Zeit des Tokugawa-Vorherrschafts hatte die Krone wie zuvor in völliger Sicherheit geschlafen, ihre Ruhe wurde vom Shōgunat bewacht . Von jeglichem Kontakt mit äußeren Einflüssen befreit, war es frei von jeder Möglichkeit einer Kollision mit den Menschen. Obwohl nach der Restauration die Strenge der Abgeschiedenheit gelockert wurde, hinterließ die Persönlichkeit des Monarchen kaum oder gar keinen Eindruck über den ausgewählten inneren Kreis der Staatsmänner hinaus, die die regierende Oligarchie bildeten. Die jetzt eingerichteten repräsentativen Institutionen schränkten zwar die kaiserlichen Vorrechte ein, ermöglichten es dem Souverän jedoch, stärker in den Vordergrund zu rücken und im Rahmen der in der Verfassung vorgeschriebenen Formen in direkte Verbindung mit seinem Volk zu treten.

KAPITEL XX

Arbeitsweise der parlamentarischen Regierung – Gruppierung von Parteien – Regierung und Opposition – Bildung von *Seiyūkai* – Zunehmende Intervention des Throns – Rückgang des Parteigrolls – Haltung des Oberhauses.

Das jetzt erreichte Stadium unserer Erzählung scheint ein geeigneter Zeitpunkt zu sein, um einen Überblick über die Hauptmerkmale zu geben, die die Arbeit des Landtages vom Datum seiner ersten Sitzung bis zur Gegenwart kennzeichneten. Durch die Annahme dieses Kurses kann es möglich sein, eine klarere Vorstellung vom Charakter und der Funktionsweise der parlamentarischen Regierung in Japan zu vermitteln, anstatt sich strikt an die chronologische Reihenfolge zu halten.

Wir haben gesehen, dass die Ergebnisse der ersten Wahlen für die Regierung ungünstig ausfielen , da die Mehrheit der erfolgreichen Kandidaten der einen oder anderen Oppositionsfraktion angehörte. Während keine einzelne Partei eine entscheidende zahlenmäßige Überlegenheit als Beweis für die Gunst der Wähler vorweisen konnte , waren drei der Gruppen – der *Daidō*- Club, die *Kaishintō* oder Progressiven und die Unabhängigen – zahlenmäßig nahezu gleich, während die anderen deutlich geringer ausfielen stark vertreten. Zwischen dem Datum der Wahlen und der Eröffnung des Parlaments fand jedoch ein weiterer Umbau der Parteien statt. Sowohl der *Daidō*- Club als auch das wiederbelebte *Jiyūtō* wurden aufgelöst, um in zusammengeschlossener Form unter dem Namen „Constitutional Liberals“ wieder aufzutauchen. Es wurde auch eine konservative Partei gegründet, die die Regierung unterstützte. Es erübrigt sich, auf die verschiedenen damals herausgegebenen Parteimanifeste zu verweisen, als zu sagen, dass sie ein breites Themenspektrum abdeckten; Ausgabenkürzung, Marine- und Militärpolitik, Finanzen, Fragen der Kommunalverwaltung und Steuern bildeten die Hauptpunkte, auf die sich die Aufmerksamkeit konzentrierte. Aufgrund der plötzlichen Änderungen, die seit den Wahlen, als der Landtag zusammentrat, die Verfassung der Parteien verändert hatten, wurde die neue Vereinigung der Verfassungsliberalen, deren Reihen inzwischen durch den Beitritt vieler unabhängiger Mitglieder weiter gestärkt worden waren, die mit Abstand stärkste Partei in das Repräsentantenhaus, die einzigen beiden anderen von nennenswerter Bedeutung sind die Progressiven und die Konservativen. Als sich das erste Parlament also an die Arbeit gemacht hatte, waren die Mitglieder des Unterhauses in drei Hauptgruppen aufgeteilt: die Liberalen, die Progressiven und eine Konservative Partei ohne großen Zusammenhalt, die die Regierung unterstützte. Diese Gruppierung hat trotz der kaleidoskopischen Veränderungen, die mit verblüffender Häufigkeit in Bezug auf Mitgliedschaft, Nomenklatur und politische Programme auftraten, mehr oder weniger bis zum heutigen Tag überlebt, obwohl sowohl die liberale als auch die progressive Partei heute unter anderen Namen bekannt sind, obwohl die Grundlagen, auf denen sie basieren, heute unter anderen Namen bekannt sind Der Rest hat sich bis zu einem gewissen Grad verschoben.

Die erste Sitzung des Landtages verlief ohne Auflösung. Zu Beginn der Verhandlungen rückte die Frage der Finanzen in den Vordergrund, die den vorherrschenden Ton aller Parlamentssitzungen bestimmt hat. Die Opposition griff den Haushalt an. In den darauffolgenden Debatten konnte eine Krise nur durch einen Kompromiss abgewendet werden, der eine Neufassung des Haushalts und eine starke Kürzung der Ausgaben vorsah. Es war Japans erster Aufsatz zur parlamentarischen Regierung; Die neue Ordnung der Dinge stand auf dem Prüfstand. Daher waren wahrscheinlich beide Seiten nicht geneigt, die Dinge auf die Spitze zu treiben. In den Bemerkungen zur Verfassung in einem früheren Kapitel wurde darauf hingewiesen, dass die vergleichsweise Schwäche der parlamentarischen Oppositionsparteien in Japan bis zu einem gewissen Grad durch die Kontrolle des Haushalts durch den Landtag behoben wurde, der durch Stimmverweigerung eine Auflösung erzwingen konnte Lieferungen. Dies geschah in der zweiten Sitzung. Bei dieser Gelegenheit konnten sich keine so gemäßigten Ratschläge durchsetzen wie diejenigen, die zuvor zu einem Kompromiss geführt hatten. Der Haushalt wurde erneut angegriffen, da die Haltung der Opposition so feindselig und kompromisslos war, dass das Repräsentantenhaus kurz nach der Eröffnung des Parlaments aufgelöst wurde. Dies war der erste Fall einer Auflösung. Das erste japanische Parlament hatte somit nur zwei Jahre bestanden.

Die Geschichte dieser beiden frühesten Sitzungen – das heißt ein Protokoll anhaltender Konflikte – ist die Geschichte vieler anderer, und tatsächlich, wenn man sie nicht allzu kritisch betrachtet, ist sie die Geschichte von dreißig Jahren verfassungsmäßiger Regierung. Wir sehen, dass die Opposition jedes Mal die gleiche Taktik anwendet, wobei fast immer finanzielle Fragen aufgeworfen werden; und den Angriffen wird auf zwei Arten begegnet – durch Auflösung oder Kompromiss. Auch die Ziele der Volksparteien bleiben von Jahr zu Jahr unverändert bestehen. Finanzielle Kürzungen, Steuern, Marine- und Militäreinrichtungen, Bildung sowie Verfassungsreformen in Form einer Parteiregierung und der Verantwortung der Minister gegenüber dem Landtag kommen immer wieder in Parteiprogrammen vor ; Doch mit dem allmählichen Aufstieg Japans zur Weltmacht nehmen die Außenpolitik und die Entwicklung der nationalen Ressourcen zunehmend einen größeren Teil der Aufmerksamkeit des Landtages ein.

Obwohl die Konflikte zwischen Landtag und Regierung in den ersten beiden Sitzungen weiterhin ein immer wiederkehrendes Merkmal der parlamentarischen Verhandlungen waren, kam es im Laufe einiger Jahre zu einem deutlichen Wandel in den Beziehungen zwischen Regierung und Parlamentsparteien. Die Regierung begann, gegenüber populären Ansichten, die nicht ganz mit ihren eigenen übereinstimmten, mehr Toleranz zu zeigen, während der Widerstand der Opposition gegen Regierungsmaßnahmen weniger kompromisslos wurde. Der Grund für diesen Haltungswechsel auf beiden Seiten lag in der Tatsache, dass die an der Macht befindlichen Staatsmänner dies zu begreifen begannen, obwohl die Verfassung auf dem Grundsatz der Verantwortung der Minister gegenüber dem Souverän und ihrer Unabhängigkeit vom Landtag beruhte Aus praktischen politischen Gründen war die Aufrechterhaltung dieses Prinzips auf allzu starren Grundsätzen mit schwerwiegenden Nachteilen verbunden. Mit anderen Worten, die Lage der Regierung könnte durch die ständige Feindseligkeit eines unfreundlichen Landtages sehr unbequem werden und die Führung der Geschäfte ernsthaft behindert werden. Infolgedessen war ab der achten Sitzungsperiode (1894–1895) eine Tendenz einer der Oppositionsparteien zu beobachten, sich der Regierung anzunähern, und im Laufe der nächsten Sitzungsperiode gaben die Liberalen den Abschluss einer Verständigung mit bekannt des Ministeriums und traten offen als dessen Unterstützer auf. Vom ursprünglichen Standpunkt der Regierung aus war es ein bedeutender Fortschritt, sich auf die Unterstützung einer politischen Partei zu verlassen. Zwei Jahre später wurde die normale Routine der parlamentarischen Regierung durch eine noch bedeutendere Abweichung in der Verwaltungspolitik unterbrochen. Die beiden wichtigsten Oppositionsparteien, die die Regierung, wie wir gesehen haben, dadurch in Schach halten konnten, dass sie sie gegeneinander ausspielten, schlossen sich gegen sie zusammen. Angesichts der überwältigenden feindlichen Mehrheit im Unterhaus trat das Ministerium zurück und die Bildung eines neuen Kabinetts wurde den Führern dieser Parteien, den Grafen Ōkuma und Itagaki , anvertraut . Seit dem Wiederaufbau des Ministeriums im Jahr 1873 lag die Leitung der Angelegenheiten bei den Satsuma- und Chōshiū -Clans, und diese Politik wurde nach Inkrafttreten der Verfassung unverändert fortgesetzt. Nun wurde zum ersten Mal seit dem besagten Jahr die Regierung des Landes in die Hände von Männern anderer Clans gelegt. Allerdings mit dem wichtigen Vorbehalt, dass die Kontrolle über Armee und Marine immer noch den Satsuma- und Chōshiū -Clans anvertraut war und dass Entscheidungen über wichtige Staatsfragen immer noch beim inneren Kreis der Staatsmänner lagen, die die Angelegenheiten leiteten. Das Experiment war jedoch nicht erfolgreich. Wenige Wochen nach Amtsantritt der neuen Minister kam es zu ernsthaften Meinungsverschiedenheiten, und das Koalitionskabinett trat im Herbst desselben Jahres vor der Eröffnung des

Parlaments zurück, obwohl das Ergebnis der Parlamentswahlen ihm nicht weniger als eine Mehrheit gesichert hatte als vorher.

Der Wunsch, eine Parteiregierung zu etablieren, wurde als eines der Ziele genannt, die die Oppositionsparteien ständig im Auge behalten. Mit Parteiregierung war das Parteienregierungssystem gemeint, wie es in Großbritannien und anderswo existiert. Es ist interessant festzustellen, dass sich die Regierung beim Aufbau des modernen Japan zwar hauptsächlich wegen ihrer Materialien an Deutschland wandte, in inoffiziellen Kreisen jedoch stets eine spürbare Unterströmung zugunsten britischer Ideen und Institutionen herrschte. Die Einrichtung einer Parteiregierung würde natürlich eine Änderung der Verfassung erfordern und wäre auch nicht möglich, solange das Prinzip der Clanregierung in seiner jetzigen Form fortbesteht. Dessen waren sich die Oppositionsführer immer wohl bewusst, und indem sie die Frage der Parteiregierung zu einem so wichtigen Punkt in ihren Programmen machten , bestand ihr Ziel wahrscheinlich darin, indirekt einen hartnäckigen Kreuzzug gegen die beiden Haupthindernisse zu führen, die ihnen im Weg standen. Obwohl japanische Kabinette theoretisch unabhängig vom Landtag sind, haben sie, wie wir gesehen haben, von Zeit zu Zeit, ebenso wie deutsche Kabinette, es für notwendig erachtet, auf parlamentarische Unterstützung zu vertrauen, deren Entzug normalerweise zum Sturz des Ministeriums geführt hat . Darüber hinaus und durch die gelegentliche Ersetzung des scheidenden Ministeriums durch ein Ministerium mit stärker demokratischen Neigungen hat sich der Einfluss politischer Parteien jedoch nie ausgeweitet.

Ein Ereignis von großer Bedeutung, das den parlamentarischen Angelegenheiten einen neuen Aspekt verlieh, war die Neugründung der Liberalen Partei im Jahr 1900 als „Gesellschaft politischer Freunde“ (*Seiyūkai*) – ein Name, den sie noch heute trägt – unter der Führung von Prince (damals Marquis). Itō , mit dem erklärten Ziel, die verfassungsmäßige Regierung zu perfektionieren. Das Yamagata-Ministerium war gerade zurückgetreten und wurde von einem Ministerium abgelöst, in dem Prinz Itō die Position des Premierministers innehatte. Da dies von jemandem kam, der die Verfassung verfasst hatte und sich mit der Doktrin der ministeriellen Unabhängigkeit des Parlaments identifiziert hatte, obwohl er der Erste war, der die Notwendigkeit erkannte, im Landtag mit Unterstützung der Partei zu arbeiten, wurde dieser Schritt damit unternommen Japans führender Staatsmann war eine Überraschung für das Land. Seine Sinnlosigkeit angesichts der bestehenden Verwaltungsverhältnisse war bereits bei der Bildung seines Ministeriums offensichtlich, da die Kontrolle über Armee und Marine nach wie vor den beiden dominierenden Clans vorbehalten war und diese Abteilungen praktisch unabhängig vom Kabinett waren. Tatsächlich befand sich das neue Ministerium in einer ähnlichen Lage wie das 1898 gegründete. Sein Erfolg war kaum größer. Sie überlebte zwar eine Sitzungsperiode des Parlaments, blieb aber nur acht Monate im Amt, da ihr Rücktritt durch die feindselige Haltung des Oberhauses beschleunigt wurde. Marquis Itō war in den nächsten beiden Sitzungen in der Opposition nicht erfolgreicher als bei der Kombination der Funktionen des Premierministers und des Anführers des *Seiyūkai* ; und im Sommer des Jahres 1903 zog er sich aus der Partei zurück, die er angeblich gegründet hatte, und nahm sein früheres Amt als Präsident des Geheimen Rates wieder an.

Ein Merkmal von einiger Bedeutung im langwierigen Verfassungskampf, der die parlamentarische Regierung in Japan geprägt hat, war die zunehmende Tendenz der Regierung, bei der Lösung von Ministerkrisen, die sich aus Konflikten zwischen dem Kabinett und dem Unterstaat ergeben, auf die Intervention des Throns zurückzugreifen House oder aus Fragen, die sich indirekt auf die Diät auswirken. Diese Intervention hat die Form kaiserlicher Dekrete angenommen, die anhand der Umstände, die sie betreffen, als mehr oder weniger Notstandsmaßnahmen erkennbar sind. Obwohl, wie wir gesehen haben, der Einfluss des Throns als stiller Faktor in den Angelegenheiten eine große Rolle bei der Restaurationsbewegung und bei der Konsolidierung der neuen Regierung gespielt hatte, die entstand, war das direkte Eingreifen des Souveräns nur gering selten aufgerufen. Nach Inkrafttreten der Verfassung war es anders. Die mit der parlamentarischen Regierung einhergehenden Schwierigkeiten machten die Bitte um direkte Unterstützung des Throns notwendiger als zuvor, obwohl sich die Regierung zweifellos darüber im Klaren war, dass der Einfluss des Throns zwangsläufig im Verhältnis zur Häufigkeit seiner Anrufung abnehmen musste. Der jüngste Fall einer direkten imperialen Intervention ereignete sich bei der Bildung des dritten Katsura-Ministeriums. Die damals auftretende schwere Krise, die sich allen anderen Mitteln widersetzt hatte, wurde durch den Rücktritt des vorherigen Ministeriums infolge des Widerstands der Militärpartei gegen bestimmte Sparpläne im Haushalt herbeigeführt.

Ein sehr auffälliges Merkmal der japanischen parlamentarischen Regierung ist die zunehmende Tendenz zur Mäßigung, die in der politischen Welt zu beobachten ist – also bei Wahlen, in Parlamentsverhandlungen und in der Presse. In den ersten Jahren des Bestehens des Landtages wurden Wahlen inmitten von Szenen voller Gewalt und Unruhen durchgeführt. Parteipolemiken sowohl innerhalb als auch außerhalb des Parlaments wurden ohne Anstand und Selbstbeherrschung geführt, was ein schlechtes Vorzeichen für die zukünftige Arbeit der parlamentarischen Institutionen war; politische Leidenschaften wurden durch die Beschuldigungen von Parteizeitschriften entfacht; und eine neue Klasse politischer Rowdys, *Sōshi genannt* , stand bereit, einzugreifen, wann immer ihre Dienste benötigt wurden. Banden dieser Rowdys mit Holzknüppeln eskortierten die

Volksführer im Unterhaus durch die Straßen der Hauptstadt, und während zwei oder drei der stürmischsten Sitzungen boten die Bezirke des Landtags das einzigartige Spektakel von Reihen von Gendarmen und Polizisten, denen Sōshi-Regimenter *gegenüberstanden* . Der politische Rowdy jener Tage verschwindet schnell, sein Beruf ist ebenso wie der seines Vorgängers, des *Rōnin* , verschwunden; während Turbulenzen, aufrührerisches Verhalten und maßloses Schreiben nicht länger als notwendige Begleiterscheinungen des parlamentarischen Lebens angesehen werden. Einer der mäßigenden Einflüsse auf das öffentliche Leben Japans war in der Regel das Bestehen einer allgemeinen, vielleicht eher stillschweigenden als geäußerten Verständigung zwischen der Regierung und dem Volk über allgemeine Fragen der nationalen Politik. Ein weiterer Grund liegt im raschen Fortschritt der Nation. Ein Volk wie die Japaner, das so eifrig damit beschäftigt ist, die durch jahrhundertelange Abgeschiedenheit verlorene Zeit aufzuholen, ist nicht geneigt, Themen wie Eifersucht auf die „Clan-Regierung" oder Einwänden gegen die Expansion der Flotte und des Militärs allzu viel Aufmerksamkeit zu schenken, insbesondere wenn Die in beiderlei Hinsicht verfolgte Politik ist, wie im Falle Japans, von Erfolg begleitet.

Aus diesem kurzen Abriss der japanischen Parlamentsgeschichte wird ersichtlich, dass die Umstände dazu geführt haben, dass die Aufmerksamkeit auf die Verhandlungen des Unterhauses gerichtet wurde. Dort wurden hauptsächlich die Kämpfe zwischen rivalisierenden Fraktionen sowie zwischen Landtag und Regierung ausgetragen und über das Schicksal von Parteien und Kabinetten entschieden. Obwohl das Oberhaus infolgedessen eine weniger auffällige Rolle in parlamentarischen Angelegenheiten spielte, lag dies nicht daran, dass es zögerte, seine Autorität bei Bedarf geltend zu machen. Sie hat nie davor zurückgeschreckt, sich in Angelegenheiten, die in ihre Zuständigkeit fallen, mit dem Unterhaus zu einigen und ihre Ansprüche so weit zu treiben, dass sie ihr Recht, Geldwechsel zu ändern, erfolgreich geltend machen konnte. Das Oberhaus hat sich von der anderen Kammer in seiner Zusammensetzung, in der Gruppierung seiner Mitglieder, die keinen Bezug zu den Parteien im Unterhaus hat, und in seiner stärkeren Anfälligkeit gegenüber mächtigen bürokratischen Einflüssen durch die Klasse der kaiserlichen Kandidaten unterschieden die Tatsache, dass seine Sympathien bei der Regierung sind; und es war ihre uneingeschränkte Unterstützung, die letztere sicher durch die Parlamentskrise von 1901 und 1902 brachte.

Angesichts der kurzen Zeitspanne zwischen der Errichtung repräsentativer Institutionen und dem Feudalismus und der ungeklärten Lage, die einige Jahre nach der Restauration herrschte, hat die Nation guten Grund, mit den Ergebnissen zufrieden zu sein, die bisher bei der Arbeit erzielt wurden Parlamentarische Regierung.

KAPITEL XXI

Vertragsrevision – Großbritannien ergreift die Initiative – Schwierigkeiten mit China.

Das Jahr 1894 markiert eine denkwürdige Etappe im Aufstieg Japans zu der Position in der Welt, die es seitdem erreicht hat. Es war Zeuge zweier Ereignisse von weitreichender Bedeutung: der Revision des Vertrags zwischen Großbritannien und Japan, die, obwohl sie nur die erste einer Reihe war, praktisch die seit langem anstehende Frage der Vertragsrevision löste; und der Ausbruch des Krieges mit China. Der neue Vertrag mit Großbritannien wurde am 16. Juli unterzeichnet und innerhalb von zwei Wochen nach seiner Unterzeichnung befand sich Japan im Krieg mit seinem kontinentalen Nachbarn . Beide Ereignisse hatten – nebenbei bemerkt – eine beruhigende Wirkung auf die parlamentarischen Verhandlungen, da der damals bestehende Landtag, wenn auch nicht tatsächlich tagend, der einzige war, der die gesamte verfassungsmäßige Amtszeit von vier Jahren dauerte.

Die Frage der Revision der Verträge mit ausländischen Mächten wurde in den vorangegangenen Kapiteln mehr als einmal angesprochen. Diese Verträge waren, wie wir gesehen haben, Teil einer Reihe von Abkommen, die zwischen 1858 und 1869 geschlossen wurden und nach denselben Grundsätzen formuliert waren, während ihre Wirkung durch die in jedem enthaltene „Meistbegünstigungsklausel" vereinheitlicht wurde . Wie bereits erwähnt, waren die Merkmale der Verträge, die in Japan Unzufriedenheit hervorriefen, das Zugeständnis der Extraterritorialität und das Fehlen einer festen Laufzeit. Da eine Überarbeitung der Zustimmung beider Parteien bedarf, wurde angenommen, dass Japan auf unbestimmte Zeit seiner Zollautonomie und dem Recht beraubt werden könnte, die Gerichtsbarkeit über Ausländer in seinem eigenen Hoheitsgebiet auszuüben. Es war nicht unnatürlich, dass die japanische Regierung, obwohl sie die vielen Nachteile übersah, die der Aufenthalt und der Handel mit Ausländern in einem bloßen Randgebiet des Landes mit sich brachte, dies tat, sobald ihr klar wurde, dass der Charakter der Verträge sich von dem der anderen Verträge unterschied Die von den westlichen Regierungen untereinander getroffenen Vereinbarungen haben frühzeitig die Gelegenheit genutzt, gegen Bedingungen zu protestieren, die als die Würde der Nation beeinträchtigend angesehen wurden, und sie hätten auch nicht wiederholt versuchen sollen, ihre Aufhebung durch Verhandlungen mit den betroffenen Mächten zu erreichen. Wir haben gesehen, wie das Scheitern dieser Bemühungen die Stimmung in der Bevölkerung weckte, den politischen Agitatoren eine Waffe lieferte, die sie in ihren Kampagnen, die sie von Zeit zu Zeit gegen die Regierung richteten, wirkungsvoll einsetzen konnte, und schließlich zu einem ernsthaften Wiederaufflammen der ausländerfeindlichen Stimmung der

Vorkriegszeit führte -Restaurationstage; so dass die Vertragsrevision zum Zeitpunkt des Inkrafttretens der Verfassung nicht mehr nur als eine Angelegenheit der Abteilungspolitik betrachtet wurde, die die breite Öffentlichkeit wenig beschäftigte, sondern sozusagen zu einer nationalen Angelegenheit geworden war.

Angesichts der Bedeutung, die diese Frage in den öffentlichen Angelegenheiten allmählich erlangte und die sowohl die Innenpolitik als auch die Außenbeziehungen betraf, ist es vielleicht angebracht, auf die Gefahr einer Wiederholung hin, einen kurzen Bericht über die langwierigen Verhandlungen zu diesem Thema zu geben Thema, bittet den Leser um Nachsicht, sollte er über zuvor durchquertes Gelände übernommen werden.

Unbeeindruckt von dem bereits dokumentierten Scheitern der Mission von Prinz Iwakura im Jahr 1872 unternahm die japanische Regierung zwei Jahre später einen weiteren Versuch, einen neuen Vertrag auszuhandeln, der hoffentlich der Vorläufer anderer sein sollte. Die Beziehungen zwischen den Vereinigten Staaten und Japan waren zu dieser Zeit eher freundschaftlicher als die Beziehungen Japans zu anderen Mächten. Dies war zu einem großen Teil das natürliche Ergebnis der Umstände. Indem Amerika bei der Wiedereröffnung Japans für den Verkehr mit dem Ausland die Initiative ergriff, hatte es seine Absicht unter Beweis gestellt, in Außenfragen eine unabhängige Politik zu verfolgen. Da sie die erste westliche Macht war, die auf der Bildfläche erschien, war ihr Einfluss auch der erste, der in Japan spürbar war. Darüber hinaus steckte die große kommerzielle Expansion des Landes noch in den Kinderschuhen, so dass es in Japan weniger Interessen zu schützen hatte als in älteren Ländern. Den amerikanischen Vertretern blieben somit die Reibereien mit den japanischen Behörden weitgehend erspart, die anderen ausländischen Vertretern widerfuhren. Vermutlich von diesen Überlegungen beeinflusst, richtete die japanische Regierung ihre Annäherungsversuche bei dieser Gelegenheit an die Vereinigten Staaten. Sie wurden positiv aufgenommen und ein neuer Vertrag konnte ohne große Schwierigkeiten ausgehandelt werden. Der Vertrag blieb jedoch ein toter Buchstabe, da er eine Klausel enthielt, die vorsah, dass er nur dann in Kraft treten sollte, wenn ähnliche Verträge mit anderen Mächten geschlossen worden waren.

Mehrere Jahre lang unternahm die japanische Regierung keine weiteren Schritte zur Vertragsrevision. Meinungsverschiedenheiten unter den Ministern und der unruhige Zustand des Landes, der in der Satsuma-Rebellion gipfelte, erforderten eine Konzentration der Aufmerksamkeit auf innenpolitische Angelegenheiten. Ausländische Fragen waren daher für eine Zeit lang nicht mehr Gegenstand des öffentlichen Interesses. Es ist wahrscheinlich, dass die Regierung zu dieser Zeit auch klarer als zuvor die Natur der Einwände ausländischer Mächte gegen die Revision ihrer Verträge mit Japan erkannte; und zu verstehen, dass, soweit es den Punkt der Extraterritorialität betraf, die mangelnde Bereitschaft ausländischer Regierungen, den japanischen Forderungen nachzukommen, auf der vernünftigen Begründung beruhte, dass bis zu einigen stichhaltigen Beweisen für Fortschritte zumindest in der Richtung der rechtlichen Angesichts der bevorstehenden Reformen mussten sie natürlich davor zurückschrecken, ihre Untertanen der japanischen Gerichtsbarkeit zu unterwerfen. Die Energie und Entschlossenheit, mit der sich die japanische Regierung an die Durchführung von Rechts- und Justizreformen machte, zeigte, dass sie sich der Notwendigkeit bewusst war, den Einwänden ausländischer Mächte in der angegebenen Richtung zu begegnen. Ein Ergebnis des fortschrittlichen Geistes war, wie wir gesehen haben, die Verkündung eines Strafgesetzbuchs und einer Strafprozessordnung, die nach westlichen Vorstellungen gestaltet waren und Anfang 1882 in Kraft traten. Im Herbst desselben Jahres kam es zu Vertragsverhandlungen Die Revision wurde wieder aufgenommen, und in Tōkiō fand eine vorläufige Konferenz der Vertreter Japans und der führenden Vertragsmächte statt . Damals wurde kein endgültiges Ergebnis erzielt, aber der Boden wurde für die anschließende Diskussion frei gemacht, die vier Jahre später stattfand, wobei die japanische Hauptstadt wie zuvor der Sitz der Verhandlungen war. Auf dieser zweiten und formelleren Konferenz, auf der nicht weniger als siebzehn Vertragsmächte vertreten waren und die von Mai 1886 bis Juni 1887 dauerte, wurden deutliche Fortschritte erzielt. Am Ende wurden die Verhandlungen jedoch von den japanischen Delegierten abrupt abgebrochen, was damals, wie man damals hieß, auf die Unzufriedenheit der Bevölkerung mit der vorgeschlagenen Beschäftigung ausländischer Richter an japanischen Gerichten erster Instanz und Berufungsgerichten in Fällen zurückzuführen war, in denen Ausländer anwesend waren waren Angeklagte. 1889 wurden die Verhandlungen in Tōkiō erneut aufgenommen . Die Vorschläge, die Graf (später Marquis) Ōkuma als Außenminister vorlegte, wurden von der amerikanischen und russischen Regierung angenommen; Die öffentliche Meinung zeigte sich jedoch erneut feindselig gegenüber der Ernennung ausländischer Richter, selbst in dem in den neuen Vorschlägen vorgesehenen reduzierten Umfang. Der Attentatsversuch auf den Minister, der sie vorangetrieben hatte, brachte die Verhandlungen erneut zum Erliegen und es wurden Vereinbarungen zur Aufkündigung der beiden geschlossenen Verträge getroffen.

Bei all diesen Gelegenheiten drehte sich die Diskussion hauptsächlich um die Frage der japanischen Gerichtsbarkeit gegenüber Ausländern. Die Hauptschwierigkeit war immer dieselbe gewesen: den natürlichen Wunsch ausländischer Regierungen, sich in der Rechtspflege solche Garantien zu sichern, die den Verzicht auf extraterritoriale Privilegien gewährleisten würden, mit dem ebenso natürlichen Wunsch Japans, dieses Recht zurückzugewinnen, in Einklang zu bringen der Gerichtsbarkeit über

Ausländer in ihrem Hoheitsgebiet. Und es zeigt sich, dass selbst dann, wenn ein für beide Verhandlungsparteien zufriedenstellender Kompromiss erzielt worden war oder im Begriff war, erreicht zu werden, die Sensibilität der japanischen Öffentlichkeit gegenüber jedem Punkt, den sie als schädlich für die japanische Würde ansah, seine Annahme durch die Nation verhinderte .

Im folgenden Jahr legte Lord Salisbury der japanischen Regierung in Tōkiō Vorschläge zur Vertragsrevision vor, die auf den Ergebnissen der zweiten Konferenz und auf den allgemeinen Erfahrungen der langen Verhandlungen beruhten. Diese britischen Vorschläge räumten das Prinzip der territorialen Gerichtsbarkeit unter der Bedingung ein, dass alle neuen japanischen Gesetzeskodizes in Kraft treten sollten, bevor der überarbeitete Vertrag in Kraft trat, und sahen eine Erhöhung des Zolleinfuhrzolls um 3 Prozent vor. Die Laufzeit des vorgeschlagenen Vertrags und Tarifs wurde auf zwölf Jahre festgelegt, nach deren Ablauf Japan die vollständige Zollautonomie wiedererlangen würde. Der vorgeschlagene Vertrag sah außerdem die Öffnung ganz Japans für den britischen Handel und Verkehr sowie seinen Beitritt zu den Internationalen Übereinkommen zum Schutz des gewerblichen Eigentums und des Urheberrechts vor. Diese letztgenannte Bestimmung wurde aufgrund der häufigen Nachahmung ausländischer Marken und der Ausgabe billiger Kopien ausländischer Veröffentlichungen erforderlich. Um zu vermeiden, dass japanische Empfindlichkeiten verletzt werden, wurde sorgfältig auf die Form geachtet, in der diese Vorschläge formuliert wurden. Man hätte erwarten können, dass derart liberale Vorschläge nicht an Akzeptanz scheitern würden. Die Tatsache, dass sie den Ansichten der meisten ausländischen Regierungen hinsichtlich der Vertragsrevision so weit voraus waren, bedeutete eine Anerkennung der Fortschritte Japans und Vertrauen in seine Zukunft, was für die Regierung, der es angehörte, sicherlich erfreulich sein musste sie wurden vorgestellt. Der positive Eindruck, den sie zunächst hervorriefen, berechtigte die Hoffnung, dass die Verhandlungen zu einer Einigung in dieser seit langem offenen Frage führen könnten. Aber auch hier stand einer Einigung die Unruhe der Bevölkerung im Wege. Es wurde Einspruch gegen den Besitz von Land durch Ausländer erhoben, ein Punkt, der in allen früheren Plänen zur Vertragsrevision eine Rolle gespielt hatte, und die Angelegenheit wurde stillschweigend auf Eis gelegt, ohne jemals das Stadium der Verhandlungen zu erreichen. Eine Erklärung für die Haltung japanischer Minister zu dieser Zeit könnte in der in politischen Kreisen vorherrschenden Eifersucht liegen, die es einem einzelnen Staatsmann oder einer einzelnen Partei schwer machte, den Ruhm zu erlangen, ein Problem zu lösen, das sich einer Lösung entzogen hatte lang. Eine etwaige offizielle Eifersucht dieser Art würde die Aufregung zu diesem Thema fördern, unabhängig von der Begründetheit der betreffenden Frage. Ein weiterer Grund, der die öffentliche Meinung in einer Nation beeinflussen könnte, in der der Stolz einen so vorherrschenden

Charakterzug hat, könnte das Gefühl gewesen sein, dass es für das Ansehen des Landes wünschenswert sei, dass Vorschläge, die die Grundlage für die neuen Verträge bilden sollten, aus Japan kamen.

Die Vertragsrevision war somit zu einer nationalen Angelegenheit geworden, an der sowohl die politischen Parteien als auch die Presse ein aktives Interesse zeigten, und in den folgenden Jahren war der Landtag häufig Schauplatz lebhafter Diskussionen, die die Regierung nicht wenig in Verlegenheit brachten. Zum Glück sowohl für die Regierung als auch für das Volk und für die Beziehungen zwischen Japan und ausländischen Mächten wurde 1894 die lange ersehnte Lösung in Sicht. Im Frühjahr desselben Jahres wurden die Verhandlungen von der japanischen Regierung in London wieder aufgenommen. Die damals der britischen Regierung vorgelegten Vorschläge waren in Form und Inhalt praktisch dieselben wie die früheren britischen Vorschläge, wobei der Hauptunterschied darin bestand, dass das Eigentumsrecht an Land durch britische Untertanen nur durch ein Pachtrecht ersetzt wurde. Die japanische Regierung hatte später Grund, diese Änderung zu bereuen, denn sie löste eine Kontroverse aus, die 1905, als sie zur Schlichtung an das Haager Tribunal verwiesen wurde, gegen Japan entschieden wurde. Die Verhandlungen verliefen reibungslos und endeten am 16. Juli desselben Jahres mit der Unterzeichnung eines neuen Vertrags und Protokolls, wobei einige kleinere Angelegenheiten durch einen Notenaustausch geregelt wurden. Durch die neuen Vertragsvereinbarungen wurde die konsularische Gerichtsbarkeit abgeschafft und ganz Japan für den britischen Handel und Verkehr geöffnet. Es war auch vorgesehen, dass vor Inkrafttreten des neuen Vertrags die neuen japanischen Gesetze in Kraft treten und Japan seinen Beitritt zu den Internationalen Übereinkommen zum Schutz des gewerblichen Eigentums und des Urheberrechts hätte mitteilen müssen. Zwischen den beiden Parteien wurde außerdem vereinbart, dass der neue Vertrag nicht vor Ablauf von fünf Jahren ab dem Datum der Unterzeichnung in Kraft treten sollte. Der Zweck dieser Bestimmung besteht darin, Zeit für die Aushandlung ähnlicher Verträge mit anderen ausländischen Mächten zu schaffen. Die *Ad-Valorem-* Zölle im dem Abkommen beigefügten Tarif wurden anschließend von Delegierten der beiden Regierungen, die zu diesem Zweck in Tōkiō zusammenkamen, in spezifische Sätze umgewandelt.

Es überrascht nicht, dass der neue Vertrag bei der britischen Handelsgemeinschaft in Japan kaum Zustimmung fand. In den weiten Gebieten, über die sich die Interessen des Britischen Empires erstrecken, ist es unvermeidlich, dass es zuweilen Abweichungen zwischen der imperialen Politik und lokalen Ansichten, zwischen der Einschätzung einer Situation durch die Regierung mit ihrer breiteren Sichtweise und der weitreichenderen Sichtweise gibt. Übernahme von Verantwortlichkeiten in Angelegenheiten von imperialem Interesse und durch britische Gemeinschaften im Ausland. Es war auch nicht unnatürlich, dass die britischen Einwohner im Fernen Osten, die aus langjähriger Erfahrung daran gewöhnt waren, extraterritoriale Privilegien in orientalischen Ländern fast als Teil der britischen Verfassung zu betrachten, ihre Kapitulation mit Widerwillen betrachteten. Es besteht jedoch kein Zweifel daran, dass die Zeit für ein solches Zugeständnis gekommen ist. Der Fortschritt Japans in den sechsunddreißig Jahren, die seit den Verträgen von 1858 vergangen waren, war von Beweisen für Stabilität in Verwaltung und Politik begleitet, die das Vertrauen einluden und gleichzeitig die Bewunderung der Welt hervorriefen. Die Bedingungen für einen ausländischen Wohnsitz in Japan waren im Vergleich zu denen in anderen Ländern, in denen es keine Befreiung von der örtlichen Gerichtsbarkeit gab, mehr als günstig . Auch wäre es angesichts der bereits erreichten Lage Japans auf keinen Fall richtig und unter den gegebenen Umständen auch nur möglich gewesen, die Vertragsrevision länger hinauszuzögern. Nachfolgende Ereignisse haben die Weisheit des von Großbritannien eingeschlagenen Kurses bestätigt. Zwar hat Großbritannien aus dem Abkommen kaum einen materiellen Vorteil gezogen. Aber Japan hatte im Gegenzug für das, was es erhielt, nur sehr wenig zu bieten. Die Umstände ließen einen Handel nicht zu. Die Öffnung des gesamten Landes – das bereits durch ein Passsystem für Reisende und indirekt auch für Händler zugänglich gemacht wurde – brachte dem britischen Handel, wenn überhaupt, kaum Vorteile, da er wahrscheinlich nicht von den bereits etablierten Handelsrouten abweichen würde . Aber indem Großbritannien als erstes Land seinen Vertrag zu Bedingungen überarbeitete, die praktisch mit denen identisch waren, die es selbst zwei Jahre zuvor angeboten hatte, zeigte es seine offene Anerkennung der veränderten Bedingungen, die sich aus dem stetigen Fortschritt von mehr als dreißig Jahren ergaben. Damit behielt es seine Position als führende Westmacht im Fernen Osten und gewann das Wohlwollen Japans, wodurch es den Weg für die zukünftige anglo-japanische Allianz ebnete.

Damit nicht der Eindruck entsteht, dass in der vorstehenden Darstellung der Vertragsrevision ihr zu viel Bedeutung beigemessen wurde und möglicherweise ein zu enger Zusammenhang zwischen den Verhandlungen zu diesem Thema und der Entwicklung Japans nach westlichem Vorbild festgestellt wurde, wäre es angebracht, diese abzuschließen Bemerkungen mit einem Zitat aus einer Rede, die Viscount Chinda , damals japanischer Botschafter in London, am 29. Juni 1918 an der Sheffield University hielt.

Im Laufe seiner Rede sagte Viscount Chinda : „Vielleicht wird niemand außer einem Japaner in der Lage sein, die große Bedeutung, die der Frage der Vertragsrevision beigemessen wird, wirklich und vollständig zu würdigen.“ Für die Japaner war die Frage jedoch von größter Bedeutung, da sie nichts Geringeres bedeutete als eine nationale Emanzipation. Die ersten Verträge

Japans mit ausländischen Mächten wurden unterzeichnet, als sich das Land noch in einem Zustand der Erstarrung nach einem langen Schlaf der Abgeschiedenheit befand, und unter den gegebenen Umständen kam es fast einem Zwang gleich ... Diese Verträge waren in der Tat so mangelhaft, dass Japan in Kraft trat der beiden wesentlichen Eigenschaften eines souveränen Staates beraubt. Die Wiedererlangung ihrer gerichtlichen und fiskalischen Autonomie wurde fortan zum Traum der japanischen Nationalbestrebungen, und ihre Außen- und Innenpolitik war stets hauptsächlich auf dieses eine höchste Ziel ausgerichtet. Innovationen nach Innovationen, oft mit Opfern traditioneller Gefühle, wurden eingeführt, um das Land und seine Institutionen an den Standard der westlichen Zivilisation anzupassen."

Eine ähnliche Sprache haben andere prominente japanische Staatsmänner vertreten, insbesondere Viscount Kato, einst Botschafter in London und heute Vorsitzender einer mächtigen politischen Partei, dessen Erfahrung als Kabinettsminister ihn dazu befähigt, mit Autorität zu diesem Thema zu sprechen .

Der Ausbruch des Krieges mit China wenige Tage nach der Unterzeichnung des überarbeiteten britischen Vertrags wurde bereits erwähnt. Für ausländische Einwohner im Fernen Osten, die in den vergangenen Jahren Gelegenheit hatten, die Beziehungen zwischen Japan und China zu beobachten, war das Ereignis wenig überraschend. Zu keinem Zeitpunkt der Geschichte waren ihre Beziehungen freundschaftlich gewesen, außer vielleicht zu einer Zeit im siebten Jahrhundert, als China zum Vorbild wurde, nach dem Japan seine Institutionen neu gestaltete . Die mongolischen Invasionen in Japan im 13. Jahrhundert hatten in beiden Ländern unangenehme Erinnerungen hinterlassen, und die Beziehungen wurden durch die Intervention Chinas zur Unterstützung Koreas nicht verbessert, als die Japaner ihrerseits in dieses Land einmarschierten. Auf keiner Seite durften jedoch die Erinnerungen an vergangene Feindseligkeiten den üblichen Verkehr zwischen benachbarten orientalischen Staaten behindern , der sich auf die Entsendung von Komplementärmissionen in unregelmäßigen Abständen und die gelegentlichen Besuche chinesischer Händler beschränkte . Als Japan infolge der innenpolitischen Probleme, die im Zusammenhang mit den ersten Bemühungen ausländischer Missionsunternehmen auftraten, eine Politik der Abgeschiedenheit einschlug, hatten chinesische Händler, wie wir gesehen haben, ein kleines Handelszentrum im Süden errichtet . westlich von Japan. Nach der Schließung des Landes durften sie und die niederländischen Händler dort bleiben, allerdings unter Bedingungen, die das Privileg weitgehend seines Wertes beraubten und den so betriebenen Handel schließlich auf ein kleines und schnell schwindendes Ausmaß reduzierten. Vor dem Erlass des Edikts, das den maritimen Unternehmungen ein Ende setzte, hatten die Japaner keinen Mangel an Seefahrergeist an den Tag gelegt. Selbst dann schien die Verfolgung des Handels als bestimmtes Ziel die Nation jedoch nie angezogen zu haben, da die Besuche japanischer Schiffe auf dem asiatischen Festland eher im Hinblick auf die Verfolgung von Piratenüberfällen als auf die Durchführung eines friedlichen Handels unternommen wurden.

Mit der Wiedereröffnung Japans für den ausländischen Verkehr änderte sich die Situation völlig. Die Einrichtung von „Vertragshäfen“ und die Entwicklung des japanischen Handels mit dem Ausland hatten den natürlichen Effekt, dass Japan und China enger zusammenrückten, obwohl die Umstände einige Jahre lang die Entwicklung engerer Beziehungen zwischen den beiden Völkern verhinderten. Ein Großteil des neuen Handelsverkehrs zwischen ihnen wurde nicht direkt zwischen chinesischen und japanischen Kaufleuten abgewickelt, sondern indirekt über Kaufleute anderer Nationalitäten, die als Vermittler des Außenhandels im Fernen Osten fungierten. Darüber hinaus wirkte die Unvereinbarkeit des Temperaments und der Ideen – das Ergebnis eines grundlegenden Unterschieds in den Bedingungen der nationalen Entwicklung – als Barriere zwischen den beiden Völkern. Die Lage in beiden Ländern war auch nicht so, dass sie eine Anerkennung der gemeinsamen Interessen begünstigen würde , was auf die Notwendigkeit einer engeren Verständigung hinwies. Der Verfall Chinas unter der geistlosen Mandschu-Herrschaft hatte bereits begonnen. Sie stützte sich in eingebildeter Sicherheit auf die Traditionen vergangener Größe und war sich ihrer eigenen Dekadenz nicht bewusst. Sie war zu stolz, um einem kleineren, aber nahen Nachbarn Avancen zu machen , dessen Existenz sie bisher bequem ignoriert hatte. Japan seinerseits war mitten in einer Revolution, die eine neue Ordnung der Dinge einleiten sollte, eine Zeit lang zu beschäftigt, um dem Verkehr mit China große Aufmerksamkeit zu schenken, dessen Haltung ihm gegenüber sich jedoch durchaus bewusst war .

Erst nach der Restauration wurden die Beziehungen zwischen den beiden Ländern auf eine formelle Vertragsbasis gestellt. Der Vertrag, der 1871 auf Initiative der neuen japanischen Regierung in Peking geschlossen wurde, war nach einfachen Grundsätzen formuliert und orientierte sich sowohl in der Form als auch im Inhalt an den bestehenden Verträgen zwischen den beiden Nationen und den Westmächten. Durch die wichtigste Bestimmung wurde festgelegt, dass die Konsuln oder „Verwalter“, wie sie genannt wurden, jedes Landes die Aufsicht und Kontrolle über die dort ansässigen Staatsangehörigen ausüben sollten; dass diese Beamten sich bemühen sollten , alle Streitigkeiten, die zwischen den Untertanen der beiden Länder entstehen könnten, gütlich beizulegen; und dass, wenn auf diese Weise keine Einigung erzielt werden kann, die fraglichen Fragen zur gemeinsamen Entscheidung an die Konsuln und die örtlichen Behörden weitergeleitet werden sollten – letztere haben außerdem das Recht auf Festnahme und Bestrafung in allen Strafsachen. Dem Vertrag waren Handelsbestimmungen und ein *Wertzoll* beigefügt, eine Laufzeit wurde jedoch nicht genannt.

Nicht lange nach dem Abschluss dieses Vertrags wurden die so formell zwischen den beiden Ländern begründeten freundschaftlichen Beziehungen, wie wir gesehen haben, durch den Streit gestört, der aus der Misshandlung der Eingeborenen von Loochoo in Formosa entstand . Die Übernahme westlicher Innovationen durch Japan hatte die chinesische Regierung bereits verärgert, die diese Abkehr von der traditionellen Politik der fernöstlichen Staaten bisher mit großer Missbilligung betrachtete. Die von Japan im Zusammenhang mit diesem Vorfall ergriffenen gewaltsamen Maßnahmen zur Erlangung von Wiedergutmachung lösten sowohl Überraschung als auch Irritation aus. Diese Gefühle wurden durch die Kontroverse, die einige Jahre später über die Annexion von Loochoo durch Japan stattfand, noch verstärkt . Bei dieser Gelegenheit begnügte sich China mit einem formellen Protest. Im Verlauf der anschließenden Verhandlungen kam es zu keiner endgültigen Einigung , und der Vorfall wurde durch die stillschweigende Zustimmung Chinas zur neuen Situation beigelegt. Von da an nahmen die Beziehungen zwischen den beiden Ländern jedoch einen Charakter der Entfremdung an, der nur durch den Anstoß eines weiteren Streits zur Feindseligkeit reifen konnte.

Dieser weitere Grund für den Streit wurde von Korea geliefert.

KAPITEL XXII

China und Korea – Krieg mit China – Marinereform – Niederlage Chinas – Vertrag von Shimonoséki – Friedensbedingungen.

Nachbarstaaten , die zu der einen oder anderen Zeit unter seine Herrschaft geraten sind, entweder ausgeübt hat oder auszuüben vorgibt. Dies war die gemeinsame Erfahrung fast aller Länder, deren Lage an den Grenzen des Chinesischen Reiches sie der Invasion ihres ruhelosen und mächtigen Nachbarn ausgesetzt hat . Zu der Zeit, von der wir sprechen, hatten einige dieser Staaten bereits ihre Unabhängigkeit wiedererlangt, die jedoch von China nicht immer offiziell anerkannt wurde; in anderen war die chinesische Oberhoheit durch die einer anderen Macht ersetzt worden; während in einigen Fällen China in dem Wunsch, sich der Verantwortung eines Protektorats zu entziehen, in den letzten Jahren zugelassen hatte, dass seine Oberhoheit fast nominell wurde. Diese letztgenannte Position betraf die Koreas, als Japan 1876 den bereits erwähnten Vertrag mit diesem Land abschloss. Die chinesische Oberhoheit war schon seit vielen Jahren nicht mehr wirksam, sie wurde jedoch weiterhin von China behauptet und von Korea anerkannt. Die gelegentliche Entsendung von Gesandten nach Peking mit Geschenken, die die Chinesen berechtigterweise als Tribut betrachteten, die Form der Korrespondenz zwischen den beiden Ländern und die bei offiziellen Anlässen abgehaltenen Zeremonien stellten eine Anerkennung des Vasallenstatus dar . Mit diesem anerkannten Status war der Vertrag von 1876 unvereinbar, da sein erster Artikel die Erklärung enthielt, dass Korea ein unabhängiger Staat sei; und im Jahr 1882 – als Großbritannien und Amerika dem Beispiel Japans folgten und Verträge mit diesem Land aushandelten – schwächte China mit einer ähnlichen Inkonsistenz wie Korea seine eigene Position als Oberherr, indem es mit seinem nominellen Vasallen einen Vertrag nach dem Vorbild dieser Länder schloss zwischen Korea und den drei oben genannten Mächten bereits abgeschlossen. Dieser Fehltritt Chinas verstärkte die Haltung Japans, die chinesische Oberhoheit nicht anzuerkennen. Zu Beginn der neuen Beziehungen Japans zu Korea war daher die Situation zwischen Japan, Korea, und dessen nominellem Oberbefehlshaber, China, ungewöhnlich und widersprüchlich. Allein in dieser Tatsache liegt der Grundstein für künftige Probleme. Auch die Lage in Korea selbst bot keinerlei Gewähr dafür, dass die Schwierigkeiten, die allen Grund zu erwarten waren, nicht in Kürze auftreten würden.

Sein Zustand war der eines orientalischen Staates im völligen Verfall. Lange Jahre der Missherrschaft hatten den Geist des Volkes gebrochen; der Throninsasse war ein Nichts in den Händen skrupelloser und inkompetenter Minister, die von rivalisierenden Fraktionen unterstützt wurden, die miteinander um die Macht kämpften; Es gab weder reguläre Streitkräfte noch eine Polizei, die diesen Namen verdient hätte. Intrigen und Korruption herrschten überall unkontrolliert; und die Ressourcen des Landes wurden durch Schwärme räuberischer Beamter verschwendet , die nur darauf aus waren, sich selbst zu bereichern.

Unter diesen Umständen konnte das Auftauchen zweier benachbarter Mächte, die jeweils einen vorherrschenden Einfluss auf der Halbinsel erlangen wollten, nur dazu führen, dass die Lage noch schlimmer wurde als zuvor. Die Einbeziehung ausländischer Elemente in die Intrigen der streitenden Fraktionen verlieh den innenpolitischen Streitigkeiten neuen Schwung, bis die zunehmende Unruhe im Land in ausländerfeindlichen Unruhen gipfelte, in deren Verlauf die Japaner, gegen die sich die Volksstimmung hauptsächlich richtete, vertrieben wurden von Seoul und ihre Gesandtschaft zerstört. Der Marionettenkönig, dem vorgeworfen wurde, Japan zu bevorzugen , musste ebenfalls abdanken, und sein Vater, der Tai- wön - kun , einer der wenigen Koreaner, die sowohl Charakter als auch Fähigkeiten besaßen, übernahm die Leitung der Regierung. Daraufhin intervenierte China. Sie nutzte ihre anerkannte Autorität als Oberbefehlshaberin und schickte eine Streitmacht, unterstützt von einigen Kriegsschiffen, nach Korea, um die Ordnung wiederherzustellen. Die koreanische Hauptstadt (Seoul) wurde besetzt, die Tai- wön - kun verhaftet und nach China verschleppt. Das war im Jahr 1883. Damals wurde Yuan Shih-kai, der spätere Präsident der Chinesischen Republik, zum ersten Mal öffentlich bekannt, als er zum chinesischen Einwohner in Seoul ernannt wurde. Kurze Zeit nach der erneuten Geltendmachung seiner Autorität durch China und der Wiederherstellung der Ordnung in der koreanischen Hauptstadt blieben die Angelegenheiten ruhig, da sowohl die chinesische als auch die japanische Regierung Garnisonen in Seoul unterhielten; Doch im folgenden Jahr kam es aufgrund einer von der pro-japanischen Partei angezettelten Verschwörung zu weiteren Unruhen, in deren Verlauf es zu einem Zusammenstoß zwischen der chinesischen und der japanischen Garnison kam, wobei sich die zahlenmäßig weit unterlegene Garnison in den Hafen von Japan zurückzog Chemulpo .

Die kritische Situation, die dieser Zusammenstoß zwischen den Truppen der beiden Mächte in der koreanischen Hauptstadt hervorrief, machte beiden Regierungen deutlich, dass es zur Vermeidung weiterer und ernsterer Probleme notwendig sei, zu einer Verständigung über das Vorgehen in Korea zu gelangen. Zu diesem Zweck wurden Anfang 1885 Verhandlungen aufgenommen, und im Frühjahr desselben Jahres wurde in Tientsin ein Abkommen zwischen China und Japan unterzeichnet, in dem die Unabhängigkeit Koreas anerkannt wurde. Beide Regierungen einigten sich darauf, ihre Streitkräfte aus Korea abzuziehen und nur kleine Abteilungen als Bewachung für ihre Gesandtschaften zurückzulassen, und sich gegenseitig vorher schriftlich zu benachrichtigen, falls die Entsendung von Truppen in dieses Land zu irgendeinem Zeitpunkt in der Zukunft notwendig werden sollte . Eine weitere Bestimmung sah vor, dass der König von Korea gebeten werden sollte, eine Streitmacht zur Aufrechterhaltung der Ordnung und öffentlichen Sicherheit zu organisieren und zu diesem Zweck die Dienste ausländischer Militärexperten aus einem anderen Land als China und Japan in Anspruch zu nehmen.

Modus vivendi der Fall . Obwohl China durch dieses Abkommen seinen Oberhoheitsanspruch aufgegeben hatte, hielt die Rivalität zwischen den beiden Mächten unvermindert an. Die Zeit seit 1885 war von ständigen Auseinandersetzungen zwischen den koreanischen Fraktionen und der Verfolgung heftiger Intrigen zwischen diesen und den Chinesen und Japanern geprägt, denen das wachsende Interesse Russlands an den Angelegenheiten der Halbinsel neuen Auftrieb verlieh. Der chinesische Vertreter in Korea behielt den Titel eines Residenten, was, wie beabsichtigt, den Eindruck der Überlegenheit seiner Position gegenüber denen anderer ausländischer Vertreter vermittelte; und der Einfluss Chinas in der Hauptstadt – ausgeübt durch die herrische Königin, die ihre pro-chinesischen Sympathien nicht verheimlichte – war vorherrschend. Dennoch wurde der Vorteil, den China in dieser Hinsicht gegenüber seinem Rivalen hatte, durch die politische und kommerzielle Aktivität Japans mehr als ausgeglichen. Der Beweis dafür war bereits durch das rasche Vorgehen der japanischen Regierung bei der Erlangung von Wiedergutmachung für die Folgen der Unruhen von 1882 und 1884 sowie durch das stetig wachsende Volumen des japanischen Handels erbracht worden.

Feldmarschall Prinz Yamagata.

Hat sich in der Restaurierungskampagne hervorgetan; beteiligte sich aktiv an der später gebildeten Regierung, an der Neuorganisation der japanischen Armee und an den Kriegen mit China und Russland; Er übte durchweg großen Einfluss auf die Staatsangelegenheiten aus.

Im Frühjahr 1894 wurde der Wert der Vereinbarung, nach der die beiden Mächte vereinbart hatten, ihre Beziehungen zu Korea zu gestalten, durch den Ausbruch eines Aufstands im Süden Koreas auf die Probe gestellt. Nachdem die koreanischen Truppen, die aus der Hauptstadt entsandt wurden, um den Aufstand niederzuschlagen, in mehreren Zusammenstößen mit den Aufständischen niedergeschlagen worden waren, wandte sich die Min-Partei, der die Königin angehörte, an China um Hilfe. Die chinesische Regierung reagierte auf den Appell mit der Entsendung von Truppen nach Asan, dem Schauplatz der Revolte, und informierte gleichzeitig Japan gemäß den Bestimmungen der Tientsin-Konvention über ihre Absicht, dies zu tun. Die japanische Regierung reagierte mit ähnlichen Maßnahmen. Der Inhalt der Korrespondenz zwischen den beiden Regierungen ließ wenig Hoffnung auf eine gütliche Lösung der Schwierigkeit, da China die Oberhoheit, auf die es zuvor verzichtet hatte, erneut geltend machte und versuchte, dem japanischen Vorgehen Grenzen zu setzen; während Japan auf seinem Recht zur Einmischung bestand und es durch die Verstärkung der bereits entsandten Truppen unterstützte . China ergriff sofort ähnliche Maßnahmen, aber die geschickten Verstärkungen erreichten ihr Ziel nie. Das britische Schiff, das sie unter einem Konvoi chinesischer Kriegsschiffe transportierte, wurde von einem japanischen Geschwader unter dem Kommando von Admiral (damals Kapitän) Tōgō getroffen und auf See versenkt . Ein oder zwei Tage später gerieten die chinesischen und japanischen Streitkräfte bei Asan in Konflikt, was zur Folge hatte, dass die chinesischen Truppen besiegt wurden und nach China abgezogen wurden. Die Feindseligkeiten zu Lande und zur See hatten daher bereits begonnen, als beide Regierungen am 1. August gleichzeitig Kriegserklärungen abgaben.

Diese ersten Begegnungen waren ein wahrer Vorgeschmack auf das, was folgen sollte. Der so begonnene Krieg war für China katastrophal. Durch die Weitläufigkeit seiner Territorien, seine enorme Bevölkerungszahl, seine scheinbar unerschöpflichen Ressourcen und seine Eroberungstraditionen, ganz zu schweigen von seinen industriellen und kommerziellen Aktivitäten, hatte es jahrhundertelang einen großen Platz in der Welt eingenommen. Japan hingegen war ein vergleichsweise kleines, wenig bekanntes Land, das gerade aus einer langen Ära der Abgeschiedenheit hervorgegangen war und im Ausland mit Gefühlen betrachtet wurde, die, abgesehen von dem

Interesse, das seine Kunst hervorrief, bestenfalls nicht darüber hinausgingen sympathische Neugier.

Daher war es ganz natürlich, dass Ausländer außerhalb Japans, die wenig über die stillen Fortschritte seit der Restauration wussten, sich über ihre Kühnheit wunderten, mit der sie einen Nachbarn herausforderte, der in jeder Hinsicht so viel mächtiger zu sein schien als sie selbst. Tatsächlich waren die Erfolgsaussichten für China jedoch von Anfang an aussichtslos. Sie befand sich in einem fortgeschrittenen Stadium der Dekadenz. Ihr wichtigster Staatsmann, Li Hung Chang, und die gesamte offizielle Hierarchie waren notorisch korrupt, und die arrogante Politik, die die Regierung immer noch verfolgte, diente als Deckmantel, um die wahre Schwäche zu verbergen, die dahinter steckte. Ihre schlecht bezahlte Armee, angeführt von inkompetenten Offizieren, verfügte weder über eine moderne Ausbildung noch über Disziplin; Während ihre Marine ein gegen sich selbst gespaltenes Haus war, weigerte sich das südliche Geschwader mit der Begründung zu kämpfen, der Krieg sei kein nationaler Krieg, sondern einer, in den das Land durch die eigennützige Politik von Li Hung Chang hineingezogen worden sei. Für die Japaner war es nichts, was an Kühnheit grenzte , sich einem Gegner zu stellen, dessen Schwäche sie völlig sicher waren. In die Reformpolitik, die die Regierung seit der Restauration konsequent verfolgt hatte, waren viele Überlegungen eingeflossen. Der Verlauf der jüngsten Ereignisse in China sei eine Lehrstunde gewesen, von der das Land profitiert habe. Nachdem China erkannt hatte, dass eine Hauptursache für Chinas problematische Beziehungen zu den Westmächten in seiner militärischen Ineffizienz lag, machte es sich daran, die Armee neu zu organisieren. Diese Arbeit wurde Marschall Prinz Yamagata (damals ein junger Offizier) anvertraut, der sich in den Kämpfen zur Zeit der Restauration hervorgetan hatte. Er und der jüngere Saigō (der später zum Marquis ernannt wurde) waren die Hauptmitglieder einer Mission, die 1870 Europa besuchte, um militärische Angelegenheiten zu untersuchen. Das Ergebnis dieser Mission war die Anstellung ausländischer Militärausbilder und die Einführung der Wehrpflicht wurde erstmals 1873 in Betrieb genommen. Einige Jahre später wurden die Disziplin und die Kampfqualitäten der neuen Wehrpflichtigen zur Zufriedenheit der Regierung im Satsuma-Aufstand auf die Probe gestellt. Im Jahr 1884 besuchte eine zweite Militärmission unter der Leitung des verstorbenen Marschalls Prinz Ōyama Europa. Damals wurden die Dienste eines preußischen Offiziers, des verstorbenen Generals Meckel, gesichert. Der Fortschritt in der japanischen Armee, der sich seit dieser Zeit zeigte, wird im Allgemeinen der Fähigkeit und Energie zugeschrieben, die dieser Offizier bei der Erfüllung seiner Pflichten als Militärberater einbrachte. Aufgrund der jahrelangen sorgfältigen Aufmerksamkeit, die Japan der militärischen Organisation widmete, verfügte Japan zu Beginn der Militäroperationen gegen China über eine Wehrpflichtigenarmee von über

200.000 Mann mit entsprechender Artilleriestärke und einem Vorrat an leistungsfähigen Offizieren. Gegen eine Armee dieser Qualität und Größe konnte China, das sich auf freiwillig rekrutierte Truppen begnügte, wenig ausrichten, selbst wenn es nicht unter anderen bereits erwähnten Nachteilen gelitten hätte .

Aus offensichtlichen Gründen blieb die Entwicklung der japanischen Marine hinter der des Heeres zurück. Die Finanzen des Landes ließen keine größeren Ausgaben für beide Dienste zu. Während das Feudalsystem den kriegerischen Geist der Nation trotz einer längeren Friedensperiode am Leben gehalten hatte, hatte die Abschottung des Landes für den Verkehr mit dem Ausland, begleitet von strengen Beschränkungen der Schiffsgröße, die maritimen Unternehmungen erstickt . Die japanische Marineausbildung musste daher mit den Grundlagen einer Seemannsausbildung beginnen. Der Dienst zur See gefiel einem Volk zunächst nicht, dessen Militärklasse, bevor sie mit der Abschaffung des Feudalismus verschwand, hauptsächlich in der Tradition des Landkampfes erzogen worden war. Es gab noch einen anderen Grund. Teilweise absichtlich, teilweise aber auch aufgrund der Umstände war die militärische Kontrolle der beiden Clans, die das Land kurz nach der Restauration praktisch regierten, von Anfang an so angeordnet worden, dass den Mitgliedern des Chōshiū- Clans ein größerer Anteil an der Armeeverwaltung übertragen wurde. Die Leitung der Marine hingegen wurde hauptsächlich den Mitgliedern des Satsuma-Clans überlassen, deren Intelligenz und Energie hinter dem Standard ihrer Kollegen in der Regierung zurückblieben.

Im selben Jahr (1872), in dem mit der Neuorganisation der Armee begonnen wurde, wurden die ersten Schritte in Richtung einer Marinereform unternommen. In diesem Jahr wurde die einzelne Abteilung, die bisher für die Verwaltung von Heer und Marine zuständig war, durch separate Abteilungen für jeden der beiden Dienste ersetzt. Japan wandte sich, wie bereits erwähnt, an Großbritannien, um Unterstützung bei den später ergriffenen Maßnahmen zum Aufbau einer Marine zu erhalten. Britische Marineberater und Ausbilder, darunter der verstorbene Admiral Sir Archibald Douglas und Admiral Ingles, wurden engagiert, und die ersten Schiffe der neuen japanischen Marine wurden in England gebaut. Im Jahr 1892 zeigte sich die Entschlossenheit der Regierung, an der Aufgabe der Schaffung einer Marine festzuhalten, durch die Entscheidung des Kaisers, acht Jahre lang jährlich 30.000 Pfund Sterling für den Marinebau beizusteuern, wobei die für diesen Zweck erforderlichen Mittel durch entsprechende Kürzungen der Ausgaben der Marine beschafft wurden Gericht. Als der Krieg erklärt wurde, war es die japanische Marine, die den ersten Schlag versetzte. Es bestand damals aus achtundzwanzig Schiffen mit einer Gesamtmasse von etwa 57.000 Tonnen sowie vierundzwanzig

Torpedobooten. Der Tag der Zerstörer war noch nicht gekommen. Die chinesische Flotte war zu dieser Zeit zahlenmäßig stärker als die Japans und hatte auch den Vorteil, dass sie ein oder zwei Schiffe einer stärkeren Klasse als jedes japanische Schiff umfasste. Diese Überlegenheit wurde jedoch durch die Weigerung des chinesischen Südgeschwaders aus dem bereits genannten Grund aufgewogen, sich an den Feindseligkeiten zu beteiligen. und zu Beginn des Krieges zeigte der Teil der chinesischen Flotte, der in Aktion trat, dass er wenig Mut zum Kämpfen hatte.

Obwohl der Krieg acht Monate dauerte – vom 1. August 1894 bis zum Abschluss eines Waffenstillstands am 30. März des folgenden Jahres –, gab es nie Zweifel an seinem Ausgang. Die chinesischen Truppen im Süden Koreas waren, wie wir gesehen haben, nach ihrer Niederlage bei Asan nach China zurückgezogen worden. Weiter nördlich machten die Japaner sofort den Hafen von Chemulpo zum Stützpunkt für vorläufige Operationen, und nachdem sie zu Beginn der Feindseligkeiten mit der koreanischen Regierung einen Bündnisvertrag geschlossen hatten, besetzten sie die koreanische Hauptstadt und zwangen die chinesischen Streitkräfte zum Verbleib in Korea, um sich in Richtung der Grenze zurückzuziehen. Der einzige Kampf von Bedeutung in dieser frühen Phase des Feldzugs fand in Ping-yang statt, einer Stadt, die eine strategisch wichtige Position im Nordwesten der Halbinsel einnahm, sechzig Meilen vom Yalu-Fluss entfernt, der für eine gewisse Strecke die Grenze bildete zwischen China und Korea. Dieser Ort wurde von den chinesischen Streitkräften stark gehalten, und seine Eroberung durch die Japaner am 17. September war mit heftigen Kämpfen verbunden, in deren Verlauf sich ein chinesisches mohammedanisches Regiment durch einen hartnäckigen Widerstand auszeichnete, der in deutlichem Gegensatz zu diesem Verhalten stand anderer chinesischer Truppen. Am selben Tag wurde die chinesische Nordflotte in der einzigen wichtigen Seeaktion des Krieges geschlagen. Bei diesem Gefecht erlitten die beiden chinesischen Schlachtschiffe, von denen jedes jedem japanischen Schiff mehr als gewachsen war, kaum Schaden, aber die Chinesen verloren mehrere kleinere Schiffe, während kein japanisches Schiff irreparabel beschädigt wurde. Die geschlagene chinesische Flotte machte sich auf den Weg nach Ta-lien-Wan, das an der Spitze der Kwantung-Halbinsel liegt. Dort blieb es einige Wochen, bis die Landung einer japanischen Armee in der Nähe dieses Hafens, den die Chinesen nicht zu verteidigen unternahmen, es zwang, in Weihaiwei Zuflucht zu suchen . Von da an tauchte es nie wieder auf und überließ den Japanern bis Kriegsende die unbestrittene Herrschaft über das Meer.

Der weitere Verlauf des Krieges ist bekannt, die allgemeine Kontrolle über die Operationen blieb wie zuvor in den Händen von Marschall Prinz Yamagata. Nirgendwo waren die chinesischen Streitkräfte in der Lage, dem

Vormarsch der Japaner wirksamen Widerstand zu leisten. Wann immer sie versuchten, Stellung zu beziehen, erlebten sie eine Wiederholung dessen, was bei Ping-yang geschah, wo ihre Verluste im Vergleich zu denen des Feindes (6000 bis 200) erzählten ihre eigene Geschichte. Gegen Ende Oktober überquerten die beiden japanischen Divisionen, die auf parallelen Linien in Korea operierten, die chinesische Grenze und trieben die chinesischen Streitkräfte vor sich her, die jedoch nur schwachen Widerstand leisteten. Die japanischen Divisionen (etwa 40.000 Mann stark), die Anfang November die Chinesen aus Ta-lien-wan vertrieben und die Landenge von Chinchou besetzt hatten , wodurch die Kommunikation zwischen der Kwantung-Halbinsel und dem nördlichen Teil der Provinz Fêng-t'ien unterbrochen wurde , fuhr fort, Port Arthur zu investieren. Später im Monat wurde eine chinesische Armee, die von Norden her vorrückte, bei dem Versuch, die Festung zu entsetzen, vollständig besiegt. Am 21. November wurde Port Arthur mit geringen Verlusten für die Japaner gestürmt, wenn man die natürliche Stärke der Position und ihre mächtigen Befestigungen bedenkt. Anfang Dezember setzten die von Korea aus operierenden japanischen Streitkräfte mit Unterstützung einer zu diesem Zweck abkommandierten dritten Division ihren Vormarsch fort und besetzten nacheinander die Städte Kaiping und Haicheng . Im Februar und März 1895 drang diese Armee, nun unter dem Kommando von General (später Prinz) Katsura, noch weiter nach Westen vor, besiegte die Chinesen in drei aufeinanderfolgenden Gefechten in der Nähe von Newchwang und besetzte diesen Hafen, während die Chinesen sich zurückzogen Richtung Norden entlang des Flusses Liao . In der Zwischenzeit war eine im Januar von Ta-lien-wan entsandte Expeditionstruppe in der Yung- chêng- Bucht östlich von Weihaiwei gelandet und hatte in Zusammenarbeit mit der japanischen Flotte diesen Ort belagert. Die tapfere Verteidigung durch Admiral Ting war für China der einzige erlösende Aspekt des Krieges. Am 16. März ergab es sich nach einer dreimonatigen Belagerung, wobei sein tapferer Verteidiger durch seine eigene Hand starb. Der Fall von Weihaiwei und der ununterbrochene Erfolg der japanischen Armeen am Liao-Fluss überzeugten China von der Aussichtslosigkeit eines weiteren Widerstands, obwohl es in der Nähe der Hauptstadt immer noch über große Militärreserven verfügte. Dementsprechend wurde am 30. März ein Waffenstillstand geschlossen. Die chinesische Regierung hatte zuvor über einen ausländischen Berater im chinesischen Zolldienst informelle Friedensangebote gemacht, die jedoch scheiterten, da Japan darauf bestand, direkt mit den zuständigen chinesischen Behörden zu verhandeln. Die Friedensverhandlungen im Anschluss an den Waffenstillstand führten am 17. April zur Unterzeichnung des Vertrags von Shimonoséki . Im Verlauf dieser Verhandlungen gewährte die japanische Regierung eine geringfügige Änderung ihrer Forderungen als Wiedergutmachung für einen fanatischen Angriff auf den chinesischen

Bevollmächtigten Li Hung Chang, der glücklicherweise ohne ernsthafte Verletzungen davonkam.

Die wichtigsten Bestimmungen dieses Vertrags, von denen einige durch die spätere Intervention Russlands, Frankreichs und Deutschlands geändert wurden, waren die Anerkennung der Unabhängigkeit Koreas durch China; die Abtretung des südlichen Teils der Provinz Fêng-t'ien , Formosa und der Pescadores an Japan; die Zahlung einer Entschädigung von 200.000.000 Kuping -Taels durch China – was zum damaligen Wechselkurs etwa 40.000.000 Pfund Sterling entspricht; und die Öffnung von vier neuen Städten in China für den Außenhandel. Dies waren Shasi , Chungking, Soochow und Hangchow. Der Vertrag begründete auch das Recht von Ausländern, sich an Produktionsunternehmen in China zu beteiligen, und sah den anschließenden Abschluss eines Handelsabkommens sowie von Vereinbarungen über den Grenzverkehr und den Grenzhandel vor. Und es wurde vereinbart, dass Weihaiwei bis zur Zahlung der Entschädigung von Japan besetzt bleiben sollte. Im Rahmen des Handelsabkommens, das drei Monate später ordnungsgemäß abgeschlossen wurde, sicherte Japan seinen Untertanen extraterritoriale Rechte in China, diese wurden jedoch chinesischen Untertanen in Japan vorenthalten. Im darauffolgenden Oktober wurde diesem Handelsabkommen ein Zusatzprotokoll mit vier Artikeln hinzugefügt.

Es ist ersichtlich, dass Japan mit dieser einseitigen Vereinbarung mit China über extraterritoriale Rechte, die deren Genuss ausdrücklich auf die Untertanen einer der Vertragsparteien beschränkte, dem Beispiel der Westmächte in ihren frühen Verträgen mit Japan folgte, die bestanden noch, der revidierte Vertrag mit Großbritannien trat erst 1899 in Kraft. Abgesehen von der Frage, ob diese Vorsicht ihrerseits durch die Bedingungen der chinesischen Gerichtsbarkeit gerechtfertigt war oder nicht, ist es nicht einfach, ihr Vorgehen in dieser Hinsicht in Einklang zu bringen mit ihren wiederholten Protesten gegen die extraterritorialen Bestimmungen ihrer eigenen Verträge mit Westmächten und mit der daraus resultierenden nationalen Agitation für deren Revision.

KAPITEL XXIII

Militaristische Politik – Halbinsel Liaotung – Intervention dreier Mächte – Pachtverträge chinesischer Gebiete durch Deutschland, Russland, Großbritannien und Frankreich – Interessensphären.

Der Ursprung der Aktivitäten Japans bei der Neuorganisation seiner Armee und Marine, deren Effizienz im Krieg mit China so eindrucksvoll demonstriert wurde, lässt sich auf die militärischen Tendenzen der beiden Clans zurückführen, die das Land seit dem 19. Jahrhundert praktisch regiert hatten Wiederherstellung. Wie wir gesehen haben, war die militärische Stärke dieser Clans der entscheidende Faktor im Kampf vor der Restauration; Auch dies war es, was die neue Regierung sicher durch die früheren inneren Unruhen führte und es ihr ermöglichte, trotz vieler Schwierigkeiten ihre Politik der schrittweisen Reformen erfolgreich fortzusetzen. Im Zuge der Überwindung dieser Schwierigkeiten und vielleicht sogar noch mehr bei der Arbeit des Wiederaufbaus selbst, soweit dieser die Umstrukturierung der Marine und des Militärs betraf, war es nur natürlich, dass die betreffenden Tendenzen entwickelt wurden. Andere Einflüsse, die in die gleiche Richtung wirkten, waren der Wunsch, Gleichstellung mit den Westmächten zu erreichen, die Unabhängigkeit der Nation zu behaupten, die in der öffentlichen Meinung immer noch durch offensive Vertragsbestimmungen beeinträchtigt wurde, und der Wunsch, in der Lage zu sein, energisch zu handeln Angelegenheiten, die den Verkehr der Nation mit ihren Nachbarn auf dem asiatischen Kontinent betreffen. Schon vor dem Krieg mit China war daher in Verwaltungskreisen etwas zu erkennen, das einem militaristischen Geist sehr nahe kam. Die durchschlagenden Erfolge von Heer und Marine im Verlauf des Feldzugs begünstigten das Anwachsen dieses Gefühls. Allen aufmerksamen Beobachtern wurde klar, dass die Existenz einer militaristischen Partei im Land von nun an ein Faktor war, mit dem man bei jeder Einschätzung des künftigen Kurses der japanischen Politik rechnen musste. Die führenden Vertreter dieser militaristischen Politik waren natürlich Marine- und Militäroffiziere, aber ihre Ansichten wurden von den japanischen Staatsmännern geteilt, die eine herausragende Rolle bei den Militärreformen gespielt hatten; von anderen, deren Erklärungen zur Außenpolitik von Zeit zu Zeit von einem Chauvinismus geprägt waren, der sich mit der zunehmenden Stellung Japans in der Welt verstärkte; und von einem Teil der japanischen Presse.

Während der Shimonoséki- Verhandlungen war der Einfluss der Militärpartei, frisch aus ihrem Erfolg im Krieg, genutzt worden, um eine noch größere Gebietsabtretung auf dem Festland zu erreichen, als schließlich vereinbart wurde. Die Diskussionen, die zu diesem Punkt zwischen den Militärführern und dem japanischen Bevollmächtigten, dem verstorbenen

Prinzen Itō , stattfanden, dessen Feinde ihm niemals eine Neigung zum Chauvinismus vorwerfen konnten, ähnelten denen, die zwischen Bismarck und von Moltke am Ende des Franco-Regimes stattfanden -Deutscher Krieg von 1870. In diesem Fall setzten sich die gemäßigteren Ansichten von Prinz Itō durch, und das Ergebnis wurde im Vertrag festgehalten.

Wäre die japanische Regierung mit einer Voraussicht ausgestattet gewesen, die es ihr ermöglicht hätte, die Reihe aggressiver Handlungen seitens der europäischen Mächte vorherzusehen, für die ihr Versuch, Gebiete auf dem chinesischen Festland zu annektieren, das Signal gegeben hat, wäre dieser Versuch möglicherweise nie unternommen worden. Hätte es überhaupt den entschiedenen Widerstand einiger europäischer Mächte gegen die Abtretung auch nur dieser Ausdehnung chinesischen Territoriums auf dem Festland vorhergesehen, wären seine Forderungen wahrscheinlich noch weiter modifiziert worden. Der Ehrgeiz des deutschen Kaisers, in auswärtigen Fragen eine aktivere Rolle zu spielen und Deutschland einen Einfluss im Ausland zu sichern, der seiner Meinung nach seiner Würde als Reich angemessen war, ganz zu schweigen von den Schritten, die er in dieser Zeit unternahm Seine Absichten durch den Beginn des Aufbaus einer bald mächtigen Marine in die Tat umzusetzen, war den japanischen Ministern nicht entgangen. Auch seine Warnung vor dem, was er als „Gelbe Gefahr“ bezeichnete, blieb unbemerkt. Über den allgemeinen Trend der europäischen Diplomatie waren sie sich nicht im Unklaren, aber über deren besondere Bedeutung für fernöstliche Angelegenheiten waren sie sich offenbar nicht vollständig im Klaren, obwohl Russlands Rundschreiben an die Großmächte im Jahr 1999 Hinweise auf ein Interesse Russlands an der Mandschurei gab Februar 1895 und die Warnung vor drohenden Schwierigkeiten, die Deutschland angeblich im darauffolgenden Monat vor Abschluss des Waffenstillstands an Japan gerichtet hatte. Die mögliche Ausweitung der schelmischen Aktivitäten des Kaisers auf den Fernen Osten, die Absichten Russlands und die Ergebnisse, die nach dem Abschluss der jüngsten Entente zwischen dieser Macht und Frankreich zu erwarten waren, waren Punkte, die offenbar nicht ausreichend berücksichtigt wurden .

Der Vertrag von Shimonoséki wurde, wie wir gesehen haben, am 17. April unterzeichnet. Acht Tage später überreichten der russische und der französische Minister in Tōkiō dem japanischen Außenminister (dem verstorbenen Grafen Mutsu) identische Noten, in denen er der japanischen Regierung riet, „auf den endgültigen Besitz der Halbinsel Liaotung zu verzichten“, mit der Begründung, dass „ihr Besitz durch ...“ Japan wäre eine Bedrohung für Peking und würde die Unabhängigkeit Koreas illusorisch machen.“ Am selben Tag legte der deutsche Minister eine ähnliche Note vor. Auf das plötzliche Eingreifen dieser drei Mächte war die japanische Regierung nicht vorbereitet. Die Schnelligkeit, mit der es die Unterzeichnung des Vertrags verfolgte, ebenso wie die Form des angenommenen Verfahrens ließen keinen Zweifel an den ernsthaften Absichten der beteiligten Mächte; während der Verband Deutschlands in dieser Angelegenheit dem Protest ein unheilvolles Gewicht verlieh. In der Überzeugung, dass dies keine leere Drohung war, und im Bewusstsein der Sinnlosigkeit, sich einer Forderung der drei wichtigsten Militärmächte Europas zu widersetzen, gab die japanische Regierung sofort nach und stimmte zu, diesen Teil des chinesischen Territoriums gegen eine zusätzliche Entschädigung aufzugeben 30.000.000 Kuping- Taels, was etwa 6.000.000 £ entspricht. Eine entsprechende Konvention wurde am 8. November 1895 in Peking unterzeichnet. Sie sah die Zahlung der zusätzlichen Entschädigung bis zum 25. dieses Monats vor und sah vor, dass die Räumung der Halbinsel Liaotung innerhalb von drei Monaten ab diesem Datum abgeschlossen sein sollte.

Die Erwähnung der „Halbinsel Liaotung" im Protest der drei Mächte ist das erste Mal, dass wir von diesem Begriff hören. Es wurde weder von den Chinesen verwendet noch kam es im Shimonoséki- Vertrag vor. Dort wird das abgetretene Gebiet „der südliche Teil der Provinz Fêng-t'ien " (auch bekannt als Shengking und Moukden , obwohl letzteres eigentlich der Name der Provinzhauptstadt ist) genannt, wobei die Vertragsgrenze (nie abgegrenzt) verläuft ungefähr von Yingkow am Fluss Liao bis zum Fluss Yalu und nördlich der Städte Fenghwangcheng und Haicheng . Aber die Chinesen verwendeten den Begriff Liaotung, der „östlich des Flusses Liao" bedeutet, in einer vagen Weise, um das Gebiet zu bezeichnen, das links von diesem Fluss liegt; und ausländische Geographen, die die Bedeutung des Begriffs nicht kannten, verwendeten ihn auf die Bucht, in die der Fluss mündet, die in Atlanten als „Golf von Liaotung" erscheint. Als die Intervention stattfand, hielt man es wahrscheinlich für zweckmäßig, in den Protestnotizen einen Begriff zu verwenden, der bereits in ausländischen Atlanten für die Bucht verwendet wurde, die die westliche Grenze des betreffenden Territoriums bildet. Daher wurde der Begriff „Halbinsel Liaotung" übernommen, was ein Fehler in der geografischen Nomenklatur war. Nach seiner Übernahme oder, wie man sagen könnte, erfundenen Bezeichnung führte die Bequemlichkeit des Begriffs zu seiner erneuten Verwendung, als 1898 das russisch-chinesische Abkommen über die Pacht von Port Arthur geschlossen wurde, obwohl das damals verpachtete Gebiet auf das heutige Gebiet beschränkt war bekannt als die Halbinsel Kwantung. Es taucht im zusätzlichen russisch-chinesischen Abkommen desselben Jahres wieder auf. Von da an scheint der Begriff allgemein gebräuchlich zu sein, denn wir finden ihn im Portsmouth-Vertrag von 1905.

Das Eingreifen der drei Mächte hatte weitreichende Konsequenzen, von denen aller Wahrscheinlichkeit nach zu diesem Zeitpunkt keine der beteiligten Regierungen vorhergesehen hatte, obwohl jede davon überzeugt war, dass dadurch ein Anspruch auf den guten Willen Chinas begründet wurde. Vier Monate nachdem Japan der Retrozession des ihm durch den Shimonoséki- Vertrag abgetretenen Territoriums zugestimmt hatte, ging Russland, das in dieser Angelegenheit die treibende Kraft gewesen war, dazu über, China weitere Verpflichtungen aufzuerlegen, indem es ihm finanzielle Unterstützung gewährte, die die Befreiung seines Territoriums erleichterte . Dies erfolgte in Form eines chinesischen Darlehens in Höhe von 15.000.000 Pfund, das unter russischer Garantie in Paris aufgelegt wurde.

Im Januar 1896 zeigte sich eine der oben erwähnten Konsequenzen in der Lösung verschiedener Fragen, die die französische Regierung der chinesischen Regierung seit einiger Zeit zur Kenntnis gebracht hatte. Diese Fragen betrafen die Berichtigung der Tonkin-Grenze sowie Eisenbahn- und Bergbaukonzessionen in den Provinzen Yunnan, Kwangsi und Kwantung. Dies war nur eine Teilzahlung der Vergütung, die Frankreich für seine Dienste erhalten sollte. Die Vereinbarung mit Frankreich über die Tonkin-Grenze stellte einen Verstoß gegen die Burma-Konvention von 1886 und eine spätere Konvention von 1894 dar, die die Grenzen zwischen britischen und chinesischen Territorien regelte und unter anderem vorsah, dass kein Teil zweier kleiner *Staaten* zugeteilt wurde China sollte ohne vorherige Vereinbarung mit Großbritannien jeder anderen Macht entfremdet werden. Der über diese Frage entstandene Streit wurde schließlich – wie zwischen Großbritannien und Frankreich – durch die gemeinsame Erklärung vom 15. Januar 1896 beigelegt, in der die Grenze zwischen den Besitztümern oder Einflusssphären der beiden Mächte bis zur chinesischen Grenze festgelegt wurde und dafür zu sorgen, dass alle Privilegien, die China in den Provinzen Yunnan und Szechuan den beiden Mächten im Rahmen ihrer Abkommen mit China von 1894 und 1895 gewährt hat, beiden Mächten und ihren Staatsangehörigen gemeinsam zugänglich gemacht werden; und – wie zwischen Großbritannien und China – durch ein am 4. Februar 1897 unterzeichnetes Abkommen, das die bisherige Grenze zugunsten Großbritanniens änderte und den West River, der bei Canton ins Meer mündet, für den Außenhandel öffnete.

Als nächstes profitierte Russland. Sie hatte bereits 1892 beschlossen, die heutige Transsibirische Eisenbahn zu bauen, um die östlichen und westlichen Enden des Reiches zu verbinden und so die Entwicklung Sibiriens zu fördern und seine Position an der Pazifikküste zu stärken. Die damals geplante Linie sollte von Chiliabinsk im Ural zum südwestlichen Ufer des Baikalsees und vom südöstlichen Ufer des Sees nach Wladiwostok verlaufen und dabei über eine gewisse Strecke dem Lauf des Amur folgen . Die Kommunikation über den See sollte durch speziell für diesen Zweck gebaute Schiffe aufrechterhalten werden. An beiden Enden der Eisenbahn wurde mit den Arbeiten begonnen, und als der Shimonoséki- Vertrag unterzeichnet wurde, war die Strecke bis nach Tschita im Osten fertiggestellt, einer Stadt südöstlich des Baikalsees und weniger als zweihundert Meilen von der chinesischen Grenze entfernt.

Der Krieg zwischen China und Japan hatte für Russland einen nützlichen Zweck erfüllt, indem er sowohl die Schwäche Chinas als auch die Stärke und Ambitionen Japans offenbarte. Diesen Ambitionen in Richtung Mandschurei Einhalt zu gebieten und Japan zuvorzukommen, indem es sich in dem begehrten Gebiet niederließ, war die Aufgabe, auf die sie nun ihre Energie richtete. Im ersten Schritt zur Rückabtretung der Halbinsel Liaotung wurde sie, wie wir gesehen haben, sowohl von Frankreich als auch von Deutschland unterstützt. Zwischen letzterer und ihr scheint es zu einer grob formulierten Übereinkunft gekommen zu sein, die Reventlow in seinem Werk „*Deutschlands Auswärtige Politik*" als geheime Vereinbarung zwischen dem Kaiser und dem Zaren beschreibt, deren Ergebnisse sich später zeigen sollten. Mit Frankreich arbeitete sie stets in engstem Einvernehmen an der Entwicklung der neuen Politiklinie, die sie sich im Fernen Osten vorgenommen hatte und an der auch belgische Finanziers mitwirkten. Als Gegenleistung für die Unterstützung Russlands in europäischen Angelegenheiten, wie sie in der zwischen den beiden Ländern geschlossenen Entente vereinbart wurde, war Frankreich seinerseits nur allzu bereit, russische Ziele im Fernen Osten zu fördern; und sie war dazu umso eher bereit, als dieser Kurs ihr gegenseitige Hilfe bei der Verfolgung ihrer eigenen Interessen in China sicherte. Russland war das Bindeglied zwischen den drei Mächten gewesen, deren Intervention die Halbinsel Liaotung an China zurückgegeben hatte. Es waren die Beziehungen, die sie nach diesem Vorfall weiterhin mit ihren beiden Partnern pflegte – in dem einen Fall eine informelle Verständigung, im anderen eine konkrete konzertierte Aktion –, die den Verlauf der späteren Ereignisse im Fernen Osten prägten.

In *Ma Mission en Chine* berichtet M. Gérard, der von 1893 bis 1897 französischer Minister in Peking war, über die geheimen Verhandlungen mit China, durch die es Russland gelang, Japan in der Mandschurei zuvorzukommen. Sein Buch liefert den Schlüssel zum richtigen Verständnis des Hergangs der Ereignisse und wirft viel Licht auf die politische Situation zu der Zeit, von der er spricht. Wir erfahren, wie eng das Abkommen damals zwischen Frankreich und Russland aufrechterhalten wurde; wie geschickt Russland die gefällige Haltung seiner beiden Verbündeten ausnutzte; und mit welcher skrupellosen Entschlossenheit, ihre Ziele zu erreichen, nutzte sie die Schwäche Chinas, die Ansprüche, die sie auf dessen Wohlwollen erhoben hatte, und die Eitelkeit und Korruption der chinesischen Beamten.

Laut M. Gérard wurde im Mai 1896 in St. Petersburg ein Geheimvertrag von Prinz Lobanoff , dem damaligen Außenminister, und Li Hung Chang, Vizekönig von Chihli , unterzeichnet, der als Vertreter Chinas nach Russland geschickt worden war Krönung des verstorbenen Zaren Nikolaus II. Der vollständige Text dieses Vertrags wurde nie veröffentlicht, aber er versprach China russischen Schutz gegen Japan; Als Gegenleistung für diese Beistandsgarantie gewährte China Russland das Privileg, in Kriegszeiten die Häfen von Ta-lien Wan auf der Halbinsel Kwantung und Kiaochou in der Provinz Shantung als Stützpunkte für seine Flotte zu nutzen . Drei Monate später (27. August) wurde in St. Petersburg von Li Hung Chang und den Vertretern der Russisch-Chinesischen Bank ein geheimes Eisenbahnabkommen unterzeichnet. Diese Institution, deren Kapital zur Hälfte aus Frankreich bestand, war Ende des Vorjahres gegründet worden. Herr Gérard erklärt, dass die französische Regierung aufgrund der Tatsache, dass ein so großer Teil des Kapitals der Bank von einem französischen Syndikat bereitgestellt wurde, darauf bestand, genaue Informationen über die betreffenden Verhandlungen zu erhalten. Seine Aussagen zum finanziellen Interesse Frankreichs an der Russisch-Chinesischen Bank werden von anderen Autoren bestätigt: von Chéradame in seinem interessanten Buch *Le Monde et La Guerre Russo-Japonaise* und von Débidour in *Histoire Diplomatique de l'Europe* . Wir erfahren auch von M. Gérard, dass die chinesische Regierung unter dem Titel einer Einlage 5.000.000 Taels zum Kapital der Bank beigetragen hatte, und erklärte damals auf Nachfragen, dass dieser Betrag Chinas Anteil an den Kosten darstelle Bau der Chinesischen Ostbahn; dass für den Bau dieser Strecke eine Gesellschaft namens Chinese Eastern Railway Company gegründet wurde, die zwar einen russisch-chinesischen Namen hatte, aber ein rein russisches Unternehmen war; und dass vereinbart wurde, dass nach der Fertigstellung der betreffenden Linie der von China „eingezahlte" Betrag an China zurückgegeben werden sollte. Er fügt hinzu, dass der Präsident der Bank Prinz Ouchtomsky war , der anschließend Peking an der Spitze einer russischen Mission besuchte.

Sowohl der Vertrag als auch das Eisenbahnabkommen wurden am 18. September von der chinesischen Regierung ratifiziert und traten an diesem Tag in Kraft. Das verbreitete Gerücht , dass der russische Minister in Peking für die Aushandlung dieser beiden Instrumente verantwortlich sei, war offenbar auf die Anwesenheit von M. Cassini in der chinesischen Hauptstadt zurückzuführen, wo es für notwendig erachtet wurde, dass er blieb, um ihre Ratifizierung sicherzustellen von China. Wie ein Blick auf eine Karte Nordostasiens zeigt, stellte das Eisenbahnabkommen ein Zugeständnis von größter Bedeutung für Russland dar. Die Chinesische Ostbahn, so der Name der neuen Strecke, deren Bau Russland genehmigt wurde, wurde zum östlichen Abschnitt der Transsibirischen Eisenbahn und verband den Baikalsee mit Wladiwostok, Russlands Zugang zum Pazifik. Die neue Linie, die die Nordmandschurei über Kharbin , Tsitsihar und Hailar durchqueren würde , würde die Entfernung um mehr als 300 Meilen verkürzen. Darüber hinaus stellte das flachere Gelände, durch das die Strecke verlaufen sollte, im

Vergleich zur Amur-Strecke kaum technische Schwierigkeiten dar, was die Bauzeit und die Baukosten erheblich verkürzen würde. Die Vereinbarung wurde anschließend in allen Einzelheiten durch die Ausarbeitung der sogenannten Statuten der Chinesischen Ostbahn vervollständigt. Diese wurden am 4. Dezember desselben Jahres vom Zaren bestätigt. Obwohl diese Statuten (in *den Verträgen und Konventionen von Rockhill enthalten*) vorsahen, dass der Präsident dieser Eisenbahngesellschaft ein Chinese sein sollte, war die Bestimmung rein nomineller Natur. Die Chinesische Ostbahn war ebenso wie die Russisch-Chinesische Bank ein ausschließlich russisches Unternehmen, wobei die Beschaffung des erforderlichen Kapitals sowie der Bau der Strecke vollständig in russischer Hand lagen.

In der Zwischenzeit schmiedete der Kaiser, der persönlich die Außenpolitik Deutschlands leitete, Pläne, seinen Anteil an der Belohnung für die dreifache Intervention einzufordern, und offenbar hatte er sich diesbezüglich bereits an die Regierung von Peking gewandt, allerdings ohne Erfolg. Die Art der Vereinbarung, die zwischen den Gerichten von St. Petersburg und Berlin in Bezug auf fernöstliche Angelegenheiten erzielt wurde, wird, sofern sie existiert, wahrscheinlich für immer ein Staatsgeheimnis bleiben . Auf jeden Fall geht jedoch aus seinen eigenen wiederholten Erklärungen darüber, dass Deutschland einen „Platz an der Sonne“ brauche, und aus den Verhandlungen des deutschen Ministers in Peking klar hervor, dass er bestrebt war, irgendwie Fuß zu fassen in China, von wo aus die zukünftige Expansion Deutschlands im Fernen Osten bequem vorangetrieben werden könnte. Seine Chance bot sich 1897. Im Herbst desselben Jahres wurden in der Provinz Shantung zwei deutsche Missionare ermordet. Einige Wochen später landete eine deutsche Streitmacht in dieser Provinz in Kiautschou , einem der beiden Häfen , deren Nutzung Russland in Kriegszeiten vor achtzehn Monaten im Rahmen seines Geheimvertrags mit China erworben hatte. M. Gérard erklärt in seinem oben erwähnten Buch, dass der deutsche Kaiser vor der Abfahrt der deutschen Schiffe zu diesem Auftrag den Zaren telegraphisch über seine Absichten informiert hatte und, da er keine Antwort erhielt, die Einwände gegen den vorgeschlagenen Schritt erhoben hätte, das Schweigen des Zaren als Zustimmung betrachtete . Die Besetzung dieser strategischen Position durch Deutschland, die den weiteren Vorteil hatte, dass sie in einer Region des chinesischen Festlandes lag, die weit genug von Punkten entfernt war, an denen sich andere ausländische Interessen konzentrierten, um Einwände seitens anderer Mächte zu vermeiden und gleichzeitig eine ... zu gewährleisten Ein weitreichendes und ungestörtes Feld für deutsche Unternehmen wurde durch einen am 6. März 1898 mit China geschlossenen Vertrag bestätigt. Durch diesen Vertrag gewährte China Deutschland eine neunundneunzigjährige Pacht des Hafens von Kiautschow und eines beträchtlichen Abschnitts des „Hinterlandes “ . Deutschland erwarb dadurch auch bestimmte Rechte zum Eisenbahnbau in der Nähe des Hafens.

Der Autor von „*Japan: The Rise of a Modern Power*" erzählt uns anhand einer Aussage, die angeblich von Prinz Heinrich von Hohenzollern abgegeben wurde, dass der nächste Schritt des Kaisers darin bestand, den Zaren einzuladen, Port Arthur und Ta-lien einzunehmen Wan. Was auch immer an der Aussage, die Prinz Heinrich zugeschrieben wird, wahr sein mag – M. Gérard geht davon aus, dass dieser Vorschlag in dem Telegramm enthalten sein könnte, in dem er seine eigenen Absichten bekannt gab – Tatsache bleibt jedoch, dass Deutschlands abruptes Vorgehen zu einem sofortigen Kampf mehrerer europäischer Mächte um verschiedene Teile des chinesischen Territoriums führte. Russland war in diesem unwürdigen Verfahren führend, das durch ein härteres Wort durch Gerechtigkeit ersetzt werden könnte. Zwei Monate nach der Besetzung Kiautschows durch Deutschland ankerten russische Kriegsschiffe in Port Arthur. Dorthin folgten ihnen britische Kreuzer, und einen Moment lang sah es so aus, als ob sich die Geschichte wiederholen würde und dass Russland möglicherweise mit einer britischen Einmischung in seine Pläne rechnen müsste. Andere Ratschläge setzten sich jedoch durch. Die britischen Schiffe wurden abgezogen, und am 27. März, drei Wochen nach Abschluss des Kiautschou- Abkommens, wurde in Peking ein ähnlicher Vertrag von Li Hung Chang und dem russischen Geschäftsträger unterzeichnet . Dieser Vertrag, dessen Wortlaut von der russischen Regierung nicht veröffentlicht wurde, sah die Pacht von Port Arthur, Ta-lien Wan und angrenzenden Gewässern an Russland für einen Zeitraum von 25 Jahren vor, der nach Ablauf der Laufzeit durch Vereinbarung verlängert werden konnte . Es wurde außerdem vereinbart, dass das von Russland im Rahmen des geheimen Eisenbahnabkommens vom 27. August 1896 gesicherte Recht zum Bau der Chinesischen Ostbahn durch die Nordmandschurei ausgeweitet werden sollte, um den Bau von Nebenstrecken von einem Punkt dieser Eisenbahn bis nach einzuschließen Ta-lien Wan und andere Orte auf der Halbinsel Liaotung. Der Vertrag sah auch eine spätere Festlegung der Grenzen des Pachtgebiets und – was angesichts späterer Ereignisse von einiger Bedeutung ist – eines neutralen Gebietsstreifens vor, der die chinesische und die russische Sphäre trennte. Darüber hinaus wurde Port Arthur zum Marinehafen erklärt und als solcher für alle Schiffe außer denen der beiden Vertragsparteien gesperrt. Anschließend, am 7. Mai, wurde in St. Petersburg ein Zusatzvertrag unterzeichnet , der die Grenzen des Pachtgebiets festlegte und deren Abgrenzung veranlasste.

Es dauerte nicht lange, bis Frankreich, dessen Dienste für China zum Zeitpunkt der dreifachen Intervention, wie wir gesehen haben, bereits durch die rasche Lösung verschiedener offener Fragen Anerkennung gefunden hatte, seinerseits ein territoriales Zugeständnis erhielt von der gleichen Art – wenn auch vielleicht nicht so wichtig – wie die, die Deutschland und Russland gewährt wurden. Durch eine am 27. Mai 1898 in Peking unterzeichnete Konvention gewährte China ihm einen Pachtvertrag für neunundneunzig Jahre zum Zweck einer Marinestation und eines Kohledepots in der Bucht von Kwang-chow und dem angrenzenden Gebiet auf der Halbinsel Leichow mit dem Recht, eine Eisenbahn zu bauen, die die Bucht mit der Halbinsel verbindet. Das Gebiet dieser Konzession lag in der Provinz Kwangsi, die an das französische Territorium Tonkin angrenzt.

Im Gegensatz zu den drei an der dreifachen Intervention beteiligten Mächten, deren späteres Vorgehen die Annahme rechtfertigt, dass sie sich als Makler betrachteten, die Anspruch auf eine Provision für erbrachte Dienstleistungen hatten, hatte Großbritannien keinen besonderen Anspruch auf das Wohlwollen Chinas. Dennoch beteiligte sie sich am Kampf um chinesisches Territorium. Eine am 9. Juni 1898 in Peking unterzeichnete Konvention gewährte ihr eine Erweiterung des Territoriums von Hongkong als Pachtvertrag für einen Zeitraum von neunundneunzig Jahren diese Kolonie. Drei Wochen später (am 1. Juli) wurde in einer weiteren Konvention, die ebenfalls in Peking unterzeichnet wurde, vereinbart, dass die chinesische Regierung „um Großbritannien einen geeigneten Marinehafen zur Verfügung zu stellen und den britischen Handel in den benachbarten Meeren zu schützen " sollte ihr Weihaiwei und die angrenzenden Gewässer „so lange verpachten, wie Port Arthur unter russischer Besatzung bleibt". Das so gepachtete Gebiet umfasste die Insel Liu-kung und alle anderen Inseln in der Bucht von Weihaiwei .

Zur Verteidigung des Vorgehens Großbritanniens kann durchaus geltend gemacht werden, dass seine Interessen in China und im Fernen Osten im Allgemeinen, die umfangreicher waren als die jeder anderen Macht, möglicherweise mit Ausnahme Japans, es für seine Regierung erforderlich machten, eine Entscheidung zu treffen unverzüglich Maßnahmen ergreifen, um den Auswirkungen von Maßnahmen anderer Mächte entgegenzuwirken, die diesen Interessen schaden könnten. Die politische Situation, die im Fernen Osten durch das Vorgehen der drei an der dreifachen Intervention beteiligten Mächte geschaffen wurde, war das Gegenteil von Beruhigung. Die russische Besetzung von Port Arthur stand in direktem Widerspruch zu den Gründen des gemeinsamen Protests gegen die Annexion der Halbinsel Liaotung durch Japan. Weder zu Frankreich noch zu Russland waren unsere Beziehungen damals so, wie sie später wurden. Zwischen der britischen und der russischen Politik herrschte ein kaum verhüllter Gegensatz, während die Franzosen und wir in China wie anderswo seit langem Rivalen waren. Das gemeinsame Vorgehen dieser beiden Mächte, ganz zu schweigen von ihrer Unterstützung durch eine dritte, deren genaue Beziehung zu ihren

Verbündeten zweifelhaft war, war daher darauf ausgelegt, Befürchtungen hervorzurufen, die zweifellos noch größer gewesen wären, wenn die britischen Minister damals alles gewusst hätten, was seitdem geschehen ist ans Licht kommen. Das plötzliche Erscheinen Deutschlands in einer neuen Rolle erhielt noch mehr Gewicht, als es, um es mit den Worten von M. Gérard zu sagen, „mit Gewalt und in einem Moment völligen Friedens einen Hafen besetzte, der dem Imperium gehörte, dessen Territorium es für sich beanspruchte." gegen Japan abgesichert zu haben." Unter diesen Umständen mag die britische Regierung durchaus der Ansicht gewesen sein, dass es gerechtfertigt war, dieses Verfahren als mit der Möglichkeit einer Schädigung der Interessen und des Ansehens Großbritanniens behaftet zu betrachten und Maßnahmen zu ergreifen, die angesichts dieser Vorkommnisse vernünftigerweise als Vorsorgemaßnahme angesehen werden könnten Maßnahmen. Dies war zweifellos die allgemeine Interpretation, die unparteiische Beobachter dem Vorgehen Großbritanniens bei der Vorbereitung seiner Besetzung von Weihaiwei gaben . Es handelte sich, wie aus den Bedingungen des Abkommens deutlich hervorgeht, um einen direkten Gegenschritt zur russischen Besetzung von Port Arthur. Als solches wurde es von Japan begrüßt, das es, als die Zeit für die Räumung von Weihaiwei gekommen war, bereitwillig der Macht übergab, die bald ihr Verbündeter werden sollte.

KAPITEL XXIV

Amerikanischer Protest gegen ausländische Aggression in China – Prinzip der „Offenen Tür und Chancengleichheit“ – Finanzreform – Umsetzung der überarbeiteten Verträge – Der Boxer-Ausbruch – Russland und die Mandschurei.

Zusätzlich zu den verschiedenen im vorangehenden Kapitel erwähnten Vereinbarungen über die Besetzung chinesischen Territoriums wurden etwa zur gleichen Zeit von den betroffenen europäischen Mächten und auch von Japan Verhandlungen mit der chinesischen Regierung geführt, um Erklärungen über die Nicht-Besetzung chinesischer Gebiete zu erhalten. Entfremdung bestimmter Gebiete durch China, die von ihnen jeweils als in ihren besonderen Interessenbereich fallend angesehen wurden. Als Ergebnis dieser Verhandlungen erhielt der französische Minister in Peking im März 1897 eine mündliche Zusicherung, die später schriftlich bestätigt wurde, dass die chinesische Regierung „in keinem Fall und in keiner Form die Insel Hainan einer anderen Macht entfremden würde.“ die Küste der Provinz Kwantung.“ Im Februar 1898 wurde Großbritannien eine ähnliche Erklärung bezüglich der Flussprovinzen des Jangtse abgegeben. Im darauffolgenden April wurde die zuvor Frankreich gegebene Zusicherung auf die drei südlichen Provinzen Yunnan, Kwangsi und Kwantung an der Grenze zu Tonkin ausgeweitet; während Japan im selben Monat eine entsprechende Zusicherung bezüglich der Provinz Fukien erhielt, wobei die chinesische Regierung ihre Absicht bekundete, sie „niemals an irgendeine Macht abzutreten oder zu verpachten“. Indem Japan auf diese Weise von China eine Nichtentfremdungserklärung in Bezug auf die Provinz Fukien erhielt, ähnlich denen, die Großbritannien und Frankreich in Bezug auf andere Teile des chinesischen Territoriums abgegeben hatten, begründete Japan seinen Anspruch, eine der führenden Mächte im Fernen Osten zu sein. eine Position, die, wie wir sehen werden, im folgenden Jahr weitere Anerkennung erhielt. Ihr Erfolg in dieser Hinsicht – aufgrund ihres Sieges im Krieg mit China und der Veränderung ihres Status als Nation, die sich aus dem Abschluss revidierter Verträge mit mehreren ausländischen Mächten ergab – wurde durch das Scheitern Italiens umso deutlicher. nach langwierigen Verhandlungen die Zustimmung Chinas zu einem territorialen Zugeständnis zu erhalten, das denen ähnelt, die anderen europäischen Mächten gewährt wurden.

In den Jahren 1898 und 1899 verhandelten die europäischen Mächte miteinander über zwei weitere Vereinbarungen etwas anderer Art in Bezug auf China. Eine davon war die Erklärung Großbritanniens an Deutschland vom 19. April 1898, in der es sich verpflichtete, keine Eisenbahnstrecke zu bauen , die Weihaiwei und das angrenzende Pachtgebiet mit dem

Landesinneren der Provinz Shantung verbindet. Das andere war das durch einen Notenaustausch in St. Petersburg am 28. April 1899 zustande gekommene Abkommen, in dem die britische und die russische Regierung ihre Absicht zum Ausdruck brachten, das Becken des Jangtse und die Region für den Zweck von Eisenbahnkonzessionen zu berücksichtigen nördlich der Großen Mauer als die besonderen Interessensphären der beiden Mächte, was gleichzeitig die zwischen ihnen erzielte Vereinbarung über die Eisenbahn zwischen Shanhaikwan und Newchwang bestätigt .

Der Ausbruch des Krieges zwischen den Vereinigten Staaten und Spanien im Frühjahr 1898 führte zur Einführung eines neuen Faktors in die durch die oben beschriebenen Ereignisse im Fernen Osten entstandene Situation. Eines der Ergebnisse des Krieges war die Abtretung der Philippinen an Amerika, das sich durch die Annexion Hawaiis bereits ein Sprungbrett über den Pazifik gesichert hatte. Durch den Erwerb dieser ehemaligen spanischen Besitztümer, die ihm einen Marinestützpunkt im Ostpazifik zum Schutz seines Handels in fernöstlichen Gewässern verschafften, wurde Amerikas Haltung gegenüber fernöstlichen Fragen sofort beeinflusst. Bisher hatte sie in ihren Beziehungen zum Fernen Osten – zu China, Japan und Korea – eine distanzierte Haltung bewahrt, die ihrer traditionellen Politik der Nichteinmischung in ausländische Fragen entsprach. In China, wo sie erst spät zum Einsatz kam, hatte sie sich damit begnügt, mit Abstand den anderen Mächten zu folgen; Sie beteiligte sich an allen möglichen kommerziellen oder extraterritorialen Privilegien, brach jedoch niemals das Eis für sich selbst und verriet auch nicht – was ihr zugute gehalten werden muss – aggressive Tendenzen. Als Vorreiterin der westlichen Nationen bei der Beendigung der Abschottung Japans und Koreas verfügte sie über Möglichkeiten, einen mächtigen Einfluss auszuüben, den sie jedoch aufgrund ihrer traditionellen Politik nicht in vollem Umfang nutzen durfte. Sie betrachtete beide Länder einigermaßen im Lichte ihrer Protegés, doch ihre Politik in Bezug auf beide Länder entwickelte sich bald zu einer wohlwollenden Untätigkeit, die nur durch gelegentlichen halbherzigen Widerstand gegen die weniger nachgiebige Politik anderer Regierungen abgeändert wurde, wann immer es die Pflicht eines Gönners war zu sprechen, schien ihr Eingreifen zu erfordern. Wir haben gesehen, wie sie auf diese Weise bei der Vertragsrevision zweimal dazu verleitet wurde, japanische Ambitionen vorzeitig zu fördern, was sowohl für sie selbst als auch für die Nation, deren Wünsche sie zu fördern bereit war, zu Verlegenheit führte. Der so von Amerika verfolgte Kurs, der ein gemeinsames Vorgehen mit anderen Mächten ausschloss, war in mancher Hinsicht einfach eine Ausweitung der Politik, die Amerika zuvor in europäischen Fragen verfolgt hatte, auf den Fernen Osten. Auch wenn das traditionelle Prinzip, sich aus Angst vor politischen Verwicklungen von Angelegenheiten außerhalb des amerikanischen Kontinents fernzuhalten, möglicherweise zu den

Bedingungen ihrer früheren Existenz als Nation passte, ein zu starres Festhalten an diesem Prinzip, als diese Bedingungen schnell verschwanden, könnte zu unangenehmeren Konsequenzen führen als die, die sie vermeiden wollte. Eine zu weit getriebene Distanzierungshaltung könnte dazu führen, dass sie von der Mitsprache bei der Regelung von Angelegenheiten von internationalem Interesse ausgeschlossen wird. Amerika schien auf eine solche Position zuzusteuern, als es durch die Besetzung der Philippinen plötzlich „in die Weltpolitik hineinstolperte", um es mit den Worten von Herrn Hornbeck in *„Contemporary Politics of the Far East " auszudrücken.* Von diesem Moment an war ihre politische Isolation beendet. Sie begann, sich aktiver und intelligenter für fernöstliche Fragen zu interessieren, obwohl die Zurückhaltung, ihre traditionelle Politik aufzugeben, die bei ihrem Umzug immer noch in ihrem Handeln spürbar war, leicht mit Schüchternheit verwechselt werden konnte.

Die territorialen Zugeständnisse, die Deutschland, Russland, Frankreich und Großbritannien nacheinander erhielten, und die Zuweisung anderer chinesischer Gebiete durch Vereinbarungen, die entweder von den betreffenden Mächten sowie von Japan, mit China oder von bestimmten getroffen wurden Die Spannungen zwischen diesen europäischen Mächten lösten in Washington Unruhe aus. Es bestand die Befürchtung, dass die neuen Aktivitäten verschiedener Regierungen zur Schließung oder Einschränkung der chinesischen Märkte führen könnten, die bisher allen Ländern offen standen, was in diesem Fall zu einem schweren Schaden für den amerikanischen Handel und die amerikanische Wirtschaft führen könnte. Die Befürchtungen waren nicht unbegründet, auch was die Erklärungen zur Nichtentfremdung chinesischen Territoriums betraf. Obwohl der eigentliche Wortlaut dieser Erklärungen an sich keine Schlussfolgerung dieser Art rechtfertigte, wurde aufgrund der Tatsache, dass sie überhaupt abgegeben wurden, allgemein davon ausgegangen, dass ihre Wirkung darin bestand, in jedem Fall eine Art Priorität des Rechts festzulegen – a Position von außergewöhnlichem Vorteil zugunsten der Macht, gegenüber der die Erklärung abgegeben wurde. Diese Schlussfolgerung stützte sich auf die Unbestimmtheit des Begriffs „Interessensphären", der auf die von den fraglichen Erklärungen betroffenen Regionen angewendet wurde, und wurde auch durch den damals verbreiteten Eindruck bestärkt, dass diese Zweckbindung chinesischen Territoriums eine mögliche Teilung andeutete von China. Dies scheint die Ansicht der Regierung der Vereinigten Staaten gewesen zu sein.

Im September 1899 richtete der amerikanische Außenminister Rundschreiben an die britische, französische, deutsche und russische Regierung, in denen er die Hoffnung zum Ausdruck brachte, dass sie „eine formelle Erklärung einer Politik der ‚offenen Tür' in den von ihnen gehaltenen Gebieten in China abgeben würden". ." Von jeder Macht wurde die Zusicherung verlangt, dass sie „in keiner Weise einen Vertragshafen oder ein persönliches Interesse innerhalb einer sogenannten Interessensphäre oder eines gepachteten Territoriums, das sie in China haben könnte, beeinträchtigen würde"; „dass der derzeitige Tarif des chinesischen Vertrags für alle Waren gelten sollte, die in allen Häfen angelandet oder verschifft werden, die in der besagten ‚Interessensphäre' liegen" ... und „dass die so zu erhebenden Zölle von der chinesischen Regierung erhoben werden sollten" ; und dass es „keine höheren Hafengebühren von Schiffen einer anderen Nationalität erheben würde, die einen Hafen in diesem ‚Bereich' anlaufen, als von Schiffen seiner eigenen Nationalität erhoben werden sollte, und keine höheren Eisenbahngebühren für Strecken, die in seinem ‚Bereich' gebaut, kontrolliert oder betrieben werden. " „Auf Waren von Bürgern oder Untertanen anderer Nationalitäten, die durch diesen ‚Bereich' transportiert werden, sollte eine höhere Gebühr erhoben werden, als auf ähnliche Waren von eigenen Staatsangehörigen erhoben werden sollte, die über ähnliche Entfernungen transportiert werden." Im darauffolgenden November wurden ähnliche, wenn auch nicht identische Noten an die Regierungen Frankreichs, Italiens und Japans gerichtet, in denen sie aufgefordert wurden, sich diesen formellen politischen Erklärungen anzuschließen.

Der Grund für die so vorgenommene Unterscheidung sowohl in den Daten als auch im Inhalt der beiden Mitteilungsreihen könnte vielleicht in der Tatsache liegen, dass die von den drei erstgenannten Mächten gepachteten Gebiete neben ihrer größeren strategischen Bedeutung auch in einem lagen Teil Chinas, in dem die amerikanischen Interessen stärker betroffen waren als in der weiter südlich gelegenen Region, die von französischen Maßnahmen betroffen war, und dass Japan, obwohl es an der Erklärung zu Fukien interessiert war, weder eine Gebietsabtretung angestrebt noch erhalten hatte; während Italien in seinem Bemühen, dem Beispiel seiner nächsten kontinentalen Nachbarn nachzueifern, gescheitert war .

Die Zusicherung, die Japan von China bezüglich der Nichtentfremdung der Provinz Fukien erhielt, war, wie wir gesehen haben, im Grunde ein Eingeständnis der Macht- und Einflussposition, die es zu diesem Zeitpunkt erlangt hatte. Ihre Aufnahme in die Liste der von Amerika bei dieser Gelegenheit konsultierten Staaten stellte indirekt eine Bestätigung dieser Aufnahme dar und ist die erste öffentliche Anerkennung ihres neuen Status als führende Macht im Fernen Osten.

Von allen konsultierten Mächten gingen positive Antworten ein; Mit Ausnahme Italiens machten alle jedoch den Vorbehalt geltend, dass die Zustimmung zu den Vorschlägen von der Bedingung abhängig sei, dass alle interessierten Mächte an den Erklärungen teilnehmen würden. Daraufhin sandte der amerikanische Außenminister im März 1900 Anweisungen an den amerikanischen Vertreter in jeder der Hauptstädte der konsultierten Mächte, um die Regierung, bei der er akkreditiert war, darüber zu informieren, dass seiner Meinung nach die sechs betreffenden Mächte und die Vereinigten Staaten von Amerika betroffen seien Die Staaten verpflichteten sich gegenseitig dazu, den kommerziellen *Status quo in China* aufrechtzuerhalten und innerhalb ihres Einflussbereichs „Maßnahmen zu unterlassen, die darauf abzielen, die Chancengleichheit zu zerstören".

Die auf diese Weise zwischen den Vereinigten Staaten und den sechs anderen oben genannten Mächten ausgetauschten Noten erklären den Ursprung, da sie auch „die formelle Grundlage" (um die Worte von Herrn Hornbeck zu verwenden) dessen bilden, was seither als Politik der „Offenen" bekannt ist Tür und Chancengleichheit" in China. Der letzte Teil des Ausdrucks wurde später im anglo-japanischen Bündnisvertrag verwendet, um die Politik Großbritanniens und Japans in Korea sowie in China zu bezeichnen. Für das ehemalige Land, das jetzt von Japan annektiert ist, gilt es nicht mehr; Aber theoretisch, wenn auch nicht immer praktisch, ist diese Politik in Bezug auf China seit einundzwanzig Jahren in Kraft, und es gibt Grund zu der Annahme, dass sowohl von diesem Ausdruck als auch von der Politik, die er vertritt, noch mehr gehört werden könnte. im Zusammenhang mit Angelegenheiten in China und möglicherweise in anderen Teilen Ostasiens.

Als ich in einem früheren Kapitel auf das Thema der Finanzreform einging, wurde auf die Währungsverwirrung aufmerksam gemacht, die nach der Abschaffung des Feudalsystems herrschte, als die neue Regierung, die an die Macht gekommen war, mit Clanschulden und Clanpapiergeld belastet war. größtenteils abgeschrieben und von vielfältiger Art. Es wurde darauf hingewiesen, dass als natürliche Folge dieser Währungsverwirrung und finanzieller Schwierigkeiten aus anderen Gründen die Geldtransaktionen des Landes viele Jahre lang auf der Grundlage einer nicht konvertierbaren Papierwährung abgewickelt wurden; und wie durch aufeinanderfolgende Schritte, die bei jeder sich bietenden Gelegenheit ergriffen wurden, um diesem Zustand abzuhelfen, im Jahr 1886 schließlich die Wiederaufnahme der Artenvielfalt auf Silberbasis erreicht wurde.

Erst elf Jahre später, im Jahr 1897, übernahm Japan seinen derzeitigen Goldstandard. Die Gründe für diesen Schritt werden in dem bereits erwähnten Kapitel „Finanzen" von Marquis Ōkuma zum Buch von Marquis Ōkuma angegeben , in dem auch die Mittel erläutert werden, mit denen dieser Schritt erreicht wurde.

„Als", sagt diese Autorität für japanische Finanzangelegenheiten, „die Regierung 1886 Stellen für die Einlösung von Papiergeld eröffnete, wurden nur Silbermünzen als Tausch angeboten." Daher basierte die Währung Japans zu dieser Zeit praktisch auf einem Silberstandard, obwohl das System rechtlich gesehen ein Bimetallsystem war. Der Silberpreis sank jedoch aus verschiedenen Gründen allmählich, und die künstlichen Hemmungen seines Rückgangs waren nur für kurze Zeit wirksam. Eine Schwankung nach der anderen schien beim Wechselkurs in endloser Folge aufeinander zu folgen. In der Zwischenzeit begannen westliche Länder mit der Einführung des Goldmonometallismus. Unsere Behörden wussten sehr gut, dass Japan, um ein gesundes Finanzwachstum zu gewährleisten, früher oder später einen monometallischen Goldstandard einführen musste, und dies prägte sich den Finanziers so stark ein, dass die Regierung beschloss, die Reform bald durchzuführen möglich. Die gewünschte Gelegenheit ergab sich mit dem Friedensvertrag von 1895, als China begann, unserem Land eine Entschädigung von 200.000.000 Taels zu zahlen“ [*in* Wirklichkeit betrug der Betrag 230.000.000 Taels]. „Weitere Verhandlungen zwischen unserer Regierung und den chinesischen Behörden führten zur Zahlung der Entschädigung, nicht in chinesischem Geld, sondern in Pfund Sterling. Dies war wichtig, da für die Etablierung des Goldmonometallismus eine große Goldreserve unabdingbar war.“

Die Erfahrung von 1886, auf die sich Marquis Matsugata bezog , bewies, dass das Vertrauen in die Fähigkeit der Regierung, ihren Verpflichtungen in Form von Papiergeld nachzukommen, alles war, was nötig war. Sobald dieses Vertrauen hergestellt war, stellte sich beim Übergang von einer nicht konvertierbaren zu einer konvertierbaren Papierwährung keine weiteren Schwierigkeiten mehr dar. Da die Regierung auf eine starke Inanspruchnahme der Bargeldressourcen des Finanzministeriums vorbereitet war, hatte sie bei dieser Gelegenheit eine Reserve von 5.000.000 Pfund Sterling angesammelt. Als wenige Tage nach dem für die Wiederaufnahme der Bargeldzahlungen festgelegten Datum die Nachfrage nach Bargeld aufhörte, wurde festgestellt, dass der Gesamtwert der zum Umtausch vorgelegten Banknoten 30.000 Pfund Sterling nicht überstieg. Der Wechsel vom Silber- zum Goldstandard im Jahr 1897 erfolgte mit gleicher Leichtigkeit, wobei ein großer Teil der chinesischen Entschädigung ins Ausland überwiesen wurde. Dort erfüllte es einen nützlichen Zweck bei der Aufrechterhaltung der finanziellen Kreditwürdigkeit Japans und als natürliche Folge auch beim Marktpreis der Anleihen seiner zahlreichen Auslandsanleihen, die zur Überraschung privater Anleger mehrere Jahre lang zu höheren Zinssätzen im Ausland notierten als zu Hause.

Das Jahr 1899, als die überarbeiteten Verträge in Kraft traten, markierte eine neue Etappe im Fortschritt Japans auf dem Weg zu einer Gleichstellung mit den Westmächten – das Ziel, das sich seine Staatsmänner seit der Restauration gesetzt hatten und das auch erreicht wurde in vielerlei Hinsicht Leitprinzip sowohl der Innen- als auch der Außenpolitik. Um Zeit für die Aushandlung ähnlicher Verträge mit anderen ausländischen Mächten zu gewinnen, sah der 1894 in London unterzeichnete überarbeitete britische Vertrag, wie bereits erwähnt, vor, dass er erst fünf Jahre nach dem Datum der Unterzeichnung in Kraft treten sollte . Vor Ablauf der genannten Frist waren mit allen anderen beteiligten Mächten ähnliche Verträge abgeschlossen worden, wobei die Verträge mit Frankreich und Deutschland einige geringfügige Änderungen enthielten. In der Zwischenzeit waren außerdem die im Vertrag festgelegten Bedingungen hinsichtlich der neuen japanischen Kodizes und des Beitritts Japans zu den internationalen Übereinkommen über Urheberrecht und gewerbliches Eigentum erfüllt. Damit war der Weg für die Umsetzung der neuen überarbeiteten Verträge frei, die dementsprechend am 17. Juli 1899, dem frühestmöglichen Zeitpunkt, in Kraft traten. Obwohl in diesen neuen Verträgen, die die territoriale Gerichtsbarkeit Japans anerkannten, die Bestimmungen früherer Konventionen, die vor allem japanische Empfindlichkeiten verletzten, keinen Platz fanden, blieb das Land dennoch für einen weiteren Zeitraum von zwölf Jahren – der Laufzeit der überarbeiteten Verträge – an einen Zolltarif von gebunden ein einseitiger Charakter. Erst nach Ablauf dieser Frist würde es die volle Zollautonomie wiedererlangen und die Freiheit haben, auf der Grundlage völliger Gleichberechtigung Gegenseitigkeitsverträge mit den verschiedenen beteiligten Mächten auszuhandeln. Diese Gelegenheit bot sich ihr im Jahr 1911 und sie nutzte sie sofort.

Im Frühjahr des folgenden Jahres (1900) kam es zum sogenannten Boxeraufstand. Ursprünglich war es ein Protest gegen missionarische Unternehmungen. Im Laufe seiner Entwicklung wurde es zum Ausdruck eines Gefühls der Verzweiflung unter den offiziellen und gebildeten Klassen Nordchinas, das durch die Aktion der europäischen Mächte hervorgerufen wurde, die unter dem Deckmantel von Pachtverträgen verschiedene Teile des chinesischen Territoriums in dieser Region besetzten. Im vergangenen Herbst war in der Provinz Shantung eine Gesellschaft namens I-Ho- C'uan (Patriotische Harmoniefäuste) gegründet worden. Ihre Bildung wurde durch die reaktionären Tendenzen gefördert, die um diese Zeit in Peking auftraten, wo die Kaiserinwitwe nach dem erfolgreichen *Staatsstreich* , mit dem sie die schlecht geführte Reformbewegung im Jahr 1898 niedergeschlagen hatte, wieder an der Macht war. Die von ihren Mitgliedern beanspruchten magischen Kräfte erzeugten auf die unwissenden Massen einen Eindruck, der durch die von ihnen ausgeführten Beschwörungsformeln noch verstärkt wurde. Als die Bewegung wuchs, erregte sie die Aufmerksamkeit des Gouverneurs der Provinz, der sie offenbar mit der doppelten Idee unterstützte, sie gegen ausländische Aggressionen einzusetzen und gleichzeitig Gunst am Hof zu gewinnen. Durch sein offenes Mitgefühl erlangte die Boxerbewegung gewaltige Ausmaße. Obwohl schließlich durch die Energie von Yuan Shih- k'ai , der, wie wir gesehen haben, einst in Korea ansässig war, die Ordnung in Shantung wiederhergestellt wurde, breitete sich die Bewegung nach Norden in Richtung Peking aus. Dort gewann es, wie Herr Campbell in dem unter der Leitung des Auswärtigen Amtes erstellten China Handbook erklärt, die starke Unterstützung des ignoranten und reaktionären Staatsmannes Prinz Tuan, dessen Ernennung zum Thronfolger ihm eine Macht verschaffte Einfluss in den Räten des Reiches. Im April 1900 führten Boxergruppen am Rande der Hauptstadt Übungen durch. Ihr Auftauchen in jedem Bezirk, in den sie einmarschierten, ging mit Morden an Missionaren und Massakern an einheimischen Konvertiten einher. Einige Wochen später wurde die Lage so bedrohlich, dass Vorkehrungen getroffen wurden, kleine Kontingente ausländischer Truppen zum Schutz der Gesandtschaften und des noch verbliebenen Teils der ausländischen Gemeinschaft nach Peking zu bringen. Diese Wachen trafen Ende Mai rechtzeitig ein, als Schwärme von Boxern die Hauptstadt heimsuchten und die Gesandtschaften praktisch isoliert waren. Prinz Tuan wählte diesen Moment, um sich offen für die Sache der Boxer einzusetzen. Auf diesen Schritt folgte die Ermordung des Kanzlers der japanischen Gesandtschaft und des deutschen Ministers, wobei sich die beiden Verbrechen innerhalb weniger Tage nacheinander ereigneten. Der weitere Verlauf der Ereignisse ist bekannt: die Erstürmung der Taku- Festungen (16. Juni); die Belagerung der Gesandtschaften durch chinesische Truppen und Boxer; das Scheitern des Versuchs von Admiral Seymour, die Kommunikation mit der Hauptstadt wiederherzustellen; die Ausrüstung ausländischer Expeditionstruppen für den Einsatz gegen Peking; der Erlass eines kaiserlichen Erlasses, der ein allgemeines Massaker an Ausländern in den chinesischen Herrschaftsgebieten anordnete; der Angriff auf die ausländischen Siedlungen in Tientsin; die Ankunft russischer und britischer Verstärkungen und die Einnahme der Stadt Tientsin (14. Juli); die Ablösung der Gesandtschaften und die Besetzung der chinesischen Hauptstadt am 13. und 14. August durch die alliierten Streitkräfte; und die Flucht des chinesischen Hofes nach Sian-fu, der alten Hauptstadt in der Provinz Shensi. Mit der Flucht des Hofes aus der Hauptstadt brach der chinesische Widerstand zusammen, und als Graf Waldersee im September mit mehreren tausend deutschen Truppen eintraf, um den Oberbefehl über die alliierten Expeditionstruppen zu übernehmen, gab es keinen Feind, den es zu bekämpfen galt. Die Feindseligkeiten führten zu Verhandlungen zwischen den betroffenen ausländischen Regierungen und China zur Lösung der verschiedenen durch den Boxer-Ausbruch aufgeworfenen Fragen. Die Verhandlungen führten zu zwei vorläufigen Notenwechseln vom 22. Dezember 1900 bzw. 16. Januar 1901, in denen die Bedingungen für die Wiederherstellung normaler Beziehungen mit China dargelegt wurden, und zur Unterzeichnung eines endgültigen Protokolls am 7. September , 1901. Drei Tage vor seiner Unterzeichnung wurde Prinz Ch'un , der sich auf eine Mission nach Berlin begeben hatte, um sich für die

Ermordung des deutschen Ministers zu entschuldigen, vom Kaiser in einer Audienz empfangen.

Die Hauptbedingungen, die China durch diese Vereinbarungen auferlegt wurden, waren die Zahlung einer Entschädigung von 450.000.000 Haikwan-Taels (entspricht dem festgelegten Satz – 3 Schilling pro Tael – 67.500.000 £); die dauerhafte Besetzung bestimmter Orte, darunter Tientsin und Shanhaikwan , zum Zweck der Aufrechterhaltung der freien Kommunikation zwischen Peking und dem Meer; die Zerstörung der Taku und anderer Festungen, die diese Verbindungen bedrohten; und der Bau eines separaten befestigten Viertels in der Hauptstadt für die ausländischen Gesandtschaften, zu dessen weiterem Schutz ständige ausländische Wachen eingesetzt werden sollten. Zu den weiteren Bedingungen gehörte eine besondere Wiedergutmachung für die Ermordung des deutschen Ministers und des Kanzlers der japanischen Gesandtschaft sowie die Schändung von Friedhöfen; die Bestrafung von Prinz Tuan sowie anderen Persönlichkeiten und Beamten, die für die Angriffe auf Ausländer verantwortlich sind; und das Verbot der Einfuhr von Waffen.

Wie wir aus dem bereits zitierten Handbuch erfahren, ist es dem gesunden Menschenverstand der führenden Provinzbehörden wie der Vizekönige von Nanking und Wuchang und des neuen Gouverneurs von Shantung zu verdanken, die den Mut hatten, dem kaiserlichen Erlass nicht zu gehorchen, und die Boxerbewegung entstand in den zentralen und südlichen Regionen Chinas unterdrückt. Dort blieb trotz erheblicher Unruhen die Ordnung gewahrt. Aber weiter nördlich in der Mandschurei waren die Gouverneure nicht so umsichtig. Im Gehorsam gegenüber den Anweisungen des Hofes erklärten sie den Russen den Krieg. Die plötzlichen Angriffe chinesischer Streitkräfte lösten am Amur Panik aus und führten zu den grausamen Vergeltungsmaßnahmen, die bei Blagoweschtschensk an diesem Fluss stattfanden, sowie zur Besetzung der gesamten Mandschurei durch russische Truppen. Die Torheit der Kaiserinwitwe und der unwissenden Clique, von deren Ratschlägen sie sich leiten ließ, gab Russland die von ihm gewünschte Gelegenheit, seine Angriffspläne im Fernen Osten zu verfolgen. Ihr anschließendes Verhalten während der Verhandlungen und nach deren Abschluss machte die gute Wirkung ihrer wertvollen Mitarbeit bei den Kämpfen bei Tientsin zunichte, wo die russischen Verstärkungen zweifellos der Hauptfaktor bei der Rettung der ausländischen Siedlungen vor der Zerstörung waren.

Bei den militärischen Operationen gegen Peking und in den langwierigen Verhandlungen, die darauf folgten, spielte Japan eine herausragende Rolle. Sie hatte einen ähnlichen Schaden erlitten wie andere ausländische Mächte im Zusammenhang mit dem Boxeraufstand, und sie hatte ein gemeinsames Interesse mit ihnen, alle Maßnahmen zu ergreifen, die angesichts der entstandenen internationalen Notlage erforderlich sein könnten. Ihre Nähe zu China und ihre militärischen Ressourcen ermöglichten es ihr, schnell und wirkungsvoll zuzuschlagen. Auf die Einladung, an der im Aufbau befindlichen Expeditionstruppe teilzunehmen, die von den anderen interessierten Mächten mit Ausnahme Russlands an sie gerichtet worden war, reagierte sie bereitwillig ; und in kurzer Zeit trat eine gut ausgerüstete japanische Streitmacht an die Stelle der Truppen anderer Mächte und schloss sich dem Marsch nach Peking an, um die belagerten Gesandtschaften zu entlasten. Die Disziplin und Effizienz des japanischen Aufgebots erhielten wohlverdientes Lob von denjenigen, die am besten als Richter qualifiziert waren. In den anschließenden Verhandlungen erleichterte die Bereitschaft Japans, im Einklang mit anderen Mächten zu handeln, deren Haltung von der Rücksichtnahme auf die allgemeinen Interessen aller Beteiligten geprägt war, die Lösung vieler Schwierigkeiten. und als die Frage der Entschädigungsansprüche diskutiert wurde, wurden ihre Forderungen nur von Großbritannien und den Vereinigten Staaten gemäßigter .

KAPITEL XXV

Abkommen zwischen Großbritannien und Deutschland – Die Anglo-Japanische Allianz.

Bald nach der Aufnahme der Verhandlungen über die Wiederherstellung freundschaftlicher Beziehungen mit China schlossen die Regierungen Großbritanniens und Deutschlands ein Abkommen selbstverleugnenden Charakters, das, wenn auch mit anderen Worten und mit besonderer Anwendung auf die damalige Situation in China, bestätigte , das Prinzip der „offenen Tür und gleichen Chancen“, wie es von den Vereinigten Staaten dargelegt und von den konsultierten Mächten im Herbst 1899 und im Frühjahr des folgenden Jahres akzeptiert wurde. Durch dieses am 16. Oktober 1900 in London unterzeichnete Abkommen verpflichteten sich die beiden Mächte, den oben genannten Grundsatz zu unterstützen; darauf zu verzichten, die bestehenden Probleme in China auszunutzen, um „irgendwelche territorialen Vorteile zu erlangen“; und zum Schutz ihrer Interessen zusammenzuarbeiten, falls eine andere Macht versucht, unter den bestehenden Bedingungen solche Vorteile zu erlangen. Das Abkommen wurde, wie vorher vereinbart, anderen interessierten Mächten mitgeteilt, die aufgefordert wurden, „die darin niedergelegten Grundsätze zu akzeptieren“. Von den angesprochenen Mächten gingen mehr oder weniger positive Antworten ein. Die französische Regierung bezeichnete ihre prompte Zustimmung zu den Vorschlägen der Vereinigten Staaten im Vorjahr als Beweis ihrer seit langem gehegten Wünsche in der angegebenen Richtung; während die russische Antwort, die wie die französische die Form eines Memorandums annahm, sogar so weit ging zu sagen, dass Russland „das erste Land gewesen sei, das die Aufrechterhaltung der Integrität des chinesischen Reiches als Grundprinzip seiner Politik festgelegt habe“. in China." Die japanische Regierung erklärte in ihrer Antwort, dass sie angesichts der erhaltenen Zusicherung, dass Japan durch den Beitritt zum Abkommen in die gleiche Position gebracht würde, die es eingenommen hätte, wenn es Unterzeichnerstaat und nicht Beitrittsstaat gewesen wäre, dies nicht getan habe Zögern, sich an die Vereinbarung zu halten und die darin enthaltenen Grundsätze zu akzeptieren.

Als sich später herausstellte, dass Russland keine Absicht hatte, das von ihm besetzte Gebiet in der Mandschurei zu räumen, erklärte die deutsche Regierung, dass das Abkommen niemals für dieses Gebiet gelten sollte.

Der von Russland von Beginn der Verhandlungen in Peking an verfolgte Kurs stand in deutlichem Gegensatz zu der Haltung der anderen betroffenen Mächte und in direktem Widerspruch zu den Grundsätzen des englisch-deutschen Abkommens, dem Russland zuzustimmen erklärte. Von einigen

Forderungen der anderen Mächte distanzierte sie sich gemeinsam, während ihr Verhalten, ihre Truppen in den entferntesten Stellungen zu stationieren, bis zu denen sie während des Boxer-Ausbruchs vorgedrungen waren, die Absicht erkennen ließ, ihrer Besetzung der Mandschurei einen dauerhaften Charakter zu verleihen. Ihre Haltung in dieser letztgenannten Hinsicht wurde zweifellos durch die Tatsache bestärkt, dass das Schlussprotokoll zwar den Abzug ausländischer Truppen unter bestimmten Bedingungen aus Peking und der Provinz Chihli vorsah, es jedoch keinen Hinweis auf die Evakuierung der Mandschurei enthielt. Ein weiterer Beweis für ihre Absichten wurde durch den Abschluss eines Abkommens zwischen Admiral Alexeieff und dem tatarischen General in Moukden im Januar 1901 (vorbehaltlich der Bestätigung durch die Pekinger Regierung) geliefert , in dem die Provinz Fêng-t'ien (Shenking) unterstellt wurde Russische Kontrolle und durch die anschließende Aufnahme von Verhandlungen in St. Petersburg über eine formelle Konvention, die ein russisches Protektorat über die gesamte Mandschurei errichtet und ihr außerdem ausschließliche oder bevorzugte Rechte in der Mongolei und im chinesischen Turkestan eingeräumt hätte. Diese Versuche, Chinas Zustimmung zur Besetzung der Mandschurei zu erhalten und sich anderswo eine außerordentlich vorteilhafte Stellung zu sichern, scheiterten an der Wachsamkeit Großbritanniens, der Vereinigten Staaten und Japans und an der allgemeinen Empörung, die sie in China hervorriefen. Die Regierung in Peking gab dem dadurch auf sie ausgeübten Druck nach und verweigerte ihre Bestätigung des Moukden - Abkommens; dem chinesischen Minister in der russischen Hauptstadt wurde die Unterzeichnung des derzeit verhandelten Übereinkommens untersagt; und schließlich, im August 1901, gab die russische Regierung ein offizielles *Kommuniqué* heraus, in dem sie ankündigte, das vorgeschlagene Abkommen auf Eis zu legen, weil, wie erklärt wurde, die Absichten Russlands falsch dargestellt worden seien. Dennoch blieben russische Truppen in der Mandschurei, und erst nach dem Abschluss des englisch-japanischen Bündnisses schloss Russland endlich ein Abkommen mit China über die Räumung der von ihm besetzten Gebiete, ein Abkommen, das, wie Herr Witte Später erklärte sie dem britischen Botschafter in St. Petersburg, sie habe nie vorgehabt, zu beobachten.

Am 30. Januar 1902 wurde der anglo-japanische Bündnisvertrag in London vom Marquess of Lansdowne und dem dortigen japanischen Minister, dem verstorbenen Grafen (damals Baron) Hayashi, der später japanische Außenminister war, unterzeichnet. Der Vertrag bezog sich auf Angelegenheiten im „äußersten Osten“ und trat unmittelbar nach der Unterzeichnung in Kraft. Der Vertrag konnte nach einer Laufzeit von fünf Jahren mit einer Frist von einem Jahr auf beiden Seiten gekündigt werden, unter der Bedingung, dass der Vertrag bis zum Friedensschluss in Kraft bleiben sollte, falls sich eine der Vertragsparteien bei Ablauf der Laufzeit im

Krieg befand . Durch dieses Abkommen erkannten die Vertragsparteien die Unabhängigkeit Chinas und Koreas sowie die besonderen Interessen Großbritanniens und Japans daran an. Sie verpflichteten sich, strikte Neutralität zu wahren, falls einer von ihnen in einen Krieg verwickelt werden sollte, und einander zu Hilfe zu kommen, falls einer von beiden auf den Widerstand von mehr als einer feindlichen Macht stoßen sollte. Wie wir gesehen haben, bekräftigte der Vertrag auch den Grundsatz der „Chancengleichheit".

In seiner Depesche an den britischen Minister in Tōkiō , in der er die Unterzeichnung des Abkommens mitteilte, stellte der Marquess of Lansdowne fest, dass es als Ergebnis der Ereignisse angesehen werden könne, die während der letzten zwei Jahre im Fernen Osten stattgefunden hätten, und als Teil des übernommenen Abkommens von Großbritannien und Japan im Umgang mit ihnen. Graf Hayashi bestätigt diese Aussage in seinen *Secret Memoirs* , die 1915 nach seinem Tod in London veröffentlicht wurden, legt den Zeitpunkt, zu dem sich Tendenzen in dieser Richtung herauszubilden begannen, jedoch etwas weiter zurück. Die Idee eines Bündnisses zwischen den beiden Ländern kam, wie er sagt, erstmals japanischen Staatsmännern kurz nach der dreifachen Intervention von 1895 in den Sinn und wurde von Graf Mutsu, dem damaligen Außenminister, befürwortet . Er erklärt, dass diese Intervention zu einer Neugruppierung der Mächte im Fernen Osten geführt habe: Frankreich, Russland und Deutschland bildeten eine Gruppe, während Großbritannien, Japan und die Vereinigten Staaten eine andere Gruppe darstellten. Im Hinblick auf diese Neugruppierung äußerte er selbst im Sommer desselben Jahres die Ansicht, dass ein solches Bündnis wünschenswert sei, falls die unfreundliche Haltung bestimmter Mächte gegenüber Japan anhalten sollte. Der Vorschlag wurde in Artikeln geäußert, die in einer führenden Tōkiō- Zeitschrift verfasst wurden, nachdem er aufgehört hatte, Vize-Außenminister zu sein, und am Vorabend seiner Ernennung zum japanischen Minister für China.

Die folgenden Auszüge aus einer Zusammenfassung dieser Artikel, die in den Memoiren enthalten ist, zeigen, wie japanische Staatsmänner, unbeeindruckt von der Rückabtretung der Halbinsel Liaotung, immer noch an ihrer festen Politik festhielten, für die Nation eine Gleichberechtigung mit den Westmächten zu erreichen , wobei sie sich vielleicht klarer als zuvor bewusst waren, dass die Steigerung der japanischen Marine- und Militärstärke das einzige Mittel war, ihr Ziel zu erreichen.

„Wir müssen", sagt der Autor der Artikel, „weiterhin nach westlichen Methoden studieren, denn die Anwendung der Wissenschaft ist für zivilisierte Nationen der wichtigste Gegenstand kriegerischer Vorbereitungen." Wenn wir neue Kriegsschiffe für notwendig erachten, müssen wir sie um jeden Preis bauen. Wenn sich herausstellt, dass die

Organisation der Armee falsch ist, muss das gesamte Militärsystem völlig geändert werden. Wir müssen Docks bauen, um unsere Schiffe reparieren zu können. Wir müssen eine Stahlfabrik zur Lieferung von Waffen und Munition errichten. Unsere Eisenbahnen müssen ausgebaut werden, damit wir unsere Truppen schnell mobilisieren können. Unsere Überseeschifffahrt muss so ausgebaut werden, dass wir Transportmittel für den Transport unserer Armeen ins Ausland bereitstellen können. Dies ist das Programm , das wir immer im Auge behalten müssen ... Was Japan jetzt tun muss, ist, vollkommen zu schweigen, die gegen es aufgekommenen Verdächtigungen einzudämmen und abzuwarten, während es gleichzeitig die Grundlagen seiner nationalen Macht stärkt , beobachten und warten auf die Gelegenheit, die sich eines Tages sicherlich im Orient ergeben wird. Wenn dieser Tag kommt, wird sie ihren eigenen Weg gehen können."

Wie gewissenhaft alle angegebenen Schritte anschließend durchgeführt wurden, ist mittlerweile allgemein bekannt. Vorbereitungen in solch einem Umfang konnten nur eines bedeuten: Vorkehrungen für den möglichen Fall eines Krieges mit der Macht, der Japan daran hindern könnte, „seinen eigenen Kurs zu verfolgen".

MARQUIS SAIONJI.

Stammt aus einer alten Familie von Hofadligen. Eine herausragende Persönlichkeit in der Diplomatie und im parlamentarischen Leben. Er war Hauptdelegierter für Japan auf der Versailles-Konferenz.

General Prinz Katsura.

Erbrachte im Krieg mit China und Russland herausragende Dienste; Er zeichnete sich sowohl als Soldat als auch als Staatsmann aus.

Die so 1895 vorgebrachte Idee eines Bündnisses oder einer Art Verständigung zwischen den beiden Ländern scheint sich sowohl in Japan als auch in Großbritannien allmählich durchgesetzt zu haben. Aus denselben Memoiren erfahren wir, dass Herr Joseph Chamberlain, damals Kolonialminister, 1898 gegenüber Viscount (damals Herr) Kato, der zu dieser Zeit japanischer Minister in London war, die Bereitschaft Großbritanniens zum Ausdruck brachte, ein Abkommen mit Japan zu schließen für die Regelung der Angelegenheiten im Fernen Osten, und dass dieser, als er dem Außenminister in Tōkiō über das Gespräch berichtete , den Vorschlag nachdrücklich unterstützte. Das Thema wurde offenbar im Verlauf eines Gesprächs erneut besprochen, das Graf Hayashi 1899 mit dem verstorbenen Marquis Itō und mit Marquis (damals Graf) Inouyé in Tōkiō führte , bevor er (Graf Hayashi) zum Minister in London ernannt wurde. Sein Bericht über das, was bei dieser Gelegenheit geschah, zeigt, dass die japanische Regierung zu dieser Zeit zwischen zwei gegensätzlichen Kursen schwankte – einem Abkommen oder Bündnis mit Großbritannien und einer Verständigung mit Russland; und es scheint angenommen worden zu sein, dass die letztgenannte Macht in der Lage war, bessere Bedingungen anzubieten. Kurz nach seiner Ankunft, Anfang Januar 1900, um sein Amt in London anzutreten, traf der neue Minister den verstorbenen Dr. Morrison, den damaligen *Times*- Korrespondenten in Peking, mit dem er die Frage eines Bündnisses zwischen den beiden Ländern besprach. Damals schien er den

Eindruck gewonnen zu haben, dass die meisten britischen Journalisten ein englisch-japanisches Bündnis befürworteten .

Allerdings begann die Frage erst im folgenden Jahr einen praktischen Aspekt anzunehmen. Der erste Schritt kam von unerwarteter Seite, der deutschen Botschaft in London. Im März 1901 besuchte Freiherr von Eckhardstein , der damals aufgrund der Krankheit des deutschen Botschafters die Position des Geschäftsträgers innehatte, den Grafen Hayashi und äußerte die Meinung, dass ein Dreibund zwischen Deutschland, Großbritannien und Japan bestünde war das beste Mittel zur Aufrechterhaltung des Friedens im Fernen Osten. Er schlug vor, dass er (Graf Hayashi) die Initiative ergreifen und dieses Bündnis vorschlagen sollte. Letzterer, der, wie wir wissen, einer der ersten gewesen war, der ein englisch-japanisches Bündnis befürwortete, meldete den Vorschlag seiner Regierung und wurde angewiesen, die britische Regierung inoffiziell zu diesem Thema zu befragen. Viel Licht auf den weiteren Verlauf der Verhandlungen werfen die bereits erwähnten Memoiren und die 1920 in Leipzig erschienenen „Lebenserinnerungen *und Politische Denkwürdigkeiten " Freiherr von* Eckhardsteins . Der Stein war damit ins Rollen gekommen, die Frage lautete, wie wir erfahren: von Zeit zu Zeit informell besprochen, einerseits zwischen dem japanischen Minister und Lord Lansdowne und andererseits zwischen Letzterem und dem deutschen Geschäftsträger ; aber es wurde von der deutschen Botschaft beim japanischen Minister nie wiedereröffnet.

Bei keinem der beteiligten Außenministerien gab es offenbar wenig Begeisterung für das Projekt einer Dreierallianz. Großbritannien scheint in dieser Richtung stärker geneigt gewesen zu sein als die beiden anderen Mächte, denn bis zu einem späten Zeitpunkt der Verhandlungen mit Japan schien das britische Kabinett diesen Punkt im Auge behalten zu haben. Sollte die deutsche Regierung jemals ernsthaft daran gedacht haben – was sehr zweifelhaft ist – dann nur aus den vom Auswärtigen Amt in Berlin genannten Gründen, dass die Einbeziehung Japans für sie aus allgemeinen Gründen akzeptabel sein könnte, da sie „sich in ... befinden würde „Gute Gesellschaft" und könnte die Verhandlungen mit Großbritannien erleichtern, „da Japan in Deutschland beliebt war." Als Hauptüberlegung wurde das Bündnis mit Großbritannien angesehen; und selbst in dieser Angelegenheit gibt es keinen Grund zu der Annahme, dass die deutschen Annäherungsversuche aufrichtig waren, denn Berlins Beharren darauf, Österreich in das Geschäft einzubeziehen, wenn auch nicht als Vertragspartei, verschärfte die bereits bestehenden Schwierigkeiten. Auch auf japanischer Seite, wo die Rolle Deutschlands im Liaotung-Zwischenfall nicht vergessen wurde, scheint es keinen ausgeprägten Wunsch nach Einbeziehung dieser Macht in eine Verständigung zwischen Japan und Großbritannien gegeben zu haben. Dies erklärt den getrennten Charakter der in London geführten Verhandlungen. Zwischen Großbritannien und Deutschland dauerten sie nur wenige Wochen und wurden in dieser Zeit offenbar nur durch die Bemühungen des deutschen Geschäftsträgers am Leben gehalten, auf dessen Initiative das Projekt zurückzuführen war. Nach der Wiederaufnahme seiner Tätigkeit durch den deutschen Botschafter wurden die Verhandlungen nach Berlin verlegt, wo sie bald zu einem Abschluss kamen. Ihr Scheitern wird vom Autor der Erinnerungen als „Ausgangspunkt der Einkreisung *Deutschlands* und des Weltkriegs, der die mathematische Folge war“ beschrieben.

Die parallelen Verhandlungen zwischen Großbritannien und Japan wurden nicht durch die Unfähigkeit der britischen und deutschen Regierung unterbrochen, zu einer Einigung zu gelangen. Es bestanden keine Hindernisse, die einer Einigung zwischen den beiden anderen Mächten im Wege standen. Die freundschaftlichen Beziehungen, die als Ergebnis der Lösung der seit langem offenen Frage der Vertragsrevision entstanden waren, wurden durch die enge Zusammenarbeit der beiden Länder bei den internationalen Maßnahmen, denen sich beide zur Zeit des Boxers angeschlossen hatten, verbessert Ausbruch und durch die Harmonie der Ansichten, die während der Peking-Verhandlungen entwickelt wurde. Die einzige Schwierigkeit, die sich zeigte, lag in der bereits erwähnten Tatsache, dass die japanische Regierung zwischen zwei gegensätzlichen Kursen schwankte: einer Verständigung mit Russland und einer Vereinbarung mit Großbritannien. Die Entscheidung lag bei den führenden Staatsmännern, die in diesem Punkt in zwei Parteien gespalten waren, eine angeführt vom verstorbenen Prinzen Itō und dem verstorbenen Marquis Inouyé , die andere von Prinz (damals Marquis) Yamagata und dem verstorbenen Prinzen Katsura. Itō , dessen pro-deutsche Tendenzen bekannt waren, befürwortete , wenn möglich, eine Verständigung mit Russland, und seine Meinung wurde von Inouyé geteilt . Yamagata und Katsura hingegen neigten zu einem Bündnis mit Großbritannien. Zum Glück für die Verhandlungen in London verlief die Spaltung der Meinungen nicht entlang der Clanlinien. Die Chōshiū- Partei, der die vier betreffenden Staatsmänner alle angehörten, war selbst gespalten. Glücklicherweise war Katsura damals auch Premierminister. Seine und Yamagatas Politik wurde vom Kabinett übernommen und setzte sich schließlich durch. In seinem Widerstand gegen die Politik des Kabinetts ging Itō so weit, dafür zu sorgen, dass ein Besuch, den er im Zusammenhang mit den Feierlichkeiten an der Universität von Yale in Amerika machen wollte, auf Russland ausgedehnt werden sollte, wo er offenbar mit russischen Staatsmännern einen Meinungsaustausch geführt hatte . Sein Vorgehen drohte zeitweise den Erfolg der Londoner Verhandlungen zu gefährden, und die japanische Regierung musste erklären, dass sein Besuch in Russland keinen offiziellen Charakter hatte. Angesichts dieser Verleugnung konnte er wenig tun. Welche Pläne er und seine Unterstützer auch immer geschmiedet hatten, sie scheiterten, und am Ende musste er sich damit begnügen, den Entwurf des anglo-japanischen Vertrags, der die letzten von Japan vorgeschlagenen Änderungen enthielt, negativ zu kritisieren. Die Stärke seiner damaligen Stellung im Land sowie sein Einfluss auf den verstorbenen japanischen Kaiser lassen sich aus der Tatsache ableiten, dass ihm diese letzten Änderungsanträge von der Regierung in Russland per Sonderbotschafter mit der Bitte um Zustellung übermittelt wurden seine Meinung.

Es ist unnötig, die Bedeutung des englisch-japanischen Bündnisses zu betonen. Graf Hayashi übertreibt den Fall nicht, wenn er von einem „epochemachenden Ereignis" spricht. Für beide Länder war es ein neuer und gravierender Kurswechsel in der Politik, der eine Isolation beendete, die für beide Länder in dem Teil der Welt, auf den sie sich bezog, eine Quelle der Schwäche darstellte. Für Japan hatte es einen dreifachen Wert. Es schützte sie praktisch vor einer Wiederholung des Liaotung-Vorfalls, während die bloße Tatsache, dass sie Verbündeter einer der führenden Mächte der Welt wurde, ihr Ansehen erheblich steigerte und die Platzierung von Krediten auf dem Londoner Markt erleichterte. Auch wenn der Nutzen für Großbritannien geringer gewesen zu sein scheint, war das Bündnis angesichts der engen Verständigung zwischen Russland und Frankreich im Fernen Osten, der offenen Bedrohung seiner Interessen durch russische Pläne in der Mandschurei und der Gefahr für Großbritannien dennoch angebracht von ihrer weiteren Ausdehnung abzusehen. Die Tatsache, dass das Bündnis drei Jahre später in erweiterter Form erneuert wurde, 1911 erneut erneuert wurde und immer noch in Kraft ist, zeigt, dass beide Regierungen Grund haben, mit seinen Ergebnissen zufrieden zu sein.

Der Abschluss des englisch-japanischen Bündnisses beruhte auf einer am 3. März 1902 in St. Petersburg unterzeichneten Erklärung der russischen und französischen Regierung, die keinen Zweifel an der Interpretation in St. Petersburg und Paris ließ. In dieser Erklärung billigten die beiden Regierungen zwar die im englisch-japanischen Abkommen bekräftigten Grundprinzipien, behielten sich jedoch das Recht vor, sich bei Bedarf gegenseitig über den Schutz ihrer Interessen zu beraten. Der Autor von *Le Monde et la Guerre Russo-Japonaise kommentierte* diesen Gegenschritt mit der Aussage, dass er „als Antwort auf den anglo-japanischen Vertrag fast keinen Wert hatte."

Das Vorgehen Russlands, seine Besetzung der Mandschurei trotz der Proteste anderer Mächte auf unbestimmte Zeit zu verlängern, und seine Versuche, seine Position dort durch geheime Vereinbarungen mit China zu stärken, unter Missachtung des Grundsatzes „der offenen Tür und der Chancengleichheit", der … Sie hatte sich bei der Annahme mit anderen Mächten zusammengetan und löste in Washington neues Unbehagen aus.

Am 1. Februar 1901, fast zeitgleich mit der Unterzeichnung des englisch-japanischen Vertrags, richtete der amerikanische Außenminister, auf dessen Initiative im Jahr 1899 die Annahme dieses Prinzips zurückzuführen war, Rundschreiben an die Regierungen Chinas, Russlands und neun anderen Mächten zum Thema der durch die russische Besatzung in der Mandschurei entstandenen Situation. Er wies darauf hin, dass jede Vereinbarung, durch die China im Zusammenhang mit der Entwicklung der Mandschurei ausschließliche gewerbliche Rechte und Privilegien an Konzerne oder Unternehmen abtrete, ein Monopol darstelle und einen eindeutigen Verstoß gegen die Bestimmungen von Verträgen zwischen China und ausländischen Mächten darstelle. Die Rechte der amerikanischen Bürger wurden ernsthaft beeinträchtigt. Auf solche Zugeständnisse würden Forderungen anderer Mächte nach ähnlichen exklusiven Vorteilen in anderen Teilen des Chinesischen Reiches folgen und würden zum „völligen Scheitern der Politik der absoluten Gleichbehandlung aller Nationen in Bezug auf Handel, Schifffahrt und Kommerz führen." die Grenzen des Imperiums."

Möglicherweise beeinflusst durch das englisch-japanische Bündnis und den schriftlichen Protest der Vereinigten Staaten schloss Russland schließlich am 8. April 1902 in Peking ein Abkommen zur Räumung der Mandschurei. Das Abkommen sollte ab dem Datum der Unterzeichnung in Kraft treten und innerhalb einer Frist von drei Monaten ratifiziert werden, diese letztgenannte Bestimmung wurde jedoch nie eingehalten. Es sah vor, dass die Evakuierung in drei Etappen durchgeführt und innerhalb von achtzehn Monaten, also bis Oktober 1903, abgeschlossen sein sollte. Die Evakuierung wurde jedoch von zwei Bedingungen abhängig gemacht: dass in der Zwischenzeit keine Unruhen auftraten der Provinz und die Enthaltung anderer Mächte von jeglichen Handlungen, die den russischen Interessen darin abträglich wären. Die erste im Abkommen festgelegte Etappe, der Abzug der russischen Truppen aus dem südwestlichen Teil der Provinz Moukden (Fêng-t'ien), wurde zum vereinbarten Termin, dem 8. Oktober 1902, ordnungsgemäß durchgeführt. Für den Abschluss der nächsten Evakuierungsphase (März 1903), den Abzug der russischen Truppen aus dem Rest der Provinz Moukden und der Provinz Kirin, wurden jedoch von den Russen andere und völlig neue Bedingungen formuliert Eine davon ist, dass im evakuierten Gebiet keine „Vertragshäfen" eröffnet werden dürfen. Angesichts der wohlbekannten Tatsache, dass die neuen Handelsverträge, die Amerika und Japan mit China aushandelten, die Eröffnung zusätzlicher Standorte für den Außenhandel in der Mandschurei vorsahen, deuteten diese plötzlichen Forderungen darauf hin, dass Russland nicht die Absicht hatte, sich an das Abkommen zu halten . Wenn in dieser Hinsicht Zweifel bestanden, wurden diese dadurch ausgeräumt, dass sie zu Beginn des Jahres 1903 Bezirke, die sie bereits evakuiert hatte, wieder besetzte. Diesem Schritt folgte im Juli desselben Jahres die Erteilung eines kaiserlichen Ukase, der Admiral

Alexeieff zum Vizekönig des Amur- und Amur- Territoriums ernannte Kwantung-Gebiete – letzteres ist, wie bereits erwähnt, der Name der kleinen Halbinsel, auf der Port Arthur liegt.

KAPITEL XXVI

Krieg mit Russland – Erfolg Japans – Präsident Roosevelts Vermittlung – Vertrag von Portsmouth – Friedensbedingungen.

Die drohende Haltung Russlands, das in China nicht mehr vorgab , seine Absichten zu verbergen, wurde in Japan mit zunehmender Besorgnis betrachtet, wo die Notwendigkeit, sich darauf vorzubereiten, der Gewalt mit Gewalt zu begegnen, bereits vorhergesehen worden war. Aber das eigenmächtige Vorgehen der Russen in der Mandschurei war nicht die einzige Ursache für die Spannungen, die von diesem Moment an in den Beziehungen zwischen den beiden Ländern auftraten. Auch in Korea braute sich Unheil zusammen, der bereits zum Krieg zwischen China und Japan geführt hatte. Durch den Vertrag von Shimonoséki , der den Krieg beendete, wurde die Unabhängigkeit dieses Landes anerkannt. Nachdem China seinen Oberhoheitsanspruch aufgegeben hatte, unterhielt es keine chinesischen Wachen mehr für seine Gesandtschaft in Seoul und stellte jegliche politische Aktivität auf der Halbinsel ein, wo der Einfluss Japans eine Zeit lang vorherrschend wurde. Doch die Geschichte sollte sich wiederholen. An die Stelle Chinas trat sofort Russland, und Japan sah sich einem anderen und weitaus gefährlicheren Konkurrenten gegenüber. Die Positionen der beiden neuen Rivalen in Korea waren sehr unterschiedlich. Das Bündnis, das Japan der koreanischen Regierung zu Beginn des Krieges mit China aufgezwungen hatte, hatte es ihr ermöglicht, ihren politischen Einfluss zu stärken, während die Energie, die sie in die Entwicklung von Geschäftsprojekten verschiedener Art investierte, ihre materiellen Interessen auf der Halbinsel verstärkt hatte. Der Löwenanteil des koreanischen Außenhandels und Seetransports lag in den Händen Japans. Sie hatte auch die telegrafische Kommunikation in diesem Land aufgebaut und war für deren Betrieb verantwortlich. sie hatte sich eine Konzession für den Bau von Eisenbahnen gesichert; und sie hatte ihren eigenen Postdienst. Russland hingegen beteiligte sich nicht an geschäftlichen Unternehmungen, und sein Handel mit Korea war unbedeutend. Sie konnte sich nicht wie China auf Traditionen des althergebrachten Verkehrs berufen, noch verfügte sie über dessen Oberhoheitsanspruch, um eine Einmischung in koreanische Angelegenheiten zu rechtfertigen. Dennoch war ihre Lage auf der Halbinsel nicht ohne Vorteile. Wie im Falle Chinas grenzte sein Territorium über eine beträchtliche Entfernung an das Koreas. Dies lieferte einen Grund dafür, die Ausweitung des japanischen Einflusses auf dem Festland mit Missfallen zu betrachten, sowie einen Vorwand für die Aktivität, die Japan bald in politischen Angelegenheiten zu zeigen begann. Darüber hinaus erlangte sie, nachdem sie das Ohr der ehemals pro-chinesischen Hofpartei und – was noch wichtiger war – die Gunst der herrschaftlichen Königin erlangte, wertvolle Unterstützung in der politischen Intrigenkampagne, die beide Mächte begannen.

Die Situation in Korea ähnelte somit in vielerlei Hinsicht der Situation zuvor, als China und Japan um die Vorherrschaft auf der Halbinsel kämpften. Wir haben im ersteren Fall die Versuche gesehen, die von Zeit zu Zeit von der chinesischen und der japanischen Regierung unternommen wurden, um hinsichtlich ihrer jeweiligen Interessen zu einer Verständigung zu gelangen, die zu stabileren Bedingungen in der koreanischen Verwaltung führen und dem Gefährlichen ein Ende setzen sollte Es kam zu Ausbrüchen, die das Land erschütterten und jederzeit zu einem Zusammenstoß zwischen den beiden betroffenen Mächten führen konnten. Der Vorgang wiederholte sich nun, wobei Russland die Position einnahm, die zuvor China innehatte. Im Jahr 1896 kam es zu einer Vereinbarung zwischen den russischen und japanischen Vertretern in Korea. Dies überbrückte die ersten aufgetretenen Schwierigkeiten und wurde später im selben Jahr durch eine Konvention bestätigt, die in St. Petersburg von Prinz Lobanoff , dem russischen Außenminister, und Prinz (damals Marquis) Yamagata, der dorthin gegangen war, unterzeichnet wurde Russische Hauptstadt, um der Krönung des verstorbenen Zaren beizuwohnen. Graf de Witte sagt in seinen kürzlich veröffentlichten Memoiren über diesen Kongress, dass Prinz Lobanoff „nicht mehr über den Fernen Osten wusste als der durchschnittliche Schuljunge“. Zwei Jahre später wurde in Tōkiō ein detaillierteres Abkommen in Form eines Protokolls zwischen Viscount (damals Baron) Nishi, dem japanischen Außenminister, und dem russischen Minister für Japan, Baron Rosen, geschlossen. Dieses Abkommen ähnelte stark dem 1889 in Tientsin zwischen China und Japan ausgehandelten Abkommen.

Der Abschluss der oben genannten Abkommen verhinderte nicht das Entstehen von Streitigkeiten zwischen den beiden rivalisierenden Mächten. Diese Differenzen wurden durch den schelmischen Einfluss koreanischer politischer Fraktionen verschärft, die keine Gelegenheit ausließen, Unruhe zwischen den beiden Mächten zu schüren, deren Schutz sie suchten. Die Harmonie der Beziehungen wurde auch durch die Anwesenheit russischer und japanischer Wachen in der Hauptstadt beeinträchtigt; durch die russischen Bemühungen, die Kontrolle über die koreanische Armee und die Finanzen zu erlangen; durch die unglückliche Beteiligung des japanischen Ministers in Seoul an der Ermordung der Königin; durch die virtuelle Inhaftierung des Königs in einem der königlichen Paläste; und durch seine anschließende Flucht aus der Gefangenschaft in die russische Gesandtschaft, wo er einige Zeit unter russischem Schutz blieb. Die Lage geriet schließlich in eine Krise, als Russland sich im Frühjahr 1903 weigerte, die Mandschurei gemäß seinem im Oktober zuvor geschlossenen Abkommen mit China zu räumen. Dieser Weigerung folgte die Ernennung von Admiral Alexeieff zum

Vizekönig der fernöstlichen Gebiete Russlands und eine Zunahme der Aktivitäten in Korea, wo große Holzkonzessionen erworben und andere russische Unternehmen gegründet wurden. Für diese Erneuerung der aggressiven Aktion seitens Russlands war der Weg durch den Bau von Eisenbahnen in Sibirien und der Mandschurei bereitet worden – eine langjährige Arbeit; und es ist bezeichnend, dass Russland seine Weigerung, das Evakuierungsabkommen umzusetzen, zeitlich so hätte ansetzen müssen, dass es mit der Fertigstellung der Chinesischen Ostbahn zusammenfiel, die praktisch eine direkte Eisenbahnverbindung zwischen Moskau und Port Arthur herstellte. Es bestand kein Zweifel mehr daran, dass die russische Regierung die weitreichenden Pläne, die sie mit der Pacht von Port Arthur angekündigt hatte, nicht aufgegeben hatte und entschlossen war, eine provokative Politik zu verfolgen. Graf de Witte macht in den bereits zitierten Memoiren den verstorbenen Zaren direkt für den eingeschlagenen Kurs verantwortlich, den er als „das fernöstliche Abenteuer" bezeichnet. Der Zar, so sagt er, hatte kein konkretes Eroberungsprogramm , sondern war bestrebt, den russischen Einfluss im Fernen Osten durch den Erwerb neuer Gebiete auszuweiten, und er spricht von einem Menschen, der nach militärischem Ruhm und Eroberungen dürste. Er erklärt weiter, dass der Zar zu dieser Zeit unter dem Einfluss von Bezobrazov , Plehve und anderen skrupellosen Beamten stand, die ihn ermutigten, sich Japan zu widersetzen. Hätte sich Russland zu diesem Zeitpunkt damit zufrieden gegeben, seine Aktivitäten auf die Mandschurei zu beschränken und Japan freie Hand in Korea zu lassen, hätte der russisch-japanische Krieg wahrscheinlich nicht stattgefunden oder wäre zumindest verschoben worden. Ein entsprechender Vorschlag wurde tatsächlich von Japan im Verlauf der Verhandlungen zwischen den beiden Mächten gemacht, die etwa zur Zeit der Ernennung Alexeieffs in der russischen Hauptstadt begannen und bis Anfang des folgenden Jahres andauerten. Russland weigerte sich jedoch, sich darauf einzulassen. Die von ihr an den Tag gelegte kompromisslose und hartnäckige Haltung stand in deutlichem Kontrast zur versöhnlichen Haltung Japans. Für den so entstandenen Stillstand war allein Russland verantwortlich. Die japanische Regierung erkannte die Sinnlosigkeit jedes weiteren Versuchs, zu einer zufriedenstellenden Einigung mit ihr zu gelangen, und beschloss, den Stier bei den Hörnern zu packen und die Verhandlungen abzubrechen. Dementsprechend kündigte die russische Regierung am 5. Februar 1904 in zwei an die russische Regierung gerichteten Notizen ihre Absicht an, die diplomatischen Erdölbeziehungen abzubrechen, wobei sie sich das Recht vorbehielt, die zur Verteidigung ihrer bedrohten Interessen erforderlichen unabhängigen Maßnahmen zu ergreifen. Gleichzeitig sandte die japanische Regierung ein Rundschreiben mit dem gleichen Inhalt an ihre diplomatischen Vertreter im Ausland, um die Regierungen, bei denen sie akkreditiert waren, zu informieren.

Zwei Tage vor Japans offizieller Kriegserklärung, die erst am 10. Februar erfolgte, begannen die Feindseligkeiten in Port Arthur und Chemulpo . Dieses Vorgehen ihrerseits rief einige negative Kritik hervor, obwohl es viele Präzedenzfälle für diesen Schritt gab. Auf ihre Kriegserklärung folgte zwei Wochen später in Seoul die Unterzeichnung eines Protokolls, mit dem Japan die Unabhängigkeit und territoriale Integrität Koreas garantierte und Japan im Gegenzug alle Einrichtungen auf der Halbinsel gewährte, die für die Kriegsführung erforderlich sein könnten . Man wird sich daran erinnern, dass Japan zu Beginn seines Krieges mit China einen ähnlichen Schritt unternahm.

Als der letztgenannte Konflikt ausbrach, erwartete die Welt im Allgemeinen, zumeist ohne Kenntnis der in den beiden Ländern herrschenden Bedingungen, die Niederlage Japans, eine Meinung, die weitgehend von Erwägungen der Geographie, der Bevölkerung und der sichtbaren Ressourcen bestimmt wurde. Aus den gleichen Gründen herrschte in den meisten Kreisen eine ähnliche Ansicht vor, die Japans Erfolgsaussichten im Kampf mit Russland abträglich war. Für eine Nation, die in Bezug auf Territorium, Bevölkerung, militärische Organisation und Ressourcen weit unterlegen war, schien es auf den ersten Blick ein Vorgehen zu sein, das nur zur Katastrophe führen konnte, eine führende europäische Macht herauszufordern. Dennoch waren die beiden Länder nicht so ungleich aufeinander abgestimmt, wie es eigentlich der Fall sein sollte. Zweifellos war Russland ein Gegner, mit dem der militärstärkste Staat am liebsten gute Beziehungen gepflegt hätte. Seine ausgedehnten Territorien und seine große Bevölkerung, seine scheinbar unerschöpflichen Ressourcen, verschafften ihm große Vorteile gegenüber Japan. Diese Vorteile wurden jedoch durch gewisse Patentschwächen zunichte gemacht. Der Krieg war unpopulär. Die Abenteuerpolitik, die sie provozierte, wurde von ihren klügsten Staatsmännern verurteilt. Es gab viele politische Unruhen. Sie kämpfte nicht in Europa, sondern an einem abgelegenen Rand ihres riesigen Reiches. Die Amur-Eisenbahn, die zur Konsolidierung ihrer weit voneinander entfernten Herrschaftsgebiete geplant war, wurde östlich des Baikalsees nicht fertiggestellt. Auch der Abschnitt rund um das südliche Ende dieses Sees, dessen Verbindung noch immer durch speziell gebaute Dampfschiffe aufrechterhalten wurde, war von den Eisenbahnbehörden noch nicht fertiggestellt. Es war daher zweifelhaft, ob sich die kürzlich gebaute Chinesische Ostbahn, die als vorübergehender Ersatz diente, als zuverlässige Kommunikationslinie für Kriegszwecke erweisen würde. In Japan hingegen erfreute sich der Krieg nicht nur großer Beliebtheit, sondern wurde auch mit Begeisterung begrüßt. Die Leistungsfähigkeit der Armee war ebenso wie die Kampfkraft und Ausdauer der japanischen Soldaten im Krieg mit China auf die Probe gestellt worden, und im Laufe der acht Jahre, die seitdem vergangen waren, hatte die Regierung keine Mühen gescheut, um sie auf ein höheres Niveau zu bringen das Niveau der europäischen Standards. Obwohl japanische Staatsmänner, die sich der Stärke Russlands bewusst waren, die Befürchtungen teilten, die im Ausland hinsichtlich der Frage des Kampfes herrschten, empfanden sie doch Ermutigung aus der uneingeschränkten Unterstützung, die das Volk der Regierung entgegenbrachte. Alle Klassen erkannten, dass es für Russland ganz anders auf dem Spiel stand als für Japan. Ersterer kämpfte darum, neues Territorium zu erobern; Letztere kämpfte um ihr Leben. Unter diesen Umständen könnte eine kriegerische Nation, die vor ihren eigenen Toren kämpft, möglicherweise Großes gegen einen Feind erreichen, dessen Herz nicht im Kampf war. Der Geist, der sein Volk und seine Armee beseelte, war einer der Faktoren für Japans Erfolg.

Die Japaner verloren bei der Durchführung ihrer Militäroperationen keine Zeit. Am 8. Februar traf ein japanisches Geschwader, das Transporte begleitete, vor Tschemulpo ein , wo zwei russische Schiffe unvorbereitet auf Feindseligkeiten vor Anker lagen. Vor die Wahl gestellt, im Hafen angegriffen zu werden oder draußen zu kämpfen, entschied sich der russische Befehlshaber für die letztere Alternative. Seine beiden Schiffe waren dem Geschwader, dem sie begegneten, nicht gewachsen. Schwer beschädigt zurück in den Hafen getrieben, wurde eines von seiner Besatzung versenkt und das andere in die Luft gesprengt. In derselben Nacht führte Admiral Tōgō , der Oberbefehlshaber der japanischen Marine, einen Torpedoangriff auf die russische Flotte in Port Arthur durch. Bei dieser Aktion wurden zwei russische Schlachtschiffe und ein Kreuzer schwer beschädigt. Am folgenden Tag landeten die japanischen Truppen (etwa vier Bataillone), die unter Marineeskorte in Chemulpo eingetroffen waren , und besetzten die koreanische Hauptstadt. Die ersten Kriegshandlungen fielen somit zugunsten Japans aus.

Zu diesem frühen Zeitpunkt wurde deutlich, dass die Überlegenheit Russlands zur See durch die fehlerhafte Disposition seiner Geschwader weitgehend zunichte gemacht wurde. Während ihre Hauptflotte in fernöstlichen Gewässern in Port Arthur stationiert war, blieb ein mächtiges Geschwader in Wladiwostok isoliert. Darüber hinaus befand sich ein großer Teil ihrer Marine im Heimatland, aus dem sie erst gegen Ende des Krieges hervorkam und in der Schlacht von Tsushima vernichtet wurde. Zwei weitere Hindernisse, mit denen die russischen Kommandeure zu kämpfen hatten: der Eiszustand von Wladiwostok für mehrere Monate im Jahr und die fast unüberwindlichen Schwierigkeiten bei der Reparatur von Schiffen aufgrund des Fehlens angemessener Werftanlagen. In all diesen Punkten war Japan im Vorteil. Ihre Häfen waren eisfrei. Sie war gut mit Marinearsenalen und Werften für die Reparatur ihrer Schiffe ausgestattet. Auch bei Kriegsausbruch konzentrierte sich ihre Flotte sofort auf Sasébo , das Marinearsenal in der Nähe von Nagasaki, und ein abgesetztes Geschwader war in der koreanischen Meerenge stationiert, von wo aus sie Wladiwostok überwachen konnte. Daher waren die russischen Seestreitkräfte im Fernen Osten von Anfang an getrennt und konnten während des gesamten Krieges auch nie eine Verbindung herstellen . Darüber hinaus beteiligte sich die russische Heimatflotte bis zum Ende des Krieges nicht an dem Krieg, doch die japanische Marine erhielt zu Beginn des Kampfes eine willkommene Verstärkung in Form von zwei neuen Schlachtschiffen, die in Europa von einer neutralen Macht erworben wurden.

Hafen abzuriegeln, indem sie Schiffe am Eingang versenkten. Keiner dieser Kurse wurde mit dem erhofften Erfolg besucht; Sie hatten auch nicht die Wirkung, die russische Flotte zum Ausrücken und Kämpfen zu veranlassen. Größere Erfolge brachten die Minenlegung vor Port Arthur. Im April stieß das russische Flaggschiff *Petropawlosk* auf eine dieser Minen und wurde in die Luft gesprengt, wobei der neue russische Admiral Makharoff , der gerade das Kommando über die Flotte übernommen hatte, bei der Explosion getötet wurde. Gleichzeitig wurde ein weiteres Schlachtschiff schwer beschädigt. Wenig später legten die Japaner auch Minen am Eingang von Wladiwostok und schränkten so die Bewegungen des russischen Geschwaders in diesem Hafen ein, das zuvor bei Angriffen auf japanische Transporte böswillige Aktivitäten gezeigt hatte. Als die Russen die Methoden des Feindes kopierten und selbst Minen legten, waren die Folgen für die Japaner katastrophal: Im Mai wurden auf diese Weise zwei ihrer besten Schlachtschiffe und ein Versandschiff zerstört. Diese Verluste wurden jedoch so sorgfältig geheim gehalten, dass die Russen nichts von ihrem Eintreten wussten, bis es zu spät war, sie auszunutzen.

Die übermäßige Vorsicht, die die russischen Marinekommandanten in der Anfangsphase des Krieges an den Tag legten, war keine wirksame Antwort auf die kühne Taktik ihrer Gegner. Die Untätigkeit der Hauptflotte in Port Arthur und ihre mehrmonatige Weigerung, die Risiken eines allgemeinen Gefechts auf sich zu nehmen, verschafften der japanischen Marine zu Beginn des Kampfes eine moralische Überlegenheit, die nie verloren ging. Darüber hinaus ermöglichte es Japan, praktisch die Seeherrschaft zu erlangen, die für die Durchführung militärischer Operationen auf dem Festland so wichtig war.

Die japanischen Operationen an Land begannen mit der Landung der 1. Armee aus drei Divisionen unter General Kuroki an der Mündung des Ta-tong-Flusses und der Besetzung der wichtigen Stadt Ping-yang, wo die chinesische Armee zum ersten Mal Stellung bezogen hatte der Krieg von 1894–1895. Die wenigen russischen Truppen in der Nachbarschaft zogen sich am Yalu-Fluss zurück , der an dieser Stelle die Grenze zwischen Korea und China bildete. Hier, in einer starken Position auf der chinesischen Seite dieses Flusses und an seiner Mündung in einen Nebenfluss, den Ai-ho, wartete eine russische Armee von etwa 20.000 Mann unter General Zasulich auf den Angriff . Dies wurde von den Japanern nach einigen Vorgefechten am 30. April durchgeführt und führte zur Niederlage der Russen mit dem Verlust von über zwanzig Geschützen, wobei ihre Verluste weitaus größer waren als die der Sieger. Wenige Tage später landete die 2. japanische Armee unter General Oku in Pitzuwo , einem Ort an der Ostküste der Halbinsel Liaotung, etwa sechzig Meilen von Port Arthur entfernt, und unterbrach die Eisenbahnlinie, die diese Festung mit Liao-yang, der von General gewählten Stadt, verband Kuropatkin , dem russischen Oberbefehlshaber, für die Konzentration seiner Streitkräfte. Die Ausschiffung dieser Armee wurde von der japanischen Flotte gedeckt, die die Elliot-Inseln zu ihrem vorgeschobenen Stützpunkt gemacht hatte. Mitte Mai landete eine weitere japanische Streitmacht, die später Teil der 4. Armee unter General Nodzu war , in Takushan , auf halbem Weg zwischen Pitzuwo und der Mündung des Yalu. Am Ende des Monats besiegte die 2. Armee nach einem harten Kampf eine russische Streitmacht, die in einer beeindruckenden Position bei Nanshan auf der Landenge von Chinchou verschanzt war , die die beiden Halbinseln Liaotung und Kawn -tung verbindet. Die eroberte Position war von Bedeutung, da sie die Zugänge zu Port Arthur bewachte. Bei dieser Gelegenheit erbeuteten die Japaner viele Belagerungsgeschütze, doch ihre Verluste waren viel größer als die der Russen. Der Landung von Okus Armee folgte Anfang Juni die der 3. Armee unter General Nogi , dem die Aufgabe übertragen wurde , Port Arthur zu belagern. Bald darauf ermöglichte die Abwehr einer zur Entlastung der Festung entsandten russischen Streitmacht durch General Oku der 3. Armee, mit der Ausführung ihrer Aufgabe zu beginnen. Inzwischen hatten weitere japanische Verstärkungen Takushan erreicht , und im Juli traf General Nodzu ein und übernahm das Kommando über die 4. Armee, deren Aufstellung zu diesem Zeitpunkt abgeschlossen war. Diese und die 1. Armee unter Kuroki zogen dann auf parallelen Linien nach Westen durch die Gebirgspässe der Südmandschurei und trieben die russischen Streitkräfte, denen sie begegneten, vor sich her; während General Oku mit der von Südwesten vorrückenden 2. Armee nach Norden vorschlug, wobei das Ziel jeweils Liao-yang war, wo General Kuropatkin sein Hauptquartier eingerichtet hatte. Zu diesem Zeitpunkt teilte sich der Feldzug in der Mandschurei in zwei unterschiedliche und unabhängige Operationen: den Vormarsch der drei japanischen Armeen unter den Generälen Oku, Kuroki und Nodzu nach Norden und Westen in einer konvergierenden Bewegung in Richtung Liao-yang; und die Besetzung von Port Arthur durch die 3. Armee unter General Nogi .

Durch die Konvergenzbewegung der Nordarmeen, in deren Verlauf der Vertragshafen Newchwang besetzt wurde, war deren Gesamtfrontlänge Anfang August von 150 auf 45 Meilen verkürzt worden. Dieser Erfolg konnte nicht ohne heftige Kämpfe an verschiedenen Stellen erzielt werden, bei denen die japanischen Verluste jedoch im Großen und Ganzen im

Vergleich zu denen des Feindes günstig ausfielen. Am 10. desselben Monats unternahm die russische Flotte bei Port Arthur ihren ersten und einzigen Angriff in voller Stärke mit dem Ziel, sich mit dem Geschwader bei Wladiwostok zu vereinen. Der Versuch scheiterte. Im anschließenden allgemeinen Gefecht gelang es vier russischen Schiffen, den Spießrutenlauf der japanischen Flotte zu überstehen und neutrale Häfen zu erreichen, die anderen Schiffe wurden jedoch schwer beschädigt in den Hafen zurückgedrängt . Von den Geflohenen wurden drei in den Häfen, in denen sie ankamen, interniert; während die vierte, die *Novik , die in* Kiautschou angelaufen war , anschließend auf dem Weg nach Wladiwostok abgefangen und versenkt wurde. Ein ähnlicher Einsatz der Wladiwostok-Staffel etwa zur gleichen Zeit war ebenfalls erfolglos. Diese beiden Gefechte beendeten die Tätigkeit der russischen Seestreitkräfte im Fernen Osten.

Die Schlacht von Liao-yang, die erste große Schlacht des Krieges, wurde unter der unmittelbaren Leitung von Marschall Ōyama ausgetragen , dem japanischen Oberbefehlshaber, der die 2. Armee auf ihrem Marsch nach Norden begleitet hatte. Es gab kaum zahlenmäßige Unterschiede zwischen den auf beiden Seiten kämpfenden Streitkräften, aber die Russen hatten einen Vorteil in der Kavallerie gegenüber den Japanern und waren auch in der Artillerie viel stärker. Sie begann am 23. August und dauerte bis zum Morgen des 3. September, als Kuropatkin den Rückzug der gesamten Armee nach Mukden befahl. Die Verluste auf beiden Seiten waren ungefähr gleich, was den Japanern angesichts der Stärke der russischen Position sehr zu verdanken war. Anfang Oktober fand die zweite große Schlacht statt, die am Shaho , so genannt nach dem Namen eines Flusses in der Nähe. Diesmal war es Kuropatkin , der in die Offensive ging. Wieder waren die Japaner erfolgreich, die Russen wurden mit doppelt so vielen Verlusten wie ihre Gegner zurückgedrängt.

Am 2. Januar fiel Port Arthur. Nachdem die Befestigung der Festung abgeschlossen war, waren drei aufeinanderfolgende Generalangriffe im August, Oktober und November fehlgeschlagen. Schließlich gelang es den Japanern am 5. Dezember, die als 203- Meter- Hügel bekannte Position zu stürmen , die die restlichen Verteidigungsanlagen befehligte , sowie den Hafen , in dem sich die Überreste der russischen Hauptflotte befanden. Einen Monat später ergab sich der Kommandant der Festung, General Stoessel . Die Belagerung hatte den Japanern zwischen 30.000 und 40.000 Opfer gekostet, aber der Preis war diesen Preis mehr als wert. Die russische Hauptflotte hatte aufgehört zu existieren, ebenso wie die von Nogi Die Truppen konnten nach Norden marschieren, um die japanischen Armeen zu verstärken, die Mukden bedrohten. In der kurzen Zeitspanne zwischen dem Fall von Port Arthur und der letzten Schlacht des Krieges übernahm Kuropatkin erneut die Offensive. Der Angriff wurde jedoch nicht energisch vorangetrieben, und nach einigen Tagen des Kampfes zogen sich die Russen Ende Januar unter schweren Verlusten zurück. Es war mittlerweile mitten im Winter, aber trotz der starken Kälte beschloss der japanische Oberbefehlshaber, seinen Vormarsch auf Mukden fortzusetzen. Bei dieser Entscheidung wurde er durch den erfolgreichen Betrieb der einzigen Eisenbahnlinie beeinflusst, über die die Verbindungen der russischen Armeen aufrechterhalten wurden. Der Nutzen dieser Linie hatte alle Erwartungen übertroffen. Auf diese Weise erreichten ständige Verstärkungen Kuropatkin . Darüber hinaus würde eine Verzögerung bis zum Frühjahr den Russen in mehrfacher Hinsicht helfen: Sie würde Zeit für die Ankunft neuer Truppen geben; es würde ihnen ermöglichen, ihre Verschanzungen in Mukden zu stärken; und der Einbruch des Winters würde militärische Operationen erschweren. Eine weitere Überlegung, die zweifellos einiges Gewicht in der von Ōyama gefassten Entschließung hatte , lag in der Tatsache, dass seine Armeen in Kürze durch die Hinzufügung von Nogis Truppen aus Port Arthur gestärkt werden würden.

Die Schlacht von Mukden gliederte sich in eine Reihe von Gefechten, die vom letzten Tag im Februar bis zum 16. März dauerten, als Kuropatkin , nachdem er seine Niederlage eingestanden hatte, sich mit einem geschätzten Verlust von 140.000 Mann und einer riesigen Menge Kriegsmaterial die Eisenbahn hinauf nach Tiehling zurückzog . Die japanischen Verluste beliefen sich auf deutlich unter 50.000 Tote und Verwundete.

Die letzte Episode des Krieges ereignete sich etwa zwei Monate später auf See. Die heftigen Angriffe der japanischen Armee, die Port Arthur im vergangenen Herbst belagerten, waren durch die Nachricht beschleunigt worden, dass die russische Ostseeflotte am 15. Oktober 1904 auf dem Weg nach Fernost war, nachdem sie am 15. Oktober 1904 ausgelaufen war Aufgrund der Notwendigkeit, eine gleichmäßige Fortschrittsgeschwindigkeit aufrechtzuerhalten, erreichte diese Flotte die japanischen Gewässer erst im Mai 1905. Am 27. dieses Monats wurde sie in der Meerenge von Tsushima von einer japanischen Flotte unter Admiral Tōgō getroffen und vollständig besiegt, nur zwei Schiffe konnten entkommen Erzählen Sie die Geschichte einer Katastrophe.

Die Erschöpfung beider Kämpfer in dem langen und beschwerlichen Kampf bereitete den Weg für die Beendigung der Feindseligkeiten. Obwohl sie sowohl an Land als auch auf See erfolgreich gewesen war, waren die militärischen Reserven, die Japan zur Verfügung standen, stark erschöpft und die Menschen waren des Krieges überdrüssig. Rußland hingegen war in dieser Hinsicht zwar frei von Befürchtungen, litt jedoch unter inneren Schwierigkeiten, die im Falle einer Verlängerung des Krieges zu ernsthaften Schwierigkeiten führen würden. Unter diesen Umständen wurden die von Präsident Roosevelt im darauffolgenden Juni initiierten

Annäherungsversuche, die aus eigenem Antrieb als Friedensstifter agierten, von beiden Mächten begrüßt. Die in Portsmouth in den Vereinigten Staaten geführten Verhandlungen führten am 5. September 1905 zum Friedensschluss. Durch den Vertrag von Portsmouth erkannte Russland die überwiegenden Interessen Japans in Korea an und überließ Japan die südliche Hälfte von Saghalien , die diese 1875 gegen die Kurilen eingetauscht hatte, und übertrug ihr den größeren und wertvolleren Teil der Rechte in der Mandschurei, die China im Zusammenhang mit der Pacht von Port Arthur im Jahr 1898 erworben hatte. Eine Kriegsentschädigung wurde jedoch nicht gezahlt von Russland, obwohl es sich verpflichtete, Japan für die Unterhaltskosten der großen Zahl russischer Kriegsgefangener zu entschädigen. Das Fehlen einer Entschädigungsregelung löste in Japan erhebliche Unzufriedenheit aus, und in der Hauptstadt kam es zu leichten Unruhen. Japan hatte in der Tat keinen Grund, mit den Ergebnissen seines Erfolgs im Krieg unzufrieden zu sein, denn dieser versetzte es sofort in die Position einer erstklassigen Macht im Fernen Osten.

Dem Friedensschluss folgte am 17. November in der koreanischen Hauptstadt die Unterzeichnung einer Konvention zur Errichtung eines japanischen Protektorats über Korea. Die formelle Zustimmung Chinas zu den Bestimmungen des Vertrags von Portsmouth, der Abtretung der Pacht von Port Arthur an Japan und der Übertragung des südlichen Teils der Mandschurei-Eisenbahn an Japan, wurde ebenfalls durch einen Vertrag zwischen China und Japan erreicht, der unterzeichnet wurde Peking am 22. Dezember. Und im darauffolgenden Juni wurde eine japanische Kaiserverordnung zur Gründung der Südmandschurischen Eisenbahngesellschaft erlassen, durch die fortan die Verwaltung der Strecke und des Gebietsstreifens, durch den sie führte, erfolgte.

KAPITEL XXVII

Schwächung der Herzlichkeit mit Amerika – Ursachen der Spannungen – Expansion und Auswanderung – Annexion Koreas – Neue Verträge.

Die Aufmerksamkeit wurde bereits auf die sehr freundschaftlichen Beziehungen gelenkt, die seit vielen Jahren zwischen Japan und den Vereinigten Staaten bestehen, Beziehungen, die so herzlich sind, dass sie für die Unterscheidung zwischen der britischen und der amerikanischen Nation durch die japanische Presse verantwortlich sind, die von der ersteren als „ Unsere Verbündeten“ und letztere als „Unsere besten Freunde“. Die Gründe für die freundliche Haltung des japanischen Volkes gegenüber Amerika sind nicht weit zu suchen. Aus Amerika kamen die ersten Ideen der westlichen Zivilisation; Es war ihr Einfluss, der in den ersten Jahren des wiedereröffneten Verkehrs mit fremden Nationen am deutlichsten zu spüren war; und ihre Politik der diplomatischen Unabhängigkeit und Isolation, die sich deutlich in ihrem Verhalten in der entscheidenden Frage der Vertragsrevision zeigte, verlieh ihrem Umgang mit Japan einen Hauch uneigennütziger Wohlwollen, der sich positiv von der weniger gefälligen Haltung anderer Mächte abhob.

Die Herzlichkeit der amerikanischen Gefühle gegenüber Japan hatte in den letzten Jahren aus verschiedenen Gründen teilweise nachgelassen. Dazu gehörte die unerwartete Offenlegung der militärischen Stärke Japans im Krieg mit China; ihre offensichtliche Bereitschaft, sich mit anderen Mächten in der aggressiven Politik gegenüber China zu verbünden, die eine der Ursachen für den Boxeraufstand war, und die die Proteste hervorrief, die die Vereinigten Staaten an die betroffenen Regierungen richteten; ihre territoriale Expansion in der Mandschurei auf Kosten Russlands; und das Protektorat, das sie in Korea übernommen hatte und das die Regierung der Vereinigten Staaten geneigt war, als Protegé zu betrachten. Das japanische Volk war sich offenbar keiner Veränderung in der Haltung der amerikanischen Öffentlichkeit bewusst; und es gab keine ernsthaften Differenzen, die die Harmonie der Beziehungen stören könnten. Im Jahr 1906 löste die sogenannte Schulfrage Kaliforniens jedoch eine heikle Kontroverse aus.

Im Herbst desselben Jahres erließ das San Francisco Board of Education eine Anordnung, mit der japanische Kinder von den gewöhnlichen öffentlichen Schulen, die sie bisher besucht hatten, ausgeschlossen wurden und ihre Trennung in der gemeinsamen asiatischen Schule vorgesehen war, die 1872 im chinesischen Viertel gemäß a gegründet wurde Landesgesetz zur Einrichtung separater Schulen für Kinder mongolischer oder chinesischer

Abstammung. Das Gesetz war infolge der starken Zunahme der chinesischen Einwanderung erlassen worden. Dieser Zustrom von Chinesen , der zunächst aufgrund der Nachfrage nach Arbeitskräften an der Pazifikküste begrüßt wurde, war mit offensichtlichen sozialen und moralischen Nachteilen verbunden, die von den Einwohnern Kaliforniens als schädlich für die Interessen der Gemeinschaft angesehen wurden. In Überlegungen dieser Art fanden die Gewerkschaften des Staates ihre Chance, und es wurde eine Agitation gegen „chinesische billige Arbeitskräfte " geschürt, mit der Folge, dass die Regierung der Vereinigten Staaten Schritte unternahm, um diese Einwanderung auf vergleichsweise geringe Ausmaße zu reduzieren.

Hinter der von den Schulbehörden von San Francisco aufgeworfenen Frage – die nur ein Vorwand war – waren dieselben Kräfte am Werk. Die Rassentrennung japanischer Schulkinder löste in Japan ernsthafte Verärgerungen aus. Die dadurch hervorgerufene Verärgerung wurde durch Missverständnisse seitens der Öffentlichkeit in beiden Ländern und durch maßloses Schreiben in der Presse noch verstärkt. Der Vorfall, der zu einer gewissen diplomatischen Korrespondenz zwischen den betroffenen Regierungen führte, wurde schließlich durch die Intervention von Präsident Roosevelt Anfang 1907 beigelegt. Abgesehen von seinem internationalen Aspekt hatte die Schwierigkeit auch mit der problematischen Frage der Rechte von Bund und Ländern zu tun. Durch einen zwischen dem Präsidenten und der Schulbehörde erzielten Kompromiss wurde vereinbart, dass alle außerirdischen Kinder ab einem bestimmten Alter, bei denen nach der Prüfung festgestellt werden sollte, dass ihnen die Elemente der englischen Sprache mangelhaft sind – ohne Erwähnung von Japanisch –, dies tun könnten auf Sonderschulen geschickt; Gleichzeitig verpflichtete sich der Präsident, für eine gewisse Begrenzung der japanischen Einwanderung zu sorgen. Im Einklang mit dieser Verpflichtung wurde in das Einwanderungsgesetz vom Februar 1907 eine Klausel eingefügt, die den Ausschluss bestimmter Klassen von Einwanderern vorsah, wobei sich die Vereinigten Staaten im überarbeiteten Vertrag mit Japan das Recht, in solchen Angelegenheiten Gesetze zu erlassen, ausdrücklich vorbehalten hatten von 1894. Weitere Verhandlungen zwischen den beiden Ländern führten 1908 zum Abschluss des sogenannten „Gentlemen's Agreement", das durch den Austausch vertraulicher Noten zustande kam und in dem sich die japanische Regierung bereit erklärte, bei der Umsetzung des Ziels zusammenzuarbeiten das Gesetz durch die Ergreifung von Maßnahmen zur Einschränkung der Arbeitseinwanderung aus Japan in die Vereinigten Staaten. Als daher 1911 in Washington ein neuer Handels- und Schiffahrtsvertrag zwischen Amerika und Japan ausgehandelt wurde, gab es guten Grund zu der Annahme, dass damit die Kontroverse beendet sei. Der Senat der Vereinigten Staaten stellte bei der Ratifizierung fest, dass „der

Vertrag nicht als Aufhebung oder Beeinträchtigung einer der Bestimmungen des Einwanderungsgesetzes von 1907 angesehen werden sollte"; und die Vereinbarung wurde durch eine dem Vertrag beigefügte Erklärung bestätigt, in der die Absicht der japanischen Regierung zum Ausdruck gebracht wurde, die Beschränkung und Kontrolle, die sie in den letzten drei Jahren bei der Regulierung der Auswanderung von Arbeitern in die Vereinigten Staaten ausgeübt hatte, mit gleicher Wirksamkeit aufrechtzuerhalten .

Die Hoffnung, dass von der Schwierigkeit nichts mehr zu hören sein würde, wurde durch das Vorgehen des kalifornischen Gesetzgebers zunichte gemacht. Im Mai 1913 wurde trotz des Widerstands der Bundesbehörden ein Gesetz verabschiedet, das das Recht auf Landbesitz nur „Ausländern mit Anspruch auf die Staatsbürgerschaft" einräumte. Die Verabschiedung dieses Gesetzes löste in Japan erneut Unmut aus, wo es ungeachtet der Formulierung korrekt so interpretiert wurde, dass es sich an japanische Einwohner richtete. Die japanische Regierung protestierte sofort mit der Begründung, dass japanische Staatsangehörige durch das fragliche Gesetz, das von der Einbürgerung in Amerika ausgeschlossen sei, in unfairer Weise diskriminiert würden und faktisch eine Verletzung der Vertragsrechte Japans darstelle. Diese Ansicht lehnte die amerikanische Regierung ab und unterstützte das Vorgehen des Staates mit dem Argument, dass jede Nation das Recht habe, solche Fragen selbst zu entscheiden. Der Briefwechsel zwischen den beiden Regierungen dauerte einige Zeit, ohne dass eine Einigung erzielt werden konnte. Es wurde auf Ersuchen Japans im Jahr 1914 veröffentlicht. Diese Diskriminierung zwischen Japanern und anderen Ausländern, die im Gegensatz zu ihnen Anspruch auf die Einbürgerung als amerikanische Staatsbürger haben, ist für das japanische Volk nach wie vor ein wunder Punkt und ein Stolperstein im Land Beziehungen zwischen Japan und Amerika.

Der Widerstand gegen die japanische Arbeitseinwanderung beschränkte sich nicht auf die Vereinigten Staaten. Eine ähnliche antijapanische Stimmung entstand in Kanada. Als Folge des Ausbruchs von Unruhen aus diesem Grund wurde im November 1907 eine kanadische Mission nach Japan geschickt, um diese Auswanderung auf die sogenannten angemessenen Grenzen zu beschränken und so ein Wiederaufflammen der aufgetretenen Unruhen zu verhindern. Das Ziel der Mission wurde durch einen Notenaustausch zwischen dem Leiter der Mission, Herrn Lemieux, und dem japanischen Außenminister erreicht. Durch die getroffene Vereinbarung – die, wie wir gesehen haben, das im darauffolgenden Jahr zwischen Amerika und Japan geschlossene Abkommen erleichtert haben könnte – verpflichtete sich die japanische Regierung, wirksame Maßnahmen zur Beschränkung dieser Einwanderung zu ergreifen.

In den letzten Jahren gab es sowohl in der Presse als auch in Büchern über Japan die Tendenz, zwei Dinge eng miteinander zu verknüpfen, die nicht unbedingt miteinander verbunden sind: japanische Expansion und Auswanderung. Beispielsweise stellt der Autor von „*Contemporary Politics of the Far East* " in Bezug auf die japanische Auswanderung in die Vereinigten Staaten fest, dass „Japan Raum für seine überschüssige [*sic*] Bevölkerung und Absatzmöglichkeiten für seinen expandierenden Handel benötigte", und verknüpft damit die beiden Fragen miteinander . Und andere Autoren haben eine ähnliche Sprache verwendet. Die erwähnte Tendenz ist wahrscheinlich auf die Tatsache zurückzuführen, dass, so unterschiedlich die beiden Dinge auch sind – das eine ist lediglich eine Bevölkerungsbewegung, das andere eine Vergrößerung des Territoriums –, in einigen Ländern ein direkter Zusammenhang zwischen ihnen besteht. In Japan ist dies nicht der Fall. Dort haben beide Bewegungen stattgefunden, aber sie blieben deutlich und getrennt.

Die japanische Expansion ist eine Kategorie für sich. Es hat deshalb Aufmerksamkeit erregt, weil es unerwartet war, da die Tendenz der orientalischen Länder in der Neuzeit darin bestand, ihre Grenzen eher zu verengen als zu erweitern; von seiner Schnelligkeit und seinem weiten Ausmaß; und auch , weil es entweder das Ergebnis erfolgreicher Kriege oder einer Vergrößerungspolitik war , die nach japanischer Meinung durch staatliche Notwendigkeiten gerechtfertigt war.

Ganz anders verhält es sich mit der japanischen Auswanderung. Welche Bedeutung ihr zukommt, ergibt sich nicht aus dem Umfang, in dem sie bisher durchgeführt wurde – der im Vergleich zu anderen Bewegungen dieser Art andernorts unbedeutend ist –, sondern aus den internationalen Schwierigkeiten, die sie hervorgerufen hat, aus ihrer Verbindung in den Köpfen der Menschen mit nationaler Expansion, und aus Angst vor den Dimensionen, die es in Zukunft annehmen könnte. Auf die vielen Überlegungen im Zusammenhang mit der japanischen Auswanderung ist es unnötig, näher einzugehen, da die Frage zu weit gefasst ist, als dass sie im Rahmen dieser Seiten sinnvoll erörtert werden könnte. Ein paar Bemerkungen zu diesem Thema dürften jedoch nicht unangebracht sein.

Die Migration wird üblicherweise auf einen Bevölkerungsüberschuss zurückgeführt. Dies ist zumindest die Ansicht vieler Autoren. Das Bevölkerungswachstum in Japan verlief zweifellos rasant. Im Jahr 1872 betrug die Bevölkerungszahl 33 Millionen . Im Jahr 1916 war sie auf fast 56 Millionen gestiegen . Unter der Annahme, dass die Wachstumsrate beibehalten wird, dürfte die Gesamtbevölkerung in zehn Jahren deutlich über sechzig Millionen betragen . Im Laufe von sechzig Jahren wird sich die Bevölkerung also nahezu verdoppelt haben. So verblüffend diese Zahlen auch sind, lässt sich daraus nicht zwangsläufig schließen, dass Japan nicht mehr in der Lage ist, sein Volk in seiner derzeitigen Zahl zu ernähren, und dass daher eine Notwendigkeit für weitere Absatzmöglichkeiten für seine überschüssige Bevölkerung besteht. Auch wenn der rasche Bevölkerungszuwachs in einem Land einen Anreiz zur Auswanderung darstellen kann, ist er nicht der einzige oder gar ausschlaggebende Faktor in dieser Frage. Dass andere Einflüsse eine große Rolle spielen, zeigt die Entwicklung in Deutschland. Vor fünfzig Jahren hatten deutsche Staatsmänner allen Grund zur Besorgnis angesichts der wachsenden Statistiken über die deutsche Auswanderung in die Vereinigten Staaten. Noch vor dem Ende des Jahrhunderts wurde die Bewegung gestoppt und hörte bald darauf ganz auf. Die beiden Hauptursachen für diesen Wandel waren die Zunahme des Wohlstands und die industrielle Entwicklung. Die japanische Auswanderung in bestimmte Länder könnte aus den gleichen Gründen bald einen ähnlichen Rückgang verzeichnen. Die industrielle Entwicklung Japans hat in anderer Hinsicht mit seinen Fortschritten Schritt gehalten. Auch ihre finanzielle Lage hat sich verändert. Anstatt wie vor dem Ersten Weltkrieg eine Schuldnerin der Welt zu sein, ist sie nun in erheblichem Maße zu deren Gläubiger geworden. Auch wenn darüber hinaus Teile Japans möglicherweise überbevölkert sind, gibt es auf den nördlichen Inseln und in den neu erworbenen Gebieten auf dem Festland immer noch große Gebiete, die immer noch dünn besiedelt sind. Allein der Druck des Bevölkerungswachstums wird die Auswanderung in naher Zukunft wahrscheinlich nicht nennenswert beeinflussen. Eine stärkere und in ihrer Wirksamkeit beständigere Ursache könnte in der natürlichen Energie und dem Unternehmungsgeist der Menschen liegen, die vielleicht durch ihre Befreiung aus der erzwungenen Isolation der Vergangenheit angeregt werden. Diese Annahme wird durch die weite Verbreitung der japanischen Auswanderung und durch die Vielfalt der Beschäftigungen japanischer Auswanderer im Ausland gestützt. Obwohl die Japaner, wie bereits erwähnt, bisher keine besondere Begabung für eine Pionierkolonisierung an den Tag gelegt haben, sind sie heute in Südamerika und anderswo als Landarbeiter und Händler anzutreffen; in Australasien als Perlenfischer; in China, den Straits Settlements und Java sowie in Indien und Australien als Händler und Ladenbesitzer; in der Mandschurei als Landarbeiter und Bauern, wobei die dortigen koreanischen Einwanderer seit der Annexion Koreas japanische Untertanen geworden waren; an den Küsten des Nord- und Südpazifiks als Fischer; in Amerika und Kanada als Händler, Landwirte, Ladenbesitzer, Gärtner und Arbeiter ; und in den malaiischen Staaten als Pflanzer.

Man kann hinzufügen, dass die japanische Auswanderung in ihren Anfängen in Form von Vertragsarbeitern erfolgte . Die ersten Arbeitsauswanderer gingen unter Bedingungen, die von der japanischen und hawaiianischen Regierung geregelt wurden, nach Hawaii – das damals noch nicht an Amerika angeschlossen war; und es war die heimliche Einreise vieler dieser Arbeiter von Hawaii nach Kalifornien, die erstmals amerikanische Feindseligkeit hervorrief. Die Entwicklung dieses Zweiges der Auswanderung – gefördert durch zu diesem Zweck eingerichtete Agenturen, aber nach wie vor einer gewissen offiziellen Aufsicht unterworfen – scheint eine bloße Frage von Angebot und Nachfrage zu sein. Die Zukunft anderer Auswanderer wird vom Ausmaß des Widerstands oder der Konkurrenz abhängen, auf die sie stößt. Was jedoch die Vereinigten Staaten und Kanada betrifft, deuten die Feindseligkeit, die es hervorgerufen hat, und die Bereitschaft der japanischen Regierung, bei der Einschränkung mitzuwirken, darauf hin, dass die Zahl der Auswanderer in diese Länder allmählich zurückgehen wird.

Die unmittelbaren Ergebnisse des Erfolgs Japans im russisch-japanischen Krieg waren, wie wir gesehen haben, die Errichtung eines Protektorats über Korea und die Aushandlung eines Vertrags mit China, der bestimmte Bestimmungen des Vertrags von Portsmouth über die Übertragung von Korea an das Land bestätigte Russische Pacht von Port Arthur und des südlichen Teils der mandschurischen Eisenbahn. Bestrebt, sich der Aufgabe zu widmen, seine neue Position im Fernen Osten zu festigen, war Japan in den nächsten Jahren genauso eifrig mit der Aushandlung von Verträgen und Vereinbarungen mit anderen Mächten beschäftigt wie in den fünfzehn Jahren der Vertragsgestaltung, die auf das Jahr folgten Unterzeichnung von Perrys Vertrag. 1907 schloss sie mit Frankreich eine Vereinbarung zur Sicherung des Friedens im Fernen Osten; ein ähnliches Abkommen mit Russland (in Form einer Konvention), das jedoch eine gegenseitige Verpflichtung beinhaltete, die territoriale Integrität und die Rechte jedes Einzelnen zu respektieren, die sich aus den zwischen Russland und China geltenden Vereinbarungen ergeben; ein Handelsvertrag, ein Fischereivertrag und ein Konsularprotokoll mit demselben Land; ein Abkommen mit China über die Simmintun- , Mukden- und Kirin-Eisenbahn; und ein neuer Vertrag mit Korea, der die gesamte Verwaltungsgewalt auf der Halbinsel in die Hände des japanischen Generalresidenten legte. Im folgenden Jahr wurde ein Schiedsvertrag mit den Vereinigten Staaten ausgehandelt sowie ein Notenaustausch zwischen denselben beiden Regierungen mit dem erklärten Ziel, die Unabhängigkeit und territoriale Integrität Chinas zu wahren. Zwei weitere Vereinbarungen zeugten von ihrer vertragsgestaltenden Tätigkeit. Eines davon war ein weiteres Eisenbahnabkommen mit China aus dem Jahr 1907. Bei dieser Gelegenheit handelte es sich um die Strecke, die jetzt Mukden mit dem Hafen von Antung verbindet. Vermutlich war es dieses neue Eisenbahnabkommen, das die amerikanische Regierung dazu veranlasste, im Herbst desselben Jahres anderen am Fernen Osten interessierten Mächten einen Vorschlag zur Neutralisierung der mandschurischen Eisenbahnen vorzulegen. Der Vorschlag wurde von Russland und Japan – den beiden Mächten, die hauptsächlich betroffen waren – keineswegs akzeptiert, sondern führte im darauffolgenden Jahr nur zum Abschluss eines Abkommens, in dem sich beide Parteien verpflichteten, durch gemeinsames Vorgehen erforderlichenfalls den bestehenden Status quo in der Mandschurei *aufrechtzuerhalten* .

Der andere, ganz anderer Art, war ein Vertrag mit Korea über die Annexion dieses Landes an Japan, der im August 1910 in Seoul vom japanischen Generalresidenten und dem koreanischen Ministerresidenten unterzeichnet wurde. Die Annexion eines Landes per Vertrag ohne vorherige Feindseligkeiten war ein ungewöhnliches Verfahren, für das es keinen Präzedenzfall gab. Nicht weniger bemerkenswert als die gewählte Methode war die Tatsache, dass Artikel 8 der Urkunde mit unbewusster Ironie die Zustimmung des Souveräns des annektierten Staates zum Verlust seiner Unabhängigkeit festhielt. Japan hatte bei mehreren Gelegenheiten seine Absicht bekundet, diese Unabhängigkeit in Verpflichtungen mit anderen Mächten zu respektieren – mit China, mit Russland und mit Großbritannien sowie mit Korea selbst. Ihre aus diesem Grund unerwartete Annexion Koreas stieß im Ausland auf viel negative Kritik. Der Kurs, den es zu Beginn seiner Kriege mit China und Russland eingeschlagen hatte, koreanisches Territorium frei zu nutzen, zeigte jedoch, dass es nicht geneigt war, die Wünsche oder Bequemlichkeiten des koreanischen Volkes einem militärischen Einsatz im Wege stehen zu lassen Operationen. Das Protektorat, das sie bereits 1905 über Korea errichtet hatte, und ihre Übernahme der Verwaltung in diesem Land zwei Jahre später waren ebenfalls unheilvolle Anzeichen dafür, was später passieren könnte. Eine gewisse Rechtfertigung für den letzten Akt der Annexion, so einzigartig die angewandte Methode auch gewesen sein mag, liegt in der Tatsache, dass die chronischen Unruhen in Korea, für die Japan keineswegs allein verantwortlich war, zu zwei Kriegen geführt hatten, und zwar In der Präambel des Vertrags, in der die Wahrung des Friedens im Fernen Osten als eines der Ziele der Annexion erklärt wurde, war etwas Unverschämtes wahr. Man kann sogar sagen, dass ein unvoreingenommener Beobachter der Lage in Korea in den Jahren vor der Errichtung des Protektorats ohne zu zögern die Ansicht vertreten würde, dass die japanische Verwaltung dieses Landes selbst im Interesse der Koreaner vorzuziehen sei sich selbst, zu der schockierenden Misswirtschaft der Vergangenheit.

Mit der Unterzeichnung des Annexionsvertrags ging eine Erklärung der japanischen Regierung einher, in der sie bestimmte Vereinbarungen ankündigte, um etwaige Verärgerungen zu mildern, die die plötzliche und willkürliche Aufhebung der Verträge Koreas mit anderen Ländern hervorrufen könnte. Zu diesen Zugeständnissen an ausländische Gefühle gehörten Fragen der Gerichtsbarkeit, des Zolls, der Tonnagezölle und des Küstenhandels. Vier Jahre später wurden die ausländischen Siedlungen in Korea mit Zustimmung der betroffenen Mächte abgeschafft.

Seine überarbeiteten Verträge mit ausländischen Mächten, die 1899 für eine Laufzeit von zwölf Jahren in Kraft traten, gaben Japan das Recht, sie nach Ablauf dieser Frist zu kündigen – mit anderen Worten, seine Absicht anzukündigen, sie durch Fristsetzung von zwölf Monaten zu kündigen ' Hinweis erforderlich. Diese Kündigung wurde von Japan allen Vertragsmächten im Juli 1910 mitgeteilt. Die Freiheit, nach Ablauf der Kündigungsfrist neue Verträge abzuschließen, beinhaltete einen Punkt von wesentlicher Bedeutung, die Wiederherstellung der Zollautonomie – das heißt das Recht darauf ihren eigenen Tarif kontrollieren. Sofort wurden Verhandlungen über den Abschluss neuer Verträge aufgenommen. Der erste, der abgeschlossen wurde, war der mit den Vereinigten Staaten, der im Februar des folgenden Jahres unterzeichnet wurde. der zweite, der Vertrag mit Großbritannien, der einige Monate später folgte. Die neuen Verträge traten im Juli desselben Jahres in Kraft, die Geltungsdauer betrug zwölf Jahre. Wie wir gesehen haben, wurde die zunehmende Bedeutung Japans im Fernen Osten erstmals öffentlich anerkannt, als das Land 1899 in die Liste der Mächte aufgenommen wurde, die die amerikanische Regierung im Hinblick auf die Einhaltung des Prinzips der „offenen Tür“ konsultierte “ und „Chancengleichheit“ in China. Durch ihren Erfolg im Russisch-Japanischen Krieg sechs Jahre später begründete sie ihren Anspruch, als führende Macht im Fernen Osten angesehen zu werden. Ihre Stellung war jedoch in einer Hinsicht der der westlichen Staaten unterlegen, da sie nicht die vollständige Kontrolle über ihren Zoll hatte. Mit dem Abschluss der neuen Verträge, durch die diese letzte Behinderung beseitigt wurde, erlangte es eine völlige Gleichstellung mit den Großmächten der Welt.

KAPITEL XXVIII

Aufstieg Japans und Deutschlands im Vergleich – Erneuerung des anglo-japanischen Bündnisses – Japan und der Große Krieg – Militärische und maritime Expansion – Japan und China – Die einundzwanzig Forderungen – Abkommen mit Russland bezüglich China – Lansing-Ishii-Abkommen – Auswirkungen von Großer Krieg gegen die Lage im Fernen Osten.

Der Aufstieg Japans findet eine Parallele im Aufstieg Deutschlands. Tatsächlich gibt es in den Umständen, die die Entwicklung der beiden Länder begleiten, nicht wenige Ähnlichkeiten. In jedem Fall war der militärische Erfolg die direkte Ursache, und in jedem Fall hatte die lange Existenz des Feudalismus zur Folge, dass ein von Natur aus kriegerisches Volk dem Willen seiner Herrscher unterworfen und auf die Lehren der Tradition reagierte. In jedem Fall ging die Treue zum Thron mit einer übertriebenen Form des Patriotismus einher, der nur Gelegenheit brauchte, um aggressiv zu werden. Auch hier vereinen sich autokratische Instinkte, die Zentralisierung der Autorität und der Druck einer mächtigen Bürokratie, um den Staat auf Kosten des Einzelnen zu verherrlichen. Und obwohl es in Japan an der in der deutschen Geschichte so auffälligen persönlichen Herrschaft des Souveräns mangelte, wurde dieses Fehlen durch den verbreiteten Glauben an die göttliche Abstammung des Monarchen mehr als ausgeglichen.

Unter diesen Umständen ist es nicht verwunderlich, dass Deutschland als Vorbild für so viele der im Laufe der Meiji-Ära gegründeten neuen Institutionen gewählt wurde oder dass das moderne Japan, das schließlich Gestalt annahm, in vielen seiner Merkmale zum Tragen kam eine noch größere Ähnlichkeit mit dem Land, aus dem so viel geliehen worden war. Eine Nation, die im Verlauf ihrer Entwicklung so großzügig auf andere zurückgreift, wie es Japan getan hat, nimmt unweigerlich Ideen auf, die ihre gesamte Weltanschauung beeinflussen. Was in den frühen Tagen geschah, als Japan die Schriftsprache, Ethik und das Verwaltungssystem Chinas übernahm, wiederholte sich, wenn auch in geringerem Maße, als es zum Schüler Deutschlands in Fragen der Verwaltung, des Rechts und der Militärwissenschaft wurde. So behielt die Verfassung selbst, die, wie wir gesehen haben, nach deutschem Vorbild gestaltet war, alle wirkliche Macht in wichtigen Staatsangelegenheiten der Krone vor; während die Übernahme des deutschen Systems der militärischen Organisation und Ausbildung den Einfluss der Armee erhöhte und das Wachstum des Militarismus förderte.

Impressionen vom Kaiser die Position, die Deutschland zu der Zeit einnahm, als Wilhelm II. den Thron als König von Preußen und deutscher Kaiser bestieg:

„Die Einheit von Die deutschen Staaten waren sicher ... und das Werk Bismarcks war abgeschlossen. Dass das Reich eine Errungenschaft der militärischen Überlegenheit Preußens und keineswegs eine Schöpfung des deutschen Volkes war, wurde allgemein verstanden." Seine Aussage wird durch einen Artikel bestätigt, der im August 1918 in einer deutschen Zeitung, der *Arbeiter Zeitung , erschien* . „Es ist", heißt es, „der Monarchie, dem Junkertum und der Armee, dass die deutsche *Bourgeoisie* die Errichtung des neuen Reiches verdankt, dem eine so enorme Entwicklung der wirtschaftlichen Stärke, des Reichtums und der Macht folgte."

Japan hatte in dem Moment, von dem wir sprechen, in gleicher Weise eine Einheit erreicht, wie sie zuvor unbekannt war. In der Verwirklichung ihres Ehrgeizes, eine Großmacht zu werden, hatte sie alle Schwierigkeiten, die mit dem Übergangsprozess von den Bedingungen jahrhundertelanger Isolation zu den neuen Umständen eines modernen Staates verbunden waren, triumphierend überwunden. Die Arbeit der Gruppe von Staatsmännern, die sich nacheinander mit der Aufgabe des Wiederaufbaus beschäftigte, war wie die von Bismarck abgeschlossen. Und es wurde allgemein anerkannt, dass alles, was erreicht worden war, von der Regierung und nicht vom japanischen Volk geleistet worden war.

Die mit diesem Prestige bekleidete Regierung war immer noch eine Regierung zweier Clans, die ihre Vorherrschaft durch militärische Stärke erlangt hatten und diese aus dem gleichen Grund behielten; Die Ressorts Krieg und Marine und damit auch die Kontrolle über die Streitkräfte des Staates waren sozusagen zu einem Monopol der Satsuma- und Chōshiū-Clansmitglieder geworden, die als Leiter dieser Abteilungen praktisch unabhängig von der Regierung waren Ministerium des Tages. Die Ergebnisse des dominierenden Einflusses der beiden Clans in der Verwaltung und der Vormachtstellung deutscher Ideen in der Armee hatten sich bereits im Entstehen einer starken Militärpartei gezeigt; in einem Ruf nach nationaler Expansion über die bestehenden Grenzen hinaus, der weniger einen Grund zu haben schien als die panslawistischen und alldeutschen Rassenbestrebungen in Europa; in der Entwicklung der einfachen feudalen Maximen von *Bushidō* zu etwas, das einem nationalen Glaubensbekenntnis nahekam; und in der Zunahme chauvinistischer Schriften in einem Teil der Presse. Unter diesen Umständen war es nicht verwunderlich, wenn von nun an in diplomatischen Äußerungen ein lauterer Ton zu hören war und in der Außenpolitik ein aggressiverer Ton auftrat.

Diese Änderung der Haltung in Fragen der Außenpolitik kann in den aufeinanderfolgenden Änderungen verfolgt werden, die in den Bedingungen des englisch-japanischen Bündnisses stattfanden. Das ursprüngliche Abkommen von 1902 bezog sich nur auf China und Korea, wobei die Vertragsparteien die Unabhängigkeit beider Staaten anerkannten und erklärten, „von jeglichen aggressiven Tendenzen in beiden Ländern völlig unbeeinflusst zu sein". Als das Abkommen im August 1905 erneuert wurde, wurde seine Anwendung auf Ostasien und Indien ausgeweitet. Von der Unabhängigkeit Koreas ist nichts mehr zu hören, aber Japans vorrangige Rechte in diesem Land werden anerkannt, nur unter der Voraussetzung, dass der Grundsatz der „Chancengleichheit" gewahrt bleibt. Dieser Anerkennung folgte drei Monate später die Errichtung eines japanischen Protektorats. Bei der erneuten Erneuerung des Abkommens im Jahr 1911 verschwindet jeglicher Bezug auf Korea, da dieses Land im Jahr zuvor von Japan annektiert worden war.

Dieser Einstellungswandel war auch nicht ausschließlich auf das Bewusstsein neuer Macht und gesteigerten Ansehens zurückzuführen. Indem man andere Länder so genau kopierte, wie es praktiziert wurde, war der Prozess der Nachahmung so weit gegangen, dass er zur Übernahme von Grundsätzen führte, die selbst in den Ländern, in denen sie ihren Ursprung hatten, nicht mit uneingeschränkter Zustimmung betrachtet wurden. Ein typisches Beispiel ist die Durchsetzung der Extraterritorialität durch die japanische Regierung in China, gegen die sie, als sie von westlichen Regierungen auf Japan angewandt wurde, ständig mit der Begründung protestiert hatte, dass das Prinzip mit der Souveränität eines Staates unvereinbar sei.

Das Vorgehen Japans beim Ausbruch des Ersten Weltkriegs im August 1914 zerstreute sofort alle Zweifel, die an seiner Teilnahme daran bestanden haben könnten. Es zeigte sich auch, dass sie nicht die Absicht hatte, eine rein passive Rolle zu spielen . Innerhalb von vierzehn Tagen nach Beginn der Feindseligkeiten zwischen Großbritannien und Deutschland stellte die japanische Regierung der letztgenannten Macht ein Ultimatum und forderte den sofortigen Rückzug aller deutschen Kriegsschiffe aus den japanischen und chinesischen Gewässern sowie die Räumung des gepachteten Territoriums bis zu einem bestimmten Datum von Kiautschou , im Hinblick auf seine eventuelle Rückgabe an China. Dem Ultimatum folgte eine Woche später eine Kriegserklärung. Es wurde vermutet, dass diese schnelle Aktion einen Plan Deutschlands zunichte machte, das gepachtete Gebiet aus dem Feld der Feindseligkeiten zu entfernen und es für die Dauer des Krieges an China zurückzugeben. Sowohl im Ultimatum als auch in der Kriegserklärung wurde auf das englisch-japanische Bündnis verwiesen, das 1905 während des Russisch-Japanischen Krieges und erneut 1911, als ein Schiedsvertrag zwischen Großbritannien ausgehandelt wurde, erneuert worden war und die Vereinigten Staaten. Diese deutliche Anspielung auf das Bündnis deutete darauf hin, dass der Eintritt Japans in den Krieg auf einer besonderen Vereinbarung zwischen den beteiligten Regierungen beruhte. Es war jedoch kein Geheimnis, dass die Übernahme von Kiautschow durch Deutschland für Japan genauso unangenehm gewesen war wie die russische Besetzung von Port Arthur, und es war auch nicht unvernünftig anzunehmen, dass es die erste Gelegenheit, die sich bieten könnte, begrüßen würde, um das Abscheuliche loszuwerden Eindringling. Die Gelegenheit, die ihr Kriegseintritt bot, wurde umgehend genutzt. Eine starke Expeditionstruppe, zu der auch ein Kontingent britischer Truppen gehörte, wurde zusammengestellt, und in der ersten Novemberwoche wehte die deutsche Flagge nicht mehr in Kiautschou . Die japanische Besetzung der Inselgruppen Caroline, Marshall und Marianne bzw. Ladrone im Vormonat trug zur Verdrängung Deutschlands aus dem Pazifik bei.

Der Krieg, der Japan den nötigen Vorwand lieferte, den deutschen Stützpunkt in China zu zerstören, bot ihm weitere Möglichkeiten, seine Position im Fernen Osten zu stärken. Das Ausmaß der Militäroperationen in Europa verschlang die gesamte Energie der kriegführenden Staaten, die Interessen in Ostasien hatten. Sie waren nicht in der Lage, den fernöstlichen Angelegenheiten große Aufmerksamkeit zu widmen. Japan erlangte damit eine Handlungsfreiheit, die ihm unter anderen Umständen möglicherweise verwehrt gewesen wäre.

In einem Artikel aus dem Jahr 1914 für die Novemberausgabe des *Shin Nippon* oder „Neues Japan“, einer in Tōkiō herausgegebenen Zeitschrift , wies Marquis Ōkuma , der damalige Premierminister, darauf hin, dass die Tendenz der Zeit diese Annahme rechtfertigte dass in ferner Zukunft einige wenige starke Nationen den Rest der Welt regieren würden und dass Japan sich darauf vorbereiten muss, eine dieser regierenden Nationen zu werden. Und als er im darauffolgenden Monat vor dem Landtag sprach, erklärte er zur Erläuterung des dem Parlament vorgelegten Programms zur Flotten- und Militärexpansion, dass eine Verstärkung der Streitkräfte erforderlich sei, um die diplomatischen Beziehungen Japans effektiver zu gestalten. Welche Anstrengungen die japanische Regierung zu unternehmen bereit war, um ihre Diplomatie wirksamer zu gestalten, wurde deutlich, als der japanische Minister in Peking im Januar 1915 dem Präsidenten der Chinesischen Republik direkt die bekannten einundzwanzig Forderungen vorlegte.

Die in mehrere Gruppen unterteilten Forderungen in den ersten vier beinhalteten die Zustimmung Chinas zu allem, was später zwischen Japan und Deutschland in Bezug auf das von den Japanern im November zuvor eingenommene deutsche Pachtgebiet in Shantung vereinbart werden könnte; die Nichtentfremdung eines Territoriums in dieser Provinz oder einer Insel entlang seiner Küste durch China an eine dritte Macht; Konzessionen für den Eisenbahnbau und die Eröffnung weiterer Orte für den Außenhandel in derselben Provinz; die Verlängerung der Bedingungen der früheren russischen Pachtverträge für Port Arthur, Dalny und der Südmandschurischen Eisenbahn sowie des späteren japanischen Pachtvertrags für Antun von fünfundzwanzig auf neunundneunzig Jahre –

die Laufzeit des deutschen Pachtvertrags für Kiautschow – Mukden-Eisenbahn; die Kontrolle und Verwaltung der Kirin-Changchun-Eisenbahn wird nach ihrer Fertigstellung für die gleiche Dauer von neunundneunzig Jahren an Japan übertragen; die Gewährung von Bergbaurechten an Japan in der Südmandschurei und der östlichen Inneren Mongolei; Die Zustimmung Japans muss eingeholt werden, bevor anderen Ausländern die Genehmigung zum Bau von Eisenbahnen oder zur Gewährung von Krediten für den Eisenbahnbau in den betreffenden Gebieten erteilt wird oder bevor lokale Steuern in diesen Gebieten als Sicherheit für an China gewährte Kredite verpfändet werden eine dritte Macht; Japan muss konsultiert werden, bevor China in denselben Gebieten politische, finanzielle oder militärische Berater einsetzt; Konzessionen, die Japan praktische Kontrolle über die wertvollen Kohle- und Eisenminen in der Nähe von Hankow verschafften, die der Hanyeiping Company gehörten , die Geld von japanischen Firmen geliehen hatte; und Nichtentfremdung eines Hafens , einer Bucht oder einer Insel an der Küste Chinas an eine dritte Macht. Eine weitere fünfte Gruppe von Forderungen beinhaltete die Verpflichtung Chinas, „einflussreiche Japaner als Berater in politischen, finanziellen und militärischen Angelegenheiten" einzusetzen; japanischen Krankenhäusern, Kirchen und Schulen im Landesinneren Chinas das Recht zu gewähren, Land zu besitzen – ein Recht, das Ausländern in Japan immer noch vorenthalten wird; die Polizeiverwaltung aller wichtigen Orte in China unter gemeinsame japanische und chinesische Kontrolle zu stellen oder anstelle dieses Zugeständnisses eine große Anzahl Japaner in den Polizeidienststellen dieser Orte zu beschäftigen; 50 Prozent oder mehr aller von China benötigten Kriegsmunition von Japan zu kaufen oder anstelle dieses Zugeständnisses die Errichtung eines Arsenals mit dem benötigten Material unter der gemeinsamen Leitung von Japanern und Chinesen in China zu veranlassen aus Japan zu kaufen; weitere Konzessionen für den Eisenbahnbau im Landesinneren Chinas zu erteilen; Japan zu konsultieren, bevor ausländisches Kapital für den Betrieb von Minen und den Bau von Eisenbahnen, Häfen und Werften in der Provinz Fuhkien eingesetzt wird ; und japanischen Untertanen das Recht zu gewähren, religiöse Lehren in China zu verbreiten. Dieser letzte Punkt betraf natürlich nur die buddhistische Missionspropaganda, da die Verbreitung der Shintō- Doktrin in einem fremden Land offensichtlich unmöglich war. Seine Aufnahme in den Forderungskatalog mag angesichts der religiösen Gleichgültigkeit des japanischen Volkes seltsam erscheinen. Die Gründe hierfür können in dem Wunsch der japanischen Regierung liegen, keinen Punkt zu übersehen, der dazu dienen könnte, Japan in jeder Hinsicht auf eine Stufe mit den westlichen Ländern zu stellen, und in ihrem Wunsch, die Dienste buddhistischer Missionare in Anspruch zu nehmen, um Informationen darüber zu erhalten Angelegenheiten im Inneren Chinas.

Der verblüffende Charakter dieser Forderungen löste nicht weniger als die gebieterische Art und Weise, wie sie gestellt wurden, sogar in Japan öffentliche Kritik aus und führte zu Anfragen von mehr als einer ausländischen Regierung. Im Verlauf der anschließenden Verhandlungen in Peking erhoben die Chinesen in mehreren Punkten Einwände. Schließlich wurde die letztgenannte Gruppe von Forderungen vorerst zurückgezogen, wobei der japanische Außenminister erklärte, dass es sich nie um Punkte handele, auf denen seine Regierung beharren wollte. Darüber hinaus wurden in den anderen Gruppen einige Änderungen vorgenommen, um chinesischen Einwänden Rechnung zu tragen. Die so überarbeiteten Forderungen wurden im April erneut vorgelegt, wobei für ihre Annahme eine Frist gesetzt wurde, und am 9. Mai gab die chinesische Regierung dem Druck nach und signalisierte ihre Zustimmung. Die verschiedenen Punkte, auf denen die japanische Regierung bestand, wurden schließlich am 25. Mai durch den Abschluss von Verträgen, den Austausch von Noten und die Abgabe von Erklärungen geklärt, die alle dieses Datum trugen, wie es den Wünschen Japans entsprach.

Es ist schwierig, die von japanischen Staatsmännern wiederholt abgegebenen Versicherungen über das Fehlen jeglicher aggressiver Absichten gegenüber China mit der Politik in Einklang zu bringen, die in den oben genannten Forderungen zum Ausdruck kommt. Es lässt sich auch nicht leugnen, dass der so auf China ausgeübte Druck eine Einmischung in die inneren Angelegenheiten eines Nachbarstaates darstellte , wie die japanische Presse als erste angeprangert hatte.

Die verschiedenen Verpflichtungen zwischen Japan und Russland in den Jahren kurz nach dem Vertrag von Portsmouth, insbesondere das bereits erwähnte Abkommen von 1907, waren an sich Anzeichen einer Entspannung der durch die russisch-japanische Spannungen Krieg. Und als die beiden Mächte 1910 das Abkommen zur Aufrechterhaltung des *Status quo* in der Mandschurei schlossen, das den Knox-Vorschlag zur Neutralisierung aller Eisenbahnen in dieser Region blockierte, wurde deutlich, dass sie den gegenseitigen Vorteil erkannten, der durch eine Zusammenarbeit im Fernen Osten erzielt werden konnte . Diese gemeinsame Politik, wenn man sie so nennen darf, wurde nach Ausbruch des Ersten Weltkriegs durch den Abschluss eines Geheimvertrags im Sommer 1916 gestärkt, als der Krieg für die Alliierten nicht sehr günstig verlief . Durch diesen Vertrag, der in der russischen Hauptstadt unterzeichnet wurde, erkannten die Vertragsparteien an, dass „die lebenswichtigen Interessen“ beider „den Schutz Chinas vor der politischen Vorherrschaft irgendeiner dritten Macht erfordern, die feindliche Absichten gegen Russland oder Japan hegt“. Welche Hoffnungen auch immer in beiden Ländern auf die durch diesen Vertrag festgelegte engere Zusammenarbeit mit China gehegt wurden, sie wurden durch die russische

Revolution im Frühjahr 1917 zunichte gemacht. Es ist unnötig, die wichtige Bedeutung dieser Tatsache für fernöstliche Angelegenheiten zu betonen Ereignis und seiner Folge – dem militärischen Zusammenbruch Russlands. Die bloße Tatsache, dass China auf diese Weise von der Gefahr einer kombinierten Aggression befreit wurde, der es nicht widerstehen konnte, spricht für sich.

Im Herbst desselben Jahres, als Amerika bereits in den Krieg verwickelt war, begann Japan, immer noch auf die Festigung seiner Position im Fernen Osten bedacht, in Washington Verhandlungen mit den Vereinigten Staaten über die von ihm zu verfolgende Politik die beiden Länder in China. Der zu diesem Zweck zum Sonderbotschafter ernannte japanische Unterhändler war Viscount Ishii, der kürzlich Außenminister gewesen war und zuvor in offizieller Funktion Amerika besucht hatte. Durch die im November desselben Jahres erzielte Übereinkunft, bekannt als Lansing-Ishii-Abkommen, erkannte die Regierung der Vereinigten Staaten die besonderen Interessen Japans in China, die sich aus der geografischen Nähe ergeben, offiziell an, ohne sie jedoch zu definieren – ein Zugeständnis, das sich tendenziell ausdehnte die Handlungsfreiheit, die Japan bereits durch den Krieg erlangt hatte. Der Grund für den Abschluss dieses Abkommens bestand, wie in den bei dieser Gelegenheit ausgetauschten Notizen angegeben, darin, „bösartige Berichte zum Schweigen zu bringen", die von Zeit zu Zeit in Umlauf gebracht worden waren. Ein weiterer Grund könnte durchaus der Wunsch gewesen sein, den Boden für eine amerikanische und japanische Geschäftskooperation in China zu ebnen, die seit einiger Zeit in der japanischen Presse befürwortet wurde und von den Kapitalisten beider Länder ein gewisses Maß an Unterstützung erhielt. Die Idee wurde von der amerikanischen Gemeinschaft in China nicht begrüßt, und die in diese Richtung unternommenen Bemühungen scheinen während der Dauer des Krieges keinen durchschlagenden Erfolg gehabt zu haben.

Bei der militärischen Intervention der Alliierten und Assoziierten Mächte in Sibirien nahm Japan eine herausragende Rolle ein. Der Verlauf der Ereignisse in Russland nach der Revolution löste in Großbritannien und Frankreich Unruhe aus. Als die Bolschewiki die Kontrolle über die Dinge erlangten, machten die deutschen und österreichisch-ungarischen Kriegsgefangenen, die aufgrund des Zerfalls der ehemaligen russischen Armeen ihre Freiheit wiedererlangt hatten und die Freiheit hatten, die deutschen Ambitionen aufrechtzuerhalten, gemeinsame Sache mit ihnen; und man hatte das Gefühl, dass die Gefahr einer Ausbreitung dieser vereinten Kräfte in Mittel- und Ostsibirien bestehe. Wie man dieser Gefahr am besten begegnen und gleichzeitig die tschechoslowakischen Truppen entlasten kann, die sich aus ehemaligen Kriegsgefangenen zusammensetzen, die sich geweigert hatten, sich den Bolschewiki anzuschließen und sich entlang der Transsibirischen

Eisenbahn zurückzogen, war eine zwingende Frage sich auf die Aufmerksamkeit der betroffenen Regierungen. Die Idee, zu diesem doppelten Zweck ein Expeditionskorps zu entsenden, wurde erstmals im Sommer 1917 diskutiert, doch erst ein Jahr später kam es zu einer Einigung . Bei dieser militärischen Intervention waren sechs alliierte und assoziierte Mächte vertreten, wobei Japan aufgrund seiner Nähe zum Schauplatz als erstes Truppen an Ort und Stelle stationierte.

In der Zwischenzeit hatten die japanische und die chinesische Regierung angesichts derselben Gefahr und für dieselben Ziele einige Monate zuvor (im Mai 1918) ein geheimes Militärabkommen zur gemeinsamen Verteidigung für die Dauer des Krieges geschlossen, in dem Vereinbarungen getroffen wurden die Zusammenarbeit japanischer und chinesischer Truppen sowohl auf chinesischem als auch auf russischem Territorium. Im darauffolgenden September wurden der Vereinbarung „detaillierte Bestimmungen" beigefügt. Eine davon sah vor, dass chinesische Truppen bei Einsätzen auf russischem Territorium unter der Kontrolle eines japanischen Befehlshabers stehen sollten. Gleichzeitig wurde ein ähnliches Flottenabkommen geschlossen. Im Rahmen des Militärabkommens wurden beträchtliche japanische und chinesische Streitkräfte mobilisiert und bei Operationen auf chinesischem Territorium und jenseits der russischen Grenze eingesetzt.

Die herausragenden Dienste, die die japanische Marine während des Krieges leistete, ernteten die herzliche Anerkennung ihrer Verbündeten; Die geleistete Arbeit bei der Säuberung der Meere von feindlichen Raubschiffen, dem Transport von Truppentransportern aus den britischen Herrschaftsgebieten nach Europa und der Bekämpfung der U-Boot-Bedrohung verdient höchstes Lob und wurde auch tatsächlich erhalten. Wenn in bestimmten japanischen Kreisen zuweilen eine Neigung zu bestehen schien, den Erfolg deutscher Waffen vorwegzunehmen, und wenn die prodeutschen Sympathien eines Teils der Öffentlichkeit zu laut hervortraten, sollte dies berücksichtigt werden das große Ausmaß, in dem deutsche Ideen bei der Gestaltung des modernen Japans genutzt wurden, und die natürliche Tendenz der Armeeoffiziere, an die Unbesiegbarkeit der Nation zu glauben, in deren militärischen Methoden sie geschult worden waren.

Die Friedenskonferenz, die im Januar 1919 in Paris stattfand, besiegelte die japanischen Ambitionen. Die Vertreter Japans nahmen an allen wichtigen Beratungen auf der Grundlage anerkannter Gleichberechtigung mit denen Großbritanniens, Frankreichs, Italiens und der Vereinigten Staaten teil, während Japan als eine der Großmächte, die den Obersten Rat bilden, eine Stimme im Obersten Rat hatte Entscheidungen, die das Schicksal der Welt bestimmt haben.

KAPITEL XXIX
Das japanische Familiensystem.

Mehr als einmal wurde im Verlauf dieser Erzählung auf das japanische Familiensystem Bezug genommen, dessen Einfluss für so vieles verantwortlich ist, was das politische und soziale Leben der Menschen prägt. Eine kurze Skizze dieses Systems, wie es heute funktioniert, dürfte daher für den Leser nicht uninteressant sein.

Vor Juli 1898, als das derzeitige Bürgerliche Gesetzbuch in Kraft trat, wurden Angelegenheiten des Familienrechts durch örtliche Sitten geregelt, die nicht nur in jeder Provinz, sondern oft auch in verschiedenen Bezirken derselben Provinz unterschiedlich waren. Alle derartigen Angelegenheiten werden nun in Übereinstimmung mit den Bestimmungen der Bücher IV und V dieses Kodex und in Übereinstimmung mit dem ergänzenden Registrierungsgesetz behandelt, das in überarbeiteter Form am selben Tag wie der Kodex in Kraft trat. Die Funktionsweise des Familiensystems ist daher seitdem im ganzen Land einheitlich.

Bevor wir fortfahren , wäre es vielleicht sinnvoll zu erklären, was im japanischen Recht mit dem Wort „Familie" gemeint ist. Es bezeichnet etwas, zu dem wir nichts Analoges haben. Es handelt sich um eine Gruppe von Personen, die denselben Nachnamen tragen und der Autorität eines Familienoberhauptes unterstehen, der der gemeinsame Elternteil oder Vorfahre sein kann oder nicht; und in diesem Sinne wird der Begriff „Familienmitglied" im Kodex und im oben genannten ergänzenden Gesetz verwendet. Diese Familie, die in einem oder mehreren Haushalten zusammengefasst sein kann, kann der Hauptzweig des Elternstamms oder nur ein Kadettenzweig sein. In beiden Fällen handelt es sich um das, was das Gesetz als Familie bezeichnet; die Nachfolge an der Spitze wird durch strenge Bestimmungen geregelt; und die Person, die ihr Oberhaupt ist, ist mit einer bestimmten, klar definierten Autorität ausgestattet. Für die Zugehörigkeit zu dieser Familiengruppe ist eine Verwandtschaftsbeziehung nicht zwingend erforderlich, da das Gesetz vorsieht, dass ein Verwandter einer adoptierten Person unter bestimmten Umständen Mitglied der Familie werden kann, in die diese aufgenommen wurde.

Es gibt jedoch noch eine andere und größere Familiengruppe, die aus all jenen besteht, die einander in der in Artikel 725 des Gesetzbuchs definierten Stellung von Verwandten gegenüberstehen. In dieser letzteren Gruppe, die sozusagen in Familienräten ihre Verkörperung findet, liegt zu einem großen Teil der Schlüssel zur wahren Stellung des Einzelnen in Japan.

Das japanische Familiensystem ist somit eine Zusammenfassung von Verwandten in zwei Gruppen, und jeder Japaner ist daher in zwei Funktionen zu betrachten: erstens als Mitglied der kleineren Familiengruppe – der rechtlichen Familie – und als solches, sofern er es nicht ist Oberhaupt der Familie selbst, vorbehaltlich der Autorität ihres Oberhauptes; und zweitens als Mitglied der größeren Verwandtschaftsgruppe, mit der er durch Rechte und Pflichten eng verbunden ist und als solcher, unabhängig von seiner Stellung in der Familie, in bestimmten Angelegenheiten der Kontrolle des Familienrates unterliegt. Aber die Position eines Japaners in seiner Doppelfunktion als Mitglied sowohl kleinerer als auch größerer Familiengruppen hat wenig von der Dauerhaftigkeit und Stabilität, die wir in unserem Familienleben finden. Es wird nicht nur, wie bei uns, durch Heirat und Scheidung beeinflusst, sondern unterliegt auch einem ständigen Wandel durch die Trennung von der Familie durch Adoption und deren Auflösung, durch Abdankung oder andere im Kodex genannte Gründe sowie durch die gewährte bedingte Freiheit an einen Menschen, sozusagen seine Familienzugehörigkeit zu ändern und sich von der Autorität eines Familienoberhaupts auf die eines anderen zu übertragen. Der künstliche Charakter beider Gruppen wird auch durch die Häufigkeit der Adoption verstärkt, die der Verwandtschaft so sehr ähnelt, dass zwischen beiden kein materieller Unterschied besteht.

Um kurz auf die Hauptmerkmale des japanischen Familiensystems einzugehen, ist es angebracht, mit denen zu beginnen, die im römischen Recht ihr Gegenstück haben, nämlich der elterlichen Autorität, der Stellung der Frau, dem Brauch der Adoption und den religiösen Riten der Familie.

ELTERLICHE AUTORITÄT. — Es ist zweifelhaft, ob die elterliche Gewalt in Japan jemals die Strenge der römischen *Patria Potestas erreicht* hat, obwohl in den inzwischen veralteten Gesetzbüchern Straftaten, die von Kindern gegen Eltern begangen wurden, härter geahndet wurden, als wenn das Gegenteil der Fall war. Die Lehre der kindlichen Frömmigkeit, die diese Diskriminierung inspirierte, schloss jedoch in der Praxis nie die Pflichten der Eltern gegenüber ihren Kindern aus. Darüber hinaus war die elterliche Autorität in Japan schon immer zwei schwächenden Einflüssen ausgesetzt – dem Eingreifen von Familienräten und dem Brauch der Abdankung. Es umfasst nun sowohl die väterliche Autorität als auch in bestimmten Fällen die mütterliche Autorität, was im römischen Recht unbekannt ist. Diese Autorität, die niemals gemeinschaftlicher Natur ist, wird gegenüber Kindern ausgeübt, die während ihrer Minderjährigkeit „Familienmitglieder" des betreffenden Elternteils sind, und auch danach, solange sie keinen unabhängigen Lebensunterhalt verdienen. Das japanische Recht spricht von einer Person als Kind, unabhängig vom Alter, solange einer der Elternteile lebt, und das Recht eines Elternteils auf Unterhalt durch seinen Sohn oder seine Tochter hat Vorrang vor den diesbezüglichen Rechten der Kinder des letzteren Ehepartner.

STELLUNG DER FRAU. – Die Rechtsstellung der Frauen in Japan vor modernen Gesetzesänderungen wird gut durch die Tatsache veranschaulicht, dass Straftaten in verschiedene Kategorien eingeteilt wurden, je nachdem, ob sie von der Ehefrau gegen den Ehemann oder vom Ehemann gegen die Ehefrau begangen wurden, und durch die merkwürdige Anomalie, dass Während der Ehemann zu seiner Frau im ersten Grad der Verwandtschaft stand, stand diese zu ihm erst im zweiten. Die Behinderungen, unter denen eine Frau früher litt, hinderten sie daran, nahezu alle Rechte auszuüben. Der Grundsatz „*Mulier est finis familiæ*" („Die Familie endet mit einer Frau") galt in Japan ebenso wie in Rom, auch wenn die Einhaltung aufgrund der größeren Adoptionshäufigkeit möglicherweise weniger streng war. Das alles hat sich stark verändert. In keiner Hinsicht wurden größere Fortschritte erzielt als bei der Verbesserung der Stellung der Frau. Obwohl sie, wie die ihres Geschlechts in anderen Ländern, immer noch unter bestimmten Behinderungen leidet , kann eine Frau jetzt das Oberhaupt einer Familie werden; sie kann Eigentum erben und besitzen und es selbst verwalten; sie kann die elterliche Sorge ausüben; wenn sie ledig oder verwitwet ist, kann sie adoptieren; sie kann als Vormundin oder Kuratorin fungieren; und sie hat eine Stimme in Familienräten.

ANNAHME. — Der Wunsch, die Kontinuität einer Familie zu wahren, ist in der Regel das Motiv der Adoption, wo immer der Brauch vorkommt; und in Ländern wie Japan, wo die Ahnenverehrung in der Ausübung von Familienriten erhalten geblieben ist, wirkte die Sorge, für die Durchführung dieser Riten angemessene Vorkehrungen zu treffen, als zusätzlicher Anreiz. Aber nirgendwo sonst wurde die Adoption wahrscheinlich in so großem Umfang durchgeführt oder spielte eine so wichtige Rolle im gesellschaftlichen Leben der Gemeinschaft, die sie praktiziert hat . Sie beschränkt sich nicht wie bei uns auf die Adoption von Minderjährigen, denn die Adoption von Erwachsenen ist ebenso üblich wie die von Kindern. Sie beschränkt sich auch nicht auf die Adoption einer Einzelperson zu einem bestimmten Zeitpunkt; die Adoption eines verheirateten Paares ist zwar eher selten, aber ein anerkannter Brauch. Der Akt hat auch keinen endgültigen Charakter, denn eine Person kann mehr als einmal adoptieren oder adoptiert werden, und die Adoption kann aufgelöst oder annulliert werden.

Die ausführliche Behandlung dieses Brauchs im Bürgerlichen Gesetzbuch zeugt von seiner Bedeutung im gesellschaftlichen Leben Japans und zeigt gleichzeitig, inwieweit die Interessen des Einzelnen in dieser Hinsicht denen der Familie untergeordnet sind.

Bevor wir das Thema verlassen , ist es vielleicht angebracht, den Leser daran zu erinnern, dass im Falle der kaiserlichen Familie der Brauch der Adoption, wie bereits erwähnt, vor einigen Jahren abgeschafft wurde.

FAMILIENRITEN . — Die in einem früheren Kapitel erwähnte charakteristische Geisteshaltung gegenüber religiösen Angelegenheiten, die es einem japanischen Schriftsteller ermöglicht, seine Landsleute als Dualisten in Bezug auf die Religion zu beschreiben, spiegelt sich in japanischen Familien- oder Haushaltsriten wider. Vor der Einführung des Buddhismus im sechsten Jahrhundert hatte jeder Haushalt seinen *Kamidana* oder Shintō-Altar, bei dem es sich um ein einfaches Holzregal handelt. Auf diesem wurden die Kenotaphe der verstorbenen Familienmitglieder aufgestellt. Die Übernahme des Buddhismus führte zur Einführung eines *Butsudan* oder buddhistischen Altars, einem Miniaturschrein aus Holz, zu dem die Kenotaphe der Vorfahren übertragen wurden. Aber der Shintō- Altar blieb bestehen und diente als Aufbewahrungsort für Amulette des wichtigsten Shintō- Schreins, des *Daijingū* von Isé , sowie für Amulette aus den Schreinen, die den verschiedenen Schutzgottheiten der Familienmitglieder gewidmet waren, und trotz der Während der Shintō- Wiederbelebung, die mit der Restauration von 1868–1869 einherging, sind die beiden Altäre mit ihren jeweiligen Verwendungszwecken unverändert geblieben.

Die strengste Durchführung von Familienriten ist in der Regel der Oberschicht und wohlhabenden Bauern vorbehalten. Bei der Verehrung von Shintō- Gottheiten bestehen diese Riten aus ehrfürchtigen Ehrerbietungen jeden Morgen vor dem Shintō- Altar, dem Anzünden einer kleinen Lampe jeden Abend darauf und der Darbringung von Opfergaben in Form von Reis und *Sake* an bestimmten Tagen jedes Monats. Von Zeit zu Zeit werden auch Zweige der *Cleyera japonica* auf den Altar gelegt. Die vor dem buddhistischen Altar durchgeführten Ahnenriten unterscheiden sich in einigen Details je nach der erklärten Religion der Familie , Shintō oder Buddhist. In jedem Fall wird jedoch das Kenotaph der verstorbenen Person, eine kleine Holztafel mit dem posthumen Namen oder Sterbedatum, auf oder vor dem buddhistischen Altar platziert. Wenn diese Kenotaphe zu zahlreich werden, werden ein oder zwei für alle errichtet. An verschiedenen Todestagen werden Speiseopfer dargebracht und Gottesdienste abgehalten. Zu diesen Anlässen wird auch ein Festmahl veranstaltet. In buddhistischen Haushalten ist der buddhistische Altar nie ohne Blumen, während jeden Morgen Tee und Reis geopfert und Räucherstäbchen angezündet werden. Während des jährlichen „Festes der Toten“, das von der *Shin-* oder *Montō* -Sekte der Buddhisten nicht anerkannt wird, werden aufwändigere Riten durchgeführt.

Die anderen Merkmale des Familiensystems, die noch beachtet werden müssen, sind die Stellung des Familienoberhauptes, seine Nachfolge, Abdankung, Familienräte, Heirat und Registrierung.

OBERHAUPT DER FAMILIE. — In Japan sind die elterliche Autorität und die vom Familienoberhaupt ausgeübte Autorität sehr unterschiedlich, aber beide können bei derselben Person liegen, bei der es sich möglicherweise um eine Frau handelt. Wenn sie verschiedenen Personen übertragen werden, stellen sie eine Art *Eigentumswohnung dar*, beispielsweise in Fällen, in denen nicht nur die Zustimmung der Eltern, sondern auch des Familienoberhaupts erforderlich ist.

Das Oberhaupt einer Familie übt Autorität über alle seine Mitglieder aus, die das Gesetz als solche anerkennt. Es ist nicht notwendig, dass diese zu seinem oder ihrem Haushalt gehören, denn wie bereits erläutert wurde, kann die Gruppe, die durch das Wort Familie repräsentiert wird, mehrere Haushalte umfassen. Es müssen auch keine Verwandten sein, obwohl in der Regel eine gewisse Verwandtschaftsbeziehung besteht. Diese Befugnis umfasst das Recht auf Zustimmung zur Ehe und Scheidung, zur Adoption und zur Auflösung der Adoption jedes Familienmitglieds; das Recht, seinen Wohnsitz zu bestimmen; und das Recht, eine solche Person aus der Familie auszuschließen und ihre Rückkehr in diese zu verbieten. Das Familienoberhaupt hat auch das Erbrecht auf das Vermögen anderer Erben. Aber die Leitung einer Familie bringt auch Pflichten und Verantwortlichkeiten mit sich; die Pflicht, bedürftige Mitglieder zu unterstützen; unter bestimmten Umständen die Pflicht zur Vormundschaft und die Verantwortung für die Schulden aller.

Von Ausnahmefällen abgesehen ist die Nachfolge an der Spitze einer Familie auf Personen beschränkt, die „Familienmitglieder" im rechtlichen Sinne des Wortes sind. Diese ordnen sich nach dem Verwandtschaftsgrad. Bei Fehlen direkter Nachkommen kann ein Erbe auf andere im Gesetz festgelegte Weise ernannt werden.

ABDANKUNG. — Was Ausländer in Ermangelung eines besseren Wortes allgemein unter dem Begriff „Abdankung" verstehen, ist der Rückzug einer Person aus der Position des Familienoberhauptes. Da Frauen nach dem Bürgerlichen Gesetzbuch Familienoberhäupter werden können, folgt daraus, dass der Verzicht kein Vorrecht des männlichen Geschlechts darstellt.

Japanische Gelehrte, die sich mit diesem Thema befasst haben, insbesondere die Professoren Hozumi und Shigéno , sind sich einig, dass sie den Ursprung des gegenwärtigen Brauchs auf die Abdankung von Herrschern zurückführen, von denen es in einer frühen Periode der japanischen Geschichte Beispiele gibt. Diese früheren Abdankungen waren unabhängig von religiösen Einflüssen, aber mit dem Aufkommen des Buddhismus trat die Abdankung in eine neue Phase ein. In Anlehnung an den Ruhestand der Oberpriester buddhistischer Klöster, so scheint es, rasierten abdankende Monarchen ihre Köpfe und traten in das Priestertum ein. und als der Brauch später für politische Zwecke genutzt wurde, wurde der Umhang der Religion beibehalten. Vom Thron aus verbreitete sich der Brauch auf Regenten und hohe Staatsbeamte; und im 12. Jahrhundert war seine Einhaltung unter Beamten höherer Ränge so weit verbreitet, dass es, wie Professor Shigéno feststellt, für solche Personen fast die Regel war, sich im Alter von vierzig oder fünfzig Jahren aus der Welt zurückzuziehen und nominell einzutreten das Priestertum, wobei sowohl die Handlung als auch die Person, die sie ausführt, als *niūdō bezeichnet wird* . Im Laufe der Zeit war der Brauch der Abdankung nicht mehr auf Beamte beschränkt, sondern erstreckte sich auf den feudalen Adel und die Militärklasse im Allgemeinen, von wo aus er sich im ganzen Land verbreitete. In diesem Übergangsstadium wird der Zusammenhang mit der Phase deutlich, die es schließlich eingenommen hat. Doch mit der Ausweitung über den Kreis der offiziellen Würdenträger hinaus und der damit einhergehenden Loslösung von Traditionen und religiösen Bindungen, seien sie realer oder nomineller Natur, änderte die Abdankung ihren Namen. Es wurde nicht mehr *niūdō (Eintritt in die Religion)* genannt , sondern *inkio* (Rücktritt), wobei das alte Wort nur in seiner streng religiösen Bedeutung beibehalten wurde; und *Inkio* ist der heute gebräuchliche Begriff.

Da die Verbindung des Brauchtums mit der Religion längst verschwunden ist, wird der abdankende Japaner von heute keineswegs von dem Gefühl angetrieben, das frühere europäische Monarchen dazu trieb, ihre Tage in der Abgeschiedenheit des Klosters zu beenden, und das zum Ausdruck kommt in der Phrase „seine Seele erschaffen". Abgesehen vom Einfluss traditioneller Konventionen, der den großen Einfluss erklärt, den der Brauch auf die Nation erlangt, scheint das Motiv in gewisser Weise dem zu ähneln, das Menschen in anderen Ländern dazu veranlasst, sich aus dem aktiven Leben in einem Alter zurückzuziehen, in dem körperliche Gebrechen nicht geltend gemacht werden können als Grund. Im einen Fall wird jedoch das Geschäft oder der Beruf, die aktive Lebensarbeit, aufgegeben, während in Japan die Stellung als Familienoberhaupt aufgegeben wird, was zur Auslöschung des Individuums führt soweit es die Familie betrifft. Darüber hinaus bedeutet eine Abdankung zwar in der Regel die Aufgabe des Geschäfts, dies folgt jedoch nicht zwangsläufig. Dass der Grund für die Abdankung in vielen Fällen der Wunsch ist, den tyrannischen Rufen des Familienlebens zu entfliehen, das mit gesetzlichen Pflichten und Verantwortlichkeiten sowie langwierigen Zeremonien belastet ist, zeigt die Tatsache, dass die Zeit des größten Lebens eines Menschen Seine Tätigkeit geht nicht selten auf die Zeit zurück, als er sich von der Leitung der Familie zurückzog.

Wie bei der Adoption ist auch die Abdankung heute strenger geregelt als früher. Frauen dürfen unabhängig vom Alter abdanken; Aber ein Mann darf nicht abdanken, bis er sechzig Jahre alt ist, außer unter bestimmten gesetzlich vorgeschriebenen Bedingungen.

FAMILIENRÄTE . — Familienräte stellen, wie bereits dargelegt, die größere der beiden Gruppen dar, in die die japanische Gesellschaft unterteilt werden kann. Sie usurpieren viele der Funktionen, die wir normalerweise mit Gerichten verbinden, und obwohl gegen die Entscheidung eines Rates immer Berufung an letztere eingelegt werden kann, sind, abgesehen von der Zurückhaltung der meisten Menschen, diesen Schritt zu tun, die Chancen Erfolgsaussichten liegen zu weit entfernt, um eine häufige Anwendung zu begünstigen .

Es gibt zwei Arten von Familienräten: solche, die zur Entscheidung einer bestimmten Frage einberufen werden; und solche, die zu dem Zweck gegründet wurden, die Angelegenheiten nicht geschäftsfähiger Personen zu regeln. Erstere werden aufgelöst, wenn die Streitfrage geklärt ist; Letztere bestehen bis zum Wegfall der Geschäftsunfähigkeit fort. Die Einberufung eines Rates und die Auswahl seiner Mitglieder obliegt einem Gericht, in bestimmten Fällen können die Mitglieder jedoch durch Testament ernannt werden. Die Funktionen von Familienräten decken ein weites Feld ab und reichen von der Zustimmung zu Ehe und Adoption bis hin zum Schutz der Interessen eines Minderjährigen in Fällen, in denen die Interessen von Eltern und Kind im Widerspruch stehen. Ihre Autorität mindert in keiner Weise den Einfluss, den der weite Kreis der Verwandten, aus denen sie ausgewählt werden, auf ein Individuum ausübt, sondern dient vielmehr dazu, ihn zu verstärken; Ihre Existenz als eine Art Familiengericht schließt auch nicht die informelle Regelung von Familienangelegenheiten ohne Rückgriff auf die ausgeklügelten, gesetzlich vorgesehenen Mechanismen aus.

HOCHZEIT. — Vor Inkrafttreten des gegenwärtigen Bürgerlichen Gesetzbuches wurde die Frage der Ehe durch von Zeit zu Zeit erlassene Teilerlasse geregelt, die sich mit verschiedenen Punkten im Zusammenhang mit Ehe und Scheidung befassten, jedoch nie mit dem Thema als Ganzes. Die Gültigkeit der Ehe ist völlig unabhängig von der Trauung, die eine rein gesellschaftliche Funktion hat. Die Eheschließung erfolgt einfach durch Eintragung. Die Anzeige bei einem Standesbeamten erfolgt durch beide Parteien und zwei volljährige Zeugen. Diese Mitteilung kann entweder mündlich oder schriftlich erfolgen. Wenn sich der Standesbeamte davon überzeugt hat, dass die Ehe mit den gesetzlichen Bestimmungen übereinstimmt, wird der Name der Person, die in die Familie des anderen eintritt, in das Register dieser Familie eingetragen und aus dem Register der Familie, der er angehört, gestrichen Sie gehörte früher dazu. Das Heiratsalter für Männer beträgt siebzehn Jahre; das für Frauen fünfzehn. Niemand, der nicht das Familienoberhaupt ist, kann ohne Zustimmung des Familienoberhauptes heiraten. In vielen Fällen ist auch die Zustimmung der

Eltern, eines Vormunds oder eines Familienrates erforderlich. Das japanische Recht kennt zwei Arten der Scheidung: die gerichtliche Scheidung; und Scheidung durch Vereinbarung zwischen den Parteien.

FAMILIENREGISTRIERUNG . — Wenn ein Beweis dafür nötig wäre, dass die Gesellschaft in Japan sich auf die Familie und nicht auf den Einzelnen konzentriert , würde er von der Institution „Familienregistrierung" geliefert werden. Das Thema ist zu kompliziert, als dass es eine ausführliche Erwähnung auf diesen Seiten rechtfertigen würde. Es genügt zu erwähnen, dass in jedem Bezirk ein eigenes Register für jedes Haus geführt wird, in dem der Haushaltsvorstand auch der Familienoberhaupt ist; Es wird davon ausgegangen, dass diejenigen, deren Namen darin erscheinen , an dem betreffenden Ort ihr sogenanntes „ständiges Register" (*honséki) haben.* Personen, die Haushaltsvorstände, aber keine Familienoberhäupter sind, werden in anderen Familienregistern geführt. Daher handelt es sich bei den Namen, die zum Zeitpunkt der Erstellung eines Familienregisters unter der Adresse eines bestimmten Hauses eingetragen sind, nicht unbedingt um die Namen von Personen, die Mitglieder des angegebenen Haushalts sind. Es handelt sich auch nicht unbedingt um Personen, die im Bezirk ansässig waren oder sind. Es handelt sich lediglich um diejenigen aller Personen, die unabhängig von ihrem Wohnort Mitglieder der Familie sind, deren Oberhaupt der Bewohner des betreffenden Hauses *zum Zeitpunkt der Erstellung des Familienregisters ist*. Daher ist die Familie und nicht der Haushalt die Grundlage dieser Registrierung, wobei das Haus lediglich die Adresse angibt, an der das ständige Register erstellt wird. Familienregister werden erstellt, (1) wenn eine Person eine neue Familie gründet, oder (2) wenn das Familienoberhaupt beschließt, sein permanentes Register an einen anderen Ort zu übertragen; in diesem Fall wird das vorherige Register „ursprüngliches permanentes Register" (genséki) *genannt*). Außer in diesen Fällen sind Familienregistrierung und Aufenthalt völlig unabhängig voneinander.

Wie bei der Status- und Wohnregistrierung werden auch Angelegenheiten im Zusammenhang mit der Familienregistrierung vom Standesbeamten eines Bezirks erledigt. Es handelt sich um eine Mitteilung an diesen Beamten, die der Ehe und Scheidung, der Adoption und deren Auflösung, der Abdankung und der Nachfolge an der Spitze einer Familie Gültigkeit verleiht.

KAPITEL XXX
Bildung.

Vor der Restauration kümmerte sich der Staat wenig um Bildung. Tatsächlich gab es in Yedo , wie Tōkiō damals genannt wurde, zwei oder drei staatliche Schulen, die für Jugendliche aus der Militärschicht offen standen, und ähnliche Einrichtungen gab es in den Provinzen, sowohl in den Clan-Territorien als auch in denen der Shōgun . Darin wurde Unterricht in den chinesischen Klassikern und in militärischen Errungenschaften gegeben. Abgesehen von dieser dürftigen Deckung des Bildungsbedarfs blieb die Angelegenheit weitgehend in den Händen des Volkes selbst. Die Bildung, die für andere Kinder als die der Militärklasse als notwendig erachtet wurde, wurde in buddhistischen Tempelschulen (*Terakoya*) erhalten. Im Falle der Militärklasse trat Privatunterricht an die Stelle dieser Schulen, sowohl für den Grundschulunterricht als auch für die gewünschte weitere Ausbildung; Es ist üblich, dass Studierende ab einem bestimmten Alter Schüler eines angesehenen Gelehrten werden, in dessen Haus sie während ihres Studiums häufig wohnen. Aus dem Fehlen einer regelmäßigen offiziellen Kontrolle der Bildung kann nicht geschlossen werden, dass das Lernen in Japan entmutigt wurde. Im Gegenteil, sie wurde schon früh gefördert, sowohl vom Hof in der vorfeudalen Zeit als auch von den späteren Tokugawa-Herrschern, mit dem Ergebnis, dass die japanische Nation bekanntlich einen hohen Grad orientalischer Kultur erreicht hatte Art vor der Wiedereröffnung des Landes für den Auslandsverkehr. Doch das Interesse an Bildung war nur sporadisch. Es wurde kein Versuch unternommen, es zu systematisieren und zu einem Zweig der allgemeinen Verwaltung des Landes zu machen.

Im Programm der Männer, die die Restauration durchführten, nahm die Bildungsreform einen herausragenden Platz ein; aber solange der Feudalismus bestand, konnte nicht viel getan werden. Weder die Kontrolle der Bildung durch eine zentrale Autorität noch die Überwindung von Klassenvorurteilen durch die Öffnung der Bildung für alle war möglich. Die Vergrößerung der wenigen bestehenden Hochschulen, die Eröffnung einiger weiterer an den Orten, an denen sie am meisten benötigt wurden, die Einstellung ausländischer Lehrer und die Auswahl der Studenten waren alles, was im Moment erreichbar war. Die gewünschte Gelegenheit ergab sich mit der Abschaffung des Feudalismus und dem Verschwinden der Militärklasse. Im Sommer 1871 wurde das Dekret erlassen, das das Feudalsystem beseitigte; ein oder zwei Wochen später wurde das Bildungsministerium gegründet; und im folgenden Jahr (1872) wurde der erste Bildungskodex erstellt und verkündet. Aus dieser Zeit stammt die Schulpflicht für beide Geschlechter.

Auf den offenkundig utilitaristischen Geist, der in der Präambel des Kodex zum Ausdruck kommt, machte der verstorbene Baron Kikuchi, einst Bildungsminister, in seinen Londoner Vorträgen zu diesem Thema im Jahr 1909 aufmerksam. Religion wird darin weder erwähnt noch wird etwas gesagt über moralische Unterweisung. Der Kodex sah die Schaffung von nicht weniger als acht Universitäten und einer entsprechenden Anzahl von Grund- und Mittelschulen vor, was beides weit über die damaligen Anforderungen des Landes hinausging. Es war daher keine Überraschung, als dieser Plan 1879 aufgegeben wurde und an seiner Stelle ein besser an die bestehenden Verhältnisse angepasster Plan angenommen wurde. Dennoch war in diesen sieben Jahren ein guter Anfang gemacht worden. Es wurde der Grundsatz der Schulpflicht für alle Kinder zwischen sechs und vierzehn Jahren eingeführt. Die Tōkiō- Universität war gegründet worden, und obwohl die Erwartungen hinsichtlich des Wachstums der Mittelschulen nicht erfüllt worden waren, wurden bei der Gründung und dem Betrieb von Grundschulen zufriedenstellende Fortschritte erzielt.

Der Kodex von 1879, der der Grundschulbildung eine einfachere und praktischere Form gab, wurde seinerseits durch das Bildungsgesetz von 1886 ersetzt. Nach der neuen Maßnahme wurde die Grundschulbildung in zwei Kurse unterteilt; der normalen Bildung wurde mehr Aufmerksamkeit geschenkt; neue Merkmale in Form von moralischem und körperlichem Training wurden eingeführt; und die Methode, Bildungsangelegenheiten mittels Kodizes zu regeln, wurde eingestellt. In den folgenden Jahren wurden verschiedene Änderungen vorgenommen, aber das damals eingeführte System ist in seinen Grundzügen bis heute in Kraft.

An der Schwelle des gegenwärtigen Systems steht der nach europäischem Vorbild gestaltete Kindergarten.

Das eigentliche System beginnt bei den Grundschulen. Es gibt zwei Arten: die gewöhnlichen und die höheren Grundschulen. Im ersten Teil erstreckt sich der Kurs über sechs Jahre und ist für alle Kinder ab dem sechsten Jahr verpflichtend. Mit dem 13. Lebensjahr endet daher die Schulpflicht. Der normale Grundschulunterricht ist kostenlos, die Kosten werden durch örtliche Steuern gedeckt.

Von der normalen Grundschule geht das Kind, Junge oder Mädchen, dessen Bildung damit noch nicht endet, in die höhere Grundschule über. Hier dauert der Kurs zwei Jahre, wobei, wie an gewöhnlichen Grundschulen, ein Ergänzungskurs für diejenigen angeboten wird, die dies wünschen und die Ausbildung in diesem Stadium beenden.

In Grundschulen beider Schularten erhalten Jungen und Mädchen praktisch die gleiche Bildung. Sie werden an denselben Schulen und oft in denselben Klassen unterrichtet. Ab dieser Phase unterscheidet sich die Bildung von

Jungen und Mädchen sowohl hinsichtlich der Schulen als auch der dort unterrichteten Fächer. Vom Staat eingerichtete Grundschulen stehen Kindern aller Klassen offen; es gibt aber auch private Grundschulen gleicher Jahrgangsstufe, die gesetzlich anerkannt sind und einer amtlichen Aufsicht unterliegen.

Im Alter von vierzehn oder fünfzehn Jahren besucht ein Junge eine sogenannte Mittelschule, wo er fünf Jahre lang bleibt. Mit dem Abschluss dieses Kurses, zu dem er etwa neunzehn Jahre alt ist, hat ein japanischer Jugendlicher seine Allgemeinbildung abgeschlossen. Wenn er sich für eine weitere Ausbildung entscheidet, muss er sich spezialisieren und auf eine höhere Schule zur Vorbereitung auf die Universität, eine technische Schule, eine höhere Normalschule oder eine sogenannte „Sonderschule" (Semmonschule *)* wechseln Vielleicht.

Die pädagogische Ausbildung, die Mädchen nach dem Verlassen der höheren Grundschulen offensteht, ist weniger umfangreich. Sie können eine weiterführende Schule für Mädchen besuchen, die in etwa der Mittelschule für Jungen entspricht. Hier dauert das Studium vier bis fünf Jahre, mit einem Ergänzungsstudium, das sich über weitere zwei Jahre erstreckt. Oder sie besuchen eine normale oder technische Schule. Mit Ausnahme einiger höherer Normalschulen sieht der Staat keine weiteren Maßnahmen für die weiterführende Bildung von Frauen vor.

Privatunternehmen und Großzügigkeit haben viel dazu beigetragen, die Bildungsarbeit des Staates zu ergänzen. Neben den bereits erwähnten privaten Grundschulen befindet sich auch ein gewisser Anteil der Mittelschulen in privater Hand, während Bildungseinrichtungen auf höherem Niveau von den florierenden Colleges bereitgestellt werden, die von Herrn Fukuzawa und Marquis Ōkuma gegründet wurden . Es gibt auch buddhistische Schulen und Bildungseinrichtungen verschiedener Art, die ganz oder teilweise von ausländischen Missionsgesellschaften unterhalten werden. Auch ist die so auf Privatinitiative ausgerichtete Förderung nicht auf Schüler eines Geschlechts beschränkt. Wie sehr die Bildung der Frauen davon profitiert hat, zeigt die Existenz so bekannter Institutionen in der Hauptstadt – um nur einige zu nennen – wie die von Herrn Narusé gegründete Frauenuniversität ; das Girls' College, das seine Gründung Frau Shimoda verdankt ; und die Schulen für Mädchen des Adels, an denen die verstorbene Kaiserin, ihre Gründerin, besonderes Interesse zeigte.

Sehen wir uns nun an, was im gegenwärtigen Bildungssystem gelehrt wird.

Der Unterricht in Grundschulen umfasst Moral; Lesen, Schreiben und Briefeschreiben, die in einem Fach namens „Japanische Sprache" zusammengefasst sind; Rechnen und der Gebrauch des Abakus, des Zählbretts der Antike; Gymnastik, Zeichnen und Singen; und (für Mädchen)

Handarbeiten. Im höheren Grundkurs sind drei zusätzliche Fächer – Geschichte, Geographie und Naturwissenschaften – enthalten.

Man könnte sich fragen, was mit Unterricht in „Moral", dem ersten Fach, das in diesem Lehrplan erwähnt wird, gemeint ist? Es basiert auf den Grundsätzen des 1890 erlassenen Kaiserlichen Bildungsreskripts, von dem neben einem Porträt des Kaisers eine Kopie an den Wänden der Volksschulen hängt. Baron Kikuchi sagt dazu in den oben erwähnten Vorträgen: „Unsere gesamte moralische und staatsbürgerliche Erziehung besteht darin, unsere Kinder so sehr mit dem Geist des Reskripts zu erfüllen, dass es ein Teil unseres nationalen Lebens wird." Es bedarf keiner Entschuldigung, um ausführlich auf einen Punkt einzugehen, dem er so viel Bedeutung beimisst.

Die Grundsätze, auf die im kaiserlichen Reskript Wert gelegt wird, sind größtenteils von der Art, mit denen der Leser mehr oder weniger vertraut ist, was sich in der Bezugnahme auf die Pflichten eines japanischen Untertanen gegenüber den kaiserlichen Vorfahren, dem Souverän und dem Staat zeigt und für die Gesellschaft ihr konfuzianischer und shintoistischer Ursprung. Es wurde darauf hingewiesen, dass in der Präambel des Kodex von 1872 keinerlei Verweis auf die Morallehre enthalten ist. Die Tatsache, dass in dem achtzehn Jahre später veröffentlichten Reskript eine andere Anmerkung enthalten ist, rechtfertigt nicht den Schluss, dass die Regierung einen Grund für eine Änderung gesehen hatte seine Meinung zu dem Thema. Denn nur ein Jahr vor dem Erscheinen des Reskripts hatte das Bildungsministerium eine Mitteilung herausgegeben, in der es die Trennung von Religion und Bildung für unerlässlich erklärte und die Vermittlung jeglicher religiöser Lehren oder die Durchführung religiöser Zeremonien an lizenzierten Schulen verbot vom Staat. Es erscheint daher richtig anzunehmen, dass die Haltung der Regierung in Bezug auf das Verhältnis von Religion und Bildung unverändert blieb, dass aber die offizielle Meinung zwischen Morallehren, die mit religiösen Lehren identifiziert werden, und Morallehren allgemeinerer Art unterschied Art. Diese Annahme wird durch die große Ähnlichkeit des Reskripts mit einem Dokument mit dem Titel „ *Eine kurze Ermahnung an das Volk* "gestützt, das, wie wir gesehen haben, von der neuen Regierung in den frühen Tagen der Restauration veröffentlicht und weit verbreitet wurde. Das damals angestrebte Ziel bestand darin, das alte feudale Gefühl der Hingabe an den Clanhäuptling auf den Souverän umzulenken; den Thron zu einem Zentrum zu machen, um das sich die Nation sammeln konnte, zu einer Zeit, als das Gefüge des alten Japan in Stücke zerfiel. Das Ziel des Reskripts war dasselbe und berücksichtigte die veränderten Umstände, nämlich die Stärkung des Regierungsrahmens durch die Förderung eines neuen Geistes des Patriotismus und der Loyalität. Dass Bildung als Mittel gewählt werden sollte, um der Nation den Geist von Geboten einzuprägen, die mit der Kraft der Tradition an das Nationalgefühl appellieren, war ganz natürlich.

Für den Moralunterricht in Grundschulen werden Lehrbücher bereitgestellt. Diese enthalten eine Reihe illustrierter Predigten, die die Tugenden vermitteln sollen, die in der konfuzianischen Ethik im Vordergrund stehen. In Gesprächen mit den Lehrern werden den Kindern auch Belange des Kaisers und des Hofes vermittelt. Sie werden dazu gebracht, das Ausmaß der kaiserlichen Fürsorge für das Volk zu erkennen; Diese Lektionen führten zu der unvermeidlichen Schlussfolgerung, dass die berühmten Tugenden des Souveräns verehrt werden müssen. Ähnliche Lektionen werden zum Thema der Nationalflagge gegeben, mit dem Ziel, den Patriotismus zu fördern. In dieser Hinsicht haben die Japaner das Glück, ein Wort chinesischen Ursprungs zu besitzen, das wörtlich „das Land für empfangene Gefälligkeiten vergelten " bedeutet und so das Pflichtgefühl vermittelt, auf dem die Tugend beruht. Im dritten Schuljahr lernen die Kinder die Kaiserin kennen und erwerben allgemeine Kenntnisse über ihre Stellung und Verantwortlichkeiten. Und so lernen sie in aufeinanderfolgenden Kursen und immer in der gleichen Reihenfolge moralischer Ideen, was unter „dem grundlegenden Charakter des japanischen Reiches" zu verstehen ist – das heißt, dem Verhältnis des Kaiserhauses zum Volk – und so etwas wie Regierungs- und Bürgerpflichten.

Erst wenn die Mittelschulen erreicht sind, macht sich der Einfluss des westlichen Denkens in nennenswertem Ausmaß bemerkbar. Dort umfasst der Lehrplan Moral, japanische Sprache und chinesische Literatur, Fremdsprachen, Geschichte, Geographie und Mathematik. Der Moralunterricht wird so weitergeführt, wie er in den Grundschulen begonnen wurde. Es ist weder die Schuld des Lehrers noch des Systems, wenn der Schüler am Ende dieser Phase seiner Ausbildung keine allgemeine Vorstellung davon erlangt hat, was von ihm im Hinblick auf seine Pflichten gegenüber Vorfahren, Eltern und Nachbarn verlangt wird , seiner Verpflichtungen gegenüber sich selbst, der Familie, der Gesellschaft und dem Staat, und wenn er nicht auch von einem tiefen Gefühl für das glückliche Privileg der japanischen Nationalität erfüllt ist. Es wird sofort deutlich, wie weit das Thema Moral abdeckt und wie praktisch das Ziel ist, dem es dienen soll. Der Fremdsprachenunterricht an Mittelschulen kommt praktisch dem Englischunterricht gleich, da dies in den meisten dieser Schulen die einzige unterrichtete Fremdsprache ist. Wenn die Fortschritte beim Erlernen der englischen Sprache trotz der Bedeutung, die ihr beigemessen wird, enttäuschend sind, ist das Ergebnis auf die falsche Sparsamkeit zurückzuführen, die kompetente ausländische Lehrer für Japanisch einsetzt, deren Kenntnisse und Aussprache oft mangelhaft sind.

Der Lehrplan der höheren Schulen, der Vorbereitungsstufe für die Universität, variiert je nach den drei Abschnitten – Recht und Literatur, Naturwissenschaften und Medizin –, in die sie unterteilt sind. Vier Themen sind jedoch allen dreien gemeinsam. Dies sind Moral, die japanische Sprache, Fremdsprachen und Gymnastik. In jedem Abschnitt werden zwei von drei Fremdsprachen unterrichtet: Englisch, Französisch und Deutsch. Im medizinischen Bereich ist Deutsch und im naturwissenschaftlichen Bereich Englisch obligatorisch.

Der Verlauf der universitären Lehre bedarf keiner besonderen Bekanntmachung. Es genügt zu sagen, dass es sich an westlichen Vorbildern orientiert.

In den letzten Jahren hat die Regierung der Einrichtung technischer und normaler Schulen besondere Aufmerksamkeit gewidmet. Die Tatsache, dass die Schüler dieser letztgenannten Schulen eine Disziplinarausbildung erhalten, die der an Militärschulen ähnelt, zeigt das Bestreben der Behörden, den militärischen Geist in der Nation zu fördern.

Es ist ersichtlich, dass auf jeder Stufe des gegenwärtigen Bildungssystems die japanische Sprache eines der Unterrichtsfächer ist. Dies liegt nicht weniger an seinem komplizierten Charakter als auch an der hohen Schreibkunst, die mit Pinseln und nicht mit Federn erreicht wird. Als ich in einem früheren Kapitel auf diesen Punkt anspielte, wurde auf die Schwierigkeiten aufmerksam gemacht, die sich aus der Übernahme der chinesischen Schriftsprache durch ein Volk ergaben, das über eine eigene gesprochene Sprache verfügte, und auf die Verwirrung, die später eintrat, als die entleihende Nation schriftliche Schriften erfand für sich selbst. Das Endergebnis dieses Prozesses des sprachlichen Wachstums war die Aufteilung der japanischen Schrift in drei Hauptzweige: den chinesischen Stil, in dem chinesische Hieroglyphen ähnlich wie die Chinesen verwendet werden; die einheimischen Schriften oder Silbenschriften; und ein dritter, der eine Mischung der beiden anderen ist und in unterschiedlichen Formen heute am häufigsten verwendet wird. Von den beiden Elementen, die somit die japanische Sprache der Gegenwart bilden – chinesische Schriftzeichen und die japanischen Silben – hat sich das erstere bisher als das stärkere und in gewissem Sinne als das nützlichere erwiesen: stärker, weil es das Mittel dafür war welche chinesische Zivilisation eingeführt wurde, und von ihrer Verbindung mit dem Fundament, auf dem Bildung immer ruhte; nützlicher, weil seine Wirkung auf die nationale Kultur nicht nur die Wiedereröffnung Japans für den Verkehr mit Ausländern überstanden hat, sondern sich aufgrund der Tatsache, dass die einheimischen Schriften nur für das Schreiben einheimischer Wörter angepasst sind, um das Zwanzigfache verstärkt hat. So wie wir Latein und Griechisch nutzen, um neue Wörter zu prägen, wenn wir sie brauchen, so haben sich die Japaner beim Chinesischen immer auf die gleiche Suche begeben; und seit fast einem Jahrhundert sind sie eifrig damit beschäftigt, neue Wörter für all die neuen Dinge zu prägen, die ihnen im Zuge der westlichen Gelehrsamkeit begegnet sind. So erfüllt die Sprache, die vor vielen Jahrhunderten dazu diente, chinesische Institutionen und Kultur vorzustellen, heute dieselbe Aufgabe für Institutionen und Kultur ganz anderer Art. In dieser Hinsicht scheint Japan der Sport des Schicksals gewesen zu sein. Sie begann mit Chinesisch als Hauptfaktor ihrer Kultur. Die Erfordernisse der Sprache und der Umstände trieben sie in späteren Jahren, als ihre Zivilisation in eine entgegengesetzte Richtung tendierte, dazu, unter veränderten Bedingungen erneut auf dieselben Ressourcen wie zuvor zurückzugreifen und sich so erneut der Wirkung genau der Einflüsse auszusetzen, von denen sie ausging Im ersten Anflug ihrer Begeisterung für westliche Reformen strebte sie danach, sich zu emanzipieren.

Wie sehr die Bildung durch die Schwierigkeit der Sprache behindert wird, wird deutlich, wenn erwähnt wird, dass ein japanischer Jugendlicher, der den gesamten vom Staat angebotenen Bildungskurs absolviert hat, diese Sprache noch studiert, wenn er an der Schwelle zur Universität steht; und dass er, wenn er eine wirkliche Literaturwissenschaft erreichen möchte, dieses Studium noch einige Zeit nach Abschluss seiner Ausbildung fortsetzen muss. Um zu zeigen, dass die Schwierigkeit nicht übertrieben wurde, könnte es angebracht sein, zwei unabhängige Autoritäten zu zitieren, beide Japaner. Baron Kikuchi sagt uns: „Für diejenigen, die sich mit Bildung beschäftigen, insbesondere mit Grundschulbildung, ist die Schwierigkeit, mit der ein Kind beim Erlernen chinesischer Schriftzeichen konfrontiert wird, eine allgegenwärtige und drängende Frage; Bei so vielen zu lernenden Fächern ist es unmöglich, die enorme Zeit aufzuwenden, die für das bloße Erlernen von Ideogrammen erforderlich wäre .“... „Wenn wir zur Sekundarstufe kommen“, fügt er hinzu, „nimmt die Schwierigkeit noch zu. ” Marquis Ōkuma , der das gleiche Portfolio innehatte und mit der Autorität eines führenden Pädagogen spricht, ist noch nachdrücklicher. „Die größte Schwierigkeit im Zusammenhang mit Bildung ist“, sagt er, „die extreme Komplexität der japanischen Sprache.“ Heutzutage versuchen japanische Studenten das, was nur den Stärksten und Klügsten unter ihnen möglich ist, nämlich zwei oder drei von hundert. Sie versuchen, ihre eigene Sprache zu lernen, die in Wirklichkeit aus zwei Sprachen besteht ... während sie versuchen, Englisch und Deutsch zu lernen und darüber hinaus technische Fächer wie Jura, Medizin, Ingenieurwesen oder Naturwissenschaften zu studieren.“

Es ist ein Fehler anzunehmen, dass Japan zwangsläufig europäisiert werden muss, weil ausländische Einflüsse so stark in den Bildungsverlauf einfließen. Dafür ist das Fundament ihrer Kultur zu tief gelegt. Solange die Grundschulbildung so, wie sie jetzt ist, praktisch unberührt von westlichen

Einflüssen bleibt, wird es wahrscheinlich keine großen Veränderungen der fraglichen Art geben. Diese Bildungsreform, wie sie im gegenwärtigen System dargestellt wird, impliziert lediglich, dass Bildung zu einem der Hauptanliegen des Staates wird und westliches Wissen verbreitet wird. Das erste hat die ganze Nation betroffen; letztere hauptsächlich die Oberschicht.

KAPITEL XXXI
Die Macher des modernen Japan – Wie Japan regiert wird.

Auf den vorangehenden Seiten wurde über die Schritte berichtet, mit denen eine Nation im Fernen Osten zu ihrer heutigen Position als Großmacht aufgestiegen ist. Der Zeitraum dieser Transformation beträgt weniger als ein halbes Jahrhundert. Denn während der ersten zwei Jahrzehnte nach der Wiedereröffnung Japans für den Verkehr mit dem Ausland waren reaktionäre Einflüsse, unterstützt durch antiausländische Gefühle, wie wir gesehen haben, im Aufwind; und erst nach der Restauration begann die Umgestaltung aller Verwaltungszweige. Während man dem japanischen Volk die volle Anerkennung dafür zollt, dass es über die Qualitäten verfügte, die diese große Veränderung ermöglichten, sollte die Genialität der Staatsmänner, von denen es geleitet wurde, nicht außer Acht gelassen werden.

Obwohl die Neuausrichtung der nationalen Politik, deren Vollendung sich heute zeigt, erst nach der Restauration erfolgte, datieren die Verdienste einiger der damit verbundenen Staatsmänner aus der Zeit vor dieser Zeit. Die Wiederherstellung war nicht das Werk eines Tages, die Wirkung eines plötzlichen Impulses. So schwach die Shōgun- Regierung auch war, sie war durch die bloße Länge ihrer Dauer, durch die Last der Zeit und des Gebrauchs zu fest verankert, als dass sie leicht gestürzt werden könnte. Bevor dies geschehen konnte, war etwas in der Natur einer vereinten Bewegung, einer Kombination von Kräften, unerlässlich. Und gerade dieser Punkt bereitete unter den damals herrschenden feudalen Verhältnissen die größte Schwierigkeit. Die militärische Stärke war, wie sich später zeigte, vorhanden, aber die Eifersüchteleien der Clans standen einer gemeinsamen Anstrengung im Weg. Der erste Aufstandsversuch des Chōshiū- Clans scheiterte. Man wird sich aus diesem Grund daran erinnern, dass der Satsuma-Clan auf der Seite der Yedo- Regierung stand. Erst als diese beiden Clans zur Zusammenarbeit überredet wurden und sich ihnen zwei weitere sowie unzufriedene Mitglieder der Militärklasse anschlossen, die aus allen Teilen des Landes zum imperialistischen Standard strömten, wurde es möglich, einen Aufstand zu organisieren Ausmaß, das den Fortbestand der Tokugawa-Herrschaft gefährdete. Bei der Bildung dieses Bündnisses erlangten die Männer, die später die Hauptämter unter der neuen Regierung bekleideten, erstmals eine herausragende Stellung. Sie bilden sozusagen eine eigene Gruppe als Pioniere der imperialistischen Bewegung. Es war eine andere und spätere Gruppe von Männern, die die so begonnene Arbeit aufnahmen und die Aufgabe der Modernisierung Japans vollendeten.

Was uns japanische Schriftsteller über die Beziehungen zwischen dem Hof von Kiōto und der Yedo- Regierung berichten, macht sehr deutlich, dass die *Kugé oder Hofadligen, die früher das Land regiert hatten, die* Shōguns nie als Usurpatoren betrachteten Das Kapital steht im Mittelpunkt ständiger Intrigen, die sich gegen die damalige Regierung richten. Daher war es nur natürlich, dass die imperialistische Bewegung in Kiōto starke Unterstützung fand und dass die Männer, die das heikle und gefährliche Projekt in Angriff nahmen, die südlichen Clans im organisierten Widerstand gegen das Shōgunat zu vereinen , in der Lage sein sollten, für das Geheimnis zu bürgen Die Genehmigung des Throns, dessen formelle Sanktion in Staatserlassen festgehalten wurde, blieb bis in die letzten Tage der Tokugawa-Herrschaft einer der wenigen Reste von Prestige, die dem Souverän noch verblieben waren. Obwohl die *Kugé* als Körperschaft lange von der aktiven Teilnahme an öffentlichen Angelegenheiten ausgeschlossen waren, waren sie zu der fraglichen Zeit kaum besser als Nichtigkeiten, angesichts der Tatsache, dass die Bewegung in der Kontemplation die Wiederherstellung direkter imperialer Herrschaft zum erklärten Ziel hatte In der Regel scheint es als wesentlich erachtet worden zu sein, eine enge Verbindung zum Gerichtshof herzustellen. Dies erklärt die Einbeziehung zweier Hofadliger, Sanjō und Iwakura , von denen jeder später den Titel eines Prinzen erhielt. Ersterer, so heißt es, verdankte seine Wahl vor allem dem Zufall der Geburt. Als Vertreter einer der ältesten *Kugé-* Familien verlieh allein sein Name der imperialistischen Sache Gewicht. Von ihm hören wir im weiteren Verlauf der politischen Lage nur noch wenig, abgesehen davon, dass er den Posten des Premierministers besetzt hat. Iwakura stand auf einer anderen Grundlage. Seine Führungsqualitäten und sein natürliches Talent für geschäftliche Angelegenheiten machten seine Dienste unverzichtbar und er war mehrere Jahre lang eine dominierende Persönlichkeit im Ministerium. Zwei der bemerkenswertesten Clanmitglieder, die in dieser frühen Zeit mit Iwakura in Verbindung gebracht wurden, waren Ōkubo (Vater des heutigen Marquis), ein Eingeborener von Satsuma, dessen Tod durch Attentäter im Jahr 1878 bereits erwähnt wurde, und Kido (Vater des (heutiger Marquis), ein gebürtiger Chōshiū , der nicht lange nach der Bildung der neuen Regierung an einer Krankheit starb. Beide vereinten großes Können mit sehr liberalen Ansichten, wobei die Übernahme westlicher Ideen beim Wiederaufbau des Verwaltungssystems größtenteils ihrer Initiative zu verdanken war. Vom älteren Saigō , dem zunächst einflussreichsten Mitglied dieser Gruppe, hat der Leser bereits im Zusammenhang mit dem Satsuma-Aufstand gehört. Wie man sehen wird, gehörten alle drei entweder dem Satsuma- oder dem Chōshiū- Clan an. Die Meinungsverschiedenheiten auf Ministerebene, die zum Rückzug führender Männer der beiden anderen Clans, die an der Restauration teilgenommen hatten, aus der Regierung führten, führten, wie bereits erläutert, dazu, dass die Tosa- und Hizen-Clans schon früh von der

Bildfläche verschwanden das neue *Regime* und die Leitung der Angelegenheiten, die bis heute von den Staatsmännern Satsuma und Chōshiū übernommen und fortgeführt werden . Die Liste derjenigen, die in dieser kritischen Zeit bekannt wurden, wäre jedoch unvollständig, wenn nicht die Namen Itagaki und Gotō von Tosa sowie Soyéshima und Ōki von Hizen hinzugefügt würden .

Die auffälligsten Staatsmänner, die als Verfasser des zweiten und späteren Satzes erwähnt wurden – eine Beschreibung, die nicht ganz zutreffend ist, da sich die Karrieren einiger mit denen ihrer Vorgänger überschnitten – sind die Prinzen Yamagata, Itō, Ōyama und Katsura sowie die Marquisen Inouyé , Matsugata , Ōkuma und Saionji. Ihre Namen sind der Öffentlichkeit im Ausland seit langem bekannt, denn alle wurden zu der einen oder anderen Zeit als berechtigt anerkannt, im Volksmund *Genrō* oder Älteste genannt zu werden, ein Begriff, der für die früheren Staatsmänner nie verwendet wurde. Auf die Rolle, die jeder einzelne beim Aufstieg Japans spielte, wurde im Verlauf dieser Erzählung bereits aufmerksam gemacht. Mit Ausnahme der beiden letztgenannten waren alle diese sogenannten *Genrō Mitglieder* des Satsuma- oder Chōshiū -Clans.

Bei einem so gewaltigen Unterfangen wie der Umgestaltung der Institutionen einer Nation nach völlig neuen Grundsätzen, die ihrer Natur nach den traditionellen Gepflogenheiten so sehr widersprachen, arbeiteten notgedrungen viele Köpfe mit. Die Auswahl für den vorliegenden Zweck nur der wenigen, deren Namen in Japan immer ein Begriff sein werden, impliziert keinen Mangel an Anerkennung dessen, was viele andere getan haben, die zu ihrer Zeit weniger auffällig waren und dem Land bedeutende Dienste geleistet haben. Bei der Einschätzung der Schwierigkeiten, mit denen die Staatsmänner konfrontiert waren, die sich der Aufgabe widmeten, westliche Reformen einzuführen und die nach der Restauration angenommene liberale Politik erfolgreich aufrechtzuerhalten und durchzusetzen, sollten die gefährlichen Bedingungen berücksichtigt werden, unter denen ein Großteil dieser Arbeit geleistet wurde. Der Widerstand, auf den sie stießen, kam, wie wir gesehen haben, von zwei Seiten: von Reaktionären, die eine Zeit lang sehr ausländerfeindlich eingestellt waren, und von solchen, die in ihren Ansichten fortgeschrittener waren als die Minister selbst. Die alten Vorstellungen von Vendetten, die, solange der Feudalismus andauerte, mit offiziellen Sanktionen verfolgt werden konnten, hatten eine Atmosphäre der Lebensunsicherheit geschaffen, die bis weit in die Meiji-Ära anhielt. Die Häufigkeit politischer Attentate und die selbst in jüngster Zeit getroffenen Vorsichtsmaßnahmen, um Regierungsmitglieder vor Angriffen zu schützen, zeigen, wie real die Risiken waren, denen prominente Staatsmänner ausgesetzt waren.

Der Einfluss des *Genrō* und der früheren Führer der Restaurationsbewegung, die diese Bezeichnung nie erhielten, auf öffentliche Angelegenheiten wurde nie in Frage gestellt. Die Kolumnen der japanischen Presse haben immer wieder bezeugt, welche Position sie in der öffentlichen Wertschätzung eingenommen haben. Sie scheinen von Anfang an die Funktionen übernommen zu haben, die früher der Staatsrat zu Tokugawa-Zeiten ausübte, mit dem Unterschied, dass ihnen als Körperschaft nie eine offizielle Anerkennung zuteil wurde. Das japanische Familiensystem gab den *Genrō die Möglichkeit* , ihre Position sowohl durch das Band der Adoption als auch durch das der Ehe zu stärken; und indem sie davon Gebrauch machten, folgten sie dem Beispiel des feudalen Adels und der Höflinge früherer Tage. Auf diese Weise waren mehrere durch eine oder beide dieser Bindungen miteinander verbunden, wobei die so erlangte Unterstützung unabhängig von der Unterstützung war, die von ihren rein politischen Anhängern kam. Als im Zuge des Verwaltungsumbaus das Ministerium nach europäischem Vorbild neu organisiert wurde, wurde die genaue Position, die es einnahm, im Volksmund nicht unzutreffend durch den Ausdruck *Kuromaku-daijin ausgedrückt* , der frei übersetzt „unsichtbare Staatsminister" bedeutet. Die dadurch entstandene anomale und einzigartige Situation wird verständlich, wenn erklärt wird, dass das damalige Ministerium je nach den Umständen vollständig aus *Genrō bestehen könnte* , obwohl dies in letzter Zeit ungewöhnlich wurde, oder mehrere *Genrō* oder sogar keine umfassen könnte. Im letztgenannten Fall hatte das Ministerium ohne *Genrō* kaum Einfluss auf Entscheidungen in wichtigen Fragen. In den letzten Jahren ist die Zahl der überlebenden *Genrō* allmählich zurückgegangen. Auch andere Ursachen als die des Todes – nämlich das zunehmende Alter, das geringere Ansehen späterer Staatsmänner und die Verfassungsänderungen, die zur Schaffung zweier beratender Gremien führten, des Geheimen Rates und der Hofräte – haben tendenziell den Einfluss des Obersten Rates verringert *Genrō* , die noch übrig sind. Die Einrichtung dieser beiden beratenden Gremien hatte einen wichtigen Einfluss auf die Richtung der Angelegenheiten. Die einst in politischen Kreisen vorherrschende Vorstellung, dass die Reihen des *Genrō* von Zeit zu Zeit je nach Gelegenheit durch die Einführung jüngerer und aufstrebender Staatsmänner gestärkt würden, was in ein oder zwei Fällen tatsächlich der Fall war, scheint nicht der Fall zu sein stießen auf allgemeine Zustimmung. Die gegenwärtige Tendenz scheint eher in der Richtung zu liegen, den Kreis einflussreicher Staatsmänner zu erweitern, um auch diejenigen Mitglieder des Geheimen Rates und des House of Peers sowie Hofräte einzubeziehen, deren Alter (dem immer noch großer Respekt entgegengebracht wird) Erfahrung hat , und Clanverbindungen markieren sie zur Auswahl. Wenn diese Tendenz anhält, wird sie dazu führen, dass ein Zustand aufrechterhalten wird, in dem das Kabinett wie bisher in einer Position der Unterordnung unter eine höhere, wenn auch verschleierte

Autorität gehalten wird; denn die Verfassung funktioniert ohne übermäßige Reibung, und weder das Unterhaus noch die politischen Parteien, die es vertritt, verfügen über große wirkliche Macht.

In der modernen Entwicklung Japans gibt es einige hervorstechende Punkte, die Aufmerksamkeit erregen. Die Eröffnungsfolge selbst ist eine davon. Abgesehen von der Tatsache, dass die gestürzte Regierung ihre Zeit überdauert hatte, weist die Restauration keine große Ähnlichkeit mit anderen Revolutionen auf. Der Impuls, der es hervorbrachte, kam nicht vom Körper des Volkes. Es handelte sich in keiner Weise um einen Volksaufstand – er war auf Klassenbeschwerden zurückzuführen und richtete sich gegen die Unterdrückung, die unerträglich geworden war. Die bestehende Unzufriedenheit war von einer Art, wie sie überall zu finden ist, wenn die Verwaltungsmaschinerie Anzeichen eines Zusammenbruchs zeigt. Es handelte sich auch nicht gänzlich um eine Bewegung von oben, wie sie andernorts dem Feudalismus durch die Konzentration der Autorität in den Händen eines Monarchen ein Ende gesetzt haben. In ihren Anfängen handelte es sich lediglich um eine gegen die Shōgun- Regierung gerichtete Bewegung eines Teils der Militärklasse, die den südlichen (oder, wie die Japaner sagen würden, westlichen) Clans angehörte. Der Ruf „ Ehre den Souverän“ verdankte seine Wirkung vor allem dem Aufruf, Ausländer zu vertreiben, der damit einherging. Die Abschaffung des Feudalismus war größtenteils ein nachträglicher Gedanke.

Weitere herausragende Ereignisse in der Reihenfolge der Ereignisse sind der Satsuma-Aufstand (bei dem das fortschrittliche Element des Clans die Regierung unterstützte); die Bildung einer parlamentarischen Regierung; Vertragsrevision , bei der Großbritannien die Führung übernahm; der Krieg mit China und der mit Russland; die Annexion Koreas; und in jüngerer Zeit der Große Krieg.

Hätten die Satsuma-Aufständischen gesiegt, als sie sich zum Aufstand erhoben, wäre die neue Richtung der japanischen Politik gestoppt worden, mit Ergebnissen, die ganz anders waren als alles, was wir heute sehen. Mit der Einführung einer parlamentarischen Regierung, die zusammen mit der Verfassung in Kraft trat, brach Japan endgültig mit seinen alten Traditionen und schloss sich den westlichen Ländern an. Der Abschluss des neuen Vertrags zwischen Großbritannien und Japan, dem der Abschluss ähnlicher Verträge mit anderen ausländischen Mächten folgte, setzte der schelmischen Aufregung um eine Vertragsrevision ein Ende, die die Regierung lange beunruhigt hatte. Der Krieg mit China, der das japanische Territorium und die materiellen Ressourcen vergrößerte, offenbarte eine im Ausland ungeahnte militärische Stärke und verschaffte Japan eine neue und beherrschende Stellung im Fernen Osten. Von noch größerer Bedeutung waren die Ergebnisse des russisch-japanischen Krieges. Es veränderte das gesamte Gesicht der fernöstlichen Angelegenheiten und verschaffte Japan die Aufnahme in die Reihen der Großmächte. Durch die Annexion Koreas verstärkte Japan seine militärische Sicherheit und beseitigte, was in den vergangenen Jahren eine ständige Quelle für Unruhe in den Angelegenheiten des Fernen Ostens gewesen war. Wir haben gesehen, wie sich der Große Krieg und die Ausweitung der von ihm eroberten Gebiete auf die Finanzlage Japans ausgewirkt haben. Zu den weiteren Konsequenzen, die sich für das Land aus der Niederlage Deutschlands, dem Zusammenbruch Russlands und dem neu erwachten Interesse der Vereinigten Staaten an Außenfragen ergeben könnten, lässt sich mit Sicherheit nur sagen, dass Spekulationen in diesem Punkt wenig hilfreich sein werden aus Analogien, nach denen in der Vergangenheit gesucht wurde.

Auf die Frage: Wie viel hat sich in Japan verändert? Eine Antwort ist schwierig. Äußerlich sind die Auswirkungen der umfassenden Übernahme eines Großteils der materiellen Zivilisation des Westens natürlich sehr deutlich. Ob diese Auswirkungen viel tiefer reichen, ist eine andere Frage. Man muss bedenken, dass sich Japan in einer Übergangsphase befindet. Die aus dem Ausland importierten neuen Ideen existieren neben den alten, so dass das frühere Gleichgewicht der Dinge verschwunden ist. Zwei Beispiele aus höchsten und niedrigsten Kreisen sollen den noch immer andauernden Konflikt zwischen der alten und der neuen Kultur veranschaulichen. Der 1873 für offizielle Zwecke eingeführte gregorianische Kalender hat in der Landwirtschaft sowie bei den Pilgerfahrten und religiösen Festen, die im japanischen Leben eine so wichtige Rolle spielen, kaum eine Bedeutung. Diese werden noch immer nach dem alten Kalender durchgeführt. Dies ist nicht verwunderlich, da das Innere Japans erst seit 1899, dem Datum, an dem die überarbeiteten Verträge in Kraft traten, für den Aufenthalt und den Handel mit Ausländern geöffnet war. Seitdem hat sich der Außenhandel darüber hinaus weiterhin in den zunächst geschaffenen Kanälen, den sogenannten Vertragshäfen, abgewickelt, während der Rest des Landes vom Außenverkehr nur wenig berührt wurde. Ein ähnlicher Kontrast ist im zeremoniellen Ablauf erkennbar. Bei bestimmten staatlichen Anlässen übt der Souverän die Funktionen eines europäischen Monarchen gemäß den Formalitäten europäischer Gerichte aus. In anderen Fällen leitet er als Hohepriester im an den Palast angeschlossenen Schrein einen Shintō-Gottesdienst nach einem Ritual, das so alt ist, dass es fast unverständlich ist und völlig im Widerspruch zu den modernen Vorstellungen steht, die die Nation übernommen hat. Für diejenigen, die den japanischen Fortschritt in den letzten fünfzig Jahren des Auslandsverkehrs studiert haben, wäre es keineswegs überraschend, wenn in nicht ferner Zukunft das derzeitige Bürgerliche Gesetzbuch, das auf dem sächsischen Gesetzbuch basiert, mit dem Ziel überarbeitet würde, es zu verbessern in Einklang mit japanischer Tradition und Stimmung.

Milton Keynes UK
Ingram Content Group UK Ltd.
UKHW011122180424
441376UK00004B/142

9 789359 251035